June Fourth: The True Story

中國「六四」眞相

上冊

張良 編著

明鏡出版社

June Fourth: The True Story

First published in 2001 by Mirror Books

International Standard Book No. 962-8744-36-4

Written by Zhang Liang
Chief Coordinator Ho Pin
Cover by Xie Lingzhi

USA. Office: P. O. Box 366, Carle Place, NY11514-0366, U .S. A.
TEL:(516)338-6976 FAX: (516)338-6982
http://www.mirrorbooks.com/
E-mail: mirrorbo@mirrorbooks.com

對歷史負責
對人民負責

本書獻給

所有爲中國民主化而奮鬥的人們

所有關心中國前途與命運的人們

目錄

前言

《中國「六四」眞相》的深遠意義

● 黎安友(Andrew J. Nathan)

獲得中華人民共和國最高層的信息是不尋常的，但並不是沒有聽說過。例如，文化大革命期間，紅衛兵根據從中共檔案館拿出的材料，油印了兩冊毛澤東從來沒有公開發表過的講話和談話。一九七二年毛的妻子江青接受了美國歷史學家個人採訪，顯然是要鞏固她的毛澤東革命伴侶的顯赫地位。不那麼引人注目的例子還可以列舉一些，通過這些文獻和目擊者報告，人們得以窺見全世界最祕密的中國共產黨的政治制度(註一)。

在我看來，《中國「六四」真相》這本書的故事情節、披露的事件紀錄之全面、它的內容可能帶來的爆炸性都是史無前例的。

這本書謄錄了一九八九年春天發生在北京的那場震驚全世界的事件中，中國大陸最高層決策的詳細過程的數百份文獻的全部或部分。不僅因爲六四事件是共產主義中國歷史上最重要的事件之一，而且，整個世界和中國人民對中國任何一段歷史的高層政治，都從未得到過這麼接近核心的表述。

「天安門事件」從北京學生鼓勵深化改革和自由化開始，很快就演變成要求更具深遠意義的變革。天安門廣場學生的絕食贏得數千萬公民的支持，在幾個星期的時間裡，中國幾百個城市的市民上街要求政府作出回應。政府起初試圖等待在天安門廣場的絕食者撤出，然後同他們進行有限的對話，但政府最後只得通過命令和武力強迫他們撤出廣場。在作出上述決定的過程中，共產黨高層決策者經歷了文化大革命之後最嚴重的分裂。

有幾本值得注意的書和一部重要的電影紀錄片，根據學生和北京市民的觀點，講述了「天安門事件」這個故事(註二)。但我們從《中國「六四」真相》這本書中，第一次看到來自中南海(這是位於北京中心的前皇家公園，是中共中央、國務院所在地)的觀點。在中南海高高的大紅牆裡面的人通常以非正式的小圈子運作，這個小圈子不到十人，再加上一些幕僚。

所謂「八老」參與關鍵時刻的關鍵決策，「八老」事實上是中國憲法之外的終審上訴法庭。其中「三老」最有權，而最終的決定得由鄧小平作出，儘管他已交出除軍委主席一職之外的所有職務。他住在中南海之外的住宅裡，有自己的辦公人員。在那痛苦的幾個月中，最關鍵的會議都在他的住宅召開。

每天，各種情報從北京和全國各地的帶有盯梢和控制任務的機構如潮水般地涌入中南海。幾乎是每時每刻，中共中央都收到各種祕密報告，來自北京、上海和其它省市的，來自兩個安全部門(負責國內治安工作的公安部和負責外國情報、反情報和其它工作的國家安全部)，來自具有新聞報導和蒐集情報雙重功能的新華社，來自軍方的各級機構、黨的宣傳部和統戰部，來自國家教育委員會、鐵道部、農業部、工業各部、郵電部和其它內閣級機構，以及來自駐外外交使團等。這些材料包括學生、教授、黨的幹部、部隊官兵、工人、農民、店員、街頭小販和中國其他人的思想狀況；省和中央領導人關於政策問題的考慮；國外媒體、學術界和政界意見；鐵路交通情況，私下的討論、街上採訪到的信息等。

通常，這些材料僅僅在大約四十人的最高層領導中傳閱，許多材料更嚴格地只限制在五名政治局常委和「八老」中間（儘管憲法條款從法律上將最高權力地位給了全國人民代表大會，中國共產黨政治局常務委員會是中國正式權力組織中的最高機構。全國人大最近才走出作爲橡皮圖章的歷史）某些報告僅僅送給一個或幾個領導人。總的來說，這些披露出來的報告可以詳細地告訴我們：中央決策者是如何從他們的深宅大院觀看周圍發生的事件，這些人如何評估對他們的統治面臨的威脅，等等。

這些材料還包括中共領導人正式和非正式會議的紀錄以及他們私下談話的部分內容。由這些材料，我們可以看出一小部分剛愎自用的領導人之間鋌而走險的衝突，這些人的個性空前生動地表現出來。我們看到：最終決策者們在內部討論正在發生的事件時都說了些什麼，他們如何辯論學生的動機，他們把誰看作主要敵人，哪種考慮主導了他們尋找解決問題的途徑，他們在命令部隊開進廣場之前爲什麼等待那麼久，後來爲什麼不再等待，他們命令部隊幹什麼。也許，最具有戲劇性的是，這本書提供的絕對證據說明：在解決關鍵問題時，誰投了什麼票。而且，用他們的原話說明了各自投票的理由。

材料顯示，政治局常委中三名常委投票贊成同學生對話，而不是戒嚴。如果他們這麼做了，中國當代歷史和它與西方的關係就很不一樣了。與學生對話將使天平偏向政治改革，今天的中國將可能是個開放的，甚至是選舉式民主社會，或許在改革了的共產黨治下。然而，分裂的政治局常委履

行了他們的秘密承諾，將分歧交給元老裁決。元老們認定穩定高於改革，撤銷了總書記趙紫陽的職務，部署軍隊，「挽救革命」，提拔了現今統治中國的江澤民。其結果是中國十多年的國內政治停滯，中國同西方關係空前緊張。

現在，一些仍在中共體制內的人，決定採用他們能採用的最強烈的方式-揭示「六四」真相，來重新進行民主鬥爭。

他們是誰？他們爲什麼這麼做，他們是如何做的？一方面，我必須講出我能講的故事，我的這些敘述又受制於保護編纂者的需要(註三)。

本書披露的文獻在中國只有極少的人才能看到。編纂者能夠得到它們，並將這些文獻公之於眾，目的是爲了挑戰官方關於「天安門事件」是「合法鎮壓反政府暴亂」的說法。

他在中國境外找到我，向我解釋了這些，要求我幫助。爲什麼是我呢？我是哥倫比亞大學政治科學教授，專門研究中國政治和外交政策。我是涉及中國問題的兩個人權組織理事會(註四)成員，也是同中國流亡海外民主運動有關的幾個出版物編輯顧問委員會的成員。我在學術和非學術場合或寫作或講述中國國內政治和外交政策。我參與了李志綏的《毛澤東私人醫生回憶錄》和異見人士魏京生獄中書信的出版(註五)。我的某些講話和行動有些被視爲對中國友好，有些則被當作批評。編纂者說他和他的朋友們未必同意我的所有觀點和做法，但他們已經多年關注我的觀點，認爲我心存公平，

認爲我會願意參加這個很可能引起很多爭議的項目，並相信我會尊重材料的完整性。他說，他認爲我們有共同的目的-忠實於歷史的真實。

我對參與這麼困難的項目並不特別感奮，因爲我不是政治家。可能被捲入中國現實政治的前景，恐慌感超過吸引力。由於編輯材料不是創造性的學術工作，在學術榮譽上我所獲將不多，如果我同意幫助，我將承擔評價材料是否真實的沈重責任。然而，如果我相信它們是真的，我則不能拒絕去幫助。

過去一段時間以來，通過多種渠道和方法，我滿意地得出結論，這本書的材料是真實的。一部分原因是，我通過研究材料本身，考證了許多不可能編造的細節。此外，我通過同編纂者在材料和出版過程中的合作認識到材料的真實性。他仍然以中國人的標準堅持我對他的專案所做的政治承諾，也就是不暴露幫助他把材料帶到西方的人和過程。儘管如此，根據我所掌握的情況，覺得我不僅能夠，而且有責任幫著把真相公佈出來。

參與這個項目的其他人也知曉部分我所知道的內容，但鑑定材料的最終責任在我。

不幸的是，因爲擔心編纂者和其他人的安全，我不能將我確認的根據與讀者分享。至少暫時是這樣，我只能要求讀者考慮材料本身所體現的真實性。

讀者將會看到，《中國「六四」真相》具有內在一致性、豐富性和可信性，書中的內容幾乎是無法僞造的。它們包括北京、地方和軍隊的事件；揭示了在示威學生和支持他們的知識分子團體之

間公開和祕密會議上發生了什麼事情；大段引用外國新聞報導；記錄從中國記者同美國的中國問題專家對話中發現的情報；點出在危機期間給中國領導人打電話的外交官名字。有些有公開紀錄，有些材料要通過艱苦的研究才能發現，但多數材料都是不可能憑想像編造的。總而言之，很難想像能發明什麼可行的手段來編造這麼詳盡的細節。

書中提及的材料包括國家安全機構和其它渠道提供的情報，也包括許多有名有姓的個人的活動的情報，那些人中有不少現在在西方。通過與事件參與者核對一些事例，我們發現材料中那些記述都是經得起考證的。

我並不是說書裡記載的每件事實都是正確的-實際上任何政府的文獻都是如此。國家安全部關於知識分子支持學生活動的敘述似乎具有偏見。我們相信指控美國和台灣操縱學生運動並無根據。國家安全部指控喬治·索羅斯(George Soros)的背後是美國中央情報局是不可信的。「尾聲」引用內部報告提到的死亡人數與當時官方發表的死亡人數沒什麼不同，但未必是最後結論。同國家安全部五月二十一日的報告相反，我們不相信要學生們絕食是王軍濤出的主意。這些例子告訴我們，應當謹慎使用這些材料。

幾名瞭解情況的人閱讀了整個和部分書稿，所有人得到與我一樣的印象：內容都是真實的。這些人包括參與這一項目的人(其中林培瑞和夏偉當時就在北京)，兩名緊緊追蹤「天安門事件」的中國記者，一個在北京，另一個不在北京。

編纂者希望首先出中文版，準備好了再出版外文版。但由於這一項目的敏感性，以中文先行出版很困難。最後，我發現比較容易的方式是：同一家西方出版社合作先出版英文版，再根據英文翻譯出版其它外文版，本書外文版因此壓縮了篇幅，增加了解釋性材料，資料來源亦需要註明。其結果是出版兩部不同的書。中文版的篇幅相當於英文版的三倍，但很少解釋和註明消息來源。中文版二〇〇一年春天由明鏡出版社出版。

正如編纂者所說，他與我都是爲了歷史的真實而受到感召。但顯然，從一開始，他就有我這個學者所沒有的政治目標。正如他在自序中所說：他希望《中國「六四」真相》將顯示學生運動是合法的、動機良好的，政府處理出現了錯誤，學生和市民對透明度和對話的要求應當得到滿足；一系列政治改革應當進行並擴展，允許媒體自由、允許成立學生自治組織、允許成立自由工會，等等。當然，這種改革將意味著共產黨統治性質的根本變化，但編纂者相信這是共產黨實現救國使命的唯一途徑。

這種劇烈變革顯然要牽涉到激烈的政治鬥爭，就像一九八九年那樣激烈的爭奪確定了中國目前的強硬路線一樣，高層領導人再次處於分水嶺上。在處理翻譯和編輯事務的時候，我試圖推論這個項目可能會幫助誰，又會傷害誰。這些結論是我個人的，編纂者對它們沒有任何責任。

在我看來，《中國「六四」真相》可能損害中國今天兩個最有權力者江澤民和李鵬，而提高其

他它幾名高級領導人的權威。由於中國領導人的不同派系滲透到黨的各級組織，數百萬名官員命運都會受到影響。

江澤民是中國的最高領導人，同時佔據黨的總書記、國家主席和軍委主席三個要職(這是中國政治結構的三條腿。國家相當於西方概念中的政府，包括國務院和立法機構全國人民代表大會。執政的中國共產黨是所有權威的真正來源，它作出最重要的決定並下達給國家機器去執行。軍隊大體上是個獨立的權力結構，通過中央軍事委員會執行最高領導人的指示)。江澤民的總書記職務將到二〇〇二年十月任滿，他的國家主席職務將到二〇〇三年三月任滿。有些評論家預測他將在退出上述職務後試圖保留中央軍委主席職務，以便繼續在幕後發揮影響，類似本書所描寫的那一時期鄧小平的作法。

一九八九年江澤民是中共上海市委書記。他在那一時期沒有特別的惡行，儘管他關閉《世界經濟導報》事件至今受到知識分子的怨恨。《中國「六四」真相》顯示，他上升到最高權位是通過非正常程序，靠元老們在五月二十七日的投票確定。元老們挑選他是因爲他是個順從、謹慎的人，當時置身於首先造成危機的殊死派系鬥爭之外。過去人們就懷疑這一點，但過去從來沒有披露過那些細節。公開這些細節將削弱江澤民的權威。儘管江未必是個真正的政治保守人物，但爲了權力平衡和維護自己權力，他要遵從保守派的意見。

本書出版後第二個可能受到嚴重傷害的是今天中共第三號人物李鵬。除了政治局常委之外，李

鵬也是全國人民代表大會常務委員會委員長。他在黨內和國家的職務都和江澤民同時屆滿(分別爲二〇〇二和二〇〇三年)。李在一九八九年是總理，他的所作所爲，我相信多數中國讀者都認爲只有在他下台後才能受到懲處。他不僅鼓吹針對學生的強硬路線並到電視上宣佈戒嚴，而且正如材料顯示的，他操縱信息導致鄧小平和元老們相信，示威矛頭指向他們本人和他們爲之獻身所建立的政治制度。《中國「六四」真相》顯示，在鎮壓之後，他利用情報和公安機構蒐集信息，迫害自由派官員和知識分子。

西方讀者對本書中所述李鵬的行爲，可能比中國讀者的反應更爲正面。李可能是一九八九年事件中最有能力、最堅定的政客。他在壓力下表現出強硬和精力，以冷靜和清晰的態度對付變化不定的局勢。如果說李把學生運動看作對現政權的致命挑戰，歷史證明他的判斷離實際相差不遠。可以肯定，材料顯示李是個復仇心強、嚴肅的、政治上僵化的人物，但他不是個機會主義者。他把忠於一黨專政作爲原則，不管多麼不得人心，他都不怕去維護那一原則。根據材料，他對流血事件不應當擔負任何直接責任。儘管與下達的命令相反，屠殺事件還是發生了，訓練不夠的部隊當時已經失控。

但只有在一種多元文化下，才有人欣賞在錯誤的事業中表現出色的政客。而對於中國，更重要的是，李是站在歷史的錯誤一邊。今天他是中國保守力量中職務最高的旗手，保守力量堅信：中國只有堅持嚴格的政治和思想信條並堅持社會主義，才能度過目前的危機。在「天安門事件」後的幾

年，這批人具有很大影響，這反映在重新實施政治鎮壓、逮捕異見人士、關閉自由派報紙和雜誌、法律上嚴格控制自由結社、在國際上對人權問題採取強硬路線。從政治上摧毀李鵬的地位，將搬掉自由改革和同西方改善關係的主要障礙。

李鵬自一九八九年以來的三個盟友今天仍然在政治局。李鐵映在一九八九年是政治局委員和國家教育委員會主任，爲了把學生運動限制在校園之內曾經作出不懈努力。李鵬的親信羅幹當時擔任國務院秘書長，在一九八九年，他負責安排李鵬強硬路線策略的所有細節，包括對公安部、國家安全部和人民武裝警察發佈指示。今天作爲政治局成員，他領導中國的外國情報和反情報工作、國內警察和司法體系。在一九八九年擔任山東省委書記的姜春雲當時以不流血方式處理危機，但由於他同李鵬的緊密政治關係，他比絕大多數省級領導都更響亮地支持強硬路線。一九八九年之後，他獲得一系列晉升，包括被任命爲政治局委員。這三個人的地位都可能受到這本書的打擊，客觀效果是爲改革開闢更多的空間。

在二十二名政治局委員中，有五人的地位將由於《中國「六四」真相》的出版而受到損害，包括兩名最高領導及其三名下屬。由於在「天安門事件」中的作用而應當受到最嚴厲批評的其他人或者去世、或者失勢。在共產黨對學生事件的反應中應當承擔最終責任的鄧小平，於一九九七年二月去世。但不管怎麼說，他在本書中也許是比當時看來更值得同情的人。他是被拖進決策-他曾經對心腹楊尚昆悲訴，在他那麼高齡的時候要承擔那種責任—他一開始願意支持趙紫陽的妥協路線。後來

李鵬及其盟友說服他相信，示威者對他個人和黨有敵意，鄧授權動用軍隊，但堅持不許流血。他命令新領導人繼續經濟改革和對西方開放的路線。如果鄧的接班人願意的話，《中國「六四」真相》因而使改變關於「天安門事件」的定論出現可能性，而又不損害鄧小平的威信。鄧的威信正是他們的合法性所依賴的部分遺產。

本書顯示在當時同鄧小平一起發揮核心作用，現在已經去世的另一元老，是鄧的戰友楊尚昆。有些材料是楊的朋友之一提供的，這些材料導致如下推測：如果楊的威信提高，同楊關係密切的人有望受益。但楊尚昆和他的堂弟楊白冰在一九九二年的第十四次黨代表大會上都失去權力，隨後幾年，江澤民把他們在軍隊中的多數親信調出權力圈子，因此並不清楚今天爭奪勢力範圍的人中間，「楊家將」是否還在內。

參與一九八九年四-六月關鍵決策中的其他六名元老中，五人已經死亡。到這本書出版時仍然在世的唯一元老薄一波在政治上已不活躍。在一九八九年政治局常委中排名第五的姚依林對學生的敵意超過李鵬，姚在一九九六年去世。當時北京市的兩名領導人，市委書記李錫銘和市長陳希同與李鵬一道操縱送給元老的信息，幫助他爲軍隊鎮壓創造政治條件，他們都已經失勢。李錫銘已退休，陳希同由於腐敗被判刑，現在保外就醫。因此，本書的政治目標很窄。

相比之下，現在高級領導人中的八人，可能由於他們在一九八九年的作用被公開而受益。毫不奇怪，他們都是贊成改革(儘管這並不意味著他們贊同編纂者的觀點)。中國現任總理朱鎔基在一九八

九年是上海市長，他反對給他的城市派遣部隊，通過不流血的方式結束示威。李瑞環當時擔任天津市委書記兼市長，像朱一樣，他堅持同示威學生對話，避免流血。如果說江澤民和李鵬政治上要受到損失，朱和李將潛在地受益。

今天的政治局中還有其他人。田紀雲在一九八九年是負責農業和外貿的副總理，站在趙紫陽一邊，提倡同學生對話。在一九八九年擔任監察部部長的尉建行參與了同學生對話，積極調查學生示威者提出的腐敗指控。趙紫陽的親信、當時擔任中央辦公廳主任的溫家寶贊成溫和路線，趙紫陽失勢之後，溫也靠邊站，對軍隊鎮壓沒有任何責任。當時擔任遼寧省省長的李長春和江西省省長吳官正都是溫和派，並親自參與同本地學生的對話。今天政治局裡兩名軍人之一的國防部長遲浩田，對於如何處理示威問題採取了溫和路線，且對於最後決定是否使用武力沒有發言權，他的職務要求他服從鎮壓的命令。發表《中國「六四」真相》可能加強這些人進行改革的力量。

還有某些今天政治局之外的權威人物和《中國「六四」真相》一書關係很大。由於拒絕參加鎮壓而被免除總書記職務的趙紫陽，現在仍然處於半軟禁狀態。正像李鵬的情況那樣，西方讀者對於紀錄中的趙紫陽的行爲，反應會與中國讀者不同。他是個自由民主人士，他對於變革的見解是我們所稱讚的，但材料也顯示他曾經犯了嚴重錯誤。他低估了學生的挑戰，在危機開始的時候離開京城，浪費了他的關鍵後台鄧小平的支持。西方人最難理解的就是他決定把對鄧小平的忠誠置於原則之上；當他知道就要進行鎮壓時，他提出辭職而不是抵抗。

但中國讀者會以不同的觀點看待這一問題。趙拒絕參與或反對鎮壓，可以被看作恪守儒家傳統的官員的反應，當他對人民的責任和對主子的忠誠發生衝突時只有引退。此外，《中國「六四」真相》顯示，政治局常委要遵守黨內秘密決議：僵持不下時要找鄧小平和其它元老。材料還進一步顯示，鄧小平通過楊尚昆對軍隊實行絕對控制，如果政治局常委遇到危機要提交鄧小平和其它元老，鄧具有充分的手段行使他的權威。所有這些都會緩和中國讀者對於趙似乎軟弱的判斷。

今天趙已經太老，無法重返政治舞台。然而，能夠爲他洗刷名譽的任何信息都將改善他那些下屬的前景，那些下屬佔據從中央到地方黨和政府的重要位置。在這些人當中，最重要的可能是前面提到的溫家寶，作爲政治局委員和副總理，他是政府中最有權力的溫和派之一，很可能擔任未來的總理。

一九八九年排名在趙紫陽和李鵬之後的是政治局常委第三號人物喬石，他當時主管人事和安全等敏感領域。我們可以從他在政治局常委的關鍵會議上講話中看出，他是不贊成使用武力(以全部紀錄作爲背景，我解釋他在五月十七日決定戒嚴的那個關鍵會議上棄權，表明他不贊成使用武力)。但是像趙紫陽一樣，他敬畏鄧小平，因此沒有投下關鍵的一票阻止實施戒嚴令(注六)。喬的優柔寡斷毫無疑問在於他瞭解反對鄧小平是徒勞的。但他的動搖導致他犧牲了自己的政治抱負，因爲元老挑選趙的接班人，他們認爲喬太軟弱。一九九七年，喬由於江澤民的敦促而退休。像趙一樣，他今天太老了，不可能成爲權力競爭對手，但他在黨內也有自由派下屬，他的名譽對於他們具有影響。

在一九八九年支持趙紫陽的另一個政治局常委是胡啓立。他一直受到胡耀邦的提攜，胡耀邦的去世點燃了學生運動，他贊成學生的多數立場，贊成通過對話解決他們的要求。通過文獻，我們可以看到在關鍵時刻，胡啓立利用他主管新聞，允許全面報導有關事件，因此促成了第一次，也是迄今唯一的一次共產黨歷史上的新聞自由。趙、喬和胡構成了政治局常委中反對使用武力的三人多數。隨著趙紫陽被清洗，胡啓立的政治生涯已經實際上結束了，儘管他現在擁有中國人民政治協商會議副主席的名譽職位。

作爲我們對今天政治局研究的最後部分，其餘九名成員對於披露一九八九年他們的行爲幾乎得不到好處，也沒有什麼可怕的。他們或者距離北京太遠、或者職位太低，因而對於本書所敘述的事件不能承擔責任。他們中現在職位最高的是國家副主席、江澤民的接班人胡錦濤。一九八九年他在西藏擔任黨委書記。儘管他多數時間是在北京療養高原綜合症，他沒有直接參與那裡的事件。現在是政治局常委的李嵐清當時只是外貿部副部長。今天政治局中第二個軍方委員是張萬年，他在一九八九年是濟南軍區司令員，而濟南軍區是沒有參與北京事件的軍區之一。其他政治局委員在一九八九年都是省長或省委書記，遠離北京。這些人對於發表《中國「六四」眞相》都會安之若素，而他們的態度對於黨在今後是否要走政治改革的道路非常關鍵。

儘管現在政治局似乎有贊成改革的多數，然而由於第二號人物李鵬及其三名支持者的影響，加上江澤民的謹愼，重新投入政治改革幾乎不可能。藉助出版《中國「六四」眞相》，編纂者所期望

的，顯然就是要打破這種癱瘓局面。

但爲什麼上述的多數人自己不去查看天安門檔案？根據本書關於會議的報告可以看出，部分答案或許在於尋求共識的中國決策機制。只要相當一部分人不願意重提那一題目，其他人似乎都不想爲它而爭鬥。此外，我們應當斷定高層中幾乎沒有人知道或看過《中國「六四」真相》中多數文獻的內容。李鵬是唯一的例外，他當時就身處北京高層。十二年前在較低層次任職的人，僅僅對於他們所參與寫作的報告或他們參加的具體會議有所瞭解。我認爲，即使像江澤民這麼有權的人也不能秘密查看那些檔案，因爲接觸那些敏感紀錄必須經過政治局同意，或者至少要讓高層其他人知道。不事先知道那些紀錄都講些什麼就貿然重提這一問題，必將引起後果無法預料的爭鬥。爲了平衡各種派系而保留權力，江澤民可能不願爲不確定的後果冒險。

編纂者試圖通過公開六四真相，迫使政治局面對「天安門事件」；編纂者希望告訴人們，推翻有關定論只會損害李鵬及與其關係密切的少數人，從而啓動被中斷的進程，推動中國朝著他所說的更民主的未來發展。

作爲一個外國人，我不敢擅自干涉中國事務；作爲一個學者，我把真實性和準確性放在政治影響之上。《中國「六四」真相》對我來說重要的是：它們包含我所見過的中國高層政治生活中最豐厚的紀錄，對中國過去十多年的軌跡和未來提供了基本的洞察。下面分析也是我本人的，編纂者對

此沒有責任。

也許最驚人的揭露是鄧小平和「八老」的作用。這個故事的一部分由趙紫陽在五月十六日會見戈爾巴喬夫時已經公開：重要問題都要尋求鄧的指導。趙沒有披露的是一九八七年十月的政治局決議，實際上給了鄧小平批准或者否決當任領導人決議的正式權力。此外，通過了第二個決議，給予楊尙昆和薄一波代表鄧和其他元老，以觀察員身份參加政治局或政治局常委會的權力。

從某種程度上講，在一九八七年十月元老剛剛退出政治局常委時，通過這些決議是要顯示當時對那些老同志的尊重。但也許是處理鄧小平與陳雲之間正在出現的共識破裂的一種方式，陳鄧的共識使老同志曾相當成功地指導了中國經濟改革。在八十年代中後期，當新一代領導人開始掌舵的時候，改革更加困難，政策辯論更加激烈。在這種競爭日益激烈的氣氛下，一九八七年的決議，目的可能是防止派系不和造成危機。不管這種假設是否正確，那些決議在一九八九年發揮的正是那種作用。

《中國「六四」真相》顯示：在危機期間，鄧秘密參與了所有重要決定。他的私人助手楊尙昆(楊的正式職務是國家主席，但他的真正工作是鄧在領導層內部的事務總監)參加了所有重要的政治局會議。最重要的決定是在鄧小平的住處作出的。把示威定爲「動亂」是鄧的主意。他作出了戒嚴的決定，他接受了趙紫陽的辭職，他安排挑選江澤民，他命令軍隊進駐天安門，他在鎭壓之後確定了政策方向，繼續過去十年的經濟改革和對西方開放，儘管春天的這一事件對那兩項事業都造成挫折。

鄧並不是很樂意扮演那些角色。五月十九日，他向楊抱怨權力的負擔。「你知道這些事情發生後，我要承擔黨內很多責任，……」鄧抱怨說，「我要對所有重要決定點頭。我的影響太大，那對黨和國家都不好。我應當考慮退休-但現在我如何退？……要下去也不那麼容易。」

鄧小平的權力也不是絕對的。在他最後決定之前，他需要得到元老的同意。但這些人，就我所知，在「天安門事件」前後，沒有固定的人選範圍，沒有舉行會議的歷史。鄧小平召集的七男一女組成的這個小圈子，並不是共產黨最老的成員，也未必是曾經擔任職務最高的，更不是身體最好的。他們之中有些似乎具有最長的共產黨職業生涯(鄧本人和他最有權力的兩名同事陳雲和李先念，以及楊尚昆)，有些跟毛關係特別近(李先念、楊尚昆和王震)，唯一的女性鄧穎超，沒有明顯的個人政治特色，但她是廣受尊敬的已故總理周恩來的遺孀。最著名的但沒有被包括在內，或者自動不參加上述元老圈子的，是中國軍隊中兩名仍然在世的元帥：徐向前和聶榮臻，他們退出政治圈子的理由將在第六章解釋。

上述小組共開會四次，作出四個重要決定：宣佈戒嚴令、撤銷趙、任命江、派出軍隊。較小的決定都是政治局常委和中央軍委做出的，前者受到鄧和元老的代表楊尚昆監督，後者直接由楊來執行。

元老會議的情況很有趣。鄧在自己家裡召集他們，具有最後總結成決議的特權。但我們觀察到他敬畏陳雲和李先念。需要提名誰來替代趙紫陽時，是李和陳提出了江澤民；顯然他們兩人和鄧都

事先商量過。次級元老顯示他們知道自己的地位，王震不經常講話，一旦開口就很激烈，但他仍然敬畏鄧。鄧穎超講話簡短，每次會議發言一次。楊尚昆提供平衡的信息，但沒有不同於鄧的觀點。

如果說「八老」只是短暫地作爲主管機構而發揮作用，他們的存在顯示了一個繼續生效的基本原則，這個原則過去曾被援引，今後仍然會被援引，只要中共繼續把自己看作一個革命黨。這是毛澤東所鑄成的超級統治術傳統。共產黨中國超級領導人的角色是「憲法之外」(extra-constitutional)的，但並非「不合法」(illegitimate)。中國大肆宣傳向法治過渡，然而所涉及的問題將不僅僅是制定法律條文和設立法庭。爲了實現法治，黨必須放棄下面的思想：不管涉及到什麼程序，自己認爲需要做的就是合法的。

是什麼要讓這麼一個憲法之外的機構成爲必要？《中國「六四」真相》幫助我們看到這一體制如何創造了鄧小平這樣一個超級領導人，甚至違背他自己的意志，理由是「宗派主義」(factionalism)。

在《中國「六四」真相》中，我們看到中共宗派主義力量如何同個人關係相結合，如何把權力利益同政策和意識形態實際問題相結合。趙紫陽和李鵬在元老中都有靠山，在他們那一代人和下一代領導人中都有親信和智囊。促使這些個人關係凝結成政治上有意義的宗派的，則是當時的政策困境：由於毛主義制度已經失敗，而要過渡至一個未清晰定向的未來的困境。我們這裡看到的衝突，是艱難抉擇所造成的痛苦戰鬥。趙紫陽所喜歡的是政治上放開，以便搞活經濟，接受隨之產生的失去控制，通過更具諮詢方式的領導保持權威。李鵬所要求的是以穩定爲中心，保持政治控制，通過

更強有力的計劃和激勵克服隨之而來的經濟短缺。對於指導這個巨大的國家如何通過改革淺灘，兩者都是合法的設想。編纂者在序曲中顯示那些基本爭論如何在八十年代中期展開，甚至可以追溯到更早。

在任何政治制度中，能夠決策的人，不管是對是錯，都是不可缺少的。但在中國的制度中，不管是法庭或立法機構，都沒有可以解決僵局的制度化權力的橫向機構。大問題都要往上推，形成鄧小平對楊尙昆所抱怨的壓力，要某人最後承擔責任。甚至像趙這些人，他們基本上不同意鄧的決定，也發現接受決定比站起來堅持自己相信是對的東西更有榮譽-他們感覺那一制度必須有人做決定。

北京一九八九年另一與政治過程有關的特徵是軍隊的極端重要性。楊尙昆代表鄧小平行使的權力中最重要的一部分，就是管理這個政權的強制性機器。鄧小平在一九八九年沒有放棄的一個職務，也是毛澤東在文化革命中面對許多高層領導人反對、黨和國家機器都已經崩潰時仍然能行使最高權威的職務，也是江澤民試圖在二〇〇二-二〇〇三年退出黨和國家領導人崗位後保留的職務-中央軍委主席。是中央軍委主席，而不是黨總書記、總理或國防部長控制武裝力量。武裝力量不僅包括中國人民解放軍和在全國各地的軍區，也包括人民武裝警察，我們將在本書反復看到，是武警負責政府辦公樓和其它重要機構的警衛。

在一九八九年，楊尙昆是中央軍委常務副主席，並代表鄧主持軍委工作。當決定實施戒嚴令、當需要向懷疑的軍方解釋何以淸洗趙紫陽、當發佈命令要軍隊開往天安門廣場時，所有那些情況下

都是楊尙昆，而不是國務院或政治局任何成員，登上指揮台。此外，楊尙昆通過自己的老部下、中央警衛局局長控制中央警衛局。正像當年毛澤東一樣，鄧控制了所有戰友，包括比較年輕的黨和國家領導人和其它元老的個人安全。也正像在毛澤東時期一樣，對個人安全的考慮，成爲推翻超級領導人的任何企圖的重要障礙。

儘管權力個人化，人們還是被決策過程的形式和儀式所震撼。例如，在政治局常務會議上，激烈的鬥爭往往在尊重充分討論的程序、並盡可能形成一致這一原則下而消音。有地方重要領導人參加的政治局全體會議如此莊嚴，中南海的皇家傳統似乎仍然在它的社會主義繼承人身上體現出來。但幾乎沒有出現同宮廷政治相關的私下動作跡象-相互偵察、譴責、栽贓、個人醜聞、試圖政變。分歧都擺到明處，問題都按實際情況辯論，僵局都向鄧報告，沒有他的批准任何人都不能行動。也許正是由於鄧的個人權威，沒有人敢採取其它行動。

如果說北京的政治過程有時消耗時間，但鄧一旦說話，就具有無情的決定性。在這一背景下，各省顯示的獨立程度令人吃驚。只有細心閱讀他們的報告才能看到這一點，因爲分歧跡象都要掩藏在形式上贊成黨中央政策的層層說詞之下。來自各部委和各軍兵種的文件也是如此。但事實仍然是各個省從面積到人口都有歐洲國家那麼大，各省必須處理自己的情況。他們的不同行事方式不僅是要適應當地情況，而且反映出地方領導人不同的執政風格，甚至不同的價值觀。

然而，最後是由中央決定。沒有一個省分裂，除了一名軍官之外，整個軍隊也團結在一起。儘

管有無窮無盡的疑慮，官僚機構卻保持穩固。分裂只是在上層，也許最壞的，就是出在一個重要而薄弱的環節但尚未貫穿整個體制的裂縫。從官僚體制上講，中國的制度是堅固的。

根據至少可回溯到明朝皇帝的傳統，中央領導人對於原始信息具有可怕的胃口。黨的情報的信息流量給人以深刻印象，但其分析較弱。兩大安全部門提供北京和各省各地事件動向的報告，新華通訊社及時提供全國的跟蹤信息和外國對中國事件的反應(新華社既是情報機構也是新聞媒體，它的確發佈新聞，但它的一大部分業務，是給安全部和人民解放軍總參謀部第一、二情報部人員編寫秘密報告提供信息)。

通過《中國「六四」真相》，我們可以看到便衣警察自由混入示威學生和知識分子中間(根據這裡的文獻提供的證據，他們似乎沒有很深地滲入到外國異見人士團體，或香港、台灣和其它地方爲學生提供援助的團體)。來自安全部門和新華社的國內情報反映人民的情緒相當坦率，內容豐富。在中華人民共和國的歷史上當然並不總是這樣。毛澤東政權以喜歡只聽好消息而著名，並被那些消息所誤導。在鄧的領導下，這種做法已經明顯改變，我們在這裡看到，這些報告對他們的忠誠是無情的，各部分民眾懷疑意識型態。但好消息到此爲止：許多領導人仍然相信群眾起來是由於「一小撮人」操縱的結果。

也許警察報告很少被使用的部分原因，是他們長於提供事件情況，卻短於分析。領導人情報流中最有分析性、綜合性的材料是外國媒體的報導。這些報導對於西方讀者似乎印象並不深刻，但是

編纂者包含了這些報告，因爲它們是當時領導人試圖用來解讀街頭事件的最集中、最有預見性的材料。很可能像學者們長期猜疑的那樣，每當需要讓人注意那些令人不快的趨勢，聲明一些難堪的可能性時，情報機構寧願讓外國人替他們說話。

在一個極權警察國家，領導人對於公眾輿論如此重視給人深刻印象。最好的解釋是馬基雅維里(Machiavelli)理論：以滿足來統治比強迫要容易。的確，這裡的故事顯示學生和政府雙方爲了爭取公眾支持的激烈鬥爭，以及由於學生得到民眾的支持，政府鎮壓學生多付出了多大的代價。當我們閱讀關於學生活動的報告時，我們看到一種微妙的言辭遊戲。最初，學生喊出的是符合或者稍微超出政府批准的愛國主義和改革口號。警察注意到校園裡更激進的思想徵兆，但是當學生上街的時候，他們使用更可接受的語言。這在最初階段使當局很難確定學生要挑戰的是什麼。政府方面，趙和他的同事竭力去尋找正確的音符。他們也必須佔據輿論高地。某些情況涉及的模式也是微妙的：第三章講述了趙紫陽「五四」講話中是否應該包括某個詞而進行的交鋒(指「反對資產階級自由化」)。

在極權制度下，公眾輿論未必真要聽取，但不能忽視。從各個機構送給中南海的報告顯示，一九八八-一九八九年公眾的心態是危險的。胡耀邦的去世給已經堆積很高的柴堆放了一根導火索。

一開始，學生並沒有對政權進行致命的挑戰，當局也不願意對學生使用武力，雙方還有很多共同目標和語言。但由於錯誤交流和錯誤判斷，他們相互把對方推到了越來越難妥協的境地。好幾次

幾乎達成和解，卻在最後一刻功虧一簣。滑向災難的過程開始時是緩慢的，隨著雙方分歧加深，滑向災難的速度加快。由於已知道後果，我們會帶著進入真正悲劇的恐懼來閱讀這個故事。

學生運動以紀念改革者胡耀邦開始，胡在四月十五日去世。可以肯定，學生行爲是有挑釁的鋒芒，那可以歸於前幾年政府爲推動改革容忍了相對自由的氣氛。他們把口號從校園帶到首都的中心天安門，進一步表現得蔑視黨的控制。但多數學生仍然維持在某些恭敬的範圍之內，承認黨的領導，把他們自己定位在尊重和支持黨的長期改革的位置上。

第一個小的失誤是政府官員拒絕接見人民大會堂前的請願學生。四月十九日晚間至二十日，示威者和警察在中南海新華門發生衝突。四月二十至二十一日，各種學生自治組織成立，在領導人的眼中，這是個危險的發展，這在共產黨時期只有在文化大革命期間出現過。許多示威者在四月二十二日參與了悼念胡耀邦。

不管怎樣，作爲總書記、對處理這些問題要負主要責任的趙紫陽，相信一旦胡的追悼會開過之後，學生會感到他們已表達了他們的觀點而隨即散去。結果卻相反，缺乏來自黨的明確反應使得示威者更勇敢。當趙紫陽到北朝鮮進行一個星期的訪問時，以李鵬爲首的其它領導人把問題提交鄧小平。他們有些誇大地告訴鄧，學生的目的是推翻政權。鄧把運動定性爲動亂，並說必須果斷地譴責。他的話反映在《人民日報》四月二十六日的社論中。

第二個，但比較大的錯誤是，社論的目的是劃分某些界限，警告多數忠誠的學生不要被一小部

分激進分子所誤導。但「動亂」的標簽被證明具有煽動性。那個詞在中國具有特殊的負面含義，因爲它常常被用來指一九六六到一九六九年的文化大革命時期的混亂。

學生們相信，如果在被官方定爲「動亂」的時候結束示威，他們就將受到嚴厲懲罰。只有他們的運動被稱爲愛國的、民主的運動，他們才會感到可以安全撤離。由於鄧小平的定性產生自相矛盾的效果，矛盾被激化，學生被困在廣場。隨著僵局繼續發展，在那裡他們又成爲磁石吸引其他人加入。

鄧的捲入也增加了黨的風險。一方面，趙紫陽認爲群眾不是在挑戰共產黨的最終領導，他們的核心要求是對話和要求黨解決學生提出的問題，爲了達到這些共識的目標，黨應當撤銷「四二六」社論定性。鄧願意考慮他的建議。但李鵬也按照邏輯爭論：社論已經明確區分無辜的大多數和需要堅決處理的犯罪的一小撮。任何讓步都將致命性地破壞政府的威信和鄧的權威。

在更深一層，趙與李的對抗集中在黨同公民之間關係的兩個基本問題上。好心的公民是否足夠精明可以避免操縱-黨能否相信公民的判斷力？更根本的問題是，和平解決是否值得，因爲那要創造一種協商和公民權利先例，而後者將影響黨已經建立的統治風格。對於政府權威和政治穩定，和平解決的代價是否高得無法支付？

新角色不斷加入使形勢更加難以處理。新的學生來到廣場，他們不願意在自己有機會加入之前運動就結束。自由知識分子出來支持學生的目標。有些省的領導把自己的問題交給北京，允許激進

的學生乘火車進京；李鵬試圖制止這種做法，命令地方政府禁止學生旅行。由於學生中分歧太大，當政府談判代表問他們的領袖，他們能否代表學生講話時，他們回答不能。

學生也面臨政府方面的同等混亂。在溫和派和強硬派的混合聲音中，他們無法確定是取得了進步還是面臨石頭墻。抗議勢頭在增長。某些學生回到了教室，其他人繼續加入示威。新領導出現了，新的問題加上舊的問題，示威也在各省出現。

五月十三日當學生宣布絕食鬥爭時，趙紫陽策略的最後失敗已經來臨。除了政府方面的觸怒之外，蘇聯領導人戈爾巴喬夫的訪問是主要催化劑，學生把他看作改革的象徵。當局把中蘇高峰會看作多年外交勝利的頂點，現在蒙上陰影。爲採訪高峰會而到北京的外國記者團都把注意力轉向學生運動。

在五月十六日的政治局常委會上，趙紫陽繼續爭辯說，結束絕食鬥爭的方法是接受學生改變「四二六」社論定性的要求。領導層面臨非常關鍵的分裂，要提交給鄧決策。五月十七日上午，鄧決定站在李的一邊。此外，他得出結論-需要實行戒嚴令。在當天晚些時候舉行的常委會上，趙和李繼續衝突，常委在戒嚴問題上分裂爲二-二-一，喬石棄權。元老然後介入，撇開了趙，使用李鵬實施他們的鎮壓計劃，挑選江澤民在和平恢復時接替趙紫陽。

現在，滑向災難的速度在加快。我們觀察到妖魔化的過程在展開，當局和學生之間，黨的兩派之間都在相互妖魔化。倖存下來的領導人把所有過錯都歸咎於趙。廣場的知識分子宣佈光明和黑暗

之間的戰鬥。學生發誓寧死也不撤退。對於領導人更加不祥的兆頭是，有些城市工人和學生正在聯繫。國內外反對勢力的聲浪高漲加強了當局的被圍攻感。

在五月的最後幾天，曾經有一線出乎意料的、最後的和解希望。全國示威都在結束，來自外省的學生開始離開北京。當時似乎是僅僅武力威脅就足以解決問題。但某些校園出現發動全國和平抵抗運動的號召，外省新到北京的學生核心分子堅持繼續靜坐到六月二十日全國人大常委會召開。解決問題的時機再次消失，元老決定行動。他們和剩下的三名政治局常委在六月二日舉行秘密會議，重申他們要使用武力清理天安門廣場的決定。

下面發生的事件，是世界上最普通、但本來可以預防的悲劇-示威者和軍隊都失控了。中國由於缺乏民主公開性而付出高昂代價，而民主公開性本來可以讓示威成爲更平常的事情，可以讓政府和警察適應處理示威問題。

流血事件之後的幾個月和幾年時間，鄧小平盡力避免那場災難迫使經濟改革出軌。不管發生什麼事，鄧堅持說，改革和對西方開放都要繼續，甚至加速，否則中國就要倒退。但政治改革是另外一回事。領導人吸取的教訓是，中國必須凍結政治改革來避免不穩定，應當避免改變政治制度、避免模仿西方制度。

但黨在這個問題上仍然處於分裂。趙紫陽在六月的十三屆四中全會上駁斥李鵬對他的指控，批評鄧的路線偏離了自由方向。他爭辯說，沒有更勇敢的政治改革，黨無法存在下去。趙的觀點仍然

很得人心，尤其是在執政黨的年輕官員中。

在隨後的年頭，對學生運動的提法仍然是個有爭議的問題。就在命令部隊採取行動之前，領導人作出的官方決定是把事件定爲「反革命暴亂」，這是比「動亂」更加嚴厲的標簽，暗示示威者有武器並造成流血。

兩種定義都沒有正式撤銷。但考慮到國內外輿論，官方已經轉爲比較溫和的提法「政治風波」，這一提法是鄧在鎮壓幾天之後首先使用的。(註七)

自一九八九年以來，要求重新審議「六四」的呼籲不絕於耳。「六四」死難學生之一的母親丁子霖領導了要求平反的運動。一九九九年趙紫陽的高級助手鮑彤散發一封公開信，敦促黨的領導人承認十年前的錯誤，把推翻那一定性的機會稱爲現政權恢復合法性的「最大政治資源」(註八)。在更廣泛的範圍，黨面臨政治改革的持續呼聲。但它以逮捕和清除要求改革的黨外異見分子作爲回應。但在黨內，關於改革的激烈辯論也在進行。

只要這些要求繼續被拒絕，中國當局就不是西方所預期的那種自由的、諮詢性的和「柔性專制的」制度。可以肯定，同毛主義的極權野心相比，中國當局縮小了它要控制的社會活動的範圍。將控制的手段與目標相適應，而不再是改變人性。它已經認識到，限制許多領域的自由對獨攬政治權力並非必要。

但黨也相信，通過「天安門事件」，他們發現民主化並非不可抗拒的力量。西方普遍認爲，當

全球化和現代化出現，黨-國制度發生根本改變就是不可避免的，必將導致公民社會的興起和某種形式的民主。不管這是對是錯，中國掌權的領導人不相信它。對他們來說，「天安門事件」的教訓，其核心部分：政治就是實力。

一九八九年的事件讓當局處於迎接後來挑戰的地步，例如一九八九至一九九九年出現的中國民主黨和一九九九年至今的法輪功宗教運動。在這些事件和其它事件中，黨採取行動的關鍵就是獨立的組織，不管是宗教人士或者學生，工人或者農民，有或沒有廣泛的社會基礎，有或沒有黨員參與。核心政治問題仍然是一九八九年出現的問題，即使社會情況已經不同：黨相信，只要它對任何自己不能控制的團體作出任何讓步，作爲政治系統上一個不可缺少的組織原則就要被破壞，它就不能再實行專權。

許多在中國的人也持有海外普遍持有的觀點：這種僵化的政治制度在社會和意識形態快速變化下不能堅持下去。這一體制能夠應付下去並存活，還是發生內爆？這是本書支持者試圖避免的選擇。通過對已經結束的一九八九年事件重開辯論，他們似乎希望打開政府在壟斷權力方面的缺口，但又不致引起它的崩潰。

爲了幫助讀者理解並評估他們所閱讀的材料，我希望更詳細地描述材料的種類和格式，它們被如何選擇、翻譯和解釋，本書同相關的、但單獨出版的中文書的關係。

這裡摘選的多數材料都是下級機構給黨中央、國務院的報告。提供這些報告的包括兩個安全部門、其它部委(例如國家教育委員會)、省委和省政府、大軍區和省軍區、中央部門的地方機構。也有來自西方、香港和台灣媒體對於事件的報導。我們不知道這些種類的材料中每個是如何編纂或加工，但很明白它們經常被送到中南海，並根據它們的出處和內容立即在不同的高級領導人中散發。本書各章是按照日期排列，從一九八九年四月中到六月底，每天都有這些種類的材料，大體上按照我上述的次序排列。

此外，《中國「六四」真相》包括高層會議記錄和對話，它包括正式會議，例如政治局及其常委會議；非正式會議，例如元老的會議，兩個人或幾個人面對面的談話以及電話。最常見的正式會議記錄被稱爲「記錄」，都是由專業人員根據會議記錄整理，有時是根據錄音磁帶補充。它們保留了發言者的順序和他們的多數自然語言，但去除了「哼哼哈哈」聲；他們在必要時重新安排了發言者的語法和他們說話的結構，以便讀起來更順暢，焦點更一致，也比純粹的口語更加清晰。其它會議記錄被稱爲「紀要」，這些是他們在各次會議上所做的決定的記錄。

對於領導人之間的非正式談話，編纂者主要依靠四大來源。第一是鎮壓之後參與調查趙紫陽罪行的人爲黨的領導人提供的回憶材料。這些回憶材料印刷後在一九八九年六月二十三到二十四日的中國共產黨十三屆四中全會上散發。趙紫陽在這次會議上也提出了自己的解釋。另兩個來源是李鵬和楊尙昆分別對各自部下的吹風(即通風報訊)，他們在那些吹風中對於如何參與事件做了大量的排

練。最後，編纂者使用了五個談話備忘錄。所有這些來源都在外文版書中註明了出處。由於某一談話經常在幾個消息來源中都有記錄，編纂者把那些信息結合起來，在書中重現那些談話內容。儘管這些不是對話的直接謄寫，但它們是由最接近的參與者提供的真實記錄，並被互相佐証。

《中國「六四」真相》的英文版經過了三個階段的篩選，這一篩選過程將一堆龐大的原始材料縮減到書本可以容納的長度。編纂者首先從每天進出中南海的成百份文件中挑選出了數千份最重要的文件。我對他提出意見說，如果希望本書被各方讀者接納，應該更加精選，被挑選的文件應該集中在中南海決策中加以考慮的關鍵問題。此外，爲減少篇幅，我建議編纂者，在絕大多數情況下，選上的文件應該是節選，而不是全文照錄。

編纂者隨後進行第二階段的篩選、節選工作，並形成了大約五十七萬字的中文電腦打印稿。那就是的你現在手中這本內容相當於英文版的三倍的《中國「六四」真相》。

編纂者主要是想要闡明來源和如何對付危機時的高層分歧。根據他的觀點，那些關鍵材料都揭示了中南海從危機發生到最後結局的決策過程，也都爲歷史記錄增添了最多的內容，因爲學生方面的鬥爭已經在現有的來源中被相當充分地報導了。此外，編纂者相信，領導人被全國各地黨委、兩個安全部門、新華社和其它渠道報告的動態所影響，因此他對地方的報告給予相當的篇幅。這些材料重要的另一個原因是，全國規模的抗議到現在還沒有出現過。他選擇了外國媒體報導，他相信那些報導吸引領導人密切注意，形成了他們對於面臨挑戰的理解，以及他們關於國內動亂是同外國敵

對勢力有關的看法。在中文版中，編纂者增加了針對中文讀者的許多解釋性材料。他在這些方面盡量爭取不要加入自己的觀點。在有些地方，他也離開材料模式，將幾個消息來源編成故事。

編纂者爲英文版的每一份文件提供了消息來源。而且，徵得編纂者同意，我們在外文版中增添了非中文讀者所需要的解釋性材料。而中文版中則不包含這些材料。

對於要對照英文和中文版本的讀者還要解釋幾點。爲了方便外國讀者，我們在英文版裡改變了某些篇章的標題和某些章節的小標題，把某些章節合併到一起，增加了一些有日期的小標題，有時爲了清晰，重新安排了某些段落。中文裡用某種過渡句式打斷直接引語時，我們做直譯時也就插入一些停頓。我們對於外文來源的摘要是從中文倒譯過來的。儘管中文的黨和國家含義不同，我們根據英語通義，regime(當局)和 authorities(官方)都是指政府，中文並不區分 universities(大學)和 colleges(學院)，因此我們使用這類詞都是兼指兩者。

有幾個人分幾個階段參與了英文版的整理和翻譯。我選擇了需要摘要的章節並翻譯成英文。有五名希望仍然保持匿名的翻譯者幫助我們翻譯了大部分譯文和摘要的初稿。林培瑞和我幾遍通讀、校對了整部英文書稿。

與同代著名中國專家之一林培瑞一起工作真是一種榮幸，同他一起長時間工作是一種愉快的經歷。我們感謝夏偉(Orville Schell)，他的專業判斷和道義支持都是無價之寶。他提出的可信度問題推動我們進行複雜的驗證，以確認我們判定材料真實的直覺。我向其他這一項目的參加者顯示出來的

勇氣和學術道德表示敬意。這一項目是中國某些權勢人物所不歡迎的，而在國外可能也是有爭議的。

當我面臨澄清一些法律問題、尋找財政支持以開始翻譯和尋找出版商的困窘時刻，我找到了出版和人權領域的先鋒羅伯特．L．伯恩斯坦(Robert L. Bernstein)。沒有他的幫助、熱情、興趣和洞察力，我的同事和我不可能完成這個項目。我感謝菲昂那．德拉肯密勒(Fiona Druckenmiller)在我們還在尋找出版社的時候就資助我們開始翻譯。公共事務出版社的彼德．奧斯諾斯(Peter Osnos)以其政治敏感、勇氣和推銷天才處理這一項目的挑戰真是獨一無二。我讚賞他的專業精神和人品。我們得到傑奧夫．尙德勒(Geoff Shandler) 和羅伯特．金澤(Robert Kimzey)的無價幫助，使本書在形式上更便於閱讀。凱西．德佛希(Kathy Delfosse)對手稿和編輯稿都進行了潤色，使它大爲改進。

我要感謝兩名律師：R．斯各特．格累特黑德(R. Scott Greathead)和吉羅姆．A．科恩(Jerome A. Cohen)，在迫切需要的時候提供了有價值的公益建議。

在出版之前，這一項目的保密非常重要，但我又需要得到相當多的人的幫助才能完成工作。除了上面已經提到的諸位，我不提名地感謝在世界各地學術、新聞和出版界的幾名朋友，他們向我提供幫助而且保密。

這一項目是在許多人已經承諾進行的有價值的項目和繁忙的生活中硬加進去的，強求每個參與者投入很多時間。在這一項目的漫長過程中，所有人都爲了它的出版而團結一致，並爲它的質量作

出了實質性貢獻。

我尤其要向編纂者致敬，他在這一項目中承擔了最大的風險，並在困難的時候表現出道德和明智的判斷力。

（本文爲美國哥倫比亞大學教授黎安友爲《中國「六四」眞相》所作的序言，原文爲英文，由多維新聞社www.duoweinews.com 翻譯成中文。多維新聞社對解釋英文版的語句有所刪節。作者也對序言作了一些更正）

註一：《毛澤東思想萬歲》，一九六七和一九六九年油印本，曾經以多種形式再印；威特克(Roxane Witke)，《江青同志》(波士頓：小布朗，一九七七)。還有，麥克法夸爾(Roderick MacFarquhar)，奇克(Timothy Cheek)，尤金．吳(Eugene Wu)編輯：《毛主席祕密講話：從百花齊放到大躍進》(麻省劍橋，東亞研究會，哈佛大學，一九八九)；拜倫(John Byron)和帕克(Robert Pack)，《龍爪：康生，毛背後的罪惡天才-他在人民共和國的恐怖遺產》，(紐約，西門和舒斯特(Simon and Schuster)，一九九二)；阮銘，《鄧小平的帝國》，南西．劉(Nancy Liu)、蘭德(Peter Rand)、蘇利萬(Lawrence R. Sullivan)翻譯(Boulder: Westview，一九九四)；前言還引用了吳國光的書。整個九十年代，一方面是聲稱來自趙紫陽和鮑彤的文件在香港出現，另一方面是來自共產黨思想保守派；專家相信這些文件中許多都是眞的。

註二：最好的大型敘事書籍包括 Timothy Brook《鎮壓人民：軍隊鎮壓北京民主運動》(New York, Oxford University Press，一九九二；rev. ed. Stanford: Stanford University Press，一九九八)；Craig Calhoun，《沒有神仙皇帝：學生和他們爲中國民主而鬥爭》(Berkeley: University of California Press，一九九四)；Orville Schell，《天意：新一代企業家、異見者、放蕩不羈的文化人和技術官僚將決定

中國的未來》(New York, Simon and Schuster，一九九四)，第一部分；在整個書中，我們引用三部重要的文件集，由漢民主(Han Minzhu)、奧克森伯格(Oksenberg)及其同事和 Ogden 及其同事編輯。關於各省民主運動的唯一重要著作是 Johathan Unger 編輯《中國的民主運動：來自各省的報告》(Armonk, N.Y., M.E. Sharpe, Inc.，一九九一)。電影紀錄片是《天安門》，Long Bow Productions，一九九五年製片。該片中文文稿本由明鏡出版社出版)

註三：扉頁上的署名是筆名。

註四：人權觀察和中國人權。

註五：李志綏，《毛澤東私人醫生回憶錄》(N. Y. Random House，一九九四)；魏京生，《獨立的勇氣：獄中書信和其它作品》(New York: Viking Penguin，一九九七。)

註六：趙和喬之間的區別是，趙對戒嚴令投了反對票，但沒有任何反對的行動。喬投了棄權票。趙拒絕參加實行戒嚴令。喬繼續擔任要職，一直爭論防止流血的措施。趙由於同鄧決裂而被撤職。喬保留了職務，但由於被看作軟弱而無法進一步上升(胡啓立與趙的做法一樣)。

註七：六月九日同戒嚴部隊談話-見「尾聲」。鄧使用了這場「風波」的提法，但後來提到時加了「政治」一詞。在六月九日講話中，鄧也爲使用「動亂」的提法辯護。

註八：鮑彤的公開信，一九九九年三月二十五日發表；中文信由中國人權(Human Rights in China)獲得。

自序

「六四」感懷

「六四」過去已經十二年。十二年，歷史長河中一閃即逝的浪花，但對於一個人的生命來說，它又是那麼的悠長。作爲「六四」事件的身歷者，遙想當年，總有一種歷史的沉重感、滄桑感，仿佛歷史就凝固在那一刻，壓得人喘不過氣來。「長歌當哭，是必須在痛定之後的」，當我們提筆追憶「六四」的時候，仿佛又感受到幾千名青年人的血，奔灑在長安街的周圍。時間是難以洗滌掉血跡的。歷史和人民終將抒寫：「六四」是二十世紀世界民主運動史上最偉大的事件之一，是二十世紀中國最偉大的民主運動。

「六四」不僅僅是中國青年學生追求民主的運動，也不僅僅是發生在北京的愛國民主運動，「六四」參與人數之眾，波及範圍之廣，持續時間之長，影響之空前，堪稱二十世紀世界民主運動之最。然而，「六四」卻以其空前的悲壯和慘烈載入了史冊。「六四」失敗了，它以專制的勝利和民主的失敗而告終。然而，「六四」的失敗又是必然的。當我們痛定思痛，我們必須清醒地承認這一點。「六四」幾乎遍及中國的每一個大中城市、全國所有的高等院校、將近一半的中等專科學校；一部分大中城市的工礦企業、機關事業單位，極少部分的農村地區。上千萬人直接或間接地參與了運動。然而，就「六四」總體而言，它又是一場自主的、自發的、無序的運動，在很大程度上，它成了人民對政府宣泄不滿與憤慨的「出氣筒」。中共高層開明派的軟弱，學運組織內部的不一致，知識分

子與工人、農民的脫離，沒有嚴密的組織和綱領是「六四」失敗的根本原因。「六四」的失敗，從一個側面證明了它決不是一場有組織、有預謀的反革命動亂和暴亂。以北京爲中心的「六四」民主運動儘管以悲劇而告終，但它留下的遺產卻是極其寶貴的。隨之而來的東歐共產主義制度的崩潰以及蘇聯的解體，無疑在一定程度上是總結並吸取了中國「六四」失敗教訓的結果。

紀念「六四」，不由得無限感慨。「六四」過去已經十二年，中國國內也已發生了很大的變化。面對歷史與人民，每一位熱愛中國的有識之士，是否經過了深刻的反思與省悟呢？判斷中國社會經濟政治的發展趨勢，絕不能感情用事，更不能脫離中國的國情來主觀臆測。一定要冷靜、理性、客觀。這裡，有這樣幾點啓示：

一、中國民主政治春天的到來靠中國人民自己。在中國國內，儘管共產黨政權已經腐敗透頂，道德淪喪，但由於中國經濟實力的增強，人民生活一定程度的改善，更由於中國共產黨組織自上而下加強對整個社會的控制，幾乎滲透到中國社會的每一個角落，目前，沒有第二種力量能與中國共產黨相抗衡。因此，儘管民怨沸騰，但老百姓無奈地說：共產黨不能靠了，就誰也不靠，只靠我們自己。我們認爲，共產主義在中國的終結是歷史之必然。但搞垮共產黨的只能是共產黨人自己，決不可能有第二種力量。

二、平反「六四」，是歷史之必然、人民之心聲。「六四」情結幾乎壓得每一位中國有識之士喘不過氣來，幾乎所有的中國人都認爲平反「六四」是大勢所趨，只是個時機問題。從「六四」發

生的那天起，中共高層領導人中就有不同意見，隨著時間的流逝，特別是鄧小平等中共元老與絕大多數當事者的死去，從中共黨內到中共黨外，要求平反的呼聲不斷高漲，並且最終將形成時代的洪流。中國共產黨高層中的開明力量終將順應時勢，把握這一歷史性機會，平反「六四」，進而最終拋棄共產主義制度。

三、中共黨內開明派將是推動中國民主政治的關鍵力量。中國共產黨已經不是傳統意義上的共產黨，而是一個派系龐雜、目標各異、意識形態混亂的大雜燴。中共內部的激進派與保守派的對立甚至比共產黨與國民黨的對立還尖銳。這一點，中共與蘇共很相似。因而，今天形式上的鐵板一塊很有可能在一夜之間龜裂。取代共產黨的將是共產黨內部的新生力量，他們對共產主義制度的痛切將甚於任何黨派，他們要求建立民主政體的愿望格外強烈，他們必將團結海內外一切民主力量，在聯合的基礎上，構建中國的民主政治體制。

四、中國的民主政治建設必須靠植根於國內的民主力量才能發展。在海外爲中國的民主、自由、法治而呼籲，爭取國際社會的理解和支持，很有必要。但是，解決中國的根本問題還得立足國內。因此，立志爲中國的民主與自由獻身的人們，一定要具備趙紫陽「我不入地獄，誰入地獄」的無所畏懼的氣派。社會的進步與發展總是要以一批人的獻身爲代價。在中國走向民主自由的進程中，肯定會有人作出犧牲。留學海外，真正立志於爲祖國獻身的人們，應該挺起胸膛，回到祖國，與共產黨中的開明人士相結合，深入城鎮和廣大農村，走與工農大眾緊密結合的道路。在中國的廣大農村，

尚有四分之一老百姓的意識仍停留在二十世紀三十年代的水平。亟需大批有識之士的啓蒙，中國民主政治真可謂任重而道遠。

十二年過去了，「六四」並沒有因爲時間的推移而被人們所忘卻。關於「六四」的眾多疑問，至今仍眾說紛紜，莫衷一是。無疑，準確、全面、客觀地評價「六四」的最基礎工作，就是公佈「六四」真相，還歷史以本來面目。作爲「六四」的身歷者、見證人，我們有道義、有責任把忠實記錄的關於「六四」決策的全過程公諸於世，以告慰於人民和歷史。現在，這裡，我們唯一能夠對大家說的是：這部書的全部資料來源都是有根據的，全書以客觀事實說話。爲了忠實於歷史，我們採用編年史實錄形式，從一九八九年四月十五日胡耀邦去世到六月二十四日中共十三屆四中全會閉幕，基本上每一日都按：一、中央高層決策；二，全國各地動態；三，國外反應及媒體報導進行展示，盡可能避免加上我們的主觀評論，唯恐自己的觀點影響讀者自己的評判。本書公佈的是「六四」的全部真相，尤其是中共高層關於「六四」決策的全過程，有的甚至連當今中共最高層成員都不瞭解。我們只期望：此書經得起歷史檢驗。它的出版，能從根本上推進中國民主政治建設的進程。

魯迅先生說過，「真的猛士，敢於直面慘淡的人生，敢於正視淋漓的鮮血」。紀念「六四」的今天，我們只能作出這樣的歷史選擇。是爲序。

張良

二〇〇一年一月八日

序曲

「六四」背景

胡耀邦，一個與二十世紀八十年代中國民主運動緊密相聯的名字，一個與充滿活力、富有膽識、公正無私、清正廉潔緊密相聯的名字。一九八六年隆冬的學生運動，促使胡耀邦被迫辭去中共中央總書記職務；一九八九年春天的胡耀邦去世，釀成了本世紀最大的中國民主愛國運動。從一九八七年一月十六日胡耀邦被迫辭去總書記到一九八九年四月十五日胡耀邦的溘然去世，這二年零三個月的時間，中國的社會政治經濟狀況到底發生了哪些變化？當時的社會政治基礎是否預示著八九民主運動的結局只能是已經發生的那種樣子？這一場淒烈的八十年代中國人權慘劇難道真的無可避免嗎？讓我們追溯歷史。

中共高層兩種聲音

一九八六年，是中國政壇上民主氣氛最爲濃烈的一年，也是因此而大傷元氣的一年。由於中共所推進的經濟改革受到現行政治、經濟制度相掣肘，使得經濟改革自農村改革的成功後，在提升到更高層次的城市改革後便開始出現混亂：物價上漲，通貨膨脹，官員腐化，「官倒」猖獗，各種思潮泛濫，信仰危機加劇。由於經濟改革遭遇了政治制度的瓶頸制約，中共最高層出現了兩種不同的

呼聲。

一種聲音先強後弱，它以胡耀邦、趙紫陽、陸定一、習仲勛、萬里爲代表，比較多地肯定了政治改革對經濟發展的促進作用，強調政治體制改革的必要性。鄧小平對此表示支持。一九八六年七月八日，鄧小平在中共中央政治局會議上第一次比較系統地談到政治體制改革問題，強調政治體制改革的關鍵是黨政分開。九月十六日，在鄧小平提議下，中共中央政治局決定成立中共中央政治體制改革研討小組，批准由當時的國務院總理趙紫陽、中央顧問委員會副主任薄一波、中共中央書記處書記胡啓立、國務院副總理田紀雲、全國人大常委會副委員長彭沖等五人組成政治體制改革研討小組，爲中共十三大設計政治體制改革藍圖。研討小組下設辦公室，由趙紫陽秘書、國家經濟體制改革委員會副主任鮑彤具體負責。可以說，中共最高層的民主政治風氣在這個時候達到了頂峰。

一種聲音先弱後強，它以陳雲、李先念、彭真以及胡喬木、鄧力群爲代表，他們認爲「資產階級自由化現象到處泛濫」、「這個黨不抓不行了」。在這個原則性的問題上，鄧小平一開始總是深藏不露，並沒有表明他的觀點。在討論十二屆六中全會的議題時，面對陳雲、李先念、彭真、鄧穎超等人的強大壓力，鄧小平完全尊重陳雲等人的意見，並表態「要抓一抓精神文明的問題」。於是，中共十二屆六中全會召開了，會議的主題就是加強社會主義的精神文明建設。

這次中央全會有一個外界不知的情節。九月二十八日下午，是全會的最後半天，時任中央顧問委員會副主任的陸定一舉手要求主持人胡耀邦讓他發言，陸定一說：「我建議決議中刪去資產階級

自由化這句話。因爲社會主義精神文明建設重在強調建設，和資產階級自由化無關」。這個發言之大膽，無疑給會場投下了一顆炸彈，全場頓時鴉雀無聲，無人敢於回應。陸的講話第二天就遭到了沒有參加那天下午會議的中顧委主任鄧小平的批評。決議正式寫入了「反對資產階級自由化」的內容，中共最高層的寬鬆氣氛由此趨緊。十二月九日，方勵之所在的中國科技大學率先拉開了一九八六年學生民主運動的序幕。反映到中共最高層，就是胡耀邦的「反對資產階級自由化不力，違反黨的集體領導原則，在重大政治問題上失誤。」一九八七年一月十六日，中共中央召開政治局擴大會議，胡耀邦被迫辭去中共中央總書記職務。中共中央下發的一九八七年一號文件，號召全黨、全國全面反擊資產階級自由化。在這次學潮中，方勵之、劉賓雁、王若望三位知識分子的黨籍被開除。到一九八七年一月中旬，持續了一個月之久的全國性學潮得以平息。與胡耀邦下臺的同時，渴望政治改革願望最強烈的陸定一、習仲勛受到了不同程度的批評，中共最高層的民主氣氛一下子跌入谷底。一九八七年夏天，陸定一從無錫給同爲中顧委的副主任薄一波寫信，全信如下：

一波同志：

我請求辭去中顧委副主任的職務。告老還鄉。

陸定一

七月十五日

陸定一是中共資深的宣傳工作領導人，曾任毛澤東時代的中共中央宣傳部部長，文革中遭到殘酷迫害，文革後有深刻的對體制的反省。他的信從一個側面反映了當時中共最高層的壓抑氣氛，也是對鄧小平在處理胡耀邦問題上的一種不滿。事實上，在清算了胡耀邦後，鄧小平已經強烈地意識到中共最高層一股企圖全面倒退並全盤否定改革的勢力。面對複雜的局面，鄧小平與趙紫陽多次談話，要求堅決強調改革，防止反資產階級自由化的擴大化傾向，並繼續支援中共中央政治體制改革研討小組的工作。爲此，趙紫陽親自主持下發了中共中央四號文件，這一文件的最大作用就是將反資產階級自由化嚴格限制在中共黨內。同年五月十三日，在鄧小平的授意下，趙紫陽發表了進一步堅持改革的講話，這一講話，實際上中止了反對資產階級自由化運動，使改革呼聲又重新高漲起來。大量事實表明，在強大的反改革勢力面前，鄧小平、楊尙昆、薄一波與趙紫陽、萬里等表現了空前的團結，這也是能將政治體制改革內容堂而皇之地寫進中共十三大政治報告中的主要原因。中共十三大政治報告，除了強調要進行政治體制改革外，更主要的就是提出了鄧小平的社會主義初級階段理論。說到底，社會主義初級階段理論的提出，是鄧小平對付黨內反改革勢力的一個殺手鐗。十三大的順利召開，再造了中國改革開放的聲勢，國內的政治形勢再一次明亮起來。

然而，中國的經濟改革形勢並未因此而改觀。正當人們紛紛議論如何深化改革的時候，趙紫陽接受了一些經濟學家的建議，試圖開始從價格改革入手進行「闖關」，不懂經濟的鄧小平完全支持他所信任的趙紫陽的意見。爲了減少阻力，一九八八年五月，鄧小平公開表示支持價格改革，並提

出「長痛不如短痛」，人民日報爲此專門發表社論。這年夏天的北戴河會議，中共最高領導人專門討論闖價格關問題，對經濟學家提出的十套價格改革方案進行反復比較研究，由於工作過於緊張，會議期間折損了兩員大將：國務院秘書長陳俊生、國家計委第一副主任房維中。兩人都因腦溢血不得不會議中途到太湖療養。然而，價格改革並未因堅持改革的領導人個人的意願而一帆風順。北戴河會議尙未結束，全國就刮起了一輪又一輪的搶購風，引起全社會一片恐慌。到九月份，全國經濟形勢已變得非常嚴峻。「初級階段是個筐，什麼東西都往裡裝」這一民間諺語開始爲中共最高層的反改革力量提供了口實，社會上出現的「端起碗來吃肉，放下筷子罵娘」的現象更使那些主導計劃經濟的革命家惱怒。李先念說，中國經濟已經到了危險的邊緣。陳雲說，中國經濟亟需調整、改革、整頓、提高。面對難以控制的物價漲幅，鄧小平也開始不得不擔心了。陳雲、鄧小平、李先念都分別提議中共中央政治局重新考慮經濟政策問題，並希望在中共十三屆二中全會中予以明確。根據陳雲、李先念的意見，中共中央政治局常委、國務院常務副總理姚依林提出了「治理經濟環境，整頓經濟秩序，全面深化改革」的建議，中共十三屆二中全會通過了這一決定。至此，趙紫陽的經濟改革以「治理整頓」而宣告失敗。這也使鄧小平對趙紫陽感到失望。與經濟政策調整緊密相連的是，政治形勢又一次變得灰暗，中共最高層中堅持政治體制改革的主張也受到了很大的懷疑，王震就公開地對鄧小平講，「小平同志，不要讓他們(注：指趙紫陽等)走得太遠了。」事實上，政治體制改革此路已經不通。

經濟形勢嚴峻

一九八九年春天，中國經濟形勢仍然被一團烏雲籠罩。李鵬在七屆人大二次會議上所作的政府工作報告中承認了當時的問題和困難。李鵬說，「當前我國經濟和社會生活中存在的突出問題是物價上漲過多，使人民生活的改善受到一定影響，部分城市居民的實際生活水平有所下降。經濟工作中急於求成、忽視經濟效益的傾向依然存在。經濟結構還不合理，特別是能源、原材料供應、交通和通信仍然很緊張。國家財政還有較多的赤字。不穩定因素雖有緩解，但尚未根本消除。在新舊兩種體制並存的條件下，在改革舊體制和探索、完善新體制的過程中，面臨許多新的矛盾。中央與地方、國家與企業、集體與個人、計劃與市場等基本經濟關係尚未完全理順。隨著市場逐步開放和商品貨幣流通日益擴大，許多法規和制度有的尚未建立，有的不夠健全，有的執行又不夠嚴格，管理監督也沒有跟上，偷稅漏稅、行賄受賄、敲詐勒索、假冒僞造等惡劣行爲時有發生；一些幹部以權謀私，甚至貪污腐化；一些政府機構官僚主義嚴重，一些部門、地方和企事業單位奢侈浪費驚人。」

三月三十一日，國務委員、中國人民銀行行長李貴鮮在各省、自治區、直轄市黨政一把手會議上強調了全國金融形勢的嚴峻。李貴鮮的講話指出：

"目前貨幣、信貸情況很不樂觀，金融形勢仍然是嚴峻的—各專業銀行預計到三月底只比去年底

增加一百一十億元，比去年同期少增加一百五十億元；今年以來，人民銀行已陸續拿出二百億元短期專項貸款，這是歷史上沒有過的。」「到一九八八年底，銀行信貸資金運用總量爲一萬二千億，其中，財政透支三百二十五億，財政借款三百五十七億，加上銀行購買的財政債券等，用於支援財政的資金七百九十三億元，這些資金實際上已用於吃飯。」「到一九八八年底，我國外債餘額已達四百億美元，而全部外匯儲備總額只有一百八十．一三億美元。」「從資金運用情況來看，不僅存款準備金已經動用，而且一季度中央銀行已投入二百億元，各專業銀行的資金已經到了死水位。所以，一些地方銀行同志說，一九八八年是難忘的一年，一九八九年則是難過的一年，這是符合實際情況的。」

嚴峻的經濟形勢隱含著錯綜複雜的政治形勢，在突發的社會事件即將到來之前，社會各界的心態到底如何呢？

治安狀況惡化

據最高人民法院報告：一九八八年，全國法院審結的經濟犯罪案件達五萬五千七百一十件，是建國以來最高的，其中，判處貪污案件被告人八千四百二十八名，判處受賄案件被告人一千五百八十四名，判處投機倒把案件被告人一千六百九十九名，判處走私案件被告人一百九十八名。一九八

九年一至三月份，全國法院又受理了一萬五千七百八十七件經濟犯罪案件。

據最高人民檢察院報告：一九八九年一至三月份，共立案查處構成犯罪的貪污賄賂案件六千四百三十三件，比上年同期增加二十六．六%，佔立案的各類經濟犯罪案件總數的七十一．八%。其中行賄受賄犯罪尤其突出。檢察機關共立案二千三百一十八件，比上年同期增加七十八．四%。其中查處貪污受賄在萬元以上、擔任縣團級以上領導職務的重大案件一千三百三十八件，比上年同期增加一．0七倍，涉及縣團級以上幹部六十人，比上年同期增加五十八%。

嚴重的經濟犯罪，嚴重的官員腐敗，導致嚴重的社會治安惡化。據公安部報告：僅一九八九年第一季度，全國的發案率就達五十六萬起，比一九八五年全年的五十四萬起發案率還多二萬起。湖南省委向中央的報告很有典型性，不妨摘錄如下：

今年以來，我省各級公安機關積極開展整頓社會治安的總體戰，雖然收到了一定的效果，但是，治安形勢仍然嚴峻，群眾對此意見紛紛，強烈不滿。

今年以來，一些群眾經常就社會問題來信，或舉報兇犯，或發表感慨，字裡行間充斥著埋怨、憤慨和不安之情。有些來信說，現在是土匪、強盜、扒子越來越多了，壞人的氣焰越來越囂張了。過去打了個人都不得了，現在殺個人卻好比宰隻雞一樣；過去土匪搶劫只敢在深山僻壤處搶，現在搶到大城市裡，搶到火車、汽車、輪船上來了；絕跡多年的賣淫、嫖娼等都在死灰復燃；至於賭博、爭水爭地鬧糾紛、搞宗族械鬥等，其次數之多、規模之大和造成的惡果，都超過瞭解放以來任何時

候……

據我省公安部門分析，當前治安形勢嚴峻主要表現在五個方面：一是搶劫、盜竊等特重大案件繼續猛增。一季度全省共立各類刑事案件一萬四千0四十起，其中大案二千七百三十九起，特大案件一百二十五起，分別比去年同期增長五十·七%、九十五·八和五十二·四%。二是犯罪團夥活動囂張。一至二月，全省共查獲各類犯罪團夥六百一十五個、二千一百八十二人，其中盜竊、搶劫團夥五百四十五個、一千九百四十人，均佔八十八%以上。三是一些縣市盜墓成風。一九八七年以來，長沙市被盜掘墓葬二千七百多塚，其中明清古墓上千塚。武岡縣去年四月以來被掘墳墓五千三百多塚。四是賣淫、賭博等醜惡現象更趨嚴重。一季度全省共立各類治安案件二萬五千多起，比去年同期上升十七·一%，共罰款一百七十五萬多元，沒收財物折款二十九萬多元。其中賣淫姦宿和製作販賣傳播淫穢物品案件分別比去年同期上升六十二·三%和八十%。賭博之風更是越來越兇，由偷偷摸摸發展到公開化。五是集體上訪、遊行及各種鬧事苗頭增多。因山林田土、墳山糾紛引起的村與村、縣與縣之間的群眾性械鬥不斷發生。有的為了戰勝對方，竟自造土槍土炮，有的衝擊縣人武部搶奪槍支武裝自己。

今年以來刑事、治安案件大幅度上升的原因何在？公安部門的同志認為，犯罪分子猖狂活動的目的主要是為了圖財。據統計，這類大案佔全部大案的八十二%。導致圖財案件猛增的具體原因，一是現金管理失控，鈔票滿天飛；二是高消費生活方式的刺激誘發一部分人走上非法謀財的道路；

三是一些單位內部安全意識淡薄，防範措施不落實；四是破案率不高，打擊處理也不及時。全省一季度重特案破案率爲七十三．三%，比去年同期下降六%；盜竊大案破案率僅爲六十八%，有的縣市只有百分之四五十。

省委常委對造成這種治安局面的原因也作了分析。大家認爲，最直接的原因是，有些地方把社會治安視爲公安部門一家的事情，一些黨政領導機關基本上沒有管，以致綜合治理搞不起來，效果不好；法制不健全，存在有法不依和執法不嚴的情況；實行辦案收費提成，罰款減刑免刑的辦法，給犯罪分子有機可乘；辦案執法隊伍的數量和質量都適應不了形勢的要求，不僅破案率低，有的甚至參與作案，影響很壞；社會上見義勇爲的行動在不少場合得不到支援和保護，造成邪氣上升，正氣受壓。有的同志指出，根本原因是我們放鬆了思想政治工作。大家都朝錢看，滿腦子都在想錢，致使好吃懶做、嫖娼逍遙、偷扒搶劫、貪污賄賂、爾虞我詐等醜惡習氣和犯罪行爲充斥了各個角落。有的同志激動地說：放鬆了思想政治工作，敗壞黨和民族的傳統美德，是我們的最大失誤，現在該是認真正視和解決這個問題的時候了！

同樣，嚴峻的社會治安狀況已經深入到最與世隔絕的監獄。據司法部的報告：一九八九年二月八日，新疆塔克拉瑪干沙漠西南緣的一所勞改農場發生了「暴獄事件」，八十多名犯人手持鐵錘、匕首等兇器，殺死幹警，佔領監區，扣押人質、焚燒房屋，致使十人死亡。據自治勞改局反映，去年全區二十三個勞改場所共發生哄監鬧事等大案十一起，九十六名犯人越獄潛逃，三名幹警被殺。

今年一季度除上述「暴獄事件」外，共發生兇殺、盜竊槍枝彈藥等大案七起，十三名犯人潛逃，三名幹警被殺。

報告指出，這些案件的發生是勞改工作中存在著諸多嚴重問題的大暴露，勞改工作似乎成了被人遺忘的角落。這一被遺忘的角落存在的主要問題是：(一)監管人員有法不依，執法犯法。據介紹，新疆一些獄所監管人員常有打罵、體罰、侮辱、虐待犯人的行爲，致使犯人抗拒改造，伺機報復。二月八日「暴獄事件」，就是因爲幹警在大年三十無故捆綁毒打犯人而引起的。(二)監所管理不嚴，「牢頭」、「獄霸」爲害甚烈。由於監所放鬆管理，一些犯人精神空虛、無聊至極，便以打人取樂，尋找刺激。那些打人兇、會耍花樣的人，便成爲「獄中王」。據瞭解，新犯人入監後，一般都要受到名目繁多的土刑罰，且不允許叫喊、聲張，否則受到加倍懲罰。因此，致傷、致殘、致死事件時有發生。去年，僅烏魯木齊市五家看守所就有十名犯人被打致死。天山區公安局看守所去年下半年有二名青少年犯人入監不到一星期就被同號「獄頭」打死。而公安局又謊稱此二人係「緊急死亡」。(三)監管人員困難大，怨氣多。我們一直沿襲古代流放犯人的做法，把勞改所設在最邊遠、最荒涼、最艱苦的地方。結果，使監管人員及其家屬長期在這些地方工作、生活，猶如被判「無期徒刑」。特別是近幾年，年輕人更是把勞改場所視爲畏途，招收監管人員不得不降格以求。除了物質條件異常艱苦，精神生活也極其貧乏。如於田縣勞改農場七十二名男幹警到了婚戀年齡，但在遠離城鎮四十公里的地方，僅有四名未婚女青年。所以，一些幹警不安心工作，經常遷怒於犯人，動不

動就打罵、體罰犯人以發泄自己的不滿。(四)經費不足，物價上漲，監獄人滿爲患。自治區第一監獄黨委書記吳森反映，近年來犯人伙食已越來越差。各個獄所無不人滿爲患。如烏魯木齊市天山區看守所設計標準關押一百五十人，現在關押三百多人；沙依巴克區公安分局看守所設計標準關押一百人，而現在關押二百五十人。因此，八人一間的號子，一般要關押十六、七人。人均面積僅有0.五平方米，生存空間的過分窄小也常常導致犯人之間的毆鬥。

軍隊思想狀況

一九八九年一月，總政治部在給中共中央的報告中反映：當前部隊官兵的現實思想問題儘管多種多樣，但大都與利益問題有關。可以說利益問題成爲當前軍營中普遍關心的焦點，其突出表現是：

一，認爲軍隊利益沒有得到足夠重視。多年來軍費基本沒有增加，扣除物價上漲因素，實際上是下降了。部隊還反映，現有的武器裝備完好率下降，主要原因是無錢維修。他們希望能夠有計劃有步驟地改善武器裝備，否則一旦有事，將會影響執行戰鬥任務。

二，認爲軍隊財產和軍事設施沒有得到國家法律的可靠保護。近年來，軍事設施被群眾隨意破壞和侵佔的事件屢有發生，沒有得到有效制止。隨著商品經濟的發展，生產規模的擴大，軍地之間經濟糾紛增多，利益矛盾突出。他們認爲，部隊要走自我發展的路子，要搞農副業生產和生產經營，

軍地之間的利益衝突將會進一步加劇。

三，認爲軍隊官兵的物質生活水平沒有隨著人民群眾的生活改善而有所提高，因此，人心思走的問題也比過去突出了。

四，國家對軍隊轉業幹部的安置缺乏穩定的法規性政策，隨意性大。安置工作一年不如一年。幹部擔心政策變，普遍感到遲走不如早走。

五，在軍隊與地方的交往中，有些群眾對軍隊的理解和尊重意識減退，關心愛護子弟兵的熱情低落。象國家已有明確規定的軍屬優撫，幹部家屬隨軍、就業，傷殘人員的安置等政策，具體落實起來困難很大。

一九八九年三月，中央軍委辦公廳特別就八十年代中期以來的「軍官家門化」現象進行了調查。報告指出，一九八五年以來，不僅地方部隊的軍官已基本實現「家門化」，而且駐地條件較好的野戰部隊也有不少軍官「家門化」。據某集團軍調查，家在營區周圍五十公里以內的部隊軍官約佔軍官總數的三十%，營以下已婚軍官中佔近三分之二。顯而易見，軍官「家門化」解決了軍官家庭的一些實際困難，但給部隊建設卻帶來了新的問題。

一是帶兵人脫離兵的現象日益嚴重。家門口軍官，多數是基層的帶兵人。如某旅七十四名家門口軍官中，有五十一名是基層軍官，其中十一名又是連隊主官。每逢星期天或節假日，這些家在附近的軍官回去休假，有的連隊僅留一名排長值班，容易造成部隊失控，不僅淡化了同士兵的感情，

而且刺激和加劇了士兵私自回家的欲望。調查結果表明，「家門化」軍官所在的連隊，士兵私自離隊的問題比其他連隊嚴重。二是造成軍官隊伍的鬆散。爲了滿足家門口軍官回家料理家務的要求，當前不少單位改休年假爲月假，有的軍官月假照常休，事假經常請，紀律渙散，組織觀念淡薄。另外，家門口軍官很容易受地方不正之風影響，形成複雜的人際關係，產生不利於部隊建設的消極影響。三是軍官的正常交流調動遇到阻力。有的家門口軍官把離家五十公里以外的部隊看成是「邊遠部隊」，不願到那裡去工作。一旦需要調動，便提出種種藉口和理由，甚至以撂擔子、轉業相要挾，大大增加了軍官合理流動的難度。四是士兵利益受侵佔的現象突出。有的軍官家屬來隊，「支自家的鍋，煮連隊的米」，不僅不交伙食費，還要索取伙食費。有的軍官甚至授意或默許給養員把連隊的副食品往自己家裡送，在士兵中造成了極壞的影響。

一九八九年四月，針對軍隊長期來沿用的「一竿子插到底」、「原原本本傳達上級指示」、「抓兩頭帶中間」陳舊工作方法，北京軍區在召開軍區基層建設工作會議的基層上，對當前的部隊思想政治工作向中央軍委提出了三點建議：一，樹立層次領導觀念，盡量少搞「一竿子插到底」。一些領導幹部和領導機關喜歡「一竿子插到底」，習慣於搞什麼「定點挂鉤」、「分片包乾」，看起來工作很深入，指導很具體，實際上是上級幹了下級的活，把本來屬於下級幹部職權範圍內的事情一古腦兒包了下來，打亂了基層正常的工作秩序，也助長了基層幹部的依賴心理。六十三集團軍軍長說，在軍隊領導體制中，各級有各級的領導職責、管轄範圍、工作對象，通常情況下，應該是一

級抓一級，盡量減少不同領導層次都抓一樣的事。凡屬基層有權也有能力解決的問題，一般不要越位處理。二，傳達貫徹上級指示要講效益，不能機械地提倡「原原本本不走樣」。當前不少領導幹部傳達貫徹會議精神和文件精神只是一味強調「原原本本」，結果逐級傳達變成了逐級念文件，脫離了部隊實際。北京軍區後勤部政委說，一九八八年部裡先後召開和收聽上級電話會議二十一次，每次機關都要抽三、四個人連夜整理錄音，加班列印，耗費了不少人力物力，卻不能解決實際問題。希望今後團以上領導機關對上級機關和領導的指示，應該進行「調節、分流、變壓」，從部隊實際出發，決不能照抄照傳，搞「上下一般粗」。三，「抓兩頭」並非抓「彩頭」，要在「帶中間」和「幫後進」上下功夫。三十八集團軍政治部主任認爲，一些領導同志在抓連隊建設時往往偏愛先進連隊，要什麼優先給什麼，出了問題也護著；對後進連隊則關心不夠，甚至不願到那裡去，致使先進連隊與後進連隊的差距越拉越大，這樣的先進其實沒有實質性意義。

三月三十一日，瀋陽軍區司令員劉精松在對部隊經過近兩個月的實地調查後，認爲當前部隊官兵對形勢教育冷漠的主要原因，與教育者思想保守、教育模式陳舊有密切關係。爲此，他就如何深化部隊官兵形勢教育向中央軍委提出三條建議：一要破除把形勢教育簡單搞成「大好形勢教育」的模式，要說真話，道實情，把形勢的本來面目向群眾講淸。要堅決制止採取詭辯的辦法，拐彎抹角地把問題說成是成績。比如把大米漲價說成是吃細糧的多了，是生活水平提高的標誌；把經常停電說成是工礦企業增多，是生產力發展的標誌等。這樣，群眾聽了不但不信，更會產生逆反心理。二

要破除「成本大套、照本宣科」的教育模式，抓住人們關心的問題，從身邊的事情講起。一定要對幹部戰士關注的問題，由近及遠，由具體到一般，解開大家的思想扣子，統一大家的認識。三要破除「教行脫節」的教育模式，把講大形勢與優化小環境結合起來，增加形勢教育的說服力和可信度。比如講反腐倡廉，如果本單位一些領導說一套做一套，收禮受賄，處事不公，就必然形成「臺上他講，台下講他」的現象。

地方高官建議

一九八八年十二月，中共天津市委書記、天津市市長李瑞環談了對時局的看法。他認爲，改革時期出現局部、暫時心理失衡是難免的，在某種程度上講並非壞事。採取正確的補償方式，積極控制和引導社會心理在新的基礎上達到新的平衡，爲關鍵階段的改革作好心理準備，是當前亟待解決的問題。李瑞環向中共中央提了五點建議：

一，整頓官風、清廉政治、明確社會角色規範。作爲低層次的社會意識，社會心理歸根結蒂是由社會存在決定的。要恢復群眾的信任，消除普遍存在的逆反心理，各級領導首先要先憂後樂，爲群眾作表率。從中央做起，首先管好高級幹部，包括他們的老婆孩子。這樣一級管一級，官風帶黨風，黨風帶民風，就能政通人和、上下一心、共擔風險，共渡難關。目前的主要傾向是有法不依、

執法不嚴。只要中央動真格的，這個「老大難」的風氣問題並不難解決。懲罰必須達到一定強度才能收到效果，「治亂世用重刑」。對腐敗現象不能視而不見或處理太輕。我們現在要收民心，沒點堅決措施不行。對貪污受賄、弄權瀆職的，必須嚴懲不貸。

二，加強改革理論研究，爲人們調適心理、更新觀念建立「參政座標系」。十年前的真理標準大討論，爲今天的改革開放作了心理準備。而目前的情況是，改革的理論大大落後於改革的實踐。十三大提出的社會主義初級階段的理論框架，亟待具體化、系統化。比如價格改革，這幾年幾上幾下，如果不從理論上把這一問題講清，人們無法預測今後的變化，無法制定自己的行爲對策，不知如何調適自己的心理，就必然在改革面前不知所措，惶恐不安。

三，注意發揮新聞媒介的「安全閥」效應，保持群眾情緒渲泄渠道暢通。群眾情緒宜粗不宜細，正象高壓鍋氣壓超限就會爆炸。新聞媒介如能及時反映群眾意見要求，將是保持社會心理平衡的一隻「安全閥」。要讓這只安全閥真正起作用，關鍵是要增加透明度。要敢於觸及改革實踐和社會心理中的敏感問題，不迴避矛盾。新聞媒介應成爲群眾參政議政、社會協商對話的重要渠道，要在存小異的基礎上求大同。

四，在改革不能給人更多實惠的陣痛時期要特別注意解決好社會分配公平問題。隨著收入差距的拉開，相對水平下降使相當一部分人體驗到不公平，產生不滿情緒。考慮到我國人民幾十年吃「大鍋飯」所形成的心理定勢的改變是個漸進的過程，考慮到物價、工資改革在一段時間內對人們生活

可能造成的困難，當前在處理經濟發展中效率與公平的關係時，要特別注意公平問題。必要時寧可暫時犧牲一點效率以避免社會動盪。

五，清除精神文明建設中的「斷檔」現象，振奮民族精神。現在農民不大可能鬧事，城市中只要工人這個大頭穩住了，就不會出大的亂子。眼下正是需要統一思想、統一認識之日，也恰是相當一些企業思想政治工作削弱之時。雖然十二屆六中全會對精神文明發了一個決議，但只停留在紙面上。現在中央對各省市、各省市對下面既無部署又無檢查，不聞不問，應該引起重視。

一九八九年三月二十七日，以改革著稱的瀋陽市市長武迪生向中共中央、國務院建議反思十年改革。武迪生在報告中說，十年改革成績不容否定；十年改革經驗非常豐富，不能丟掉；十年改革方向正確，要堅定不移。在充分肯定十年改革成就的同時，也要進行深刻反思。武迪生說，目前社會經濟生活中出現的很多問題，除了客觀原因外，主觀上是由於工作指導上的失誤造成的，其主要表現爲「急」、「偏」、「軟」、「散」、「淺」：

—急。改革上急於求成，建設上急於翻番。這是「左」的思想影響沒有清除的反映。一些改革措施出臺時，沒有充分考慮生產力發展水平和群眾承受力，事半功倍。

—偏。思想方法絕對化，缺乏辯證法。在處理經濟環境與政治環境、改革與發展、物質文明與精神文明、宏觀與微觀、新體制建立與幹部隊伍素質等關係上有較大的片面性。

—軟。在宏觀管理上手段不硬，辦法不多，老辦法多，新辦法少。對如何運用商品經濟知識進

行宏觀管理缺少經驗。

—散。改革上存在一定的隨意性和隨機性，缺乏全面研究、瞻前顧後，往往一套好的改革措施出臺後，因配套措施不完善而不能奏效，甚至引起新的社會矛盾。

—淺。改革求新不求深，改革一個跟著一個，在完善和深化每一項改革上做文章卻不夠。

李瑞環、武迪生的建議相當程度上代表了很多地方高官的看法。

青年的苦惱

一九八八年十月至十二月底，全國政協婦女青年聯合委員會、共青團中央對全國青年的思想狀況進行了一次歷時三個月的全國性調查。這是一次規模宏大，富有權威性的調查。調查報告於一九八九年三月份完成，並報送中共中央、國務院。現摘錄該份報告的第三部分的第一節。

青年的思想主流是好的。但是，在目前社會環境沒有得到根本治理的情況下，青年問題上潛伏著十分尖銳的矛盾，對這些問題不認識或處理不力，將會造成嚴重的後果。政治上，青年特別是高文化層次的青年中存在著幾種不安定的因素。如果處理失當，矛盾一旦激化，很可能衝擊改革、衝擊國家的安定局面。

1)在對待四項基本原則的態度方面。大部分青年主張堅持四項基本原則，但主要是以農民和軍

人爲主的青年群衆。認爲沒必要堅持的，雖只佔三．三五%，但卻集中在研究生文化層，從職業看，這部分人以教師、學生和科技人員爲主。明確表示馬列主義不適合我國改革開放的，佔九．七五%，這已是一個不可忽視的比例，其中又以研究生文化層次卓然突出。調查問卷中，認爲改革是社會主義與資本主義的融合的，佔二十．二一%，其中大多數仍是研究生和大學生文化水平的青年。這說明了高文化層存在的思想混亂。

2)對中共黨風方面。對於一九八八年夏季的搶購風，認爲這是人民不信任政府的表現的人佔三十一．五%，持這種意見者又是高文化層次的教育和商業工作者。在被調查的青年中，相信黨風會越來越好的僅佔二十二．八%。對於今年黨風的估計，有兩種意見並列：一是二十四．五%的人認爲和去年差不多；二是二十．三%的人認爲會比去年更差。把十三大前後青年對黨和政府的信任程度作一對比，認爲信任程度提高了的佔二十九．七%，認爲信任度降低了的也佔二十九．一%。二者幾乎相等。

3)對學潮的評價方面。青年看法與黨中央對學潮的處理方法相去甚遠。特別値得注意的是，青年問卷中的贊成學潮的諸項意見，與成年人問卷中所得結果幾乎完全一致。這應該視爲不安定的思想基礎。下列問題及贊成與反對之比如下：學潮是青年人表達自己意見的一種方式(五十九．二四%比八．一六%)；學潮是青年人對社會弊端的一種反抗(五十七．0四%比十三．三二%)；學潮不是學生愛鬧事的表現(四十九．二七%比七．七八%)；學潮並未擾亂中央改革的措施(三十七．六九%

比九・一七%）；學潮是學生愛國主義的表現（三十八・九一%比十七・一二%）。可見，壓倒多數的青年肯定學潮。同樣的問題，在成年問卷中的結果，其贊成與反對之比如下：學潮是青年人對社會弊端的一種反抗（六十・一三%比十二・二九%）；學潮是青年人表達意見的一種方式（五十一・八三%比十二・二一%）；學潮不是學生愛鬧事的表現（四十一・五二%比八・三一%）。青年和成年這種一致的態度，值得引起嚴重關注。

4)對改革的信心方面。青年對各項改革十分敏感，對物價上漲表示不安，認爲亂漲價是自己最大苦惱的佔六十三・七九%。對住房制度的改革主要持三種意見：改要一律改，不給任何人特權；提高房租和出售住房的同時必須提高職工工資；提高房租和出售住房必須發放住房補貼。這和中央有關決策部門的政策規劃大不一樣。調查中發現，十三屆三中全會後，青年對改革的支援和參與意識有所減弱，對改革的方向和前景發生懷疑，對改革的利益目標發生懷疑。很大一部分關心改革前途的青年，由於沒有通暢的渠道，他們的見解和思考得不到社會的重視。

5)對社會風氣方面。由於社會風氣惡化，嚴重損害了青年成長的環境，反腐敗鬥爭如果沒有實質性進展，也易激起青年的不滿情緒。問卷中，青年認爲地位升遷在實際生活中並不靠踏實工作和求學深造的成績，而是憑藉父母的權勢或領導欣賞當官。大多數青年推測，今年的社會風氣會比去年差，並認爲現在的社會風氣比十三大前更差。這種日趨惡化的社會風氣，與信奉自我是一切言行的出發點和歸宿點的那部分青年（二十・四九%）相結合，就可能出現爲尋求個人出路而搞異常政治行

爲的現象。

事實上，這一份以全國政協和共青團中央名義提交的報告，比較準確而透徹地反映了當時全國青年的思想狀況，遺憾的是，這份報告並未引起中共最高決策層的重視。

高校教師的吶喊

三月十七日，國家教委向中共中央、國務院報告了爲紀念「五四」運動七十周年籌備全國高校系統「中國新文化運動的回顧與前瞻」學術討論會的情況。報告指出，在全國十七所高校徵求意見的近二百名中青年教師的思想與中央精神有很大距離。表現在：

一，關於「五四」運動的性質

主要有兩種看法。一種認爲，「五四」運動是「感情用事而非理性運動」，同義和團、文化大革命是一脈相承的；認爲改良比改革更適合中國國情，國民黨搞的是溫和的、漸進的國民運動，具有建設性，而共產黨搞的是激進的革命，破壞性更多一些，並由此得出結論：共產黨不如孫中山，孫中山不如康有爲、梁啓超。另一種認爲，「五四」運動既不是徹底的反封建，也不是徹底的反帝，並在一定程度上是反帝掩蓋了反封建，救亡壓倒了啓蒙，而反帝只是反日，並不反英美。

二，關於「五四」以後馬克思主義在中國的傳播

普遍認為馬克思主義在中國並不是全面、系統的傳播。有的說，中國人民選擇了馬克思主義是不符合事實的，事實是毛澤東等人倉促地接受了馬克思主義中一些對奪取政權有用的東西，如無產階級專政、暴力革命等；有的說，「五四」運動傳播的只是傳統文化可以接受的、經過了東方農民文化改造的、變了形的馬克思主義。因此，應該研究馬克思主義是如何在中國變形的，而不是如何傳播的；有的說，儒家化、農民化的馬克思主義不是文化，所以，新民主主義革命在軍事上是農村包圍城市，在文化上也是如此，是農民文化摧毀了城市的精英文化。毛澤東遷就了農民文化，使農民文化形成了高潮，導致了以後的失誤；有的甚至說，馬克思主義在中國的勝利的提法值得懷疑，馬克思主義現在已經成了中國發展的阻力而不是動力。

三，關於「五四」運動與傳統文化

絕大多數中青年教師認為，「五四」以來凡是進步的知識分子都主張全盤西化，他們的目的是要使中國充分世界化和現代化，現在我們不是繼承傳統不夠，而是開放不夠。有一種觀點認為，精華和糟粕難以完全分開。特別在哲學層次裡，由於時代不同，同一個觀念在前工業化社會裡可能是糟粕，在後工業化社會裡則可能是精華。總之，傳統文化與前工業化社會是不相適應的，因此必然引進西方文化加以改造。

四，關於「五四」精神

一種有代表性的觀點認為，「五四」精神最本質的東西是個性解放，民主、科學只是在「五四」

前爲陳獨秀等少數人所倡導，「五四」以後個性解放便成了真正的主題。個性自由、個性獨立、個性解放是「五四」的精髓。有的說，發揚「五四」精神，應該高揚人性，高揚民主、科學，使人真正覺醒，成爲真正的人，應該著重討論民主問題，討論民主、科學爲什麼在今天被中斷了，目前的主要任務是反封建。

五，文化研究與新文化建設

最基本的觀點是，當代文化的核心問題是知識分子問題。知識集團是先進生產力的代表，對知識分子的態度反映了對生產力標準的態度。文化研究必須具有社會批判意識，知識分子應擔負起批判、監督社會的責任。我們引進了西方的商品經濟，卻缺少西方批判商品經濟的文化土壤。

六，關於如何紀念「五四」運動七十周年

三分之二以上的中青年教師強烈要求減少官方色彩、紀念色彩，以反思爲主，而不是以紀念爲主。有的提出，甚至要減少建立新信仰，尋找新道路的色彩，要少談主義，多研究問題。有一種觀點更認爲，不要帶著功利主義的目的紀念「五四」運動、捧「五四」運動，否則捧什麼臭什麼。「五四」運動是唯一聯繫青年的精神紐帶了，把「五四」運動再捧臭了，中國真要成爲一盤散沙了。

一九八八年十二月三日，中共四川省委向中共中央辦公廳緊急報告。報告稱，十二月一日、二日，西南交通大學校園內連續發現多張大字報，煽動知識分子起來鬧事。其中一日那張題爲「一二九告全體臭老九書」，其落款爲「中華全國十二月聯盟」，影響面很廣。這張大字報寫道：「我們

的財富，斂聚在一小撮民族敗類手中，而真正的千千萬萬勤奮工作的人們卻掙扎在水深火熱之中。我們這幫一貫善於忍受的人們，已經忍無可忍了。我們要活！我們要生存！！」「政府當局口口聲聲唱著十年改革成就的高調，難道物資困乏，通貨飛漲就是他們所叫囂的所謂十年改革成就？難道我們歷經十幾年寒窗之苦而最終收入還比不上一個賣瓜子的，這就是他們的所謂尊重人才？」「為了中華民族的生存，站起來，面對將要出現的屠刀，衝上前去，向那些皇宮的大老爺們大吼幾聲：中華民族將被引向何處去？！中國的臭老九們，還要不要生存？！」「讓民心不古」和「苦悶與吶喊」兩篇大字報，更攻擊黨的領導，並煽動每一個嚴肅的中國人，特別是青年人起來戰鬥，並要求老一輩支援他們的行動。收到報告後，中共中央辦公廳立即責成中共四川省委採取果斷措施，做好各方面工作，確保「一二九」前後不發生問題。

一九八九年三月，中共上海市委就上海五十一所高校青年教師的工作、生活狀況向中共中央、國務院作了反映。報告稱，上海五十一所高校二萬六千六百0三名專職教師中，有一萬0七百八十一名為三十五歲以下的青年教師，佔四十・五三%。由於在住房分配、職稱提升、工資提高、出國進修等方面都很難輪得上自己，導致人心不穩、行為躁動，厭教、棄教現象十分普遍。如上海交通大學的結婚用房只能解決到男的三十三歲，女的三十一歲，但全校二十八歲以上青年教師就有三百三十八人，其中多數要求學校解決結婚用房，已出現一間單身宿舍居住三位懷孕女教師的情況。一九八五年以來，每年只能解決青年教師的結婚用房二十五戶左右，只佔留校師資數的八分之一；上

海外國語學院一九八八年畢業學生二百七十人，沒有一人主動願意到教育戰線當教師，學校只能強制性分配二十五人到高校當教師，結果仍有七人不到單位報到；上海財政大學的青年教師流失率爲二十三·六%，上海工業大學的流失率爲二十五·七%；報告指出，青年教師生活和工作中的實際困難難以解決，是導致一些青年教師積極參與一九八六年上海高校大規模「學潮」的一個重要原因，也是促使大批青年教師「脫離苦海」、千方百計爭取出國的一個重要原因，全市五十一所高校調查表明，九十%以上青年教師想出國，上海醫科大學公派出去的二十八名留學人員，有十九名逾期不歸。報告最後稱：穩定青年教師的人心，增強青年教師的凝聚力，已是高教界甚至社會各界的普遍願望。否則，青年教師在思想上和行動上的不穩定，將對社會安定尤其是高校安定造成一定威脅。

知識精英呼籲大赦

事實上，自從中共開除了方勵之、劉賓雁、王若望的黨籍，開展反對資產階級自由化運動以後，民主力量在兩個方面仍然獲得了相當的進展。一方面，一部分知識分子繼續走體制內改革之路，成爲當權的改革派系的智囊；另一方面，則是知識界精英進行著廣泛的社會啓蒙工作，大力宣傳民主政治和人本主義。兩股力量在各個領域向政治保守勢力、舊體制、舊意識發起挑戰，在社會上特別

是青年知識分子中起了相當大的作用。

一九八九年一月六日，方勵之致函鄧小平，要求值建國四十年和「五四運動」七十年之際，「在全國實行大赦，特別是釋放魏京生以及所有類似的政治犯」。這「無論對魏京生本人作如何評定，釋放他這樣的已經服刑大約十年的人，是符合人道的，是會促進良好的社會風氣的」。

一月二十八日，一批在社會上有相當影響和地位的知識分子聚集在北京西便門的都樂書屋，開始發起「新啓蒙沙龍」。國家安全部向中南海的《電話摘要》記述了這一經過。茲摘錄如下：

一月二十八日下午，一批有相當社會地位和影響的理論工作者在都樂書屋聚會。會議由來自上海的著名文藝批評家王元化主持。會議開始不久，即由蘇紹智介紹最近考察東歐幾個社會主義國家的情況，隨後大家主要圍繞蘇紹智的發言並結合我國國情進行討論。晚八點左右，異議分子方勵之來到會場，並即興發言，方說，「最近，我給鄧小平寫了一封信，要求實行大赦，釋放魏京生。」並說，「和共產黨鬥，我們應該採取各種方式來進行，過去我想到在黨內鬥，所以我在科技大學就讓研究所所有的人都入黨，現在看這種方式不行。現在我們要從黨外、體制外進行鬥爭，要有更多的實際行動。」方的發言完後，沒有人接著方的發言繼續。約二十分鐘後，散會。參加這次聚會的有一百多人，他們中有蘇紹智、王若水、李洪林、吳明瑜、于浩成、金觀濤、張顯揚、包遵信等，老同志童大林、胡績偉、李昌、李銳、秦川也參加了這次聚會。有美國、法國、義大利等一些外國記者在場。

二月十三日，由詩人北島策動北京文化學術界知名人士聯名公開致函全國人大和中共中央，呼應方勵之的一月六日公開信，參加簽名的有吳祖光、冰心、張潔、吳祖緗、湯一介、張岱年、嚴文井、馮亦代、蕭乾、金觀濤、李澤厚、龐樸、包遵信、蘇紹智、王若水、陳軍等共三十三人。此信全文如下：

我們得悉方勵之先生於一九八九年一月六日致鄧小平主席的公開信後，深表關切。我們認爲，在建國四十周年和五四運動七十周年之際，實行大赦，特別是釋放魏京生等政治犯，將會創造一個有利於改革的和諧氣氛，同時也是符合當今世界日益尊重人權的普遍潮流的。

二月十六日，留美學者、中國民聯成員陳軍在京舉行記者招待會，廣爲散發方勵之致鄧小平的信和三十三人的聯名信。周恩來的遺孀鄧穎超，在看到三十三人聯名信中有她的好友、老作家冰心的名字時，說「她糊塗了」。二月二十一日，冰心在接受香港《成報》記者採訪時，就此作了解釋，說「自己是在不明真相的情況下簽名的」。

二月二十一日，陳軍致信全國人大常委會，呼籲把魏京生等人大赦問題列入全國人大常委會議事日程，並以民主方式作出結論。二十三日，陳軍與北島在京舉行記者招待會，宣佈成立「一九八九大赦工作小組」。公安部的報告指出，「據一些簽名者說，陳軍用蒙騙的手段徵得了一些人的簽名。」「這是中華人民共和國成立以來，第一次這麼多人聯名上書，更是第一次公開宣佈成立組織

要求政府大赦釋放政治犯。」「必須密切注意這一新動向。」

二月二十六日，由胡績偉主持，在首鋼召開中國民主問題研討會，許良英、于浩成、李洪林、張顯揚等六十餘人參加。會後，由許良英發起首都科教界人士公開致信中共中央並領導人，呼籲加速政治體制改革。參加簽名的有錢臨照、王淦昌、施雅嵐、葉篤正、汪容、于浩成、張顯揚、李洪林、包遵信、吳祖光等四十二人。此信主要內容如下：

十一屆三中全會以來十年確是建國以來最好的時期。然而今天，改革在前進中遭到嚴重障礙；腐敗成風，「官倒」猖獗，物價飛漲，人心渙散，教育、科學、文化事業面臨嚴重危機。我們這些長期戰鬥在科研、教育、文化第一線的老年和中年知識分子，本著為國為民的社會責任感，以赤誠的愛國心，懇切地向你們提出如下建議：

(一)在堅持改革、開放的前提下，盡力使政治體制改革(即政治民主化)同經濟改革同步進行。政治民主化(包括法治)是經濟改革和整個現代化事業的必要保證。只有實現民主化，人民才能充分發揮主動性和積極性，改革過程中所出現的難以避免的困難，全國人民會樂意共同承擔，通過群策群力，沒有克服不了的困難。而且，實現民主，在廣大人民的監督和有效的輿論監督下「為政清廉」才有可能實現。

(二)政治民主化的首要條件，是切實保證憲法所規定的公民基本權利，特別是保證公民的言論自由、出版自由和新聞自由的權利。這是安定團結唯一可靠的保證。

(三)防止由於發表不同政治見解的言論和文字而治罪的歷史悲劇重新出現，請責成有關部門釋放一切因思想問題而被判刑或勞動教養的青年。不再因思想定罪。

(四)對不能直接產生經濟效益，但卻決定國家未來命運的教育和科學事業，應予以必要支持，盡可能增加教育經費和科研經費在國民經濟產値中的比重，提高知識分子的生活待遇。

公安部的報告指出，「事態的發展和影響在進一步擴大。」

同日，美國《華盛頓郵報》發表方勵之題爲《在人權標準上存在雙重標準嗎？》的文章。文章指出，「出於雙重的目的，一些政治活動家在人權問題上採取了一種雙重標準。具體地說，他們採取的雙重標準就是，對蘇聯和東歐的人權事件所採取的態度同對中國的人權事件所採取的態度不一樣。他們對前者表示關注，甚至使這個問題成爲對外政策問題中的一個首要條件。但是，對後者他們只是嘴上說幾句，幾乎沒採取什麼行動。這種做法不僅表明了一種錯誤態度，而且根本不符合人權精神。」「在爭取人權的鬥爭中，我們不僅必須反對完全無視人權的事件，而且必須反對對不同國家採取雙重標準的概念。我們必須爲使一種人權概念適用於所有國家而鬥爭。」方勵之文章的中文稿當日被發送到中共中央領導人中，李先念、王震等認爲方勵之已失去中國人的起碼人格。

三月十四日下午，爲慶祝《思想者》創刊號的出版，陳奎德、王炎等人邀請三十多位北京知識界人士座談，北京市安全局獲知這一消息後，「到前門飯店予以阻止。會議最終取消。」而參加會議的光明日報記者戴晴，則徵集與會人員，並在會後再徵集有關人員共四十三名，在她準備好的致

七屆全國人大二次會議的呼應三十三人聯名信的公開信上簽名。此信全文如下：

值此國慶四十周年即將到來之際，我們籲請全國人民代表大會按照建國以來的慣例，大赦一批在押人員。前不久一批中國知識分子籲請釋放魏京生等人，我們認爲他們的請求是符合憲法、表達了民意的，在此，我們再次請求全國人民代表大會考慮這一要求。

據公安部的報告，戴晴、蘇煒等四十三人發表此信的目的是「出現第一批和第二批簽名者之後，官方輿論在愚弄百姓，欺騙人民。我們對這個局面表達極大的憤慨。是完全被激怒而簽的」。

國家安全部的有關報告稱：據一些簽名者私底下說，這三封信的內容無多大實質性的區別，三封信與一封信的作用相同，一些簽名者只是爲了表示自己在中國民主化進程中自己的聲音，生怕被人忘卻，故在第一或第二封信中沒有簽上名後就再發動新的聯名信。這是一些人的虛榮性所致，其實並不是想真正促進民主，而更多地帶有功利目的，想以此揚揚名。不知道這樣的聯名信還會出現多少。還有一些簽名者說，「中國民聯」成員陳軍發動的簽名是靠卑劣的欺騙手法實現的，沾污了知識分子的獨立人格，一些簽名者對此感到反感。

爲了確保七屆全國人大二次會議的勝利召開，中共中央政治局、全國人大常委會要求全國政法系統尤其是北京市政法部門「一定要密切注意各種社會新動向，將問題消滅在萌芽狀態」。

高校潛伏大規模學潮

在任何社會中，青年學生對當前所遭遇的問題反應歷來最敏銳。而且，他們表達的方式往往反映問題的嚴重程度。自胡耀邦被迫辭職到胡耀邦去世，關於全國高校學生的思想狀況，國家教委、新華社以及各省、自治區、直轄市政府給中共中央、國務院的報告不少於五十份，有些報告反映的問題很尖銳。一九八八年七月十九日，國家教委向中共中央、國務院總結報告了八十年代以來的幾次學潮情況和當前大學生的思想狀況。摘錄如下：

一，幾次學潮的簡單回顧

一九八五年「九一八」期間發生全國第一次學潮，提出反對中曾根參拜神社、我國外貿出現逆差和反對「太子黨」的口號，後來由於中央採取糾正黨風等一系列措施而平息。全國第二次學潮發生於一九八六年底至一九八七年元旦，由中國科技大學首先發難，提出自由、民主的口號，由於中央發佈一號文件並開除方勵之等三人出黨，學潮又平息。然而學潮退了思潮未退。今年春天有關人士預測，由於改革進入最困難、最關鍵時期，學生看到消極因素多，今年九、十月份可能會發生第三次全國性學潮。據初步統計，今年一至六月，全國高校已發生大大小小的鬧事風波，涉及十三個省市四十六所高校。今年六月二日北大研究生柴慶豐被害事件，由於中央處理及時果斷，學潮被遏止。北大一位研究生說，「這次北大學潮是在缺乏足夠的理論和組織準備下發生的，由於低年級學

生打著高層次的旗幟幹出低層次的事情，學潮早產、流產」。學潮的能量並未得到發泄。

二，學潮發生的基本原因

報告認爲，學潮發生的基本原因除了目前大部分學生感到思想受壓抑、知識分子待遇低、物價上漲壓力大、對調整留學生政策有意見以及高校政工隊伍嚴重渙散外，主要表現在：

1)黨內腐敗現象與社會上的不正之風，容易使學生產生偏激情緒。一方面黨內確實存在不正之風，另一方面學生也容易被一些謠言或誇大之辭所迷惑。「高幹子弟擔任領導職務」、「高幹子弟辦公司」等往往是學生議論的中心。

2)學生對宣傳輿論中的反差現象感到不平。一九八五年第一次學潮前，有些報紙對學生評價偏高，仿佛學生是天之驕子。學潮發生後，學生對有些報紙指責他們高消費不滿。他們對「工人階級不答應」、「一小撮」等字眼特別反感。

3)學生認爲仍然缺少與領導對話的渠道。不少學生抱怨反映意見沒有渠道，即使反映了也石沈大海。有的學校領導不願與學生對話，因爲無法解答某些學生提出的問題，擔心加劇矛盾。

4)確有少數壞人混入高校煽動鬧事。每逢學潮，都有少數來自社會上的壞人參與，這些人成份複雜，有在一九七八年西單「民主牆」活躍的人，如正在服刑的魏京生的未婚妻及追隨者；有貴州「啓蒙社」等地下組織的成員。他們在一九八六年底學潮中較爲活躍。有「四人幫」思潮的追隨者，也有對政府不滿的人。如有一個叫劉剛的北大物理系畢業生，曾是北大《自由談》雜誌負責人，現

在無業。一九八六年底的學潮和這次學潮他都參加了。他在今年六月六日至九日晚在北大三角地集會中接連地發表演講，觀點系統，並受到一些人的保護。另外，方勵之及其妻李淑嫻等人也非常活躍。

現在看來這次北大學潮中寫反動大字報的只是極少數人，這些人用的是「燕園貧僧」、「湖南人」、「北大藍帆」等署名。

國際上也有敵對勢力滲透，由於李鵬總理曾赴蘇聯留學，西方有人利用國際輿論攻擊李鵬，這些在北大大字報中也有反映。

報告在總結此次學潮經驗教訓時特別強調：1)高校必須有堅強的黨組織和德才兼備的校長，不能放棄或削弱黨的領導。學校一旦出現反動大字報應立即撕掉，出現反動演講應立即取締，對故意搗亂、思想極端的學生要採取強制手段，決不能等閑視之，但也要講究策略。2)要發動思想進步的研究生、教師骨幹做學生的思想工作。六月八日、九日晚，北大組織一些研究生、學生或教師骨幹參加三角地集會，展開正面爭論，取得了顯著效果。3)重點學校設立治安派出所的問題要落到實處，幾萬人的一個大學就是一個小社會，出現問題要及時解決。4)加強政工隊伍建設。北京高校現有在校學生十三萬多人，從事學生思想政治工作的幹部有三千多人，其中專職一千多人，兼職二千餘人。要採取果斷措施解決高校政工幹部的職稱系列和考核標準。

一九八八年六月中旬，全國三十多所高校做學生思想政治工作的幹部匯集中國科技大學，根據

《當代大學生的思考與選擇》的萬人問卷調查，研究討論大學生的思想狀況，並報告給中共中央、國務院。報告認為，當代大學生中普遍存在政治上的模糊甚至錯誤認識，並有擴大趨勢。

1)政治信仰危機加劇，對共產主義社會的看法，有三十九．七%的學生認為純粹是一種空想，永遠不能實現，有二十一．五一%的認為這個問題說不清。值得注意的是，許多大學生開始越來越重視個人利益，崇尚個人自我奮鬥，把個人的需要看得高於一切。

2)黨的威信下降。有五十三．四一%的學生不想入黨；有四十五．六五%的學生認為黨風越來越差；甚至十五．八五%的學生認為黨風差的根源是「上樑不正下樑歪」。

3)對學潮評價有抵觸。有五十三．五六%的學生認為一九八六年底的全國學潮的根本起因是國家體制的弊端和不正之風引起的；有十四．二七%的學生公開表示一九八六年的學潮學生根本沒有錯；有四十二．三二%的學生表示如果今後出現類似一九八六年的學潮，參不參加要視情況而定，甚至有五．七%的學生表示要積極參加。

4)對改革開放的看法。不少學生都希望國家富強，認為我國的現代化必須堅持社會主義道路的只佔四十一．七一%，認為管它什麼主義，只要富起來就行的佔四十五．六五%，有八．七七%的學生認為「應該補資本主義的課並全盤西化」。

一九八九年三月底，共青團中央向中共中央、國務院報送了對北大、清華、人大、北師大等首都二十三所高校學生思想狀況的調查報告。報告指出，目前大學生群體呈現為一種帶有較強慣性的

「亞穩定狀態」，在外部的強烈刺激與頻繁衝擊下，仍有發生大規模學潮的可能性；局部的、與實際利益相關的動盪很難完全避免。

報告指出，大學生對改革方針及政策的全面調整表現出明顯的不適應。多數學生在擁護改革的同時，對前途懷著種種疑慮和困惑，各種小道消息在學生中蜂起：有的學校傳聞中央領導之間不和，有的學校傳聞中央領導的夫人批條子仍起作用。他們懷疑中央是否真下決心進行整治、有無能力控制全國形勢。他們認爲黨的十三大提出的改革理論缺乏系統性又無法操作，覺得中國的改革象一艘無舵的船，在大海中撞來撞去，把船上的人撞暈了。

個別大學生對改革前途消極失望。有的抱怨說，與其這樣改，還不如不改，再改下去，改革取得的成果快變成負值了。有一些過激的學生認爲馬克思主義已經過時，表示同情方勵之、陳軍等人的活動。有的學生講，中國即使在社會主義國家中，民主也是最差的。還有一些學生說，人們現在似乎都在等待著什麼，總覺得有一個大的事件將要發生。還有人說，「文革」十年是無政府主義，改革十年是無主義政府；「文革」十年是十年動亂，改革十年是十年亂動。

有相當數量的學生比較消極。他們認爲，既然社會不需要知識，倒不如及時行樂，舒舒服服混幾年。現在學生中有兩類三大派：第一類是托(福)派，第二類是麻(將)派和橋(牌)派。「托派」拚命學英語準備出國，另兩派整天混日子。各高校都反映，春節後，打麻將、打撲克的學生有所增加。另外，報考研究生的大幅度下降。

目前，部分大學生中存在的消極情緒和困惑情緒應該引起高度重視，任其發展有可能導致一些不穩定事件的發生。爲此，報告建議：一，改變過去重形式爲重實效，要給被教育者以靈活性，發揮他們的創造性。要敢於涉及敏感問題，不迴避「熱點」問題。二，當前不僅要注意社會實踐的正效益，也要注意負效益。三，要設法防止和解決輿論傾斜問題。目前社會輿論的傾斜程度比一九八六年還嚴重。一些別有用心的人已經開始行動。特別要注意「五四」期間可能有人會散佈種種消極言論。

「動亂可能性極小」

自一九八八年底開始，國外輿論對中國現狀的評價大多側重經濟方面，總體認爲中國發生動亂的可能性極小。其中，有一些報導的觀點在中南海悄然流傳，甚至引起了中共最高領導人的重視。如英國《每日電訊報》一九八八年十一月十七日發表「中國事務專家」格雷厄姆·哈欽斯的文章《現代中國能夠擺脫毛的遺產繼續前進嗎》，文章說：

十年過去了，變得明顯的是中國在這十年中遇到的是問題而不是成就。共產黨領導人發現，從國家計劃向市場經濟的長征比他們想象的要更加吃力。因此，在慶祝改革開放十周年的時候不是高舉旗幟舉行遊行，而是採取旨在重新確保對經濟實行控制和減少市場作用的強硬措施。

哪裡出了毛病？造成當前困難的直接原因可能是經濟的，但是面對北京的真正危機是政治的。這是一場政治結構和權力的危機，如果不加以解決，它必然會危害中國的振興大業和香港、澳門甚至還有台灣的統一。

中國今天這種失敗的結果是：中國已經變成一個官僚資本主義社會，這是過去共產黨人對蔣介石的國民政府提出的指責。國家和經濟力量集中在千百萬黨政幹部手中，他們以光怪陸離的企業家技巧利用他們的權力在不完善的產品和市場上大顯神通。

不幸的是，中國式的官僚資本主義沒有受到諸如日本的武士道精神，或者支持十九世紀和二十世紀德國迅速發展的使命感這樣的民族主義原則的扼制。在中國，民族主義的源泉和德國及日本一樣深，但在意識形態上已經無所作爲的共產黨不再知道如何挖掘這些源泉，而一個對口號厭倦了的人民也不知如何對民族主義做出反應。

如果說，中國什麼時候需要一場政治文化革命的話，那麼現在是時候了。北京現在是一個不能希望用進行改革的口號、標語或讚揚來塡補的意識形態和倫理真空。

這一十分深刻的轉向削弱了黨一向在政治生活中佔統治地位的權力的基礎。然而，從其表現來看，黨繼續過去的作法，好像沒有什麼改變似的，差不多對生活各個方面進行干預，並對開發真正的政治替代辦法加以阻撓。

鄧及其盟友自信地說，如果黨結束了文化大革命的混亂局面並保證生活水平提高，那麼它會很

快找到建立權威的新基礎。他們很自然不鼓勵人民去討論這樣一個事實，即：共產黨只是把中國從它自已製造的一場危機中挽救出來，在它統治時期，它沒有取得一個能幹的、奉行改革的非共產主義政黨可能會取得的成就。換句話說，真正政治辯論的蓋子必須捂著。

因此相互矛盾的是，一方面人民經濟生活的選擇擴大了，而另一方面政治生活仍然是荒唐的。中國領導人還沒有懂得：沒有公開性的改革是不可能導致名符其實的民族振興。在某一點上，正如馬克思本人也會說的，中國過了時的政治結構和意識形態不得不讓位於新的經濟發展模式。中國領導人面臨的挑戰是保證這一點早一些實現。

在鄧已經八十四歲，而且又是一個繼承危機正在隱約出現的時候，中國似乎缺少能承擔這項任務的領導人。

一九八八九年三月十九日美國《洛杉磯時報》發表了愛德華・加根《中國經濟改革流產，經濟放任自流，沒有人對此注意》的文章。文章說：

中國的經濟改革計劃上個月宣告失敗。奇怪的是，似乎沒有人注意這件事。

該計劃是在中國高級領導集團內部進行了激烈辯論之後破產的，這使中國失去了指導其經濟的連貫的整體政策。現在，中國領導人不是在堅定地重整它的控制過嚴、結構不合理的經濟；而是在手忙腳亂地用象徵性的拇指堵住千瘡百孔的經濟堤壩。

……

上個月，事情已經變得很明顯，甚至爲穩定物價而作的這種努力也失敗了。中國發現自己缺乏一項指導經濟的政策。看來，問題的核心是，實施這些政策要擔巨大的政治風險。正如中共首腦趙紫陽在布希總統在北京短暫逗留期間所說的，「不少人對改革所遇到的困難缺乏充分的思想準備」。事實上，這位共產黨首腦承認，某些領導人認爲改革「應該走回頭路」。

目前還不清楚，政策的這種突然解體從長遠來說對中國意味著什麼。中國領導人堅持認爲，它只是把改革推遲兩年。但是，這卻給中國留下一個混合的物價體制，有些方面是自由的，有些方面是受控制的；這種物價體制使政府官員貪污成風。與此同時，中國已進入緩慢的、無人掌舵的放任自流狀態。

一九八九年三月下旬，新華社一位高級記者在華盛頓參加世界傳播媒介會議之際，與美國的中國問題專家、布魯金斯學會高級研究員哈里・哈丁進行了私下會談。下面摘錄新華社《參考清樣》的有關內容：

哈丁說，他對目前中國的國內局勢持「謹慎樂觀」態度。他認爲，他的判斷是建立在中國領導體制不發生重大變化前提下的。這位四十三歲的研究員說，「我對香港報紙報導的有關中國領導人可能會發生變化的報導感到關注。在目前的時刻更換中國領導人，對目前的改革將是一場災難。不少美國中國問題專家認爲，一旦鄧謝世，中國政局可能會出現動亂，至少將叫人摸不著頭腦。」

哈丁表示，他對中國目前緊縮政策以後的結局不太清楚，但也沒有理由對此感到悲觀。

談到中美關係，哈丁說，原先中美關係最重要的基礎─共同反對蘇聯在亞洲的進展，由於中蘇關係和美蘇關係的改善正在消失。此外，亞太地區的國際關係格局也在發生變化。人們越來越重視在經濟方面的競爭，而不是地緣政治力量的平衡。因此，經濟關係將是中美關係中的一個重要組成部分。

哈丁認爲，儘管中美建交已經十年，但兩國還並不十分瞭解，因此有些本來可以避免的摩擦還是發生了。特別是有關人權方面的問題變得更爲突出。他說，如果處理不好，人權問題有可能成爲影響中美關係發展的第二大障礙(第一障礙是台灣問題)。因此，中美兩國政府都要謹慎處理這個問題。

哈丁說，最近美國官方向他諮詢時他提出了對華關係中應注意的幾點，已引起布希總統的重視：

一，美國人對中國改革中出現的周期性現象，即時而緊縮時而放鬆的情況不必過分反應。因爲這種現像是會經常出現的。這就意味著當中國準備實行資本主義或者摒棄馬克思主義，改革出現高潮時，美國人不應該大肆吹捧讚美；同時，當中國改革出現挫折時，美國人也不必懼怕中國將經歷另一場反右運動或另一場文化大革命。總之，我們要著眼於長期的發展趨勢，而不要誇大一些具體事件。

二，美國不應該明確支援中國的某些組織或某些派別。如果我們暗示我們贊成中國那些自稱「親美的」或「激進的改革派」的人，這也將是非常不明智的。無論怎麼說，這會有反作用的。當然，我們應當同那些組織保持接觸。但是我們應該同那些準備把中國建成現代化國家並同鄰國和平相處

的那些人一起工作，而不光是那些我們所認爲的同情美國的或是徹底支援改革的人。

三，比較說來，中國的政治局勢是夠複雜的，也是捉摸不定的，因此，對美國來說，支持某些特定的人甚至包括那些政治權利受到侵犯的人，都不合適。比較適合的是美國政府可以把一些注意力集中在某一發展趨勢，而不是替那些具體的人搖旗吶喊。

四，最後，除非中國國內形勢有很大的倒退，我們應該避免正式和公開地譴責中國。國會也應該通過正常的聽證會和報告來表示對中國人權形勢的關心，而不是信口亂說。政府部門也應該繼續發佈有關這方面內容的年度報告。而一些私人和組織則可以繼續注視中國政治和法制情況的演變。美國領導人和外交官也應該向中國領導人和外交官表示對這方面問題的關心。但是，國會通過正式決議，總統發表公開聲明，看來害處多於好處。

哈丁認爲，對於中國政府來說，它應該瞭解美國社會多元化的特點。例如，美國政府不能控制或阻止人權組織或美國國會對中國的批評，它們的一些觀點並不一定代表政府的觀點。

哈丁建議中國政府在判斷美國的立場時，把國會、傳播媒介和非政府的組織同行政機構(即美國政府)區分開來。同時，中國方面應多與美國國會議員、新聞界人士，右翼團體保持良好的接觸。

一 學潮興起

胡耀邦去世

一九八九年四月十五日七時五十三分，胡耀邦因大面積急性心肌梗塞在北京醫院去世。這離發病正好一個星期時間。

四月八日上午九時，中共中央政治局在中南海勤政殿召開會議，討論《中共中央關於教育發展和改革若干問題的決定(草案)》的意見。會議由趙紫陽主持，兼任國家教委主任的政治局委員李鐵映介紹了當時全國的教育狀況。提交給全體委員的材料反映，「教育經費短缺已經成爲教育發展的『瓶頸』，重視教育必須下決心採取實際措施，大幅度增加教育投資，不能再停留在口頭上。」「中央關於多渠道籌措教育經費的思路是對的，但不能理解爲主要靠社會集資，而應該首先體現在中央下大決心，調整投資結構，在財政預算上大幅度增加教育投入。」「國家教委計算的教育經費在國民生產中所佔比例與財政部計算的不一樣，前者是三·二%，後者是三·七五%。按財政部的演算法，即使以後提高到四%，教育經費也增加不了多少。」「建議將《中國教育發展和改革綱要》中關於教育經費佔國家財政預算內支出比例的內容，寫進《中共中央關於教育發展和改革若干問題的決定(草案)》中去，只籠統地談教育經費要『提高』、『增長』，對財政沒有什麼約束力。」

沈重的關於教育的話題一開始就使會場氣氛凝重，參加會議的胡耀邦一開始就繃緊著臉，沒有放鬆過。參加會議的秦基偉說，「從會議一開始我就感到耀邦同志臉色不對勁，後來越來越灰。他一直硬撐著。」會議開了約四十多分鐘，李鐵映正在就這幾年教育經費的問題作分析說明時，胡耀邦卻越來越挺不住了，他想站起來，向主持會議的趙紫陽請假，剛站了一半，說了聲「紫陽同志—」，只見胡耀邦一屁股跌坐在椅子上，他向趙紫陽打招呼的手象在空中劃了半個圈。這一剎那，使所有參加會議的人都驚愕了，大家都不由自主地站起來，望著滿臉灰黯的胡耀邦。「大概是心臟病，不要隨便動。」不知是誰說了一句。趙紫陽趕緊問：「誰有硝酸甘油？」「我有。」患心臟病的秦基偉趕緊從包裡拿出藥片，往胡耀邦嘴裡塞了兩片，秦基偉對擁上前來的胡啓立說，「快把耀邦同志平放在地上。」胡耀邦慢慢地睜開眼睛。會議工作人員立即打電話通知位於養蜂夾道、與中南海一街之隔的解放軍三0五醫院。約十分鐘左右，三0五醫院搶救小組到達。下午，待胡耀邦病情稍有好轉，即轉入北京醫院住院觀察。然而，胡耀邦終於沒有能挺過來。

雖然大家都很關心胡耀邦的病，但誰都不會想到胡耀邦會死。胡耀邦住院後，北京醫院每天都將胡耀邦的病情向中央辦公廳值班室報告，中辦秘書局也按慣例向趙紫陽等政治局領導和中央辦公廳主任溫家寶等進行通報。通報的情況是身體慢慢在好起來。因此，胡耀邦去世的消息的確令人震驚。

接到中央辦公廳主任溫家寶的緊急報告後，趙紫陽當即決定「馬上通知在京的政治局委員，召

開政治局會議，討論治喪和訃告等事宜」，並責成中央辦公廳馬上「通知小平、陳雲、先念、彭真、穎超、徐帥、聶帥等中央老同志」。上午的會議是倉促而嚴肅的，趙紫陽說，「耀邦同志猝然去世，我們深感悲痛和震驚。」楊尚昆說，「耀邦同志可惜呵，想不到這麼快就走了。」接著，趙紫陽談了有關成立胡耀邦治喪委員會等具體事宜。

在談到如何評價胡耀邦同志的一生時，趙紫陽說，「胡耀邦同志是久經考驗的忠誠的共產主義戰士，偉大的無產階級革命家、政治家，我軍傑出的政治工作者，長期擔任黨的重要領導職務的卓越領導人。胡耀邦同志的喪事規格按照政治局常委的規格進行。」楊尚昆說，「我完全同意紫陽同志的建議。」趙紫陽問，「同志們對這一評價和喪事處理有什麼意見？」沒有一個人對此提出異議。趙紫陽說，「對耀邦同志的評價一定要實事求是，請中央辦公廳將政治局關於耀邦同志的訃告內容報告小平、陳雲、先念等老同志，徵求他們的意見。關於耀邦同志的後事處理有關事宜，請啓立、家寶同志與李昭同志進行具體協商。」

在這次會議上，趙紫陽還特別強調了社會安定問題，趙紫陽說，「喬石同志，請密切關注一下胡耀邦同志逝世可能帶來的社會影響。」喬石表示，「目前全國總的社會狀況還是好的，社會比較安定，沒有大規模的、集團性的鬧事苗頭。各級政法系統將高度關注耀邦同志去世後的社會狀況。」姚依林說，「目前我國物價高漲，貧富差距擴大，要防止一些人藉追悼耀邦同志的名義將不滿情緒爆發出來。」趙紫陽說，「鐵映同志，要注意一下高校的情況，尤其是北大等校的情況。因爲大學

生總是最敏感的。」李鐵映說，「大學總的狀況是好的，不太可能出大亂子。」李錫銘表示，「一定維護好首都的社會秩序，確保耀邦同志追悼會期間首都的社會安定。」趙紫陽接著說，「啓立同志，請新華社馬上發通稿。同時關注一下國外對耀邦同志去世的反映。」最後，趙紫陽對負責全國宣傳輿論工作的中央書記處書記芮杏文說，「杏文同志，今天晚上中共中央就胡耀邦同志治喪活動發表公告，在中央人民廣播電台和中央電視台的新聞聯播中播出，請廣電部通知他們作好準備。」

當四月十五日下午趙紫陽親自到地安門米糧胡同向鄧小平報告胡耀邦逝世的消息時，鄧小平已經從上午剛聽到時的震驚中緩了過來，他已經叫夫人卓琳給李昭打了電話，要李昭節哀。鄧小平表示同意中央政治局關於對胡耀邦的評價和對胡耀邦喪事安排的規格。鄧小平表示要親自參加胡耀邦的追悼大會。鄧小平秘書王瑞林事後說，「小平同志一聽到耀邦同志去世的消息後，把正在抽的煙給滅了。十個手指無力地交叉在胸前，沒有一句話。過一會，就又拿起煙，狠狠地抽起來。當紫陽來後，已經平靜許多了。」

胡耀邦去世的消息讓陳雲也感到驚訝，只是當時的陳雲也在生病，顧不上發表過多的看法。

李先念同樣感到震驚，當他聽到胡耀邦去世的消息後連聲說，「怎麼會呢，怎麼會呢？前幾天我還給他通過電話，他電話裡還好好的呢。」語氣中除了表示對胡耀邦早逝遺憾之外，也隱約透出自己當初竭力主張胡耀邦下臺問題上的懺悔。

「鬍子將軍」王震聽到胡耀邦去世的消息後，長長地噓了一口氣，嘆息中除了對這位老鄉的早

逝略表遺憾外，還透露出一種失去對手的輕鬆。這位極具小農意識的將軍，在胡耀邦未當選總書記時，兩人的關係非常密切。因爲胡耀邦聽他的。自從胡耀邦當上總書記後，王震一下子對胡耀邦「敬而遠之」了，原因是他們共同的家鄉湖南省、瀏陽縣，再也不把王震尊爲家鄉的「一號人物」。正是這種狹隘的小農意識，使王震在胡耀邦下臺的問題上表現最爲積極。

對胡耀邦的去世深感悲痛的是聶榮臻。據中共中央辦公廳的記錄，「胡耀邦同志生病第二天，中央辦公廳副主任楊德中就用電話向聶帥通報了耀邦生病的情況。當時，聶帥心裡很不平靜，不斷地催促秘書詢問耀邦的病情。十一日上午，聶帥派秘書去醫院看望耀邦同志，因當時不准探視，見到耀邦同志的夫人李昭同志。李昭說，耀邦同志知道聶帥對他的關心情況後，很感動。耀邦說，聶帥九十高齡，身體也不太好，要多保重；我這裡沒什麼事，請他放心。十五日，聶帥聽說耀邦去世消息後，很激動、很難過。十七日，他給李昭同志寫了慰問信，並派八十高齡的夫人張瑞華和女兒聶力去耀邦家吊唁、慰問。」聶帥的慰問信寫道，「耀邦同志不幸先我而去，令我非常痛心！我已年邁老殘，常寄希望於年輕或較年輕的一代，今耀邦同志逝世，確使我痛惜。」「對耀邦同志的評價，中央訃告已講得很好，我只講幾句他在解放戰爭時期先後擔任縱隊政委、兵團主任時的情況。他很善於抓政治工作，經常深入基層，講形勢說任務，宣傳鼓動，使部隊很活躍，士氣高昂。與耀邦共事或接觸過的幹部和群眾沒有不稱道的。爲華北人民的解放立了大功。」

社會各界反應

從胡耀邦逝世到四月十七日上午，全國各省、自治區、直轄市以及公安部、安全部、新華社等向中共中央、國務院的近五十份報告中，都比較客觀報告了各地黨政幹部到普通群眾對胡耀邦的高度評價。普遍對胡耀邦去世感到突然；認爲中央對胡耀邦的評價客觀公正，對他的喪事安排表示滿意；各地局勢安定。但是也有一些報告談了一些看法。如北京市委的報告提到，「正在出席北京市七屆二次政協會議的一些代表還對社會上對胡耀邦同志生前的不公正做法表示憤慨。市台盟主委陳炳基說，『我去年到美國探親和考察時，有一位美國朋友送給我一本外國記者訪問胡耀邦的書。當我從九龍回到廣州時，海關竟把這本書當禁書被沒收了。我至今沒有想通。』李莉委員說，『我從去年底開始主編一本北京園林建設四十年的書，選了一張耀邦同志造林勞動時的照片，竟讓人給取消了。我說，這是歷史，不管我如何申辯，照片還是被取消了。』」上海市委報告指出，「一些市民對胡耀邦同志的死因有種種猜測，不少人認爲胡耀邦是被氣死的」；湖南省委的報告說，「胡耀邦同志對黨赤膽忠心。今年三月二十八日，耀邦邀請我省六位人大、政協代表去他家吃飯，他還說，改革的形勢是好的，問題有，但未必有那麼嚴重，要看到前途是光明的。」關於大學生悼念胡耀邦的報告當時只有下列幾份，這些報告在一定程度上說明了學生運動的自發性。

據中共北京市委四月十七日下午向中共中央的報告，十五日至十七日上午，北大、清華、人大、

北師大、政法大學等院校內均出現一些關於悼念胡耀邦的大字報和輓聯。北京高校總體局勢平靜。這些學校的學生會和研究生會都作出了成立胡耀邦治喪委員會的決定，準備在校內設立靈堂，敬獻花圈，同時派代表到胡耀邦家中去慰問家屬。

十五日到十七日上午，不斷有人到天安門廣場悼念胡耀邦，人民英雄紀念碑附近放有八個花圈及一些輓聯、白旗、白花、紙條、橫幅。廣場秩序正常。

在紀念碑鐵柱欄桿上的一幅輓聯寫著：「民主先驅，社稷為先，千秋耀；開明公僕，天上為公，興華邦。」橫批是「痛悼耀邦」。

紀念碑的浮雕下放著署名為「北師大師生」的花圈，輓聯上寫著：「斯人雖逝，風範永存─痛悼耀邦同志。」

署名為「幾名青年」的花圈輓聯上寫著：「淒風苦雨送君去耀邦何時，萬水千山都行遍功成多少。」橫批是：「民心如鏡」。

一條橫幅上寫著：「痛悼耀邦，一代聖賢唯您要我臭老九，空前絕後就君顧咱窮學生。」

兩名青年獻上一朵白花，花帶上寫著：「耀邦同志，青年知己。」

十六日下午下了一場小雨，公安人員拿走了那些花圈。十七日上午，紀念碑旁又放了一個署名為「清華大學化學系」的花圈，輓聯上寫著：「鞠躬盡瘁，死而後已」，「一身正氣，兩袖清風」，「悲悼耀邦英靈」。

據介紹，十六日有一北大學生身上佩有「永別了，耀邦」的白紙條，自帶一個小凳子，在紀念碑前靜坐。

中共上海市委於四月十六日晚八時向中共中央的報告稱：胡耀邦逝世的消息在上海大專院校中反響強烈。從訃告未發前的四月十五日下午開始，華東化工學院、復旦大學等校就出現悼念胡的大小字報，到發稿時止，約有近十所高校出現這種情況。

據市公安局反映，四月十五日下午五時二十分左右，華東化工學院宿舍廣告欄內，發現一張用毛筆用的紙頭(均八開報紙大小)上寫「沈痛悼念胡耀邦」。之後，陸續出現「金星遠逝」、「您是真正的改革者，人民感謝您」、「仙風道骨」、「緬懷總書記！」

隨後，復旦大學、華東政法學院、華東師範大學、上海財經大學等校也陸續出現大小字報。華東政法學院的一條標語是：「耀邦同志你太慘了！中國太慘了！人民需要你！中國需要你！」

復旦大學在四月十五日半夜時刻發現貼於中央飯廳的四張小字報，六幅標語。具名「電工八二(一)部分同志」的一張小字報寫道：「胡耀邦同志是站在民主運動最前列的堅強鬥士。他的逝世對中國人民而言是不可彌補的巨大損失。我們不知怎樣才能表達我們的無比哀悼！」「我們希望復旦人多關心一點國事，不忘胡耀邦同志的精神，在悲痛中前行。」「胡耀邦同志爲民主而獻身的勇氣和精神，將永遠激勵我們。」

四月十六日晚六時三十分，在復旦大學三一〇八教室舉行了追悼儀式，室內外約有四百人參加。

會上有二十多人自由發言，有人說，「要爭取民主，民主是我們的。」

四月十六日晚中共陝西省委給北京的報告稱：今天下午三時，有幾位青年抬著兩個大花圈，來到西安市鐘樓郵電大樓前的廣場上，沈痛悼念胡耀邦逝世。一個花圈的輓聯寫的是：「廣大青年的教師，愛國志士的良友」；另一個輓聯上寫著：「敢說敢幹公正堅韌不拔是您的精神，民主科學法制是我們永遠追求的目標。」

我們問兩位抬花圈的青年是哪個學校的？兩青年有所顧慮地說：「我們不是學校的，相信有很多支持改革的人都有這樣的心情。」一會兒，花圈前圍了幾百人。因爲是星期天，廣場上人越聚越多，議論紛紛，有的說：「胡耀邦同志死了，真沒想到。」有的說：「死的太可憐了，那麼快。」顯然，許多人還不知道胡耀邦逝世，一看到花圈，感到很突然。下午四時起，在鐘樓廣場有人就耀邦發表演說。在花園西邊大約二十米的地方，有三、四人圍著三個年青人，聽他們發表演說。

我們聽到了以下的對話：

一群眾問：「你們爲什麼要獻花圈？」

穿牛仔上衣的青年答：「是出於愛國心。」

有人問：「你是搞社會科學的嗎？」

這位年青人答：「我們是學習數學專業的學生，在學校成績比較好。但我們要關心改革大事。」

他接著說，「胡耀邦是中國改革的功臣，沒有他就沒有目前改革的成果。他十分關心知識分子，對

知識分子採取寬容的態度。」

在這幾個青年人旁，一個操河南口音的老人，手中拿著一個筆記本，訴說他進京上訪的事情，並說他見過胡耀邦，言辭中頗帶感激之情。下午六時五十分，那幾位年青人已經轉移到一個閱報欄南邊，坐在花坪外的鐵欄桿上，議論胡耀邦辭職的原因。他們說，關鍵是缺少法治，幾個人可以把總書記搞掉。

七時，在放置花圈的地方，仍有不少行人在觀看，議論的內容大都是「被氣死的」等。

海外反應

到四月十七日止，從新華社等多種渠道呈送中共最高層的關於海外新聞媒介的評論計有一百多份，經濃縮整理後的主要評論不到二十份。看了這些主要評論後，趙紫陽等領導人認爲「我們的國際反應是良好的」。在新華社發佈了胡耀邦逝世的消息後，以美聯社、合眾社、路透社、法新社等西方四大通訊社爲首的報紙、電台、電視台立即對此予以轉播並配發評論，蘇聯、東歐和東南亞、大洋洲及香港澳門的新聞媒介也作了大量報導，日本兩大通訊社和六大報晚版均在頭版報導胡去世的消息。

一，高度評價胡的人品和業績。

美聯社說，「胡是一位務實主義者，儘管有人指責他堅持西方化和具有親資本主義的情緒，但他仍是一個有獻身精神的民族主義者和共產黨員」；共同社說，「胡與許多其他領導人不同，三個孩子都在與權力無緣的單位工作，淸官作風博得了老百姓的掌聲」；法新社指出，「胡不是爲掌權而掌權，而是要利用手中的權力來徹底改造國家」；香港《成報》說，「胡耀邦之死如果能推動民主運動，在黨內引起不符合黨員資格者的內疚痛改前非，就是重於泰山，爲國家民族作出了重大貢獻。」

二，肯定對胡耀邦喪事處理的態度。

共同社說，「新華社在胡去世不到四小時就作了報導，並播發了胡的簡歷，說明中國政府對他的去世的重視。」美聯社說，「中共對胡耀邦去世的處理頗爲高明，在政治上給予其最高的評價，只字未提他的過失。喪禮的安排與葉劍英同級，並不作一位普通政治局委員處理。此舉無疑使人感到欣慰。」英國報紙也注意到中央訃告中未提胡耀邦的過失，認爲「這是中國領導人在出現嚴重的政治和經濟問題的時候維護團結的一種努力。」

三，密切關注胡耀邦去世可能產生的影響。

西方新聞界大體有兩種看法：以美聯社等四大通訊社爲主的佔上風的看法認爲不會產生重大影響，路透社認爲，「胡的突然去世，不會立即對中國的政治權力結構產生重大影響，中國政局不會因胡的去世而直接發生重大變化，這是因爲胡雖然還是政治局委員，但離權力中心已經很遠。」英

國《每日電訊報》說，「胡的逝世正值『五四』運動七十周年前夕，黨將加倍關注這位前領導人的去世觸發廣泛的抗議活動的可能性。」《泰晤士報》社論說，「對胡重新評價的日子也許會到來。」法新社、美聯社幾乎沒有這方面的評論。

以日本共同社和時事社爲主的少數媒體則認爲有可能影響中國政局。四月十六日《東京新聞》發表一篇題爲《胡的追悼活動是注意的焦點》，文章說，「今天，中國民眾比起在政治要求下團結起來更易於在搞紀念活動中團結起來。」「人們認爲，追悼胡的活動帶有強烈的政治色彩。如果黨和政府對追悼活動草率從事，很可能激怒民眾。」同日，時事社發自北京的一篇報導指出，「今年是『五四』運動七十周年，人們對通貨膨脹、黨和政府的高級官員的特權等的不滿以及學生要求民主的呼聲高漲。以胡的死而開始出現的這一動向有可能進一步擴大。」「這次胡氏逝世，是否會出現類似天安門事件的事態，正受到人們的關注。眼下在學生中雖然已經有人呼籲『去天安門廣場』，但哀悼之情是主要的，還沒有明顯的舉動。」

北京悼胡如火如荼

從四月十七日下午起，北京高校悼念胡耀邦的活動從學校比較有規模地擴展到天安門廣場，而全國各大中城市對胡耀邦的悼念活動的規模也日益擴大。在胡耀邦去世的當天，中共中央就要求公

安部、安全部尤其是北京市要密切注意首都高校特別是天安門廣場的情況。對中共最高當局來說，天安門是國家的臉面，神聖不可損害。所以，從北京各大學到天安門廣場的行動，公安、安全部門都進行了全方位的跟蹤，所有呈送中共中央、國務院的報告也都是即時式的。下面我們摘錄四月十七日下午到十八日晚安全部向中共中央、國務院的報告。

今天下午一時許，中國政法大學六百餘名師生沿二環路走向天安門廣場，隊伍前面是一面「中國政法大學法律系」旗幟，緊接著是插著一面白花、松枝的橫幅「耀邦永存」，跟在後面的是一個用三輪車載著的兩米高的花圈，左邊寫著「耀邦同志千古」，右邊寫著「中國政法大學青年教師敬輓」。

他們於下午四時許走到人民大會堂東門時，二十餘名學生拉起了一個正方形的人牆。哀樂驟起。在一名手持麥克風的學生帶領下，學生們喊起了口號：「自由萬歲！」「民主萬歲！」「法制萬歲！」「教育救國！」「法制救國！」「人民萬歲！」「反對官僚主義！」「耀邦同志永遠活在我們心中！」「耀邦同志永垂不朽！」

在天安門廣場的一些外地旅遊者拿起相機朝遊行隊伍拍照。一些外國記者也在現場錄音、攝像。警察在現場對圍觀的群眾進行疏散，但是無效。一些戴著「中國政法大學」紅色校徽的青年人維持遊行隊伍秩序，把一些夾在隊伍中的外國記者、圍觀群眾清理出隊伍。

四時半，遊行隊伍經過前門大街後，從歷史博物館大門一側進入天安門廣場。遊行者高呼口號，

一起唱起《國際歌》、《義勇軍進行曲》。在二百餘名學生、警察的維持下，六名法大學生把花圈送到了人民英雄紀念碑下。遊行者、圍觀者達一萬多人。有些大學生打出了「V」形手勢。約有六十餘名學生代表到胡耀邦同志家中慰問。五時許，遊行者在喊完「自由萬歲」等口號後，一名主持者宣佈遊行悼念活動結束。

在遊行結束後，在廣場的十多名外國記者和港臺記者找學生談話。其中有美國《芝加哥論壇報》、《華爾街日報》，英國《獨立報》、日本共同社、香港《南華早報》等。外國記者的提問多集中在與中國當前政局有關的問題上，有的拐彎抹角詢問學生們對領導人的看法，是否存在反對現政府的情緒等。

下面是安全人員記錄的一些問答：

問：這種活動是否經過申請，得到批准？

答：這不是遊行。這是悼念活動。爲什麼把這些活動跟遊行聯繫起來？

問：爲什麼舉行這一活動？有何其它意義？

答：胡耀邦在學生、教師中，在整個知識分子當中很有威望。他去世，大家很悲痛，舉行活動主要就是爲了表達這種心情。

問：以後還會不會有其他活動？這些活動會不會成爲導火線？

答：我想悼念活動還會有的。至於會不會成爲導火線，也許有這種可能。不過，我們並不希望

這些活動成爲導火線。我們是學法律的，在我們口號中也有「法律救國」。

問：你們對當前局勢有什麼看法，你們提反對專制有何含義？

答：這幾年確實有很大進步，但我們還是認爲現有改革步子太慢，民主步伐太慢。希望你們注意，我們提反對專制並不是反對政府。

問：你們爲何喜歡胡耀邦，這是不是意味著反對現在在臺上的人？

答：胡耀邦保護了知識分子，政治上比較民主。清除精神污染運動，就是因爲胡在臺上才不了了之。知識分子是很反感清除精神污染的。

問：你們還提什麼口號？

答：主要就是呼籲鏟除腐敗、以法治國、打倒官僚主義，這是近幾年來一貫的口號。

另外，大約四時二十分左右，北大三十餘名學生在人民英雄紀念碑前獻了花圈，並宣讀了簡單悼詞，之後，一部分北大學生離開廣場，去耀邦同志家敬獻花圈。

到五時整，碑前共有九個花圈，署名分別爲：「北航部分學生」、「北大師生」、「北師大師生」、「中國社科院全體研究生」，還有一個名爲「一個政法幹部」。

晚七時多，二三千人聚集在人民英雄紀念碑前，自發地進行悼念胡耀邦的活動。人們踩著滿地的紙花，爭先恐後地擁向紀念碑。紀念碑北側放著七個大小不等的花圈，其中最大的是中國政法大學法律系的。晚上八時多，悼念活動形成高潮，接連不斷地有人登上紀念碑的台階，輪番朗誦悼詞、

頌詞。朗誦者多爲青年學生，還有中年女同志。朗誦者慷慨激昂，圍觀群眾不斷報以熱烈掌聲。朗誦者中，有人自稱「政法大學學生」、「清華大學學生」、「武漢人民」和「耀邦同志的家鄉人」。圍觀的人群中，有北京的大學生、機關幹部、城市居民，還有相當多外地來京人員和一些外國人。晚九時十分，一家外國電視台記者來紀念碑前錄像。一位外地來京人員看到這個場面，走到鏡頭面前說，北京帶了頭，我們那裡的學生也會起來的。到十八日零時，紀念碑前依然有二三百人聚集著，無散去跡象。

而此時，一支增援隊伍正匆匆而來。十八日零時，由北京大學出發的遊行學生，三時已行至釣魚台國賓館北門，人數由原來的千餘人增加到三千人。值得注意的是，在遊行隊伍中，夾雜著九輛外國使館車，外國記者和使館人員在遊行隊伍中活動。

千餘名北大學生在一時三十分到達人民大學時停留了一會兒，有近千人大學生加入其中，沿途又有近千名清華大學等學生加入。

遊行隊伍前面打著一個長十米、寬四米的白色橫幅，上面寫著「中國魂」、「永遠懷念耀邦同志」。學生遊行隊伍一路高喊「民主萬歲」、「自由萬歲」「打倒官僚」等口號，並高唱《國際歌》。遊行隊伍中還有十多個人高擎用笤帚蘸煤油做的火把。

據瞭解，此次遊行是由北大學生事先與其他高校聯繫好的。

四時三十分左右，進入天安門廣場的北大、人大學生迅速集結在人民英雄紀念碑下，有三名學

生先後在學生人梯的幫助下，爬上紀念碑的浮雕之上，然後將寫有「中國魂」大字的白布搭在了紀念碑下，並將幾個花圈從底座移到浮雕上。

在場的外國記者將這個過程拍照和錄像。

此後，一名爬到紀念碑的浮雕之上的學生高喊：「我們這次行動完全是學生自發的，和學生會沒有任何關係。我們現在已選出了學生代表，準備和政府進行交涉。我們將提出兩條要求：一，鑒於胡耀邦同志的豐功偉績，我們要求政府對胡耀邦同志作出公正的評價；二，鑒於政府在政策上的重大失誤，我們要求政府公開向人民道歉，並集體自動辭職。」

站在台下的學生們七嘴八舌地喊道：「還有」「還有」。

那名學生又根據其他學生的意見補充了兩點，「一是提高知識分子待遇，二是新聞自由、言論自由、民主選舉、提高透明度。」並說，「我們一定要堅持下去，至少堅持到早晨八點。」台下的學生們還說，「不答應我們的要求我們就不回去。」

演講之後，三名學生先後爬下浮雕。大部分學生坐在紀念碑的台階和周圍的草坪上。

在紀念碑上執勤的二名武警沒有和學生發生衝突。

來自追蹤北京航空航天大學的報告稱：十八日淩晨二時三十分，北航的千餘名遊行學生，在行至北師大東大門時，被該校領導和教師勸阻返校。

北航學生是零時三十分從學校出發的。遊行隊伍到達北師大南面靠馬路的研究生宿舍時，北航

學生大喊讓北師大學生下來，響應者不多。幾個北航學生想翻牆進去動員，但當一名學生翻牆進入後，即刻被北師大保衛人員送出來。

北航的學生在路上高喊「民主萬歲」、「自由萬歲」、「團結起來，振興中華」等口號，之後，經過北航校領導和教師及時做工作，終於勸阻學生返校。

十八日清晨，北大、人大數百名學生在人民大會堂前靜坐，要求全國人大常委以上的領導接見。他們提出七條要求：

一，重新評價胡耀邦同志的是非功過，肯定其民主、自由、寬鬆、和諧的觀點；

二，徹底否定清除精神污染和反對資產階級自由化，對蒙受不白之冤的知識分子給予平反；

三，國家領導人及其家屬年薪及一切形式的收入向人民公開，反對貪官污吏；

四，允許民間辦報，解除報禁，實行言論自由；

五，增加教育經費，提高知識分子待遇；

六，取銷北京市政府制定的關於遊行示威的「十條」規定；

七，要求政府領導人就政府失誤向全國人民作出公開檢討，並通過民主形式對部分領導實行改選。

此外，他們還提出，要由官方報紙對他們的要求進行公開報導，並要求政府對他們的要求進行公開答覆。

八時，中共中央辦公廳、國務院辦公廳信訪局局長鄭幼枚等同志邀請北大學生代表郭海峰、王丹等進入人民大會堂，並接受了「請願書」。郭海峰、王丹等學生代表要求全國人大常委會領導同志出來對話，鄭幼枚同志向他們解釋，領導同志出面要有一定程式。最後，學生代表要求全國人大常委會委員出來對話。郭海峰等學生代表從人民大會堂出來後說，這次對話不能令人滿意。上午，至少有一百多名學生一直在人民大會堂門前靜坐。下午二時，又有中央民族學院、北京經濟學院約一千多名學生來到廣場，並到人民大會堂門前靜坐。

下午五時三十分，全國人大常委會委員劉延東和全國人大代表陶西平、宋世雄等接見了靜坐的郭海峰等學生代表，郭海峰等將《致全國人大常委會的請願書》遞交給劉延東等同志。學生們繼續靜坐。

下午六時五十五分，人大、北大、北京理工大學三千多名學生，從人大校門出發，打著「繼承耀邦遺志，推進民主進程」的橫幅，幾個學生拿著花圈，向天安門進發。大部分同學騎自行車，也有一部分步行。學生剛出校門時，因爲人多堵塞交通，被堵車輛達五百多輛。

晚八時，騎自行車的學生隊伍到達天安門廣場，他們將花圈送到紀念碑前，後面到來的學生陸續進入靜坐行列。

據一位學生介紹，這幾所高校學生原定於今晚七時在人大召開首都高校聯合悼念胡耀邦同志的會，由於有關部門幹預而未開成，所以就上天安門廣場來了。

學生們舉的橫幅現在有三條：「耀邦魂歸」、「民主魂」、「民主不死」。呼喊的口號是：「民主萬歲！」「自由萬歲！」

到天安門廣場的還有清華大學的一些學生。他們說是來聲援北大、人大學生的靜坐活動的。

到晚九時，天安門廣場已有一、二萬人圍觀。在人民大會堂東門外靜坐的學生也到紀念碑前去了。紀念碑前擠滿了人群。有人往紀念碑浮雕上貼標語：「英年早逝、耀邦不朽」、「雄獅該吼，國民該醒」等。

有五十多名學生舉著七米長的橫幅衝到紀念碑前。橫幅上寫著「民主魂」。多數學生聚集在紀念碑前，有些學生唱《國際歌》，有些學生站在臺上講演。

晚二十二時五十分，約二千餘名學生和圍觀群眾從天安門向新華門聚集，新華門前秩序混亂，長安街交通受阻。

陳希同第一份報告

四月十七日上午，趙紫陽、李鵬、喬石、胡啓立、姚依林、李鐵映、宋平、芮杏文、閻明復、溫家寶等在人民大會堂召開座談會，議題與十天前胡耀邦發病時的那次政治局會議相同，討論《中共中央關於教育發展和改革若干問題的決定(草案)》的意見，只不過這次是向黨外人士徵求意見。下

午，李鐵映分別向趙紫陽、李鵬匯報了兩天來全國高校悼念胡耀邦的一些情況，說何東昌已經向他反映，北大、人大、復旦、武漢大學等一些高校在悼念活動中出現了一些值得注意的情況和苗頭，國家教委將馬上發一個通知。趙紫陽說，要充分肯定學生的愛國熱情，同時指出他們的一些不當做法，要深明大義，曉之以理。李鵬表示，工作要做在前頭，發現問題及時解決。當天，姚依林對李鵬說，「這次學生悼念耀邦的動向值得高度注意。一批資產階級自由化分子早在等待時機，現在耀邦去世了，正好給他們提供一個機會。這些人會利用學生的愛國熱情來搞資產階級自由化。所以，一定要採取果斷措施，防止事態的擴大。」晚上，李鵬給陳希同打電話，說他看了剛剛送來的幾份材料後，知道天安門廣場有不少學生，想瞭解到底是怎麼回事。陳希同向李鵬進行了簡單的匯報，十八日早晨，陳希同簽發了北京市政府給國務院的報告。報告摘要如下：

北京高等學校青年學生悼念胡耀邦同志的活動，從四月十七日開始出現升溫趨勢。

據市委教育工作部今天早晨的統計，胡耀邦同志逝世後，北京已有二十六所高校的學生自發舉行各種形式的悼念活動。校內張貼的悼詞、輓聯、大小字報共計七百多份。

四月十七日上午，北京大學還比較正常，中午有幾個人在學生宿舍樓前一喊，學生們立即紛紛下樓，十幾分鐘內，三角地就聚集了一二千人。他們大多是一、二年級學生。大家情緒激昂，呼喊聲特別大。等準備好花圈和條幅後，就成群結隊地走出校門，直奔天安門。人民大學十七日晚出現了「人大民主牆」。一些原來較爲平靜的學校，也出現了各種形式的自發悼念活動。學生除在校內

張貼悼詞、輓聯、大小字報外，還講演，設靈堂，到天安門送花圈。有的學生還要求送靈。北京理工大學一天就貼出九十三幅條幅。

從七百多份大小字報、輓聯、悼詞內容看，主要有三類：第一類，正常悼念，這是大多數；第二類，爲耀邦同志的生前鳴不平；第三類，對現實不滿，帶有煽動性、攻擊性的言論。

據一些學生反映，大學生的這種行動早有醞釀。胡耀邦同志逝世是個導火線。爲此，我們將密切注意這一動向，警惕別有用心的人藉悼念之機轉移方向和目標，並對重點人物做勸阻工作。

同日，何東昌簽發了國家教委向全國部分省市教育部門和委屬高校發出的《通知》，《通知》指出：「在進行悼念胡耀邦同志活動時，也出現了一些値得注意的情況和苗頭。少數人由於對當前面臨的一些問題不滿意，想藉機發揮。需要進行細致的思想工作，加以引導。也有校內個別別有用心的人想藉此把矛頭指向黨和政府，對此要保持淸醒的頭腦。」

京外高校悼胡

四月十八日八時，中共上海市委向中共中央報告了上海高校的悼胡情況和市委的對策。報告稱：十七日夜，上海分別有兩支學生隊伍上街悼念胡耀邦同志。一支是由復旦大學、同濟大學組成，晚十時許從復旦出發，至十一時左右，在同濟大學內聚集了數千人。這個行動沒有嚴密的組織，大

部分學生是自發參加，而且看熱鬧的比較多。十一時二十分左右，近千名學生從同濟校門出來，舉著「沈痛悼念胡耀邦同志」、「耀邦我們來了」、「士爲知己者死」等標語，到市政府、市人大常委會所在地，要求市政府領導接見，至今天凌晨四時許散去；

另一支由華東師範大學近千名學生組成，走出校門後去中國紡織大學、上海交通大學串連，沒得到多大響應後，於今天凌晨三時悄然回校。這支隊伍中有「悼胡公」、「沈痛悼念耀邦先生」等橫幅，並攜帶兩隻花圈，一隻花圈上的輓詞比較出格：「敢與鬼雄爭曲直」。

昨天夜裡，江澤民同志主持召開市委緊急會議，根據上海實際情況，決定以市委、市府名義發佈關於胡耀邦同志悼念活動的通告。通告在肯定上海人民以各種方式悼念耀邦同志，寄託哀思的同時，提出爲確保上海的生產、工作、學習、生活秩序，維護安定團結大局，規定各種悼念活動應當在本單位進行，以搞好生產、工作、學習的實際行動悼念耀邦同志。通告強調要警惕個別壞人乘機挑起事端，破壞安定團結的局面。

這份通告已於今晨廣播和登報。

四月十七日晚天津市委向中共中央的報告稱：

悼念胡耀邦同志的活動從校園走向街頭。今天晚上九時二十分，南開大學學生一千多人走出校門上街遊行。他們一路高唱《國際歌》、《國歌》和《我們的隊伍向太陽》等歌曲，高呼「打倒獨裁」、「打倒專制」、「民主萬歲」、「自由萬歲」等口號。

南開大學學生走出校門後，向南奔向鄰近的天津師範大學，途經八里台立交橋，一時造成交通堵塞。十名左右外國青年人手持像機也在遊行隊伍中。師範大學校門緊閉，南開學生齊喊口號，一遍遍衝擠鐵門，召喚師大學生參加遊行。師大學生在校領導和老師勸導下，未出校響應。九時五十分，一隊公安幹警到現場維持秩序，校門前的學生和圍觀的群眾發出一陣陣嘲笑的「噓」聲，到十一時左右，三五成群的學生走回南開大學。據瞭解，這次活動沒有嚴密的組織，學生大多是自發參加，遊行隊伍中也沒有其他身份者參與。

十八日晚中共江蘇省委向中共中央的報告稱：

今天下午，兩名南京大學、河海大學的學生到省公安廳，申請十九日下午在南京鼓樓廣場舉行萬人悼念胡耀邦同志的活動，省公安廳治安處負責人對學生進行說服勸阻。

這兩名學生自稱是南京大學、河海大學兩校學生會的宣傳部長。他們在申請時說，四月十九日下午一時，南京大學、南京師範大學、河海大學、東南大學、南京建工學院、南京化工學院、南京藝術學院和南京機械工業專科學校將有一萬多學生在鼓樓廣場舉行悼念活動，隨後經市區主要幹道步行至雨花臺烈士陵園敬獻花圈，繼續悼念。

公安廳同志先詢問了這次活動有沒有負責人？各高校的學生有沒有人帶頭？學生是否向學校提出請校方出面組織？這兩名學生都說沒有。隨後公安廳同志講了五條意見：一，一萬多人上街遊行，你們又沒有負責人，能不能保證悼念活動有組織、有秩序地進行？二，一萬多人遊行勢必影響交通，

影響企事業單位的工作和群眾的正常生活；三，如果有人混入遊行隊伍，從中搗亂，製造治安事件甚至打砸搶，你們能不能管住？四，你們安排的悼念活動已屬於上街遊行。按法律規定應提前五天向地方公安部門即南京市公安局提出申請，並爲此承擔法律責任；五，建議有組織地或分期分批去雨花臺舉行悼念活動。

兩名學生聽完五條意見後，表面看象被說服了，隨即離開。據省公安廳同志分析，這兩名學生是來摸摸底的，很有可能明天會有大規模的悼念活動。省委對此已經作好部署。

十八日十五時中共陝西省委向中共中央的報告稱：

從今天淩晨開始，西安部分高等院校的學生走向街頭，將悼念活動由校園推向社會。

零時四十分，西安交通大學和陝西機械學院二千多名學生，徒步沿咸寧路向西入和平門，經大差市到東大街、鐘樓，最後集中到新城廣場。沿途，學生們喊著「沈痛悼念胡耀邦同志」等口號。

一時三十分，學生們進入位於新城廣場北部的陝西省政府大樓，在大樓內繼續呼喊口號。三時二十分開始，學生們分批返回學校，四時左右全部返回學校。

中午十二時三十分左右，西北大學、陝西師範大學等院校約一千多學生，再次來到新城廣場集會。在廣場中心升國旗的旗桿上，獻了一個花圈，並將花圈升至半空中。

十三時三十分至四十分，分別有兩位學生站在旗桿底部約二米高的水泥墩上，發表悼念胡耀邦同志的演說。

十四時以後，幾位學生拿著一個上面寫著「募捐」字樣的紙箱，募捐爲胡耀邦同志買花圈。許多學生紛紛捐款。

十三時三十分左右，座落在西安市南郊的西北政法學院的四百名學生，也已走出校門到西安烈士陵園進行悼念活動。

據瞭解，至今尚未發現學生遊行被人操縱，學生的行爲大多是自發的，參加遊行的學生沒有被強迫拉來的。省委將密切注意可能出現的新動向。

十八日，中共湖南省委給中共中央的報告稱：

連日來，湘潭大學、湖南師範大學、國防科技大學、中南工業大學等院校的學生採取各種形式，深切悼念耀邦同志。

十六日晚十時三十分，湘潭大學出現二十四張標語輓聯，至十八日下午已有三十六張。十七日晚十點左右，該校以哲學、歷史、經濟系爲主的學生燒報紙、衣服等物品，圍觀的學生慢慢聚集到一千人左右，有人提議到市裡去遊行，許多學生手挽手、唱著《國際歌》走出校門。途中個別學生喊「打倒鄧小平」、「鄧小平下臺」、「打倒封建專制主義」等口號，中間有六百多名學生陸續返回學校。至淩晨二時許，三百多名學生到達湘潭市委、市政府，市政府派人作了工作後，然後派汽車將他們送回校。十八日上午九時，湘潭大學校園內又出現了一些大小字報。這些大小字報的內容基本是圍繞悼念胡耀邦同志的，但也有個別反動言行。

據統計，湖南師範大學出現了七幅標語輓聯，中南工業大學有三張，國防科技大學也有三張，湘潭紡織專科學校有二十四張，湖南省幹部經濟管理學院還設了靈堂。

省委認爲，少數高校雖然表面平靜，但師生中有不少猜疑和不安的議論。有一種普遍的意見是，「五四」快到了，兩件事應結合起來搞。因此，學生的悼念活動還在發展之中，可能在耀邦同志追悼大會時形成高潮。針對這一情況，省委已要求有關部門做好疏導工作，並要求安排力量日夜值班，密切注意高校動向。

海外關注學潮

到四月十八日，提供給中共中央領導人參考的海外十幾篇主要評論中，只有美聯社的一篇報導提及了上海學生的悼念活動，其他的報導仍然局限在北京。

美聯社十八日發自北京的報導稱，「今天，學生們的遊行逐漸變得越來越帶政治性，學生們要求政府對他們今天早些時候提出的七點要求作出答覆。學生代表劉京京(譯音)說，『官僚們會嘗到人民的力量。』這位北京大學法律系學生、研究生會的負責人說，學生們想同全國人大常委會的人談談他們的要求，而且不會要求立即作出答覆，可他們不敢出來。」

路透社十七日題爲「中國學生遊行要求民主」的報導稱，「數百名學生今天在北京市中心舉行

遊行，要求民主和自由，這是自十三年前的文化大革命後期以來發生的規模最大的一次自發的示威活動。」「一些外交官和中國分析家預料，中國當局會設法防止這場學生運動進一步擴大，必要時會使用武力。因爲，黨的最高層的狀況沒有穩定到足以容忍這種情況的程度。」

合眾國際社十七日發自北京的電文說，「人們對胡耀邦逝世的反應同對周恩來逝世的反應有相似之處，一些支持者在利用悼念活動來表露他們對政府的牢騷。北京大學的悼念胡耀邦的大字報同一九七六年人民英雄紀念碑附近貼出的悼念周恩來的大字報十分相似。這兩個場合貼出的大字報都是隱晦地批評中國存在的主要問題，但是，胡耀邦逝世所引起的情緒不如周恩來一九七六年逝世時那樣強烈。」

英國《泰晤士報》十八日的社論說，「中國領導人不能不感受到學生們悼念被罷免掉總書記職務的胡耀邦一事的象徵意義。本周的口號要求民主和法治、譴責專制和腐敗，再一次針對活著的領導人而不是已逝世者，再一次出現了悲哀混合著不滿情緒的混亂。」

香港《虎報》十七日《據認爲胡耀邦逝世會激勵改革派》的報導指出，「由於早些時候出現一些爭取釋放政治犯的簽名活動，要求民主和人權的運動的勢頭日益增大，隨著『五四』運動七十周年紀念日的臨近，其勢頭會進一步擴大。」「北京的大學生在舉行悼念胡耀邦的活動時可能會自發地組織要求擴大民主的活動。」

衝擊新華門

四月十九日至二十日，安全部提供給中共中央、國務院的報告是這樣記錄的：

上午十一時以後，清華、北師大、北京科技大學等校的學生送花圈到天安門。北師大有一千多人，打著橫幅。一路呼喊口號：耀邦不死！打倒獨裁！打倒專制！人民書記人民愛！人民書記愛人民！發揚五四傳統！民主科學萬歲！教育萬歲！教師萬歲！

有人不時在紀念碑前發表演講。

中央美術學院學生舉著三四米高的胡耀邦同志畫像，放在紀念碑的浮雕上，畫像旁邊寫著「何處招魂」。

今晚，在天安門廣場的人數約二萬人左右，其中學生爲三千至四千人。此時，紀念碑前有五十五個花圈、十二幅輓聯。

北京市公安局已從各分局抽調一千多名幹警維持秩序。

北京市政府的「公告」今晚播發後，公安部門擬定從二十日淩晨五時開始，在紀念碑周圍劃定範圍(以旗桿爲界)，引導大家採取文明方式獻花圈。共青團系統將組織三百名大學生做接待工作。

晚上九時許，中央財經學院八個系的一千多名學生已走出天安門廣場，返回學校。

公安部門在天安門廣場通知：要把花圈送到紀念碑前，不准送到中南海。

晚十時許，中國戲曲學院學生把七個氫氣球帶進天安門廣場，氣球上寫著：「耀邦不死」。公安人員令學生將氣球帶出廣場。

晚十一時十分，清華大學八百多名學生走出校園，向新華門前的學生聲援。公安人員設三道防線阻攔，終於未來新華門。

當天晚上，新華門前聚集了北大、人大、北師大、政法大學等校二三千名學生，圍觀群眾六七千人。學生「會聚新華門是因爲至今政府沒有一個人出來表態」。學生多次齊聲高呼「李鵬出來！」「李鵬出來！」的口號，並六次試圖衝開警戒防線而未成功。

十一時四十分，北京市公安局公告車開到新華門前，廣播市政府公告。到二十日淩晨一時，武警和公安人員已將學生和圍觀群眾隔開。圍觀群眾被驅散到幾百米外；新華門前僅剩下不到三百名學生。

從淩晨一時至五時，這不到三百名的學生一直與武警組成的警戒防線呈對峙狀態，期間沒有發生大的衝突。北京市政府決定，爲了確保首都正常的工作秩序實施臨時戒嚴，在對學生進行思想說服以後，用市公交公司汽車將學生分別拉回學校。在上車過程中，有一百多名學生不願意上車，與公安人員發生爭執，並有一些推搡動作。一名女學生被推上車後呼叫：「打倒共產黨！」但沒有學生響應。由於這是強迫行爲，學生可能對此將會有更大的行動。

中共高層兩種聲音

四月十八日，楊尚昆打電話對趙紫陽說：「紫陽同志，你對這幾天學生悼念耀邦同志的活動怎麼看？」趙紫陽回答：「我已經向喬石、啓立同志瞭解過一些情況，也已經與李錫銘同志通過電話。要北京市密切注意學生的動向。一定要確保耀邦同志追悼會期間的安定。總的說，學生的愛國熱情應該予以肯定。」十八日深夜，當接到溫家寶關於學生在新華門大規模聚集並試圖衝擊新華門的報告時，趙紫陽說，「立即通知德中同志要求中央警衛局緊急集合，要絕對保證中南海的安全，保證新華門的安全。參加保衛新華門安全的警衛人員，一律不准帶刺刀，要把槍上的刺刀卸下來，盡力避免與學生發生肢體接觸。同時通知北京市政府。」溫家寶馬上打電話給北京市委値班室，要求北京市委負責人採取措施，並強調，「要確保新華門安全，確保學生人身安全。」隨即，溫家寶與楊德中一起趕到新華門，親自參與具體部署。

十九日，中共中央發表公告：決定於二十二日上午十時在北京人民大會堂舉行胡耀邦追悼大會並遺體告別儀式。當晚，新華門再次發生大規模的學生聚會。深夜，趙紫陽又打電話給李錫銘，具體詢問這幾天北京市重點高校情況和正在發生的新華門情況，李錫銘在作了簡單的介紹後，對趙紫陽說，「的確，從十八日起，北京學潮的風向開始轉變。一些別有用心的人正在利用學生。我們正在起草一份給中央的報告。紫陽同志，對於北京這幾天發生的學潮，政治局是否開會討論一次？」

趙紫陽回答，「當務之急是先把新華門的事情處理好。你們的工作要做在前頭。」十九日晚，學生在新華門外聚會的消息傳到李先念那裡，李先念立即打電話給李鵬，說：「李鵬同志，學生們已經鬧了幾天了，怎麼現在鬧到新華門來了？昨天晚上鬧，今天晚上又鬧，這到底是怎麼回事呵？是不是背後有人操縱啊？」王震對學生在新華門外大規模聚會尤其惱火，二十日在見到楊尚昆時，他對楊尚昆說，「這些小鬼懂個屁呵！動不動就想鬧事，是不是有人要打倒共產黨呵？」連續兩個晚上的新華門事情發生後，李鵬先後對羅幹和姚依林說，「這幾天學潮形勢的確趨於複雜了。」他再次向李鐵映瞭解情況，要求教委再發一個通知，強調各高校要堅決執行黨中央、國務院的指示精神。並找李錫銘、陳希同等談話，要求北京市政府作出果斷決策。

四月二十日，李錫銘、陳希同以北京市委、市政府的名義給中共中央、國務院呈送了第二份報告。報告全文如下：

從四月十八日淩晨開始，北京大學生在天安門廣場進行的悼念活動，由於別有用心的人的破壞出現轉向。開始幾天，到天安門廣場來進行悼念的大學生，絕大部分是出於真心，表現了對耀邦同志的深厚的情感，神態真誠，儀式嚴肅。從十八日淩晨開始，悼念活動出現轉向。

主要表現是：

一，借題發揮，提出不少政治主張。十八日淩晨四點，北大人大三千餘學生把寫有「中國魂」三個大字的白色條幅挂到紀念碑上後，留下幾百學生在人民大會堂門口靜坐，向全國人大常委會提

出七點政治要求。這些政治要求和這兩天在廣場上聽到的演講、口號，以及傳抄和張貼的大小字報、傳單的內容，主要是要求自由、民主；徹底否定清除精神污染；解除報禁，實現新聞自由；政府要引咎辭職；對中央政府實行全民信任投票；公開領導人及其子女的一切收入；無條件釋放政治犯等等。

二，反動言論公開化。從四月十五日到四月十九日晚上，全市三十一所高校貼出各種大小字報一千六百五十四份。自十八日開始，個別學生公開書寫和呼喊反動口號，矛頭指向小平、紫陽、李鵬等中央主要領導同志。諸如「打倒腐敗政府！」「打倒共產黨！」「打倒獨裁專制！」等等。

三，不斷有人煽動鬧事。對耀邦同志的死因，有人造出「是被迫害致死的」、「是被氣死的」等流言。在天安門廣場的學生堆裡，常見有人煽動：你們在這裡鬧騰有啥用，要到中南海去，到人民大會堂去。有的大字報還公開號召大學生組織起來，要成立聯合行動委員會，採取聯合行動；要到工廠去，到農村去，到商店去，動員各界群眾起來反對腐敗政府。北大有的大字報公然煽動學生：要衝擊中南海，火燒中南海！

四，衝擊中南海。十九日淩晨、十九日晚數百名學生，喊著口號，唱著國際歌，衝擊中南海新華門，並打傷警衛戰士，圍觀者近萬人。

五，提出綱領性口號，活動趨於組織化。一些學校先後貼出大字報，提出諸如成立高校學生自治會，制訂學生自治法；成立修改憲法委員會；實行地方自治，實現新聞獨立，言論自由等綱領性

口號。悼念活動的開始幾天，學生的一些過激活動，經有關人士的勸說，常自行結束或散去。從十八日開始，靜坐的、集會的、演講的和衝擊中南海的學生，則已勸說無效，而且心較齊，行動較統一，顯示出有組織的狀態。

針對這一情況，市委、市政府已採取如下措施控制局勢：

一是開展政治攻勢，曉之以理。用廣播的形式和勸說的方法，向學生講述道理，揭露少數人的不良企圖，引導學生回校學習，有組織地進行悼念耀邦同志的活動，化悲痛爲行動，好好學習。

二是發佈通告，制止違法行爲。十九日市政府發佈三條通告，確保悼念活動正常進行和社會秩序的安定，嚴防少數人的破壞、搗亂。

三是採取戒嚴措施，防止事態擴大。十八日和十九日淩晨，爲排除學生對中南海的衝擊和長安街的交通堵塞，市政府果斷決定採取臨時戒嚴措施，驅散新華門前鬧事的學生，同時派出車輛，將學生轉移回校。

四是緊急召開區、縣、局、大學、總公司和大企業負責人會議，介紹情況，分析形勢，提出要求。市長陳希同主持會議，市委書記李錫銘、副書記李其炎分別講話，要求各單位負責人如實講清情況，揭露少數壞人，積極做好工作，有效引導群眾，加強組織紀律，全力穩定局勢，以利於悼念耀邦同志的活動正常進行和治理整頓、深化改革的開展。

同日，根據李鵬的指示，李鐵映責成國家教委向部分省市教育部門和委屬高校發出了第二份《通

知》。《通知》指出，「對悼念胡耀邦同志的活動，學校黨委必須加強組織領導。」「對學生中的一些意見和怨氣，要及時疏導；對錯誤言論，要旗幟鮮明地予以駁斥；對個別煽動鬧事的人，學校領導要找他們談話，嚴肅指出他們的錯誤」。《通知》特別指出，「對北京少數人衝擊中南海新華門，北京市政府爲了維護交通和政府機關正常工作，依法採取了必要的疏散措施，執行任務的武警未帶警棍、未著皮帶。要估計到有人藉此造謠，注意組織學生學習新華社評論員文章，教育他們不要輕信謠言。同時，要堅決勸阻學生進京。」同時，轉發了《北京市人民政府通告》。

北京學生自治組織產生

北京市二十日上午向中共中央、國務院的報告稱：

昨天晚上二十三時至今天淩晨一時許，北大的民主沙龍重新開會，討論建立「團結學生會」問題。會上總結了歷次學潮缺乏領導和統一行動的失敗教訓，確定領導學生校園民主運動爲當前的任務。零時許，王丹宣佈廢除現有的北京大學學生會，建立「北京大學團結學生會籌委會」。選出了丁小平、王丹、楊濤、封從德等七名學生組成的七人委員會，下設宣傳、工農、糾察、聯絡、理論、後勤等八個部。籌委會宣佈：從四月二十日至五月四日，由籌委會領導一切學生運動，以後還要成立新的學生會和研究生會領導自發的校園民主運動，成立聯合全國高校的「團結協會」。會上宣佈

了十一條基本綱領，主要內容除了十八日向全國人大常委會提交的請願書內容外，明確提出，「釋放魏京生」、「強烈要求鄧小平具體回答十年改革教育失誤的原因」。會上散發了《告北京高校書》，倡議「各高校能代表學生的民主團體選舉代表共同成立『北京高校民主請願活動協調會』，統一領導北京各高校學生的目前已有很大聲勢的自發活動」。會上有人傳達了金觀濤的意見，認爲現在是行動的最好時機，要採取統一行動，進行非暴力不合作行動。一時許，清華大學二千餘名學生來到北大圖書館門前，與北大學生會合，並商定今天中午互派代表在清華商討聯合行動問題。今天一早，這個籌委會已派聯絡員到各高校進行聯絡，組織人製作袖標、花圈等。我們認爲，採取罷課將是學生們進行長期鬥爭的一種方式。

二十日下午二時四十分安全部發自現場的報告說，從下午二時開始，天安門廣場紀念碑周圍的人越聚越多，現在達到四千至五千人。二時三十五分，印刷學院有二百多學生舉著三個花圈，中國地質大學二百多名學生高舉著「耀邦總書記永垂不朽」的橫幅，先後來到天安門廣場。

據瞭解，北大四百多名學生已走出北大南門，被警察滯留在中關村，北航的二百多名學生已從西直門走向天安門，財經學院二百多名學生已離開學校，北師大和人民大學的學生正在人大校門口集合。

十六時的報告稱：北航有一千多名學生戴著白花，打著條幅向天安門進發，橫幅有「召民主自由亡靈」、「民族英靈」、「華夏英靈」、「鏟除貪官」等。

經濟學院學生在紀念碑前貼出小字報，說有學生被警察抓了、有學生被打傷了，要求群眾聲援。

下午下雨時，學生多在雨中，圍觀群眾多到地下通道躲雨。

現在天安門廣場很熱鬧。各種各樣的議論都有。一位上了年紀的女知識分子說，「這種事也沒人管嗎？現在紀念碑前貼出小字報，說有學生被打了、被警察抓了。我們不知道是真是假。說實話，一九七六年的『四五』運動也這樣。」有一位中年幹部模樣的分析學生上街的原因：「一是對當年處理胡耀邦同志不服，去年失誤要比那年大得多，爲什麼趙紫陽、李鵬沒有被撤職？二是希望藉此推進政治體制改革，推進民主進程；三是對中央內部鬥爭的神秘化不滿，希望知道真相；四是胡耀邦爲人清廉，作風磊落，而目前共產黨高級幹部中有人太腐敗，群眾懷念胡耀邦。」還有人說，「天安門廣場亂糟糟的，有人隨意發表攻擊黨和國家領導人的演講，這哪裡是進行悼念。」

十八時三十分報告：北京大學、中國政法大學、北京醫科大學、北京科技大學一千多學生已到新街口，走向天安門方向。

二十時報告：北京大學八百多人打著橫幅已進入天安門廣場，橫幅上寫著「教育救國」、「和平請願」、「反對暴行」等。

二十時三十五分報告：一些學生在紀念碑前呼喊口號：「反對獨裁」、「要求自由」、「打倒警察」。學生們商量：今晚先回去，二十二日上午八時再來天安門廣場。據悉，北京幾所高校將成立「團結學生會」。

二十二時報告：七八百名學生走出天安門廣場，返回學校。廣場上基本無人了。

北京市公安局提供的情況：今晚在天安門廣場有五十多名天津來的學生，他們已隨北京高校的學生而去。另外，天津市有一百多名學生已買好火車票，將於二十一日十四時從天津坐火車來北京，將在北京搞一次遊行。

學生在新華門前的靜坐示威，對中共最高當局是一次莫大的羞辱。因此，二十一日的《人民日報》接連刊登了新華社的評論《維護社會穩定是當前大局》和本報評論員文章《我們怎樣悼念耀邦同志》，並登載了新華社記者寫的「數百人圍聚新華門前製造事端」的報導。北京高校的學生認爲，這些評論和報導不實事求是，難以令人服氣。於是，事態的發展反而深入了，二十一日的學生情緒變得更加激動。讓我們看看北京一些主要高校的情況。

安全部二十一日關於中國政法大學的報告：

今天上午在中國政法大學校園內看到，四處張貼著「實行罷課，抗議警察毆打學生暴行」的標語。

據該校負責人介紹，三名學生於十九日晚到天安門廣場參加悼念活動，當晚十一時三十分許，他們坐二十二路車回校，由於長安街交通擁擠，後決定坐早班地鐵回校，走到人民大會堂南側街道時，被迎面而來的兩排武警衝散，學生王志勇被包圍並被武警用皮帶抽打頭部暈倒，後被魯藝學院的兩位學生送回學校。王志勇回校後在校醫務室包紮、縫針，後轉到北醫三院，北醫三院出具的證

明上寫著：「頭皮裂傷，輕度腦震盪，眼外傷」。

今天，校園內挂出了王志勇的血衣，引起了學生激烈的情緒。學校領導已去宿舍進行了看望。學生向學校提出了罷課要求，校方極力進行了勸阻，並答應通過組織途徑向北京市有關部門反映情況。昨天，部分學生代表和學校工作人員已向北京市有關領導陳述事件經過，並貼出了勸導學生不要罷課的通知，但被學生撕毀，學生又連夜貼出了號召罷課的通告。通告提出了四條要求：「1，四月二十一日至二十二日罷課兩天，抗議警方這種非法行爲；2，要求政府嚴懲兇手；3，警方必須在報上公開對這種行爲道歉，如實報導傷案經過；4，第2，3條必須在四月二十三日晚五時前予以答覆，否則進一步採取行動。」十二時許，政法大學校園內一些學生把登有新華社「維護社會穩定是當前大局」的評論文章、《人民日報》評論員文章的報紙點火焚毀，並摔、砸瓶子，持續約半個小時。下午一時始，政法大學學生到西直門附近向行人散發傳單，傳單爲《天理何在？良心何在？公道何在？法律何在？》，傳單在詳細介紹了王志勇被打經過後說，「我們不禁要問，是什麼使這些武警喪失了起碼的道德和人性，難道是共和國法律允許他們這麼幹的，難道他們沒有自己的兄弟姐妹？難道這是黨紀、軍紀允許的嗎？我們堅決要求懲辦兇手！！」現在學生的情緒都集中在王志勇被打一事上，希望盡快弄清事情真相，以防事態進一步擴大。

安全部關於北京大學的報告：

北京大學今天早上一部分學生開始罷課，上午貼出一些罷課通知，有一些學生在教學樓前和教

室門口，勸阻一些同學上課，一些教室黑板寫著「今日罷課」。

早上三角地貼出標語：「實行罷課」、「抗議警察毆打學生的暴行」。貼出題爲「罷課」的大字報：「爲了抗議軍警對學生的殘酷毆打，爲了抗議輿論的歪曲報導，我們籌委會代表廣大同學決定，自四月二十一日上午八時起開始全校罷課，並要求：(1)新聞公開報導；(2)嚴懲慘案製造元兇。請每一個真正的有熱血有良心的北大師生進行罷課抗議，不達目的決不復課」。

中午，北大三角地有人拿著話筒演講，介紹「四・二〇」學生被打經過，說這是一起慘案，號召大家起來遊行。

下午，南開大學五十名學生「請願團」到達北大。

安全部關於北京師範大學的報告：

今天北師大出現署名「吾爾開希」的《通告》，《通告》提出：1，廢除學生會、研究生會的一切權利；2，參加北京高校臨時學生聯合會；3，自四月二十二日起，全校宣佈罷課，停止一切考試；4，今晚十點各高校在我校誓師，我校同學務必參加，並準備麵包、汽水慰問高校同學。

據瞭解，到目前爲止，北京已出現以下一些非法組織：「北大團結學生會籌委會」、清華大學的「社會主義民主進步領導小組」、北京外語學院「北外聲援委員會」、「中華知識分子聯合會」、「中國人民大學學生自治會」、「北京師範大學學生自治會」。

北京市二十一日二十三時給中共中央、國務院關於天安門廣場的報告：

今天白天天安門廣場秩序比較平靜，入夜以來，人數驟然增加，氣氛相當緊張。

一，白天前往廣場送花圈的學生明顯減少，聚集在廣場上的絕大多數是圍觀看熱鬧的人。從早上八時開始到晚七時，共有八所院校及一個研究所送來花圈和輓聯，人員最少的四十人，最多的二百人。送花圈到紀念碑前舉行悼念儀式後，學生們紛紛離開了現場。只有極少數學生在紀念碑周圍抄寫詩詞、輓聯。而且悼念隊伍中有三所院校是坐學校轎車、卡車來的，比較有秩序。

二，今天白天來廣場的學生雖然不多，但騷動頻繁。從下午一時起，到晚上七時，發生較大的騷動共計四次。其中最大一次發生在下午二時五十分至三時零五分，數千圍觀的群眾從廣場湧向人民大會堂東門前，並衝過警戒線，將三個警衛戰士圍在當中。最後圍觀群眾會一度衝上了最後一級台階，靠近大會堂的廊柱。由於人民大會堂門口走出一隊武警戰士，在幾分鐘內，群眾隨即退回廣場。據分析，今天騷動的起因，都是因圍觀群眾多達上萬人，人們盲目追隨外國記者、退場學生等引起的。

三，成批外埠學生第一次來到天安門廣場。下午二時三十五分，天津南開大學五十多名學生走出北京站，沿著東長安街直奔天安門，三時二十五分進入廣場。沿途引來幾千名群眾。南開大學隊伍捧著胡耀邦同志的巨幅畫像，手擎四個橫幅：「南開大學赴京請願團」、「聲援北京及全國學生的正義行動」、「民主自由科學」、「耀邦精神永存」。這些學生到紀念碑獻花圈後，繼續擎著校旗、橫幅在廣場轉圈，並兩次在廣場散發致全國人大常委會的請願書。內容包括：要求改革、完善

人代會制度，減少代表人數，設專職代表，分清黨和人代會工作及權限的關係，提倡競選，提高人大代表的文化程度(高中以上)，呼喚新聞自由。南開大學的活動掀起了廣場的一次高潮，使圍觀群眾達到四五萬人。

四，廣場上傳聞很多，群眾議論紛紛。不少人議論，「學生被武警戰士打了」、「學生要討還血債」。一九七八年西單牆時期反動分子任畹町今晚在廣場發表煽動性演說，說「人民正在祈求法制的覺醒。這是歷史的必然。民主牆又有了生命。」公安人員發現後，試圖抓住他，因爲學生阻擋，最後任自己離開了廣場。

據可靠消息，北京十五所高校學生自發成立的高校聯合會，已組織了糾察部、聯絡部、資訊部等，準備在北師大集合，於晚十時左右進入天安門廣場，準備明天追悼會強佔有利地形。

五，晚二十二時，清華大學等十所大學的上萬名學生由學院路，沿西單北大街向天安門行進。

據統計，上街的學校有：清華大學、北京科技大學、北京航空航天大學、北京農業大學、北京師範大學、北京郵電學院、北京理工大學、北方交通大學、中央民族學院、北京大學等。學生們邊走邊喊：「打倒官倒！」「打倒貪官污吏！」「新聞自由！」「新聞要講真話！」「民主萬歲！」「暴行可恥！」「反對專制！」「反對獨裁！」「愛國無罪！」

沿街群眾不時向學生鼓掌，這時學生情緒高漲，呼喊：「人民萬歲！」「理解萬歲！」「我們幹什麼？我們去講真話！」還有群眾自發地將開水、杯子放在路邊，供學生喝水。

上街的學生隊伍組織嚴密，他們一般五至七人一排，手挽手行進。有的學校學生隊伍的外圍學生互相手拉著手圍起來，防止外人進入。

二十二日零時四十分，前面的學生已走進天安門廣場，到一時三十分，學生全部進入廣場。

追悼會前京外情況

在胡耀邦追悼大會以前，全國各地各部門都向中共中央、國務院通報了各地大中城市尤其是高等院校學生的情況。其中連續向中南海報告並反映情況嚴峻的主要是上海、天津、西安、南京、武漢、長沙、合肥、杭州、成都、重慶、蘭州等大城市。

據中共陝西省委連日來的報告，在胡耀邦追悼大會前，規模最大的一次活動發生在四月二十日，即人民日報發表關於北京學生衝擊新華門的評論員文章後。報告稱：

自十七日起，已成爲西安悼念活動中心的新城廣場，現在每天都有上萬人在這裡觀看、議論或摘抄各種悼念詩詞和大字報，除高等院校的學生外，已有越來越多的工人、幹部、社會其他居民摻雜其間，議論的話題，已經常可聽到物價、工資、住房等社會問題，但還未見有組織的工人活動。十九日以來，西安一些高校學生悼念胡耀邦同志的範圍已超出正常範圍，校園裡出現了越來越多的政治性很強的大字報，和一些極端錯誤的標語、文章。西安交大一篇題爲「真理報」的大字報寫道：

「交大氣象台發現中國上空有一團烏雲，似魔鬼狀，近年來，已使中國年日照量漸趨下降，預計年內將有一場雷暴，年底可見天日。」據瞭解，西安交大、西北大學、陝西師大、西北政法學院等高校都有一些篇幅較長、政治色彩較濃的文章，有不少校園貼著「來自北京的消息」和火藥味很濃的「宣戰書」，這些消息大多來自「美國之音」的報導。

二十日淩晨一時開始，先後有西北工業大學、西安電子科技大學、西北大學的五、六百名學生湧入新城廣場旁邊的陝西省人民政府辦公大樓。他們打著橫幅，吹著哨子，一起喊著口號，要求與省長對話。上千名群眾也尾隨其後，進入省政府大樓。個別社會青年煽動學生砸門、砸窗，但沒有學生響應。四點三十分以後，學生陸續乘各校派來的汽車返回學校。

中午十二時左右，新城廣場已由上午的三百人左右一下子聚集到五千人左右，有一些學生發表演講。下午三時左右，一部分在廣場的學生和圍觀群眾翻過省政府辦公樓前的鐵柵欄，進入省政府大院。隨之，大批學生和群眾從省政府東西大門口相繼湧入。人群會集在十四層政府辦公大樓前的停車場。到四時左右，人數約一萬多人。當學生、群眾衝進大樓時，在現場維持秩序的武警曾先後將六名走在前面的人強行帶離現場，湧在大院的人見狀就高呼「放人！放人！」人群中，各個高校負責人和教師代表一直在做疏導工作，學生演講用的話筒經過說服也被校方人員拿走，一部分學生隨之離開。同時約有二千三百多人衝上大樓台階，試圖衝進辦公樓，被守候在那裡的三百多名武警阻攔。據觀察，鬧事者中有組織的大學生很少，絕大多數是城市待業青年、工人、社會閑雜人員，

多數是年輕人。他們既沒有口號，也沒有講演，就是起鬨。他們相繼衝了五六次，均被武警阻擋回去，雙方僵持了一個多小時。下午五時十五分，高音喇叭開始廣播「請圍觀群眾迅速離開，謹防個別人煽動鬧事」和新華社評論員文章，一些圍觀群眾開始散去，五時三十分左右，廣播又宣佈，「衝進省政府的人員，限十五分鐘撤離」。隨後五百名武警戰士奉命跑步前來執勤，餘下的鬧事者開始陸續退出省政府大院。六時許，天下起了中雨，仍有近三百人留在新城廣場。如果不是下雨，事態有可能進一步擴大。

中共江蘇省委的報告中，反映較多的也是四月二十日，人民日報的評論員文章後。二十日二十時、二十一時十五分、二十二時十五分的報告稱：

繼前兩天的遊行後，今晚十八時三十分，南京大學學生會門前聚集了三千多名學生，在二名學生演講後，遊行隊伍走出南大校門，向鼓樓進發。到鼓樓後，隊伍便掉頭向西，往南京師範大學、河海大學、省政府所在方向走去。遊行隊伍拉得很長，大約二千人，但圍觀者很多，鼓樓廣場交通中斷大約二十分鐘。遊行的口號是「打倒官僚！」「打倒貪污！」「還我民主！」「自由萬歲！」「還我耀邦！」

據悉，南京大學今天貼出了幾張標語：「流血不要緊，自由最可貴」，「北京衝擊中南海，俺們咋辦？」「響應北大七條建議，衝擊掌權機構」「用戰鬥迎接五四」。據省公安廳統計，南京貼出大字報的高校已由開始的五所增至十四所，一些公共場所、交通幹道也出現大字報。

二十時許，南京大學、南京師範大學、河海大學等高校約四千多名學生來到省政府門口。圍觀的社會青年起鬨要衝進去，但走在遊行隊伍前面的學生並沒有往裡面走。只是在省政府門前停留，這時的口號變爲問答式，領呼口號的人問：「獨裁要不要打？」衆人答：「打！」問：「官僚要不要打？」答：「打！」「耀邦好不好？」答：「好！」

遊行隊伍二十一時回到鼓樓廣場後，在通往新街口方向的路口上原地坐下，圍觀者達數千人，社會青年居多。整個廣場上萬人，交通基本堵塞。二十一時三十分，一位自稱是河海大學的學生宣讀了《南京學界四·二0宣言》。主要內容爲八條：1，公佈胡耀邦辭職內幕；2，反對貪污，公佈康華公司詳細帳目；3，定期公佈與人民生活相關的經濟指數；4，公佈高幹及其子女財產；5，要求政府承認「四·二0」行動(即今天的遊行)是合法的、愛國的；6，在鼓樓廣場設立民主牆；7，要求各級人大增設青年學生代表；8，新聞界公佈這次行動及上述要求。二十二時左右，遊行學生陸續返回學校。

中共湖北省委向中南海的報告概述了十八日至二十二日的情況。摘錄如下：

從四月十八日至二十二日五天內，除二十一日因風雨受阻外，武漢地區先後有武漢大學、武漢水利電力學院、華中師大、華中理工大學、中南財大五所高校的部分學生上街遊行。其中，武漢大學連續四次舉行遊行集會，從和平遊行到衝擊省政府機關，直至警察動用警械，幾名學生受輕傷。這次學生遊行同一九八六年的學潮既有密切聯繫，又有明顯區別，思想因素更爲複雜。這次學潮又

有一些四年前學潮所不具備的特點。

一，高層次學生成爲遊行主導力量。一九八六年學潮只是本科低年級學生爲主體，這次研究生站到了遊行隊伍前列。二十二日下午武漢大學的遊行抗議活動就是由五百名博士碩士生帶頭發起。

二，目標明確，矛頭集中。一九八六年的學潮目標抽象，沒有明確政治傾向，這次遊行的部分口號和一些大字報內容，矛頭都對準了小平、紫陽、尙昆、李鵬同志，明顯是反黨、反政府。有一張大字報揚言：「共產黨必須向民主黨派人士、向全國老百姓低頭認錯！」象這樣的言論，爲歷年來所未見。

三，思想因素更爲複雜，共鳴面更大。一九八六年學潮期間，社會各階層對學生上街遊行基本持否定態度。而這次社會各界對學生遊行持同情者居多數。這次學生所提口號涉及到政治、經濟、文化、教育、思想理論、社會風氣、社會治安等各個領域的問題，這些問題在教師、幹部中也有相當一部分人有同感。武漢大學的一些教師說，「知識分子是最關心改革的一個階層。誰看到過腰纏萬貫的個體戶和不法商人關心過改革？但是，關心改革的人卻得不到任何好處，爲國家擔憂，反而得不到社會的理解，這是知識分子最難受的。

四，遊行時間長，規模大，後果較嚴重。這四次遊行，少則三百多人，多則上萬人。二十二日，遊行隊伍從武昌途經長江大橋和漢水公路橋兩座大橋，造成武漢三鎭主要交通幹道堵塞六個多小時。

省高教界在初步分析這次學生遊行特點的同時，對學生們採取這種過激的錯誤行動的原因，也

提出一些看法：

一，多數同志認爲，一九八五年以來，我國改革確實失誤較多，造成政治生活和經濟領域各個方面的矛盾日益突出。在人事安排上，普遍認爲年事太高的老前輩擔任主要領導崗位，幹部年輕化成爲空話；在經濟上，先是沿海發展戰略，接著是「闖關」，繼而是治理、整頓，決策的隨意性很大，人們無所適從。

二，知識界普遍認爲耀邦同志尊重知識，尊重人才，是知識分子的貼心朋友，對耀邦同志的辭職在感情上難以接受。因此，知識界在耀邦同志逝世後，「國失英才，民失朋友」的感情很濃。中南財大有一張標語寫著：「耀邦同志，我們連累了您！」

三，理論上的困惑，社會風氣和社會治安日益混亂，要求改變現狀的心情非常迫切，但又沒有信心。於是，有的學生提出「建立反對黨，實行多黨制」的錯誤口號，以圖改變現狀。武漢大學校長齊民友認爲「在這種情況下，如果對學生的行動引導不當，很可能誘發出反黨、反政府的行動。我耽心，如果哪個城市的學生一旦同工人結合起來，很可能發生流血事件。到那時，全國局面將不可收拾。即使政府採取鎮壓措施，也不一定能引起國民的同情。」

中共湖南省委向中南海的報告說：十八日晚上，湖南師範大學歷史系一百0四名學生，從武漢參觀回來。這些學生說，武漢已經行動起來了，我們也要有所表示。第二天開始，原來平靜的一些院校也紛紛開展悼念活動，悼念活動由自發轉爲有組織進行。湘潭大學、湖南師範大學、國防科技

大學、中南工業大學等院校少數學生借題發揮的大字報、小字報和標語輓聯等，矛頭所向明確。如湖南師範學院《耀邦同志爲國爲民憂慮而死，是誰把我們的好領袖趕下臺？》的大字報中，直接把矛頭指向鄧小平、陳雲、李先念等老一輩革命家。一些大字報涉及的面較廣，如「經濟體制改革走入死谷，關鍵是政治體制改革沒動」、「反獨裁，要民主」、「講真話的人悲慘而死，可悲」，「耀邦同志爲國爲民憂慮而死，是誰把我們的好領袖趕下臺？」湘潭大學有三張大字報評論方勵之的功過，說方「是有骨氣的知識分子，可惜中國知識分子中這樣的人太少了」。總之，湖南各高校悼念耀邦同志的活動出現偏向，省委已開會進行部署，以防突發事件的發生。

中共安徽省委的報告稱：四月十九日以來，中國科技大學、安徽大學、安徽教育學院、安徽農學院等高校，不斷出現一些帶有政治色彩的大標語。二十二日追悼大會時，各高校學生都在校內收看轉播實況，沒有上街遊行。根據省委負責同志的指示，各高校從二十日晚起已派人先後將一些有政治色彩的標語和大小字報清除了。省委負責同志指示各高校要查出寫這些標語和大小字報的領頭人，高校負責人普遍認爲，這樣做容易激起學生的對立情緒，感到有些爲難。

中共高層判斷形勢

自十八日、十九日連續兩個晚上，學生在新華門大規模靜坐聚會，要求中共領導人對話，對此，

一些中共元老紛紛發表意見。

四月二十日，彭真打電話對陳希同說，「這幾天北京這麼亂，要防止出現第二次『文化大革命』，這些學生的背後一定有幕後黑手，一定要下決心盡快查個水落石出。」王震打電話給鄧小平，說，「小平同志呵，這些學生要造反啦，他們衝新華門啦。一定要馬上採取措施呀。」當天，李鵬去看望鄧穎超時，鄧穎超說，「要肯定學生的愛國熱情，但一定要揭露少數別有用心利用學生鬧事的人。」當天，王任重給李先念打電話，說，「李主席，湖北省委告訴我，這幾天武漢的大學生鬧事也鬧得很兇。如果我們再不採取措施，全國看起來就不太平了。」宋平在見到姚依林時，對姚依林說，「依林同志，我看這幾天北京學生的鬧事苗頭已經很明顯，方勵之等人非常活躍，學生背後肯定有一些別有用心的人在操縱，中央要盡快採取措施，控制事態的發展。」姚依林說，「這次學生是打著悼念耀邦的名義要所謂的民主和自由，好多學生都蒙在鼓裡，不明真相。實際上，一批資產階級自由化分子早就在等待時機，計劃蓄謀已久。他們正在利用學生的愛國熱情。所以，要盡早揭露真相。這幾天的趨勢表明，學生鬧事有演變成動亂的可能。」

二十日上午，田紀雲去見趙紫陽，他唯一的目的就是想建議趙紫陽改變原定二十三日對朝鮮的訪問。田紀雲說，「紫陽同志，這幾天北京和全國一些城市的局勢不是很太平，您是不是可以考慮推遲對朝鮮的訪問？」田紀雲是趙紫陽最可信賴的老朋友、老部下，田紀雲的建議自然引起趙紫陽的重視。趙紫陽說，「這個意見我也考慮過。不過，隨意更改預定的國事訪問，會讓外界揣測我們

政局不穩。所以，還是按預定計劃執行。」當天上午，經與姚依林商討，李鵬決定成立一個固定的班子，來密切關注學潮的發展。在與姚依林商討完後，李鵬打電話給趙紫陽，李鵬說，「紫陽同志，這幾天北京和全國一些城市的學潮有不斷擴大趨勢，政治局是否開會討論一次？」趙紫陽回答，「這次學潮從耀邦同志去世引發，從學生所提口號看，大多是愛黨愛國的。學生的主流是好的。我已經多次向鐵映、錫銘等同志講過，希望他們認真做好思想疏導工作。我們當前的主要任務是確保耀邦同志的追悼會順利進行。」下午，中央軍委的急件從楊尙昆辦公室轉送到趙紫陽處，報告的大意是：爲了確保胡耀邦追悼大會期間北京尤其是天安門地區的安全，經請示小平同志，決定從北京軍區的三十八集團軍調集兩個師和兩個團，約九千人赴京，協助公安、武警維護首都秩序，執行保護胡耀邦同志的靈車安全進入八寶山公墓的任務。報告由楊尙昆簽發，趙紫陽圈閱。

下午二時，李鵬找來了他的親信、國務院研究室主任兼國務院新聞發言人袁木，要求袁木以國務院新聞發言人的名義密切關注這次學潮的發展勢態，並在必要的時候代表國務院講話。李鵬對袁木說，「這件事我已與依林同志商量過。從今天起，你與何東昌同志、曾建徽同志集中精力主要做這項工作。」四時整，在李鵬辦公室，召開了由李鐵映、羅幹、袁木、何東昌、曾建徽和國務院副秘書長劉忠德等人參加的會議，李鵬說，「開一個短會，找你們來的意思就是如何處理好這次學潮。各位從今天起要集中精力做這一工作。一定要密切注意學潮發展的動向，在肯定學生愛國熱情的同時，一定要及時揭露真相。這方面，北京市將全力配合你們的工作。」會上，袁木等人表示，一定

恪盡職守，做好工作。李鵬說，「羅幹同志，從四月二十一日起，各地各部門報送的凡是關於這次學潮的材料，國務院辦公廳都要報送一份給袁木同志。」羅幹當即記錄下來，說，「我會通知秘書局的。」散會時，袁木說，「李鵬同志，我將每天下午當面向您匯報一次。」李鵬深感滿意，說，「你們責任重大。」散會後，李鵬正式寫簡函給溫家寶，「家寶同志：從四月二十一日起，各地各部門報送中央辦公廳的凡是有關這次學潮的材料，請報送一份給袁木同志。李鵬。」自此，袁木真正成了李鵬的耳目。

二十二日上午，受趙紫陽的委託，李鐵映、芮杏文在中南海懷仁堂繼續召開民主黨派和無黨派人士座談會，聽取對教育發展和改革的意見。下午，趙紫陽在看了國家教委、北京市、公安部、安全部、新華社等部門的報告後，打電話給李鐵映，說：「鐵映同志，我建議國家教委應及時與各地教育部門和有關高校溝通，各地各高校一定要採取有力措施，疏導爲主，避免激化矛盾。」同時，趙紫陽又與胡啓立、芮杏文商量關於新聞報導的問題，趙紫陽說，「新聞輿論要多宣傳一些正面的東西，肯定學生愛國熱情的同時，指出社會安定對改革開放的重要性，防止激化社會矛盾。」當天，李鵬在看到安全部「關於部分高校已出現一些非法組織的報告」後，在原件上批示給李鐵映，「鐵映同志，此事應密切引起注意，立即通告有關高校，依法予以制止。」根據趙紫陽、李鵬的指示，李鐵映指示國家教委，「爲防止事態蔓延，控制高校局勢，再以國家教委的名義發一個緊急通知。」

四月二十二日，國家教委向部分省市教育部門和委屬高校發出了第三份《通知》。《通知》說：

「四月十九日晚，在北京大學有二三百名學生參加的『民主沙龍』會上，成立了北大七名學生組成的『團結學生會籌委會』，稱自即日起『領導一切學生運動』。」「同時，在南開大學、天津大學等校，也有一些學生分別開會宣佈成立『臨時學生會』，又叫『新覺悟社』。有跡象表明，這些組織少數頭頭背後還有人參與。並擬成立爭取和串聯工人、農民參加的組織。」《通知》指出：「這些學校內或跨校的組織，既沒有經過學校或政府有關部門登記批准，又沒有經本校或有關學校廣大學生按民主程序選舉產生領導成員，因此，是不合法的。這些組織的存在，分裂了學生群眾，會嚴重幹擾和破壞學校的穩定和社會的安定團結，必須依法予以制止」。

海外報導

從四月十九日到二十二日，提供給中共中央決策層的三十七篇海外報導中，主要報導內容如下。

一，學生在新華門靜坐示威和胡耀邦追悼會遊行的情況。合眾國際社十九日電指出，「大約有三千名大學生和年輕教師在中南海正門外舉行了一次大膽的靜坐示威，此次集會是四天來大學生騷亂中對政府的最大挑戰。」美聯社「學生們在共產黨總部進行抗議」的報導指出，「一位參加過一九八六—一九八七年全國範圍的示威活動的學生說：『這是十年來最嚴重的一次示威活動。』」「中南海的警衛似乎沒有帶槍。站在中南海大門兩旁的哨兵通常是攜帶裝有刺刀的步槍的，但他們在學

生們到來時收了起來。」法新社二十二日電說，「在舉行胡耀邦追悼大會時，中國的大學生們在同政府的較量中取得了第一個大勝利。」「大學生們二十一日夜間在北京大街上組織了二十多萬人的示威遊行，引人注目地顯示了他們的動員能力。」「由於正直廉潔得以上臺執政的中國共產黨現在被指控是中國最大的腐化墮落者。」美聯社二十二日電評論道，「在一個共產黨擁有絕對權力的國家裡，今天的集會和本周早些時候學生試圖衝擊共產黨總部的行動都表明，不管怎樣，領導人對公民仍然負有責任。」「上周末之前，沒有跡象表明現領導人中有哪一個也會在這次學潮中充當替罪羊。」路透社二十二日電說，「群眾自發湧現的支持使學生們能夠成功地不顧市政府下達關閉廣場的命令湧進廣場，實際上使站在他們面前的數以千計的警察和解放軍士兵無能為力。」

二，對成立自發學生組織的評論。法新社二十二日電稱：「兩天前成立的中華人民共和國建立四十年來第一個非官方學生組織，標誌著這個國家的學生運動進入了新的紀元。」「迄今為止，中國當局對學生的示威遊行所採取的容忍是前所未有的。這是很大的進步。可是如果他們避而不同學生對話，那是不明智的。」共同社二十二日題為「學生運動的核心成立，學生和黨的對立將加劇」的報導指出，「首都高校學生自治聯合會已於二天前成立。如今，已開始朝著在追悼大會結束後，建立新的學生全國統一組織『全國團結學生會』方向發展。中國現在有一個全國性的學生組織—中華全國學生聯合會，即所謂的『御用學生會』。可以說，這個新組織是對共產黨統治體制的叛逆。」時事社二十二日的「中國學生將建立新的全國性組織，脫離『御用學生會』」稱：「中國學生中間

出現的一股想要脫離傾向當局的學生會而建立自己的全國性學生組織的氣氛已迅速高漲起來。」日本《朝日新聞》二十二日在題爲「黨和政府爲採取對策煞費苦心」中稱：「與一般預料相反，學生的悼念遊行，根本沒有因爲新華社和人民日報的評論以及北京市政府的通告而收斂，反而擴大了。」「學生自發成立了自己的學生組織，打算把民主化的運動持續下去。假如黨和政府不謙虛聽取學生的呼聲，認真對待他們的要求，學生的騷亂恐怕就不會停止，社會安定也得不到保障。」

三，關於獨立知識分子的報導。一些海外媒體報導了方勵之、任畹町等人的情況，但最受關注的則是二十二日《南華早報》題爲「知識分子發表請願書支持學生」的報導。摘要如下：

一百五十餘位知識分子在給中國共產黨中央委員會的一份新請願書上簽名，要求「對學生的要求採取積極態度」。

這份請願書昨天開始在知識分子—其中包括教師、作家、社會科學家和科學家—中傳閱。已經簽名的著名知識分子包括作家戴晴，哲學家李澤厚，社會科學家兼編輯包遵信，作家蘇曉康和法律學家王潤生。

大部分簽名者是北京大學和首都其他大專院校的講師和教授。

請願書寫道：「當局不要再無視學生的要求了，政府高級官員應當和學生對話。」

這些知識分子還呼籲北京不要對學生的抗議活動採取「暴力手段」。

同時請願書提出了四點民主要求。

分析家們說，這些要求密切地反映了上星期示威學生提出的要求。

戴晴女士說：「北京的知識分子普遍支持學生的行動。」

「他們對於警察粗暴地對待學生感到憤慨。」

據有關人士說，另一批知識分子在起草一份請願書，要求中央重新估價一九八三年的反對精神污染運動和一九八七年反對資產階級自由化運動。

中國社會科學院的一位研究人員說：「我們要求當局宣佈這兩次反對自由化運動的指導是錯誤的。」

「我們還要求給那些被指控堅持資產階級自由化和知識分子恢復名譽。」

據分析家說，這份請願書同紀念已故領導人胡耀邦的活動有著密切聯繫。

分析家還認爲，這兩項請願書和早些時候要求釋放魏京生及其他被監禁的持不同政見者的簽名運動有關。

除了這些請願書外，有個別的知識分子還參加了在天安門的抗議活動，以示對學生的支持。

分析家說，如果學生和知識分子組成一個爭取民主聯合陣線，中共將面臨一場前所未有的挑戰。

首都一位老黨員說：「北京處理請求釋放政治犯的人員的方法表明，當局不再有信心採取嚴厲措施了。」

任何一位在請願書上簽名要求釋放魏京生的人都沒有受到懲處。

政治局常委胡啓立已親自向曾在人權請願書上簽名的兩名著名的知識分子冰心女士和許良英先生保證：他們不會受到騷擾。

胡耀邦追悼會

四月二十二日上午十時整，胡耀邦追悼會按照既定程式在人民大會堂舉行。在大會開始之前十五分鐘，鄧小平到了。趙紫陽、李鵬、萬里、喬石等先後迎上前去。王震說，「小平同志，一些來參加追悼會的同志都抱怨路上車不好走呵？這些學生太不像話。在天安門這麼神聖的地方來聚會，派警察把他們攆跑算了。」大家正開始對這幾天發生的學潮發議論的時候，鄧小平說，「問題沒有這麼簡單呢？我們今天不談這個。」隨即，鄧小平就和聶榮臻、彭真、李先念等互致問候去了，陳雲因病沒有參加追悼會。曾擔任過毛澤東時期中共中央辦公廳主任的楊尚昆則向溫家寶、楊德中簡單講了如何搞好中南海安全保衛工作的問題。胡耀邦追悼大會準時開始。追悼會由楊尚昆主持，趙紫陽致悼詞。悼詞中對胡耀邦的評價與十五日訃告中的評價相一致，這說明中共中央並未採納胡耀邦家屬、中共湖南省委、于光遠等黨內改革家以及北京等地一些知識分子要求對胡耀邦冠以「偉大的馬克思主義者」的建議。十一時四十分左右，追悼大會和向遺體告別儀式結束，喬石、胡啓立護送胡耀邦靈柩到八寶山。此前，鄧小平、李先念、聶榮臻等老人已回家。在送鄧小平離開大會堂時，

趙紫陽、楊尙昆走過去，扶著小平的手說，「小平同志，我明天就要到朝鮮去訪問了，一個星期時間。您有什麼指示？」鄧小平說，「代我向金日成同志問好。」趙紫陽說，「對這次學潮的處理，我已向政治局提三條建議，一是追悼會已經結束，要堅決勸阻學生遊行，馬上復課；二是對打砸搶行爲要依法嚴懲，決不手軟；三是對學生疏導爲主，可以開展多層次的對話。」鄧小平說，「好。」趙紫陽最後補充說，「我出訪時，李鵬同志負責主持中央工作，有事，他會向您匯報的。」趙紫陽、楊尙昆送走鄧小平回來時，所有參加追悼會的政治局委員都沒有離開會場，時任中共上海市委書記的江澤民、中共天津市委書記李瑞環都在場。李鵬伺機對趙紫陽說，「紫陽同志，你明天就要出訪了。是不是下午開一個政治局會議？」李錫銘接著說，「希望中央有個明確的方針，以便迅速制止北京學潮的發展。」趙紫陽說，「時間比較緊，不專門開政治局會議了。這幾天，大家都做了很多工作。工作還得靠大家做啊。」他對李鵬、姚依林和李錫銘說，「對於這次學潮的處理，剛才我向小平同志提了三條建議，小平同志表示肯定。現在，我再把我的意見向同志們說明一下：一是追悼會已經結束，社會生活應納入正常的軌道，要堅決勸阻學生上街遊行，並盡快使他們復課；二是無論如何要避免流血事件的發生，如果發生流血事件，就會給一些人以口實，但對打砸搶行爲一定要依法嚴懲，決不手軟；三是對學生要積極採取疏導方針，並開展多層次、多渠道、各種形式的對話。」楊尙昆說，「我贊同紫陽的意見。」趙紫陽看著李鵬說，「在我出訪期間，中央的日常工作由你負責主持。」李鵬說，「我同意紫陽同志剛才講的三條意見。有什麼重大事情，我們將隨時向你通報。」

說完，趙紫陽、楊尚昆、李鵬、姚依林等各自離開。材料表明，趙紫陽出訪朝鮮之前雖然沒有專門召開政治局會議，但他的三條原則意見是表達得很清楚的。

在人民大會堂舉行追悼大會的同時，天安門廣場和各地的情況又怎樣呢？

公安部給中南海的報告詳細記錄了天安門的悼念活動：

四月二十二日上午，在人民大會堂舉行胡耀邦追悼會的同時，首都近二十所院校的數萬名學生在天安門廣場及西長安街兩側，參加胡耀邦同志的追悼會。從上午七時半至下午二時半，大部分時間學生情緒正常，秩序井然。

學生的悼念活動，是從今晨七時三十分開始的。當時，數千名學生圍在紀念碑周圍默哀。後來學生們在人民大會堂東側，按學校列隊有秩序地靜坐。不少學校還組織了糾察隊來維持秩序，防止無組織群眾混入隊伍。當廣場上的廣播喇叭宣佈追悼會開始後，學生全部安靜下來，自動肅立，跟著唱起了國歌，有的學生還流著眼淚。整個廣場的氣氛莊嚴肅穆。在西長安街兩側沒有進入廣場的學生，佩戴黑紗、白花，舉著「耀邦、北大同學懷念您」，「政法大學致哀」等橫幅。

追悼會結束，在學生等候靈車經過期間，學生們在人民大會堂門口請願。請願書提出三點要求：一，請求靈柩繞廣場一周，讓同學們瞻仰胡耀邦遺容，再送胡耀邦同志一程；二，請求與國務院總理李鵬對話；三，希望把今天學生的悼念活動公開登在報紙上。否則，他們將衝擊人民大會堂。十二時四十五分，有三個學生代表把一個花圈送進人民大會堂。十二時五十分，靜坐的學生隊伍秩序

仍然較好，但旁邊已擠滿了圍觀的群眾，四名學生代表中的三名舉著請願書跪在大會堂門口前臺階上，中間的那個學生舉著一個很大的紙卷（據清華大學學生介紹是他們提的七點要求）。圍觀的群眾逐漸發現了跪著的三人，開始表示同情，並不時發出呼喊聲。他們的前面是一些軍官和幹部，後面是大批武警和解放軍組成的防線，數萬名學生和群眾，天安門廣場也擠滿了人。先後有許多人說，「這些學生真可憐」，「人家都跪了那麼長時間，爲什麼沒人理」，「當官的怕學生怕成這樣」。又過了一會兒，人群開始向警戒線上的武警起鬨。警戒線南側部分圍觀群眾向前緩慢移動，與執勤武警和解放軍發生摩擦。最前面的武警推不動群眾，向兩側撤開，後面解放軍組成的人牆迅速向前推進，人群向後退散，雙方推搡持續了十五分鐘左右。有少數人向武警擲皮鞋等物。人群又漸聚攏，發出「抗議暴行，不許打人」的呼喊。一排學生面對大批坐在地上的學生維持秩序，齊喊「坐下！坐下！」，一些群眾也自發地勸說周圍的人不要擁擠。台階上的三名學生代表始終舉著紙卷，警戒線內的人民大會堂工作人員曾試圖將他們扶起，後治喪辦的兩位工作人員從大會堂走出與他們談話。十三時三十分左右，三名學生代表舉著紙卷下了大會堂台階，回到學生隊伍中。十幾分鐘內，北京大學、中國政法大學、北京航空航天大學、人民大學等十多所高校的一萬多名學生開始有組織地撤離天安門廣場，陸續返回學校。據一位北大領隊學生說，學生代表沒有受到接見，也沒有人和我們對話。爲了維護學生安全和國家大局，決定撤回學校罷課。北大、清華等校幾個拉手維持隊伍秩序的學生委屈地說，「我們的代表沒人理睬，警衛人員還用皮鞋踢我們。我們步行到這裡忍著飢渴坐

了二十個小時，卻沒有一個政府官員出來和我們對話，聽聽我們真誠的呼聲。」

據觀察，學生在整個悼念過程中，總體上表現得比較有理性。當追悼會結束時，個別人提出要截靈車，有學生阻止說：「不行，我們絕對不能幹這樣的事。」有人要衝過警戒線向人民大會堂湧去，也有人阻攔：「不能衝，衝了就違法了。」學生們對沒有看到靈車很有意見，他們議論，「上邊太不相信我們了。」學生們派出代表往人民大會堂送請願書，沒有被接收。撤離沿途，他們舉著標語，高喊口號，手拉手沿西單向西行進。學生們喊的口號大體一致：「爲民請命，萬死不辭！」「反貪污，反腐敗！」「民主萬歲！」「科學萬歲！」「懲辦貪官污吏！」「新聞要講真話！」「我們是別有用心嗎？不，不」等等。在北京大學的遊行隊伍裡，打著的橫幅標語是：「千秋功罪，人民評說」。一領頭學生說，「我們錯了嗎？」遊行隊伍高呼：「不！」群眾不時報以熱烈掌聲。許多學生含淚向沿途群眾訴說有關情況。不少圍觀群眾向學生隊伍表示同情和安慰，有的呼喊「向大學生學習」，「支持學生，不要獎金」，學生則報以「理解萬歲，感謝人民」等口號。

據安全部來自北京大學的報告：二十二日上午，除有近四千名去天安門的學生外，校團委等部門組織了近五百名學生去長話大樓爲耀邦同志送靈。校內可容納二千多人的大禮堂，只有僅五百名師生在安靜地收看追悼會實況。在被稱之爲北大社會晴雨錶的三角地，大字報的數量有所減少，但也不乏言論激烈的大字報出現。在布告欄內張貼的北島、蘇曉康等四十七名作家致中共中央、國務院、全國人大的公開信，吸引了眾多學生。信中要求：1，繼承胡耀邦遺志，推進民主進程；2，

解決社會腐敗問題；3，不得以集體負責爲藉口，推卸個人責任；4，保證憲法規定的出版、言論自由，使人民享有監督和自主權。一份題爲《教師緊急呼籲》的公開信貼在一旁，呼籲提倡胡耀邦同志倡導的寬鬆和諧的政治氣氛，抗議以暴力對付手無寸鐵的學生。這封有一百四十三人簽名的公開信是寫給全國人大和全國政協的。

我們接觸了一些學生，他們表示，他們承認學生中有壞人，但不同意新聞界以偏概全的說法。共產黨員中有腐敗者，不能因此稱共產黨腐敗了。同樣，他們反對把學生隊伍稱爲一小撮壞人。在接觸的一些教師中，公開表示同情學生的佔絕大多數。不少人認爲，學生要求公佈領導人的財產是正確的，學生對社會上的腐敗現象不滿，也是無可非議的。他們舉例說，國務院下令整頓公司，殘疾人聯合會馬上宣佈與康華公司脫鉤，鄧樸方馬上舉行記者招待會，這是幹什麼？這樣的公司不整頓，整別人人們怎能服氣？衝中南海、示威、貼大字報、靜坐都不對，但不這樣怎能引起中央重視呢？表面看來，今天的北大雖然平靜，但相當多的學生和教師的思想還一時難以平靜。

當天，各省、自治區、直轄市以及公安、安全等呈送中南海的五十六份報告中普遍反映全國各地悼念胡耀邦的活動基本正常，但有兩個省出現了突發事件。

二十二日晚，陝西省委給中南海的電報觸目驚心，緊急電報稱：今天下午，胡耀邦同志追悼會結束後，新成廣場有六百名左右大學生集會，引起兩萬多人的圍觀。十七時左右，社會上一些不法分子焚燒了二輛汽車和五間房子，並與警察發生衝突。十七時三十分左右，在學校領導和教師組織

下，集會學生陸續返校。二十時，武警部隊對廣場實行交通管制。不法分子逃跑時，又在西華門、鐘樓附近焚燒汽車，搶劫商店。十八名不法分子被當場擒獲。二十四時西安局勢基本恢復平靜。

二十二日晚，中共湖南省委給中南海的緊急電報說明了長沙形勢的嚴峻。電報稱：今天下午湖南大學、湖南師範大學約三千餘名學生到省政府遊行返校途中，在長沙市中心五一廣場與五千多名圍觀群眾相聚，一些不法分子伺機在廣場附近和其他一些街道打砸搶，約有二十家商店被搶劫一空。當即，公安幹警和武警官兵趕到現場，並將九十六名參與搶砸商店的人帶離現場審查，其中有三名大學生。

趙紫陽出訪朝鮮

二十三日上午，趙紫陽找胡啓立、芮杏文談話，特別強調了他的關於處理學潮的三點意見，並說，「對於這次學潮，新聞輿論一定要堅持正面報導爲主的方針。」下午，根據既定方案，趙紫陽出訪朝鮮。在北京火車站，李鵬、喬石、田紀雲爲趙紫陽送行。送別時，李鵬問：「紫陽同志，還有什麼要交代？」趙紫陽說，「對於學潮的問題，我還是那三條意見。」喬石說，「這三條意見是疏導學生、平息學潮的穩妥之法。」

根據何東昌的建議，李鐵映批准並簽發了國家教委向各省、自治區、直轄市教育部門和委屬高

校發出的第四個《通報》。《通報》介紹了有關長沙發生大規模搶砸商店事件、西安發生社會閑雜人員和部分學生衝擊省政府辦公樓的情況。要求「各地對高校學生上街遊行要進行勸阻，教育學生提高警惕，防止不法分子乘機搗亂。」《通報》說，「胡耀邦同志追悼大會已經結束。爲了堅持正常的教育秩序和工作秩序，應抓緊工作。」「教師在任何情況下都應堅守崗位，履行職責。要動員學生按時上課。期中考試要按計劃進行，不能放鬆要求。」「有的地區和學校，群眾情緒激動，往往集中在一些謠傳造成的熱點問題上，應通過對話實事求是地澄清事實真相，爭取大多數人的理解。」「應及時清除（大字報），特別是內容明顯錯誤的大字報。」

當天，在有關北京高校的十五份報告都反映了首都幾所重點大學正在醞釀罷課的資訊。其中，安全部的報告有一定的代表性。報告稱：十二點三十分左右，在人民大學校園出現紅紙的最新消息，上面寫道：「當局已調王牌軍三十八軍入京。」又有一紅紙海報稱「北大、師大等已決定罷課」。十四時左右，人大校園貼出「中國人民大學博士生宣言」。內容是：

一，完全支持北京高校學生提出的「七條建議」，堅決支持學生及社會各屆人士的愛國民主運動。

二，即日起，博士生全部罷課。

三，「集體領導、集體決策造成的失誤」（李鵬語）應以集體辭職，來表示「集體負責」（李鵬語）的誠意。

四，強烈要求七十五歲以上的黨政軍領導全部辭職。

五，反對暴力，保護人權，軍隊不應參加和干預國家事務。

六，中國共產黨活動經費不得由國庫負責。

七，解除報禁、新聞自由，允許民辦報刊、電台和電視台。

八，由社會各屆人士成立「廉政委員會」，清查黨政領導層中的腐敗現象，立案審查高幹子女親屬的非法經商活動，並將結果公佈於眾。

該份報告於十五時三十分送達中南海後，袁木馬上將此呈送李鵬。李鵬說，「這份宣言是赤裸裸地向黨宣戰！」

當天提供給中南海的另一份安全部的報告記錄了下面的情景：

今天下午四時，清華、北師大等高校二十多名學生，在積水潭地鐵口，向群眾宣講這兩天來學生遊行的情況，並進行募捐。

在地鐵出口處，貼著一張大字報和今天出版的《科技日報》。《科技日報》在第一版刊登了該報記者集體採寫的《風一程雨一程壯歌送君行》，報導了學生遊行情況，說「學生的行動代表了十億人民的呼聲」。大字報寫著：「我們團結必勝，援助我們！！！我們早已欲哭無淚，現在我們欲喊卻沒有喇叭，欲書卻沒有紙和筆，我們現在只有一腔熱情和無限勇氣。我們現在血也流了，跪也下了，但我們絲毫沒有使統治者麻木的神經得到一點刺激。我們決不罷休，我們已經罷課，用你們

的錢和我們的勇氣和行動結合在一起。」

現場有四百多名群眾，很多人都捐了款。有一位女青年從摩托車上下來，拿著面值一百元的一張人民幣，塞進學生的募捐箱。從四時二十分至五十分的半小時內，有三十七位圍觀群眾捐款，最多的給了五十元，最少的一元，絕大部分是十元。旁邊賣飲料的小販不時送汽水和雪糕給學生。

當天晚上，李錫銘、陳希同主持召開首都七十多所高校黨委書記、校長會議。會上，李錫銘說，「本來耀邦同志追悼大會結束，學生就應該復課了。這是善良的願望。事情並不按我們的善良願望而發展。」陳希同說，「根據各方面的消息，今天高校出現了一些新情況。一，北大、清華、人大、北師大等十七所高校，一些學生要罷課。有的學生提出要罷免現有的學生會和研究生會，成立團結學生會。有的學校提出要成立學生自治委員會。二，今天有北師大、北方交大、民院、科技大、化工學院、郵電學院、理工大學等八所高校遊行，呼喊『打倒官僚』等口號。三，有些學校學生搶佔校廣播站。人大一些學生今天佔領了校廣播站。由於廣播站事先得到消息，轉移了廣播設備。北大學生準備成立新聞發佈中心。清華一些學生也準備建立廣播站。因此，這次學潮是一次有組織、有計劃的動亂。對少數鼓動罷課、遊行的學潮活躍分子，我們該採取措施的就一定要採取果斷措施，決不縱容。」最後，李錫銘說，「市委要求，明天上午所有高校的黨政領導都要到學生中去做工作，一是督促學生上課，二是聽取學生意見。明天下午市委將召開各高校團委書記、學生會主席會議，聽取匯報，部署下一步工作。」

當天晚上十時三十分，安全部向中南海緊急報告。報告全文如下：二十三日晚六時至十時，北京二十一所高等院校的學生代表在圓明園集會，成立了學生臨時籌備委員會，選舉中國政法大學學生周擁軍爲主席(周是四月二十二日在天安門廣場遞交請願書的三位代表之一)。同時，還成立了宣傳演講、募捐、糾察等三支隊伍，分別指定了臨時負責人。委員會總部設在政法大學內，今天上午學生已向政法大學學生會發出交讓辦公室的命令。據委員會聲稱：今後高校學生將由委員會統一指揮。

二十三日各地報送中南海的十六份材料中，普遍反映局勢相對平靜，沒有大規模的遊行抗議活動。安全部於二十四日零時向中南海報送了一份緊急電傳。電傳稱：「今天晚上六點鐘，南開大學、天津大學等高校院校一萬多名學生舉行了天津十年來規模最大的一次遊行。據瞭解，爆發這次遊行的直接原因是，天津高校赴京參加悼念活動的學生返校後，用大字報透露四月二十日淩晨及二十二日在北京新華門前和天安門廣場的情況後，導致一部分學生情緒激動，決定再次上街遊行。這次遊行，一路上秩序井然，他們四人一排，綿延數里。遊行隊伍外側，學生護衛隊員手挽手，組成一道人鏈，不准外人混入，在遊行到市委、市政府後，沒有作長時間停留。遊行過程中，一路上警車在前方開道，數千名民警分列道路兩旁維持秩序，疏導交通。因此，沒有發生衝突和騷亂。遊行已於二十三時五十分結束。」

二十三日呈送中南海的十二份海外報導中，著重報導了學生運動下一步的發展動向。美聯社在「北京的大學生們宣佈要無限期地罷課」的電文中稱：「北大新成立的學生聯合會發言人蔡玲(注：

原文如此)說，北大的要求舉行全國性罷課的呼籲，已在同來自包括上海和南京在內的另外一些大城市的學生代表討論之中。蔡小姐說，北大的學生已決定反對原先打算於五月四日結束罷課的決定，而建議不給他們的行動規定期限。」路透社的電文稱：「北京大學的一些活躍分子今天對本社記者說，他們決心使這場要求擴大民主自由的風潮不再象八十年代早些時候的學生運動那樣因缺乏指揮而告失敗。」「北京大學成立了『新聞中心』，以對付抗議者們所謂的官方宣傳機構對他們的抗議活動的『歪曲宣傳』」。日本《產經新聞》題爲「中國學生要求民主的運動已成爲正式反體制運動的萌芽」的報導稱：「中國學生們連日來的行動已從自發的遊行轉變成爲一種正式的『反體制運動』運動。」「學生們對中國共產黨內的改革派提出了嚴厲的批評。這些嚴厲的批評表明，學生們對中國共產黨內的改革派已不抱幻想。」「這種群衆性的反體制運動，過去曾在東歐的捷克和匈牙利發生過，而在中國尙屬首次。」「在這種情況下，如果中國當局被迫處於不得不依賴軍隊，那麼則肯定會對中國政治產生重大影響。」共同社在「學生與群衆的聯合行動也可能擴大規模」的電文中稱：「在北京的學生領袖中，已開始出現敦促工人進行罷工的動向。如果工人參加了要求加入民主運動的行列，那麼，就可能使中國共產黨的領導發生嚴重動搖，因此，也可能轉而採取不惜黨的威信進行鎭壓的方針。」

二 「四二六」社論

李鵬與政治局碰頭會議

四月二十四日上午，當陳希同看到昨晚二十一所高校學生已經成立了北京市高校學生臨時籌備委員會的消息後，意識到昨晚市委召開的高校負責人會議部署的工作措施已經很難起到作用。於是，打電話給李錫銘。陳希同說，「錫銘同志，全市高校統一的非法學生組織昨晚成立。這場學潮已公開由一支有組織、有計劃的非法學生組織來領導，這是公開的反動組織，其根本目的就是想在北京掀起一場動亂。」李錫銘說，「事態的確已發展到非常嚴峻的程度。關於北京的局勢，我們是否專門向中央政治局匯報一次？」陳希同說，「要不，我們先找老領導萬里匯報一次，聽聽他的意見再作決定。」李錫銘說，「那就請你與萬里同志通個話，越早見他越好。」

下午三時，按照約定，李錫銘、陳希同來到人民大會堂萬里辦公室。陳希同一坐下，就對萬里說，「老領導，北京市的學潮已越鬧越大，反動組織都已經公開化了。他們發動學生罷課、教師罷教，今天北京已經有三十九所學校，約五萬名學生參加罷課。並且，高校的混亂已經開始波及到社會上。甚至連西單牆事件中的一些反動分子現在也活躍起來了。形勢很嚴峻。」接著，李錫銘專門提交給萬里一份關於北京學潮的分析報告。李錫銘說，「這些學生沒有這麼大的能量。他們背後有

黑手，據查，這次鬧事最兇的一些北大學生，就由方勵之的老婆李淑嫻指使。方勵之雖不直接插手學潮，卻是把學生與國外媒體直接挂起鉤來的牽線人。還有一些人也不懷好意。」萬里說，「你們反映的情況很重要，北京的局勢的確有點複雜化。天安門的情況我是天天見。不過，我相信絕大多數學生是愛黨愛國的，他們的主觀愿望是好的。要把極少數人與大多數區分開來。」李錫銘說，「萬里同志，下一步我們應該怎麼辦？」萬里說：應該盡快召開一次會議，研究北京和全國的局勢，明確工作方針。陳希同說，「老領導，那就由您提議開會吧？」萬里建議李錫銘、陳希同直接找李鵬。李錫銘、陳希同向李鵬彙報了當時北京局勢。李鵬說：“我感到問題十分嚴重。”於是，李鵬決定，晚上召開政治局常委碰頭會，請北京市委和國家教委介紹情況。

晚上，李鵬主持召開了政治局常委碰頭會議，楊尚昆、喬石、胡啓立、姚依林、萬里、田紀雲、李鐵映、李錫銘參加了會議，陳希同代表北京市委參加，何東昌代表國家教委參加，袁木、曾建徽以部門負責人身份參加。和楊尚昆一樣有權列席常委會議的薄一波沒有參加這次會議。現根據會議紀錄予以綜述。

會議一開始，李鵬就說，「今天主要聽取北京市委和國家教委關於首都高校情況和社會發展動向的匯報。眾所周知，自胡耀邦去世到今天，首都幾十所高校學生已由寫大小字報、上街遊行、罷課發展到公開成立非法學生組織，極少數人操縱並利用了學生，形勢已經十分嚴峻。」

李錫銘先匯報了北京市委已經採取的一些措施，李錫銘說，「自學潮發生以來，市委、市政府

已經開過大大小小的會議十二次。昨天晚上，我們專門召開了全市七十多所高校的書記、校長會議，要求各校貼出通告，並動員黨員、幹部、積極分子分頭到學生中間去做思想政治工作。今天上午全市所有高校黨政領導都深入到學生中間做工作，但效果甚微。學生對校領導的話基本採取不理睬的態度，並說和校領導對話不解決問題。下午市委召開了各高校團委書記和學生會主席會議，幾乎所有的團委書記和學生會主席都反映在校很孤立，一些學生會被污稱爲『僞學生會』，相反，非法成立的學生自治會卻理直氣壯。總之，邪氣已經壓倒正氣。」

接著，陳希同全面介紹了北京高校的現狀，陳希同說，「這次學潮涉及面之廣、參加學生之多、情況之嚴重，是改革開放以來從來沒有過的。」陳希同在總結時說，「到目前爲止，首都已有三十九所高校近六萬名學生罷課；有的繼續張貼大字報，散發傳單，製造謠言，蠱惑人心；有的成立非法組織，搶佔學校廣播站，強制解散學生會；有的上街演講，組織募捐，派人到工廠、中小學和外地串連，企圖煽動全國性的罷課、罷工。可以說，首都的學潮已經由原先學生自發悼念耀邦的活動演變爲一場動亂。」

何東昌代表國家教委詳細介紹了近十天來北京乃至全國高校的學潮情況，何東昌說，「這次學潮幾乎已波及到二十多個大中城市所在的高等院校。無論從大字報的內容，遊行的口號，以及罷課，成立非法學生組織，其目的就是煽動鬧事，製造動亂，攻擊黨，攻擊社會主義。」何東昌舉例說，「武漢大學學生公開叫喊『打倒腐敗政府』，『打倒官僚政府』。北師大貼出署名『師大新聞系』大字

報，攻擊『小平主國，手握大權』，鼓動『抓兇手』。復旦大學出現一幅標語公然稱『四項原則是禍國之源，民主自由是興邦之本』。南開大學題爲『新五四綱領』的大字報，公開對李鵬同志進行人身攻擊。」何東昌強調，「少數別有用心的人藉悼念之機，散布謠言，製造混亂，一些社會閑雜人員伺機大搞打砸搶，長沙、西安和衝擊新華門都與此有關，不能把這幾件事都看成單純的社會閑雜人員的鬧事活動。更爲嚴重的是，一些出謀劃策的大字報和座談會紛紛出籠。如《世界經濟導報》和《新觀察》雜誌社十九日舉行的座談會公開叫囂要爲『清除精神污染』和『反自由化』翻案，還明確表示支持學生遊行示威，說什麼『由此看到了中國的前途和希望』。北大校園裡一張署名『北大、人大、清華教師』的《告同胞書》說，『當務之急，乃是擴大宣傳效果，不再是悼文』，『要明確目標，不要四面出擊』。北大的非法『團結學生會』就是在方勵之老婆李淑嫻等人授意下搞起來的。」

李鐵映補充說，「教委到今天爲止已發了四個通報，目的就是穩定全國高校的局勢。看起來難度很大。有可能發展成全國性的動亂。」胡啓立分析道，「這次學潮的情況的確十分複雜，許多事情摻雜在一起，要把它剝離出來很不容易。雖然學潮中的壞人是極少數，但這極少數人的能量卻不能低估。」

喬石：「我們極不願意看見民主的寬鬆的氣氛遭到破壞，但是，沒有規則的自由、放縱的自由是不允許的，在哪一個國家都不允許。絕大部分學生的愛國熱情要予以肯定，但對他們的盲從應該進行疏導，特別要指出盲從的結果是善良的愿望被一些人所利用，要曉之以理。」喬石特別強調，

「長沙、西安等地已經出現一些社會上閑雜人員進行打砸搶燒等違法活動，京津滬和全國各地社會狀況表面看是好的，但並不排除突發性事件的發生，要有應急預案。」

姚依林說，「這場學潮發展到今天已經被別有用心的資產階級自由化分子所利用，已經演變成一場動亂。一定要盡快予以揭露，向全社會特別是學生認清其真相，要明確表明中央的態度。否則，後果不堪設想。」

李鵬：「我昨天看到的人民大學博士生宣言就很赤裸裸，是公開的向黨挑釁。我認爲，這是一場嚴重的反對資產階級自由化的鬥爭。」

楊尙昆：「首都的安定至關重要，首都安定了，全國就太平。對於這次學潮，我們一定要團結大多數學生，同時要揭露那些別有用心的人。千萬不要因這次學潮而破壞來之不易的安定團結的局面。」

姚依林：「鑒於目前形勢，我建議中央成立制止動亂小組。」

根據姚依林的意見，李鵬、喬石、胡啓立都同意成立中央制止動亂小組。常委中由李鵬負責，李鐵映、李錫銘、陳希同、何東昌、袁木等爲成員。

會議結束時，李鵬向楊尙昆建議，「尙昆同志，您是否徵求一下小平同志的意見，請他老人家聽一下常委的匯報？」

楊尙昆說，「我去跟小平說，爭取明天上午到他那裡去。」

會議決定：一，以中共中央、國務院的名義發一份緊急通知，向各地通報形勢，提出對策；二，責成北京市委從二十五日起在全市範圍內廣泛發動群眾，揭露陰謀分子，向反黨反社會主義的敵對勢力進行堅決的鬥爭。三，鑒於形勢嚴峻，爭取明天上午向小平同志當面匯報。

當晚，中共中央、國務院向各省、自治區、直轄市黨委、政府發出《通知》。《通知》要求各地「立即行動起來，旗幟鮮明地維護安定團結的政治局面」。《通知》指出：「當前防止事態擴大的工作重點要放在防止串聯、防止罷課、防止成立如學生自治會一類的組織上。各高校要做好護校內保工作，對外來串聯的要迅速查明身份，加以控制，公安部門要拿出相應的防範辦法。」「要馬上給機關和大型廠礦企業的黨組織負責人通報情況、做好工作，讓他們心中有數，並做好本單位職工工作，嚴格防止學生到工廠串聯。」「下一階段發生突發性事件的可能性仍然存在，一旦發生，要嚴格按照中央關於處理突發性事件的方針政策辦事，既盡量避免擴大事態、激化矛盾，又要堅決對少數不法分子採取果斷措施，迅速加以制止，並依法嚴懲，絕不手軟。」「公安部門要提前制訂預案，包括實行交通管制的預案，以備相機採取果斷措施。」《通知》下達第二天，各省、自治區、直轄市黨委常委就開會研究，制訂具體措施並提出貫徹意見。

北大學生自治會籌備會成立

二十四日，各地各部門報送中南海的材料十七份，繼續反映各地學潮情況，其中南開大學學生在新成立的學生自治聯合會領導下開始罷課，湖南師大、中南工業大學等校園多處出現「打倒鄧小平」的大標語。這裡，介紹北大學生自治會籌備會的成立和一個學生對學潮的看法。

安全部的報告記錄了北大學生自治會籌備會的成立經過。報告稱：

北大學生自治會籌備會從二十四日十四時四十七分開始到十六時結束。北大學生自治會籌備會的開會啓事是由設在距北大三角地很近的二十八樓播出的。這個廣播是學生自發組織的，不時地播出一些學生家長支持子女請愿的消息，以及一些演講錄音。

十四時起，北大全校約五分之四的學生陸續地到「五四廣場」。近二百名學生組成的「糾察隊」負責維持秩序，他們佩上紅布做成的袖標，上面用墨水寫上「北大」二字。進入「五四廣場」的人們必須出示學生證、工作證、校徽或記者證。

北大幾乎所有科系的學生都參加了這個大會。他們有的打著系旗，有的舉著標誌，較有秩序地在廣場上列隊。

數十名外國記者在廣場內採訪，有的錄像，有的錄音，十分活躍。

自治會籌備會一名成員登上火炬台，用擴音器「致開幕詞」。大意是：今天我們走到一起，是爲著一個共同的目的，民主、科學。七十年前，我們的先輩在這塊神聖的土地上呼喚德先生和賽先生，七十年後的今天，民主、科學在這塊土地上依然步履艱難。國家依然滿目瘡痍。今天我們終於

站了起來，並且要堅定地走下去，憑藉我們的熱血，義無反顧地走下去。

之後，一名學生講述了「籌備會」的工作情況，大意是：1，形成了一個堅強的籌備會；2，有效地組織了學生的民主請愿，堅持進行了無限期罷課，初步成功；這名學生還講了下一步打算：1，繼續請愿，堅持罷課；2，準備成立「全國團結學聯籌委會」；3，民主選舉產生學生自治組織；4，成立演講隊、募捐隊。

緊接著，又有人分別宣佈了「原則」、「組織機構」等。

之後，陸續又有十名籌備會成員登台作自我介紹。第十名自稱「張志勇，國政系八七級學生」。他說，現在學生運動已進入第二階段。第一階段需要勇氣，現在則需要智慧。當張志勇還要繼續講下去時，台上一些人搶他的話筒，張志勇被赶下了台。一名籌備會成員對著話筒叫喊：有人透露，張志勇是研究生會派來的，是黨棍。後來，主持人宣佈將張開除出籌備會。

一名學生上台，宣稱「否定現存校學生會和研究生會的一切權力，宣佈北京大學學生自治會籌備會正式成立」。

又一名學生上台自我介紹：「我是歷史系八八級學生王丹。有一位曾在國民黨時期參加過多次學生運動的老黨員對我說，這次學生運動是『五四』運動後七十年來最偉大的學生運動，面對歷史，我們不應感到羞愧。在天安門我們堅持靜坐，讓他們看到了人民的力量，我們要把民主、自由的權力從那幫剝奪了我們權力的老爺們手中奪回來。」

宣武區建築公司一名吊車司機代表「工人階級」宣稱支持學生，他揮著拳頭，讓學生們「建立新中國」。據說此人叫王呈躍。

一名自稱清華代表的學生說，希望北大的同學團結起來，要有理智。

一名聲稱北京理工大學代表的學生說，希望看到北大人行動起來。

最後一名學生說，「我是滿懷希望到這裡來的，我是法律系的一名年齡較大的研究生，要幫助籌備會團結起來，作他們法律上的顧問。」

下面是安全人員與一名不願透露姓名的學生的談話摘錄：

這位不願透露姓名的學生說，這次學潮的成因有五條：一，不少學生就是想搞一場民主運動，已有較長時間醞釀。耀邦逝世只是一個誘發因素；二，理論上，目前學生中普遍感到馬克思主義、社會主義講不清楚；三，普遍對腐敗現象和社會風氣極爲不滿，又失去對解決這些問題的信心；四，對個人分配前途非常悲觀；五，強烈的參與意識和自我實現意識。

這位學生說，大學生中反對鬧學潮的極少，只是在怎麼鬧上有不同意見。一種是「適度規模派」，認爲鬧學潮可以讓社會及高層瞭解學生的愿望與呼聲，但要適可而止，太過分就幫了倒忙；二是激進派。這次學潮中個別極端激進分子已與家裡父母打了招呼，「即使我一個人倒下也要把運動搞下去。」個別學生已作好流血的準備。學潮中還有很多學生是受年齡及情緒影響，看熱鬧的成分也不少。這些人到了現場，受當時各種因素影響，就會跟著一塊幹。

對處理這次學潮的方式方法，這名學生認爲有幾點失誤：第一次學生到新華門遞送要求時，應有人出來接收或請學生代表進去談一談。這樣可能就不會發生第二次衝新華門。第二次衝新華門時，警察不應追打學生。以上兩點不算大的失誤。最大的不明智之舉是二十二日中午三位學生代表在人民大會堂外跪著求見李鵬總理而無人理睬，在場學生一片哭聲。這種不予理睬的態度，使學生非常傷心，對高層非常失望，也給極端分子以口實，這就有可能埋下再次發生大規模學潮的隱患。

這名學生認爲，五月四日發生學潮的可能性極大。對於今後如何處理學潮。他談了幾點意見：

一，關於處理學潮的決策過程和機構。他認爲，目前鬧學潮與處理學潮已形成一個固定模式，鬧者主動而處理者被動。現在學生中不少人熟知怎麼鬧之後，政府將會有怎樣的對策。他自己就判斷出衝新華門後，政府肯定要發通告，而且措辭猜得八九不離十。這樣政府就會在處理學潮中陷於被動，被牽著鼻子走。因此，必須提高處理機構的快速應變能力，遇到突然情況能有人立即拍板採取應對措施，甚至可以個別徵求參加過學潮的學生的意見和看法。他說愿意與政府合作處理好學潮的學生是有的，只是要政府絕對保密，不要讓這樣的學生在學校無立足之地。

二，關於對話問題。他說，政府應認真研究這個問題。對話應搶在學生採取行動之前。爲了避免在學潮中產生流血事件和激烈行爲的發生，要設法緩和學生的對立情緒，增加一點感情投資。在對話時，實質性問題可以避開，但有一點一定要讓學生們瞭解，那就是肯定學生的民主愿望和愛國性，可以在方法、途徑上否定學生的行爲。

三，關於學潮的新聞報導。新聞報導一是要盡量客觀，二是要講究用辭，要把學生與社會上不法分子分得很清楚，還應當把絕大多數學生與少數鬧事學生分清楚。

四，關於大字報問題。大學裡本來就有多種聲音，對於學潮的態度也應如此。可目前高校不許張貼大小字報，結果是那些想煽動學生的壟斷了大字報陣地，如北大三角地就是。貼的大字報不揭不蓋，就會有多種聲音，也便於學生自己判斷，從情緒化走向理性。

海外評論

當天送達中南海二十八份海外報導，大量報導了北京學生開始大規模罷課、外地學生到北大聚會、留美學生情況以及對政府的反映等情況。

路透社「北京—學生運動第八天」的報導說，「正當學潮的擴大使政府日益難以忍受時，中共總書記趙紫陽星期一去北朝鮮進行正式訪問。」印度《快報》社論指出，「當十年前北京民主牆出現時，鄧也許認為，受資產階級自由化污染的一些狂熱分子是問題的根源，經過一定時間，這些人是可以不費力氣地對付的。」「人們不知道他對新一代知識分子中的這種騷動是否仍抱有這種樂觀的看法。人們不能不把知識分子的不滿看作是正在使蘇聯和東歐的生活發生根本變化的更廣泛現象的一部分。」

英國《星期日電訊報》發表題爲「二十萬人蔑視中國領導人」的報導說，「學生們的挑戰是空前的，但是如果認爲它有可能導致共產黨失去壟斷權，那就錯了。學生們缺乏組織，而且都是理想主義者，他們敵不過一個牢牢控制著治安部隊的紀律嚴明的組織。」「到目前爲止，共產黨的反應一直是低調的，高級領導人尙未譴責抗議活動。但是，共產黨知道，如果無視這種挑戰，將會使自己處於危險之中。過去的老辦法是找一個替罪羊，並採取措施以確保不再發生此類事件。」

合眾社電文說，「罷課標誌著學生運動進入一個新的階段。人民大學的一張大字報寫道，『我們必須全身心地投入罷課。如果我們得不到民主和自由，我們決不會停止罷課』。」美聯社的電文說，「當局沒有採取公開行動干涉這次罷課，但是有些人士說，上周末前後有一萬多名駐在遠郊的士兵開進北京，爲可能採取的鎭壓行動做準備。一些學生領袖說，他們擔心自己很快會被逮捕。」法新社報導說，「學生們正在準備向外界群眾散發傳單，說明他們所從事的事業。」「他們正在開展一場敦促向全國各地親友寫信的運動，以便散布關於學生的要求和示威的消息。」法《解放報》報導了該報記者對「在天安門的一名清華大學學生的專訪」。」這名清華電子系四年級學生說，在中國，極大部分優秀分子在黨內。沒有其它政黨有能力來領導這個國家。我們相信和執政的共產黨一起搞民主是可能的。但是，我們不會把希望寄託在一個全能保護神那樣的人身上，真正的問題是制度問題。我們將繼續我們的運動，總罷課將一直延續到領導人同意和我們對話。」

時事社的「中國也出現擺脫『官方新聞』的跡象」的報導稱：「中國的報界也終於出現試圖擺

脫官方報導的跡象，先驅者是北京的《科技日報》。」「該報這次能進行在中國可謂大膽的報導，是因為有開明的編輯，特別是副總編孫長江，據說過去是前總書記胡耀邦的演講稿執筆者之一，被認為是一位堅定的自由主義者。」「關於這次報導，孫長江沒有特別驕傲的神氣，他說，『並沒有標新立異，只是作為報導機關盡了應盡的職責』」。」共同社當天播發的一條消息稱：「這表明，在新聞界有關人士中支持學生的要求與行動的知識分子已經很多。黨中央對這次學生運動還沒有提出明確的方針。這暗示出，黨中央因展開前所未有的新運動而困惑不解，意見沒有取得一致。」

西安處理「四・二二」事件

西安「四・二二」事件到底抓了多少人？被抓者有沒有挨打？如何處理？中共陝西省委二十五日向中南海提交了關於西安處理「四・二二」事件的報告。全文如下：

據西安市公安局提供的初步統計數字，截止二十四日十三時，在西安打砸搶燒事件中共抓二百七十人，其中大中小學生大約七十二人。西安市委孫殿奇匯報：整個事件中未死一人，從目前受傷人員情況看，不論武警、公安幹警，還是被抓人員也不會有人死亡。

孫殿奇是處理這一突發事件的一線指揮部的主要負責人。他說，在事件中縱火、打砸、作惡多

端的不法分子雖抓獲了一些，但由於當時現場混亂，指揮不靈，有的犯罪分子已經逃竄，未能抓獲。但公安部門當時對現場已作了錄像，做了不少取證工作，現在其中多次點火焚燒汽車的首犯王軍已被跟蹤抓獲。

孫殿奇說，在「四・二二」事件中，現場指揮部門和省市領導層雖一再強調不要打人，但被抓的人當時幾乎都遭到了棍棒、皮帶、拳腳毒打。孫殿奇說，在當時情況下，素質較差的武警戰士和部分公安幹警被激怒了，打紅了眼，這種違反紀律的情況是難以避免的。

現在所有被抓的人員都分散在西安未央、新城、雁塔、蓮湖等城區公安分局加緊訊問審理，已經初步審完的一百六十四人，其中大學生三十一人，佔初審總人數的十八・九%。工人五十四人，農民二十四人，無業人員十八人，中小學生、個體、遊散人員三十七人，佔初步審完人數的八十一・一%。在初步審完的一百六十四人中，目前已放走一百0六人。

目前，正處理的有五十五人，其中刑事拘留一人；收容審理三十九人；行政拘留十五人；待審查的二人；重傷住院一人。

孫殿奇認爲，社會上的一些渣滓這次並沒有被全部抓到，西安僅刑滿釋放分子就有一・五萬人，公安部門控制的對象還有一兩萬人，只要一有機會，這些人還會進行報復。「五四」快要到了，今後這段時間要有充分的思想準備。

市委已經決定採取以下一些措施：1，重點還要做好大學生的思想工作。2，組建機動力量，

以應付緊急不測事件。現在已經由西安軍分區負責，組建了一千五百人的十五個基幹民兵連，這些民兵連已形成指揮系統。他們主要負責內部保衛工作。3，抓緊對「四・二二」事件中犯罪分子深挖工作。一方面加緊審訊已抓獲的人，從中獲得線索，另一方面發動群眾檢舉揭發。4，制定對付「五四」可能出現局面的預案。除了做好學校工作以外，要加強面的控制，特別要做好基礎工作。

二十四日，西安市公安局、市中級人民法院、市人民檢察院和市司法局聯合發出通告，要求對參加「四・二二」事件的犯罪分子必須徹底揭露，依法予以嚴懲。通告指出，凡煽動、組織、參與了四月二十一日以來的打、砸、搶、抓、燒等違法犯罪活動的人，限於四月三十日前，到當地公安機關投案自首，逾期不自首者，一經查出，從嚴懲處。自動坦白，有立功表現的從寬處理。通告還要求，全市廣大人民群眾要積極向公安機關檢舉揭發，同犯罪分子進行堅決鬥爭。

到二十四日晚九時，經中央軍委批准進駐西安的人民解放軍部隊除留兩個營外，其餘全部撤回駐地。二十四日晚二十四時，已取消交通管制，二十五日已全部恢復正常。

同日，安全部門提供的關於西安高校學生的情況則令人感到氣氛壓抑。摘要如下：

近兩天，西安市高校表面上已恢復平靜，教學秩序正常。但學生們對「四・二二」事件的處理卻議論紛紛。

在西安交大，校常委負責人說，從二十三日起，學校以「愛國衛生月」名義沖洗掉了校園內近千幅大字報。學生們雖然從「美國之音」等收聽到了北京部分高校學生罷課的消息，但對學生影響

不大，大部分學生仍正常上課。

二十三日，西北大學發佈了緊急通告，要求學生從安定團結的大局出發，通過正常渠道反映自己的意見和要求，要頭腦淸醒，明辨是非，不得擅自上街遊行，違者後果一律自負。學生表面接受了，心裡卻不服。

據瞭解，西安交通大學、西北大學、西北工業大學等院校一些學生被抓，部分學生已返回學校。他們頭上纏著帶有血跡的紗布，有的傷勢嚴重，正在醫院接受治療。還有一些學生下落不明。許多學生看到這種情況議論紛紛。有的學生說：太慘了！太慘了！沒想到警察這麼兇，不但毒打無辜的學生，而且還打傷了無辜的老人、婦女和兒童。有的說，被抓的人已失去了反抗能力，共產黨歷來是講政策的，但爲什麼還要當眾用皮帶、木棍毒打他們！

這些學校領導對下一步局勢感到擔憂。他們認爲西安高校目前的平靜是暫時的、表面的，實際上並不平靜。各校學生私下有串連，似乎醞釀著什麼行動，「五四」前後可能有更大的舉動。

同日，中共湖南省委向中南海報告了對「四・二二」長沙打砸搶事件的處理經過：「一開始抓了九十六名，後又抓了四十二名，共一百三十八名。由於現場氣氛緊張，被抓的人當時幾乎都挨了打。」「經訊問和初步查證，對五十三人進行關押審查、五人處以治安拘留處分。這些人中，有工人三十二人，進城務工的農民二十六人，個體戶六人，社會閑散人員二十八人，學生六人(其中中學生五人，中專生一人，沒有大學生)」。

「到外地串聯」

北京高校學生到外地進行串聯的情況在學潮一星期後開始顯現，這裡摘錄二十五日安全部門發自武漢的一則報告。

一名自稱清華大學自動化系團委書記、今年十九歲的有濃重北方口音本科生，二十四日從北京來到武漢大學，就學生遊行、罷課問題在武漢幾所大學進行串聯，並於二十五日下午在武漢大學桂園學生宿舍區與部分武漢大學學生進行對話。

他說，他來武漢的目的，是爲了傳遞北京的信息，瞭解武漢學生運動情況，相互合作。他介紹說，北京的學生運動搞得比較規範，各大專院校都聯合起來了，成立了「首都高校聯合行動委員會」，向政府提出了七項要求。

這個青年在評價武漢學潮時說，武漢的學生運動盲目性比較大，目的、要求不一致，也缺乏很好的聯合，沒有爭取到學校學生會和團委的支持。提出的多黨輪流執政也不實際。這對學生運動發展不利。

當武大學生問下一步學運應怎樣進行時，這個青年說，北京基本上再不打算遊行了，目前正在罷課，正在組織群眾、發動群眾。各校團委和學生會自「四・二二」後都積極支持學生運動，爲學

生運動提供了各種便利條件。學生們分別到車站、街頭、工廠門前進行不同規模的演講，以喚醒全社會，爭取民眾更多的支持。他建議，武漢的學生運動也應該這麼做。他說，歷史上每次大的運動都靠工人階級，沒有工人階級支持，我們就難得勝利。此外，全國各地都派有學生代表去北京，聲援北大、聲援首都的學生運動。在北京，把全國重點院校聯合起來，成立一個長遠的組織，取代全國學聯，同時為「五四」作好準備。

這位青年說，北京、天津、南京都舉行了罷課，但罷課不罷學，罷課不罷餐。就是不進課堂，自己在寢室裡學習。他們的活動得到了很多老師的支持。

中共浙江省委給中南海的報告稱：這幾天，杭州和北京等地高校串連頻繁，許多學校收到了北京來電、來信。杭州幾所大學的行動部署和標語口號與北京等高校相呼應，不喊出格的口號，驗證了學生已開始統一採取「和平的、非暴力不合作」策略。

報告借用杭州各高校負責人的建議，認為中央有五個問題亟需解決：一，前段時間上級發的電報互相有矛盾，政策、態度時寬時嚴、時鬆時緊，叫下面無所適從；二，叫學校嚴肅紀律，萬一學生大面積動起來，法不責眾，學校就會很被動；三，制止學生成立非法組織，既要有態度，又要有措施；四，要學校與學生開展對話是對的，但現在學生所提問題與學校本身並無多大關係，對話恐怕無效果；五，強化管理很容易激怒學生，萬一事情鬧大了怎麼辦？

浙江省委報告中反映的情況代表了全國很多高校在這次學潮中的態度，更說明了中南海在對付

這次學生運動中決策的不明確。

一次流產的對話

摘錄二十五日十八時安全部呈中南海的報告：

今天，由全國學聯、北京市學聯組織的與清華大學學生代表對話，由於清華學生組織代表負約未能實現。

二十四日上午八時半，清華大學所謂的「和平請愿組織委員會」兩名成員，找到校領導提出與國務院負責同志對話，學校領導向李鐵映同志反映了這一情況。

二十五日上午，學校領導向那兩個學生轉達了有關領導愿與學生對話的意見，並內定了十五名代表，其中校學生會五人，研究生會代表五人，「和平請愿組織委員會」代表五人，與學生代表簽了約。領導方面將由劉忠德(國務院副秘書長)、何東昌(國家教委副主任)、汪家鏐(北京市委副書記)、陸宇澄(北京市副市長)、袁立本(北京市委常委、秘書長)出面對話。

上午十時半，「和平請愿組織委員會」兩名成員又向學校領導提出三點要求：1，對話不僅要有清華大學學生代表，還要有「北京學生聯合行動委員會」代表，即外校學生參加。要有記者參加。2，對話方式要協商。3，意見陳述後就復課。校領導沒有同意這種中途變卦的做法。而後，「和

平請願組織委員會」兩名成員表示以個人名義參加對話，但遭到其它成員反對。

按照雙方約定的時間，下午二時，劉忠德、何東昌、汪家鏐等來到對話現場—北京市委大樓二樓會議室準備對話。可是直至下午四時三十分，學生代表仍沒有露面。對話的領導一方多次與學生代表電話聯繫，十名學生會、研究生會代表遵守簽約，二時前就等候在校門口，可是「和平請願組織委員會」的學生代表卻一會兒說要選舉代表，一會兒又說要有「北京學生聯合行動委員會」的代表參加，致使對話告吹。

據分析，「和平請願組織委員會」之所以不愿派代表對話，一是反映學生內部有分歧，意見不統一；二是缺乏對話的足夠思想準備；三是可能有幕後操縱者出了新主意；四是有些學生擔心僅清華大學代表出席對話，有「出賣學運」之嫌。

四月二十六日，《人民日報》特地就此一事件在第一版發表新華社報導。清華學生普遍對此意見很大，認爲「這一報導的意圖是想在學生中製造分裂。反映的情況不客觀，不全面。」

鄧小平與四二六社論

二十五日上午九時，鄧小平在家中聽取了李鵬、楊尚昆、喬石、胡啓立、姚依林、李錫銘、陳希同等人的匯報（注：鄧小平在北京市區和西山都有住地，但是所有的會議紀錄只標明「小平同志

處」，沒有具體標明在鄧的哪個家召開。因此，我們在書中也無法標注每一次會議到底在鄧的哪個住地舉行）。現根據會議記錄綜述。

李鵬首先代表政治局常委匯報，李鵬說：「小平同志，根據形勢的發展，昨天晚上，我們在家的常委聽取了北京市委和國家教委關於首都高校情況和社會發展動向的匯報。我們一致認爲，目前北京的局勢已經十分嚴峻。」

胡啓立插話：「這次學潮是十年來規模最大的一次，全國已經有二十多個大中城市發生了學生遊行示威。」

李鵬繼續：「遊行呼喊的一些口號和大字報公開反黨反社會主義，叫囂要爲清除精神污染和反對資產階級自由化翻案。把矛頭直接對準以您爲首的老一輩無產階級革命家。」

鄧小平：「說我垂簾聽政呢。」

李鵬：「還有的公開要求政府下台，胡說什麼要『公開研究和討論現有中國政治和權力問題。』實行普選，修改憲法。開放黨禁報禁，取消反革命罪。北京、天津等一些高校已經出現了非法學生組織。」

「什麼？」鄧小平耳背。

陳希同大聲說：「非法學生組織。如北京大學一些學生學波蘭的團結工會在北大成立『團結學生會』。」

鄧小平點頭。

李鵬說：「這些非法組織少數頭頭背後還有人指使。」

李錫銘補充：「北大非法學生組織的幕後人物說是方勵之的老婆。」

陳希同說：「我們已要求有關部門盡快查實這些非法學生組織頭頭的身份和背景。」

李鵬接著說：「目前北京已發生連續兩次衝擊新華門事件，長沙、西安出現了四二二打砸搶燒事件，武漢也已多次發生學生在長江大橋遊行堵塞京廣大動脈事件，這些都嚴重破壞了社會的安定團結，擾亂了社會秩序。我們常委的幾位同志一致認爲，這是一場動亂，必須依法盡快予以制止。」接下來，李鵬向鄧小平匯報了中央常委碰頭會的原則意見。隨後，鄧小平示意陳希同談一下北京市的情況。

陳希同馬上說，「我向小平同志報告一下這兩天北京高校的情況。二十三日以來，北京已有四十八所高校六萬多名學生參加罷課。這次罷課有四個特點：一，製造輿論，尋求社會支持。二十三日以來，有四十二所院校學生在校內演講、遊行，爭取中間派學生及教職工支持。北大、清華、師大、人大等院校的學生集中在教學樓、操場講演、遊行，主要是要求學生罷課、教師罷教，師大公開呼喊『打倒鄧小平』口號。不少學生在街頭到處張貼大小字報，散發傳單，在社會上擴大影響。北大、人大、清華、民族學院的學校廣播站已被學生非法組織佔領。二，用罷課行動來要挾同中央對話。北大、清華、師大、人大、政法大學等校成立非法的學生糾察隊，學生糾察隊員守在教學樓

或教室門口，阻止學生上課。郵電學院等校的學生乾脆用鎖把教室門鎖上。三，進行募捐，籌集資金。二十四日起，在四道口、動物園、展覽館、美術館、西單、復興門、天安門等地，到處都有學生募捐。北大一學生說，二十四日下午他們就募捐達五千多元。四，謠言四起。高校內流傳著各種謠言，其中有一個謠傳範圍很廣，說清華大學名譽校長劉達最近到小平同志家，向小平同志匯報學校情況，小平同志聽了後說，要派軍隊鎮壓。」陳希同的一席話，使原本就很緊張的氣氛更加緊張了。

姚依林：「這次學潮的性質已經發生變化，由自發性的悼念轉變爲一場動亂。」

楊尚昆說，「確保全國特別是首都的正常社會秩序非常重要，我們決不能讓一些別有用心的人利用這次學潮製造動亂。要盡快堅決予以揭露。」

這時，鄧小平說話：「我完全贊同中央常委的決定。這不是一般的學潮。學生鬧事到今天已經十天，我們採取了很多的容忍和克制態度。但是，事情並不以我們的意志爲轉移。極少數人利用了學生，他們的目的就是要搞散人心，搞亂全國。」鄧小平環視大家後，繼續說，「這是一場有計劃的陰謀，其實質是要從根本上否定中國共產黨的領導，否定社會主義制度。要向全黨和全國人民講清楚，這是擺在全黨和全國人民面前的一場嚴重的政治鬥爭。必須旗幟鮮明地反對這場動亂。」鄧小平的話既是對中央常委決定的支持，更是對這次學潮性質的最後拍板。

胡啓立說，「小平同志的話非常重要，必須盡快傳達。」

李鵬說，「啓立同志，是否根據小平同志的講話馬上組織一篇人民日報社論？」胡啓立表示同意。

不到十一時，會議結束。楊尙昆留下來，鄧小平對他說，「這次學潮的發生，反映了我們政治思想工作的不執著。四個堅持、思想政治工作、反對資產階級自由化、反對精神污染，我們不是沒有講，而是缺乏一貫性，沒有行動。」

楊尙昆：「思想政治工作薄弱，法制不健全，什麼違法亂紀和腐敗現象都出來了。這次學潮的發生不是由一起偶然事件引起，偶然中有必然。」

鄧小平強調：「這次學潮和反對自由化不徹底有關，和不搞反對精神污染有關。如果把反對資產階級自由化的工作進行到底，也就不會出現現在這種情況，特別是反精神污染，只進行了二十天就丟了。」

鄧小平的這段話，隱約透露出對趙紫陽在反自由化問題上的不滿，但他爲什麼只對楊尙昆個別說，而不在會上說，根本原因是他認爲趙紫陽在改革開放方面的信念堅定。

下午，中共中央辦公廳機要局將政治局常委碰頭會議的決定和鄧小平講話電告正在朝鮮訪問的趙紫陽。同時，也分別報告陳雲、李先念、彭真、鄧穎超等中共元老。趙紫陽當天回電：「常委並報小平同志，我完全同意小平同志就對付當前動亂問題所作出的決策。」同時，經李鵬提議，曾建徽執筆起草了《必須旗幟鮮明地反對動亂》的人民日報社論(即四·二六社論)，經胡啓立、李鵬審定

後，決定於當晚中央人民廣播電台、中央電視台的新聞聯播節目中播出。四·二六社論基本按照鄧小平講話內容起草，社論主要觀點如：「這是一場有計劃的陰謀」，「其目的是搞散人心，搞亂全國」，「其實質是要從根本上否定中國共產黨的領導，否定社會主義制度」，「這是擺在全黨和全國人民面前的一場嚴重的政治鬥爭」等，均爲鄧小平原話。

當天，國家教委在北京召開部分高校黨委書記座談會，教委所屬高校和其他一些重點高校的黨委書記以及北京、上海、天津市委教育部門的負責人參加了會議。李鐵映在會上傳達了中央政治局常委碰頭會議關於制止動亂的指示精神，李鐵映說，「根據中央決定，今天晚上的新聞聯播將播發人民日報的一篇重要社論。各地教育部門和學校黨委首先要認真學習和領會好這篇社論精神，同時要發動黨支部組織幹部、黨員、教師和學生中的積極分子學習社論，統一思想，統一認識。」李鐵映要求，「學校黨團組織和幹部、教師，要深入到學生中去，做耐心細致的思想教育工作。要盡快掌握情況，並針對學生中的各種模糊或錯誤認識進行工作。」何東昌在會上說，「有跡象表明，有些罷課學生已開始向中學串連，值得嚴重注意。要記取文革中的教訓，決不能讓他們把娃娃鼓動起來，必須採取措施加以預防和制止。」當晚二十一時，根據李鐵映的意見，爲配合宣傳四·二六社論，國家教委向全國各省、市、自治區教育部門和委屬高校發出第五個《通知》。

學生對社論反應

二十五日，在四·二六社論尚未廣播前，全國各地共報送了十一份材料，有浙江省委、湖北省委、甘肅省委研究部署處理學潮的措施、湖南大學等四所高校二十五日凌晨在省政府遊行並提交請愿十條、河南學潮等情況。各地反映的情況表明學生運動趨於明顯不活躍狀態，即使在北京，各個學校的活動也趨於平淡，更多的學生對持續十天的學生運動似乎產生了一種厭煩情緒，一些學生運動組織者正試圖通過擴大社會影響，尋求更多的民眾支持來持續學生運動的時候(當天北京街頭出現較多的大字報，主要宣傳這次學運的「最低綱領」、「最高綱領」、「學生請愿七條」、「學生呼喊口號」等)，「四二六社論」播出了。一石激起千重浪，「四二六社論」象一顆重磅炸彈炸響在高校上空，學生的反應達到了十天來的最高點。以下是安全部門當晚從北京各高校發回的報告。

十九時三十分發自北大：北大從十八時三十分起，校園裡正反復播放《必須旗幟鮮明地反對動亂》的人民日報社論。北大少數參加鬧事的學生比較害怕，而鬧事的學生骨幹則反應激烈，表示「要鬥爭到底。」在北大三角地，一位學生說，「這是他們(指政府)的第一步。我們估計他們很快就會抓人了。」更多的學生認爲，這是政府「歪曲事實」，「不會理睬這篇社論」，「我們的罷課至少要堅持到五月四日」。還有的學生認爲，「這表明了政府要堅決鎮壓的態度。」北大一位不知名的教師說，「中國經不起任何動亂，搞西方民主，只能導致無政府主義。」但更多的教師認爲，社論定性太高，不利於問題的解決，反而會激化矛盾。

二十二時四十分報告：中國人民大學三四千名學生十八時四十五分左右走出校門，到青年政治學院、北方交通大學、中央民族學院、北京外語學院去聲援罷課，並強烈抗議剛剛廣播的人民日報社論。遊行途中，有的學生說，這回完了，我們成了反黨了，要老老實實的了。還有人說，我們不是反黨反革命，我們是要求民主自由，一定要和政府幹到底。這次遊行，共約五千多名學生，二千多名圍觀群眾。二十一時四十分，遊行隊伍從中國青年政治學院出來後，本想到附近的北京師範學院，但馬路上已有近八百名警察。一位遊行組織者宣佈，「爲避免與警察發生衝突，同學們在師院門口整理一下隊伍，就回學校。」這位組織者說，「我們要堅決幹下去，不達目的決不罷休。」

二十二時五十分報告：今晚七時，爲對付剛剛播出的人民日報社論，「北京臨時學生聯合會」召集各校學生代表到中國政法大學開會，商討對策。一些中國政法大學的學生家長，在聽完廣播後，趕來學校，找老師問孩子表現怎麼樣，會不會出什麼差錯。該校黨委副書記謝戰原說，「社論播發後，不少同學都很震驚，覺得中央定調太高，這與在此之前中央的寬容精神很不相稱，學生們很難接受。學生認爲這不是在搞動亂，只是提一些民主要求，希望中央領導不管是什麼人出來對話。」一些老師說，「當初如中央領導有人出來對話，哪怕是走形式，也不會導致現在的局面，現在看來是激化矛盾。」有的學生聽完後很氣憤，呼喊「《人民日報》胡說八道，像條狗在狂吠。」另據瞭解，北京農業大學在社論播出後，有人立即貼出一份題爲「有感於中央對學生運動的結論」的大字報，大字報說，「哥兒們、姐兒們、爺兒們：趕快把書扔到火爐裡，去當倒爺吧，去醉生夢死吧，

去放縱淫蕩吧！」

當天晚上，長春、上海、天津、杭州、南京、西安、長沙、合肥等城市發生規模不等的遊行示威，抗議四二六社論。其中尤以長春的規模最大。我們摘錄中共吉林省委二十五日二十三時五十分的報告：

今晚十八時三十分以後，吉林大學等院校約三千名學生從長春市主要等街道遊行到省委門前靜坐，強烈要求同省委領導對話，現有，學生們仍在省委門前靜坐。

據遊行學生反映，他們所以上街，是今晚聽到中央電台和中央電視台播出的《人民日報》社論稱這次運動爲「動亂」，感到很受刺激。他們一邊謾罵《人民日報》社論，一邊高喊「爭取民主，反對專制」的口號。長春市中心的斯大林大街中段的交通堵塞了，機動車輛無法行駛。遊行隊伍到省委門口後，口號聲響成一片，要求與省委書記對話，高喊：「何竹康，出來！」圍觀的群眾多達一萬多人。

二十二時零五分，長春市人民政府向靜坐學生和圍觀群眾宣讀通告。學生和圍觀群眾無動於衷。二十三時左右，長春市政府派出三百名警察，在省委東側的新發廣場圍成大圈，護衛著一輛宣傳車，反復播放《人民日報》社論。一些圍觀者開始涌向新發廣場。此時，吉大領導和一些教師開始做學生說服工作。二十三時三十分，學生開始陸續離去。這次學生遊行，沒有發現學生衝擊省委機關，呼喊反動口號。

各省表態

中共中央、國務院的電報下發和「四‧二六」社論發表後，各省、自治區、直轄市中共黨委常委都召開了緊急會議，部署下一步行動計劃，並向中共中央表態。各地報送的報告表明，不少省份根本沒有學生上街遊行，更談不上「動亂」。我們摘錄有關省份的報告。

上海：「中共上海市委於四月二十五日晚召開常委緊急會議，簡要通報了日前中央政治局常委擴大會議的情況和小平同志的重要指示，重點分析了全市的政治形勢，對如何防止可能發生的動亂、穩定社會政治局勢進行了部署，並提出以下措施：一，立即發出認真組織黨員幹部和群眾學習《人民日報》二十六日社論的通知；二，堅決抓好當前的工農業生產，確保市場有效供給；三，注意解決當前存在的若干突發問題，緩解矛盾。繼續抓好廉政建設，確保社會安定；四，做好應付突發事件的預定方案。」「根據市委決定：二十六日下午三時，中共上海市委在上海體育館召開全市一萬四千多人參加的基層黨員幹部大會。江澤民同志代表中共上海市委講話，要求全市廣大黨員群眾認真學習《人民日報》社論；採取有效措施，堅決維護得來不易的安定團結的局面；決不允許成立任何非法組織；禁止非法示威遊行；禁止以各種形式到工廠、農村、學校、機關進行串聯；對於內容出格的大字報，要堅決揭去；對於打砸搶的人，堅決予以嚴懲。同時，江澤民同志代表市委宣佈：

鑒於《世界經濟導報》總編輯、黨組成員欽本立同志嚴重違反紀律，決定停止其領導職務，並對《世界經濟導報》進行整頓。」

北京：「二十六日下午，中共北京市委召開全市萬人參加的基層黨員幹部大會。李錫銘同志代表市委講話，要求全市廣大黨員群眾認眞學習《人民日報》社論，積極行動起來，堅決地、旗幟鮮明地反對和制止動亂，維護首都正常的社會秩序，確保首都的社會穩定。」

黑龍江：「到二十六日晚上爲止，哈爾濱地區高校和全省各地未發現異常情況。但是，黑龍江大學已發現有一名自稱武漢大學的學生前來串連的情況。」「省委常委已於二十六日上午召開會議，傳達中央精神，常委們一致認爲，目前我省的局勢雖然平穩，但也不可低估當前的嚴峻形勢，一旦出現動亂，我們將旗幟鮮明地堅決反對。會議制定了對付突發事件的具體方案。下午，省委、省政府已召開了哈爾濱地區高校負責人會議。」

吉林：「二十六日上午，省委常委召開會議，傳達貫徹最近中央精神和《人民日報》社論，分析了二十五日晚吉林大學等校學生上街遊行示威的情況，提出了反對動亂、穩定局勢的七項措施。」「二十六日下午分別召開長春地區高校書記校長會議和全省新聞單位負責人會議，明確要求：全體幹部和教師決不允許散布不負責任的言論；全省新聞單位嚴格按《人民日報》社論精神，進行輿論報導。」

遼寧：「二十七日下午省委召開省直機關和各市負責人會議，通報全省政治形勢，對如何防止

可能發生的動亂、穩定社會政治局勢進行了部署。」「會議指出，從本月中旬到現在，遼寧省的政治形勢基本上是穩定的。」「目前雖未發生動亂，但確實也存在一些不安定因素。」「會議強調：處理學生鬧事的方針，是『冷靜、果斷、疏導、教育』。要堅持疏導的原則，立足於教育，工作要積極，處理要慎重。」「要正確認識和分析學生提出的各種意見，對我們工作失誤提出的批評，要實事求是地對待。」「要注意解決當前存在的若干突發問題，緩解矛盾。」「要做好應付突發事件的預警方案。省委已成立防止動亂指揮小組。」

河南：「二十六日上午召開省委常委緊急會議，認真學習中央關於制止動亂的指示，學習《人民日報》社論。」「省委常委認爲，最近一段時期，河南各地形勢比較安定，河南高校沒有發生一起學生遊行示威等活動。但已發現外地一些大專院校少數學生來河南大學、鄭州大學等院校串連，寄來反動傳單。」「省委將於二十八日召開各地市、省直各部門和各大專院校負責人會議，要求克服麻痺思想，立即行動起來，制止動亂發生。」

陝西：「二十六日晚省委常委召開會議，傳達貫徹中央精神，研究防範動亂進一步擴大的措施。」「西安地區的動亂，二十二日已暴露得比較充分。從背景講，西安地區不受北京指揮，至今沒有從組織上獲得確鑿證據。但二十二日的動亂確受北京影響。」「省委常委要求，從快從嚴從重處理『四•二二』動亂中的犯罪分子，造成聲勢，震懾極少數別有用心的人。同時，抓緊制訂出預防動亂的方案。」

湖北：「二十六日下午召開省委常委和省屬各部委辦負責人會議，認眞學習傳達中央精神和《人民日報》社論。會上，省委作出以下決定：決不允許成立任何非法組織；對於任何藉口侵犯合法學生組織權益的行爲要堅決制止；對蓄意造謠進行陷害者，要依法追究刑事責任；禁止非法遊行示威；禁止到工廠、農村、學校進行串聯；對於搞打、砸、搶、燒者要依法嚴懲。」

浙江：「二十六日晚上召開省委常委擴大會議，簡要通報了中央政治局常委擴大會議情況和小平同志的重要指示，專門研究了浙江如何堅決反對動亂的問題。」「會議認爲，要運用好法制武器，嚴格區分兩類不同性質的矛盾，把前一陣的悼念活動與製造動亂區別開來，把一般性的出格言論與反動言論區別開來，團結大多數，孤立極少數。如果出現非法遊行和罷課，必須採取堅決態度。對喊反動口號的、打砸搶燒的，應堅決依法嚴懲。」

福建：「二十六日，召開常委擴大會議，學習中央關於防止和反對動亂的電報和《人民日報》社論，聯繫福建實際，研究和部署反對動亂措施。」「到目前爲止，全省沒有一所高等院校上街遊行示威，也沒有發生與此有關的打砸搶燒事件。但是，並不是完全風平浪靜。」「省委決定成立以省委副書記賈慶林爲首的防止動亂工作領導小組。明確宣佈：絕不允許成立任何非法組織；禁止非法遊行示威；禁止到工廠、農村、機關和學校進行串聯；對於搞打、砸、搶、燒者要依法制裁。」

江西：「二十六日下午召開省委常委會，貫徹中央精神，結合本省實際，對下一步穩定全省形勢作了部署安排。」「常委一致認爲，江西整個形勢是穩定的，沒有出現動亂。但不能麻痹大意，

社會上不安定因素依然存在。」「因此，對形勢不能過於樂觀，寧可看得重一些，要繼續採取措施，穩定全省形勢。」「省委已部署出現突發事件的預定方案。」

新疆：「新疆維吾爾自治區黨委、政府於二十七日和二十八日分別召開常委會議和全體會議，學習貫徹中央關於反對動亂的文件精神和《人民日報》社論，分析自治區的政治形勢，決定立即採取各種手段，確保區內安定團結局面不受長沙、西安動亂的影響。」「兩個會議一致認爲，自治區當前的形勢是好的，社會比較安定，物價比較平穩，各大專院校秩序井然。但是，也不能掉以輕心。」「爲了把不安定因素消滅在萌芽狀態，確保新疆不發生動亂，決定立即採取措施。」強調「新聞報導凡是涉及敏感問題的，必須請示報告，任何人不得擅作主張」。「公安部門要從思想上物質上做好隨時對付突發事件和處理動亂的準備工作，萬一發生動亂，能夠立即予以懲處。」

部隊對社論反應

「四二六」社論發表後，總政治部發出《緊急通知》，要求全軍官兵認真學習《人民日報》社論，高級軍官認真領會鄧小平講話精神，並提出四點具體要求。《通知》指出，「全軍各部隊要堅決貫徹執行黨中央、中央軍委一系列保證部隊安定團結的指示，堅決服從黨中央、中央軍委的指揮。及時掌握社會動態和部隊的思想動態，有針對性地教育官兵不聽信、不傳播不利安定團結的言論，

不參與任何不利安定團結的活動，確保部隊指戰員思想的高度穩定和集中統一。」「不管在任何情況下，都要堅定地相信黨中央、中央軍委，同黨中央、中央軍委保持高度一致，嚴格按照黨中央、中央軍委的命令行動。」「全軍各部隊要特別加強組織紀律教育，保持軍隊自身的高度穩定，保證在任何情況下令行禁止。」「全軍各部隊要作好思想上、組織上和行動上的準備。」《通知》特別強調，「不管那個部隊，動用一兵一卒都需報告中央軍委，並經中央軍委批准。」

那末，即將參加戒嚴的北京軍區、瀋陽軍區等部隊高級軍官對社論又作何反應呢？請看兩大軍區向中南海的報告。

北京軍區報告：

《人民日報》四月二十六日社論發表後，北京軍區在京參加讀書班的二百多名軍、師主要領導幹部立即進行學習討論。大家表示，一定要和黨中央保持一致，維護安定團結的政治局面。

一，社論及時、正確、有力。

二十七集團軍小組在討論時認爲，《人民日報》社論發表得很及時，定性正確，是對一小撮壞人攻擊共產黨、進行打、砸、搶活動的有力打擊。北京衛戍區小組談到，衛戍區部隊在悼念胡耀邦同志期間，負責維護社會秩序。但許多幹部戰士對學潮來勢之猛感到震驚，對這場運動的性質難以辨清。《人民日報》社論指出這是一場嚴重的政治鬥爭，是一次否定黨的領導和社會主義制度的動亂，使我們澄清了認識，我們應當旗幟鮮明地反對動亂。三十八集團軍小組反映，「二十二日那天，

我們部隊在八寶山一帶維持秩序，一些別有用心的人對戰士們進行挑唆煽動，有的幹部戰士受到一定影響。《人民日報》社論爲我們對部隊進行教育提供了教材」。

二，希望中央深化改革，興利除弊。

軍區後勤部小組在討論中說，雖然出現了動亂，但對全國來講仍是局部的。改革的前途是光明的，問題是前進中的問題。我們決不能因噎廢食，對改革失去信心。

二十八集團軍認爲，這次動亂，說明了改革的艱巨性、複雜性和曲折性。中央在下步改革中，要穩妥從事，有關政策要反復論證，有把握後再出台，盡量避免和減少失誤。

二十七集團軍小組指出，這次動亂，從另一角度告訴我們，深化改革，必須盡快解決政府中的腐敗現象，解決黨風不正、社會風氣不良、分配不公和亂漲價等問題。

河北省軍區小組認爲，這次動亂說明，中央在對教育增加財力投資的同時，要加強學生思想政治工作，防止出現「共產黨培養出來的學生反對共產黨」的局面。

內蒙古軍區小組認爲，對學生只能採取教育和疏導的方法。中央對青年學生感情激動時的某些不妥言行，採取克制容忍的態度，非常得當。但對混入學生隊伍中的社會渣滓，要嚴厲打擊，堅決鎮壓。

三，要以實際行動維護中央安定團結的政治局面。

參加學習班的軍、師領導幹部普遍表示，要樹立憂患意識，與黨風雨同舟。連日來，他們有的

給在京讀大學的親友子女寫信、去電話，教育他們聽黨和政府的話；有的給正在北大、清華等院校中執行軍訓任務的部隊幹部提出要求，讓他們按社論要求，做學生工作；有的給部隊打電話，要求部隊學好社論，嚴守紀律，不聽信、傳播小道消息，不參加社會上的非法活動，以實際行動維持安定團結的政治局面。

瀋陽軍區報告：

二十七日下午，瀋陽軍區黨委常委集體學習《人民日報》社論和鄧小平同志關於處理當前全國動亂問題的講話。大家一致表示，堅決擁護中央作出的制止當前動亂的決策，以穩定部隊的實際行動，爲維護安定團結作出貢獻。

黨委書記、政委宋克達中將說，從現在起，各級黨委要集中精力學好《人民日報》社論，把思想和行動統一到中央決策上來，保證部隊同中央保持一致。黨委副書記、司令員劉精松中將說，在動亂面前，我們要自覺意識到自己的責任，要用軍隊的穩定，保證全國的安定。我們軍區黨委要用自己的行動帶動全區部隊同黨中央保持高度一致，爲反對動亂，維護全國安定作出貢獻。

黨委常委們一致認爲，作爲軍人，我們一定要旗幟鮮明地反對以各種形式、各種藉口製造的動亂活動，做到：一要堅定地相信黨中央、同中央保持一致，嚴格按照黨中央的指示行動；二要認真學好《人民日報》社論精神，搞好宣傳教育，以此統一思想，統一行動；三要態度明朗，對發現的問題，聽到的謠言，不能聽之任之，要堅決鬥爭；四要認真解決好影響部隊穩定中的問題，保持軍

隊自身的高度穩定，保證在任何情況下令行禁止。

瀋陽軍區黨委常委提出，鑒於當前動亂有持續下去的可能，領導機關和駐城市部隊要有思想、組織和行動的準備，以免在事態擴大需要用兵時束手無策。但是，必須明確，這和搶險救災不同，不能隨便派出部隊，不管那個單位，那個地區，動用一兵一卒都要請示報告，都要經過中央軍委和總部批准。

會後，軍區司令部、政治部已分別向各部隊發出傳真電報，要求各級認真組織幹部、戰士、職工、家屬切實學好《人民日報》社論精神，統一思想和行動。在此期間，各部隊要特別強調加強組織紀律觀念，嚴格控制外出人員。對因公外出和在外執行任務的人員，要搞好教育，明令不准圍觀，不准參與辯論，不准參加鬧事。各部隊官兵不准到學生中去串聯，更不允許學生到部隊串聯。

高教負責人反應

「四二六」社論發表三天內，安全部、新華社報送中南海的三十六份關於社會各階層對社論的反映，普遍認爲社論定性過高，不利於對問題的解決，沒有一份報告對社論持全部肯定態度。這些報告基本反映了當時的民意。這裡僅摘錄那些高校黨政負責人的意見。

清華大學黨委副書記賀美英說：「社論把一些學生推了過去，絕大多數幹部、教師、學生從感

情上不能接受，覺得中央的決定來得突然，定性有些一邊倒。」北京大學宣傳部副部長古平說，「社論採取一概否定和簡單化的做法，不實事求是。」「北京大學團委書記說，「中央的決定失去了與學生對話的餘地，學生的抵觸情緒很大。」

武漢大學校長齊民友說，「社論發表後，問題不是解決了，而是使問題深化了。社論對學生遊行性質說得很嚴重，說是『動亂』，既然是動亂，就要旗幟鮮明地去反對。但是，我們對學生始終採取保護態度。因此，不僅是我，我們的教師普遍都感到了壓力。」武漢大學黨委副書記鄭永庭說，「社論對學生是高壓政策，把問題說得太嚴重了，有可能把學生往對立面推。」

四川大學黨委副書記陳炳元說，「社論有它虛弱的一面。讀了社論，聯繫到黨內許多不如人意的地方，總覺得沒有攻心之力。」西南財大黨委書記王永錫說，「爲什麼這次學生遊行，從教授、青年教師到幹部同情者比以前多了呢？一句話，共產黨確實應該嚴格要求自己了。」

西安交通大學宣傳部負責人說，「社論發表後，現在有部分教師，包括一些老教授同情學生。學校要求授課教師和輔導員深入到學生中做思想工作，但很難落實到人。全校組織學習社論的會，有三分之二的教師不來開會，有的教授一聽開會連門都不開。省電視台組織部分教師座談，有的輔導員竟公開說，『學生上街遊行是合法的』、『你們能撕掉大字報，但撕不掉人心』。」

武漢水利電力學院教授陳紹炎說，「學生運動應與動亂分開談。社論中的『預謀』，在掌握確鑿證據前不應該這樣講。學生運動的根本原因，在於黨風、政風。武漢學生的遊行，我看是規矩的，

不是動亂，也不是有人操縱的，而是自發的。」

山東師範大學黨委副書記徐卓斌說，「我認爲，社會需要安定團結，但靠權威實現的安定團結只能是暫時的，隨之而來的可能是更大的不安定。」

四二七大遊行

「四・二六」社論發表後，上海、天津、長春、西安、武漢、南京、杭州、合肥、長沙、成都、重慶等地再次掀起規模巨大的學生遊行示威抗議活動，而原本沒有上街學生遊行的瀋陽、大連、石家庄、濟南、南寧、昆明、深圳、銀川、桂林也進行了聲勢浩大的學生示威抗議活動。「四・二六」社論不僅使學生運動的範圍擴大，更激起了社會各階層對學生運動的同情和支持。無疑，對「四・二六」社論反駁最及時、規模最大、影響最深遠的當推北京的「四・二七」大遊行。爲了對付這次遊行並預防突發事件的發生，經請示鄧小平，楊尚昆命令從北京軍區第三十八集團軍一個坦克師、一個工兵團和一個通信團等部隊中抽調約五百餘人，於四月二十七日至五月五日，在北京執行警衛人民大會堂和制止動亂預備隊的任務。楊尚昆命令，軍隊必須堅決聽從中央軍委的命令，與學生或市民發生衝突，決不能動用武器。違者按軍法論處。由於四二七學生遊行秩序井然，三十八軍執行任務的部隊基本沒有介入。

以下摘錄安全部二十六日上午十一時五十分給中南海的報告。

「四·二六」社論播出當晚，北京的學生運動組織者就在中國政法大學開會進行緊急磋商。二十六日上午九時，「首都高校學生自治聯合會」在中國政法大學主樓前的露天廣場，舉行中外記者招待會，會場的大標語寫的是：「憲法規定公民有言論和示威自由。」二千多名學生，上百名中外記者參加了這次會議。

「高自聯」主席、中國政法大學八五級學生周擁軍代表「高自聯」發言：「我們現在有三項要求：一，要求與李鵬等政府領導人對話，承認首都高校學生聯合會；二，要求公安部長王芳就『四·二0事件』中警察毆打學生一事公開道歉，並嚴懲兇手；三，要求新華社社長穆青道歉，因爲新華社對『四·二二』事件進行了歪曲報導，違反了新聞報導眞實的最基本原則。」

北大歷史系學生王丹說，「我們不會放棄所提出的爭取民主、人權、自由和法治的要求。如果政府不同意對話，我們就上街遊行。」

一位女學生說，「我們從未號召推翻共產黨或政府。我們學生進行的是和平的、愛國的抗議活動，『四·二六』社論完全是顛倒黑白，混淆是非。」

一位藏族學生說，「政府必須承認我們的運動是愛國運動。我們不反黨。他們曲解了我們的感情。我們要鬥爭到底。」

一位學生強調說，「我們的事業是合法的，是符合憲法規定的。如果政府不同意對話，我們就

上街遊行。」

當外國記者問到對《人民日報》社論的看法時，周擁軍回答，「《人民日報》社論是造謠污蔑，只能是激化矛盾，是政府壓制學生。」

當香港記者問《人民日報》社論是不是發出警告，要進行鎮壓時，他們回答：「我們認爲是警告，是恐嚇，我們的態度是置之不理。」「政府採取強硬行動，我們提醒政府，玩火者必自焚。」「《人民日報》社論把我們的愛國行動說成是動亂，這進一步增強了我們的信心。」

據悉，今天上午北大、清華、人大、北師大等高校都貼出了「學生自治會」的通知，號召學生「參加二十七日上午八時舉行的首都高校學生聯合大遊行，會師在天安門廣場，自帶水、乾糧。」

「四·二七」大遊行就在這一基礎上釀成了。安全部提供給中南海的報告及其詳細地記錄了這一經過。我們認爲這一報告比較客觀地記錄了「四·二七」大遊行的經過，特摘錄如下：

今天，北京大學、清華大學等三十多所高校約五萬名學生上街遊行。整個遊行過程，學生們秩序良好。一位圍觀者說，學生遊行氣氛使他感動。

上午九時許，北京大學、清華大學、北京農業大學、國際關係學院和中國科學院的遊行隊伍在中關村路口匯合。遊行隊伍打的橫幅有：「血諫政府」「爲了中國的前途，九死不悔！」「沒有自由，毋寧死！」「我以我血荐軒轅！」「媽媽，我們沒有錯！」等，在中關村路口，警察組成四五排人牆予以攔截勸阻。學生代表和警察進行平靜的交涉。遊行隊伍和圍觀的群眾則有節奏地高呼：

「讓開！」「讓開！」

九時十五分左右，遊行隊伍和圍觀的群眾衝擠，突破警察的第一道勸阻線，向南行進。這時學生高呼：「人民警察人民愛！」「人民警察保護人民！」。

十時左右，北大等校學生和人民大學隊伍匯合，位於南面的中央民族學院、北京理工大學、北京醫科大學、北方交大、中央氣象學院、北京外語學院的學生隊伍向北迎接人民大學和北京大學等校的遊行隊伍。他們衝破人民大學南側的警察第二道勸阻線後向警察設置的第三道勸阻線—白石橋方向行進。這時學生隊伍中的橫幅和口號有：「廉潔的中國共產黨萬歲！」「堅決擁護黨的正確領導！」「擁護共產黨，擁護社會主義！」「民心不可侮！」「新聞的生命在於真實！」「失民心者失天下！」「歷史作證，人民必勝！」「誰掌握青年誰就掌握未來！」「位卑未敢忘憂國！」「和平請愿，絕非動亂！」「旗幟鮮明地反對貪官！」「官倒不倒，人民不平！」「鎮壓學生運動決沒有好下場！」等。

在沿中關村、友誼賓館附近的馬路邊以及長安街兩旁，都站滿了群眾，有的甚至爬到屋頂上、樹上。每當一個大學的遊行隊伍出現，群眾就鼓掌，並打著表示勝利的「V」字手勢。這時學生高呼「人民萬歲！」「理解萬歲！」等口號。

中國政法大學學生打出的橫幅是：「誓死捍衛憲法的尊嚴！」「爲民請愿，雖死猶榮！」尤爲醒目的是他們舉著的三大塊標語牌：

第一塊是鄧小平和列寧的語錄牌。抄錄《鄧小平文選》第一百三十四頁和一百三十五頁的內容，其中用紅線加以強調的是兩段話：「我們要創造民主的條件，要重申『三不主義』，不抓辮子，不扣帽子，不打棍子。」「一個革命政黨，就怕聽不到人民的聲音，最可怕的是鴉雀無聲」。還抄錄了《列寧全集》第十卷第三百五十二頁關於人民自由的語錄。

第二塊標語是「起訴書」。原告：北京高校學生；被告：人民日報社；事實與理由(大意是)：自四月十五日以來，首都高校學生爲悼念胡耀邦同志，促進民主建設而舉行了正當合法的活動，而人民日報社論卻把這說成是：「一場有計劃的陰謀，是一次動亂」。根據《刑法》第一百四十五條，向最高人民法院起訴人民日報犯有侮辱、誹謗罪。

第三塊標語牌摘抄《憲法》第三十五條、三十七條、四十一條，其中主要摘抄公民有言論、出版、結社、遊行、示威自由，公民的人身自由不可侵犯等條款。

下午一時左右，由白石橋方向來的北京大學遊行隊伍行進到西直門立交橋，和在這裡等候的北京師範大學等校的學生隊伍匯在一起，然後沿長安街東進。

沿街圍觀的群眾有的拿著餅乾，有的拿汽水送給學生，還有一位青年人提著一壺茶水，拿著碗，呼喊：「學生們，請喝水。」

遊行的學生們無論是被勸阻的時候，還是行進的時候，秩序都很好。每個學校都由戴著糾察袖標的學生糾察隊將各自學校的學生圍起來，不讓外人進入，學生隊伍每突破一道警察的勸阻線，學

生和圍觀的群眾就鼓掌歡呼。

下午四時四十分左右，學生隊伍的前鋒—中國人民大學學生通過天安門廣場的警戒線，並沿廣場北側繼續向東行進。下午六時左右，在天安門前，一位學生拿著半導體擴音器不斷向學生喊：「報告大家一個好消息，人民大學同學通過天安門廣場時，三十八軍的一個師的兵力乘卡車撤離。因此，我們臨時決定，給政府一個台階，不進廣場，經建國門沿北二環路返回，明天繼續罷課，直至最後勝利。」這時，學生和圍觀群眾鼓掌。

遊行隊伍在東西長安街，綿延幾公里長。一些學生在經過天安門城樓時高唱《沒有共產黨就沒有新中國》的歌曲。

「媽媽，我們沒有錯！」這條橫幅一出現，沿途圍觀群眾就鼓掌。一些人看到這條橫幅，流下了熱淚。

下午六時四十分左右，最後一隊遊行學生—中央音樂學院學生經過金水橋畔，向東走去。晚些時候，遊行學生沿北二環路返回各自學校。

據公安部一些同志分析，今天的學生遊行是有秩序、有紀律的，顯得冷靜而有策略；所提口號有策略性，遊行中尚未發現橫幅或標語中有反動內容；行動上不與警察發生硬性衝突。他們原先遊行的目的地是天安門廣場，衝破層層阻攔進入廣場後，卻沿北馬路穿過，未在廣場停留，事出預料。

安全部續報：

昨天的遊行直到今天凌晨一時左右，清華、北大、人大、師大等校的學生才陸續返校。人大一些學生舉著「歡迎勇士們凱旋」等標語歡迎遊行學生歸來，北大遊行學生還在校門口受到了放鞭炮、唱《國際歌》的夾道歡迎。

參加遊行的一些學生有以下反應：

一，人大一些學生說，北京市公安局再三強調不許遊行，但我們還是遊了，而且勝利歸來。雖然警察多次封鎖，但都被我們衝破，隊伍暢通無阻。清華有的學生說，爲什麼上那麼高的綱？現在我們出氣的目的達到了。

二，「沒有群眾的支持，不會有遊行的成功」。許多北大學生說，在遊行的路上，群眾紛紛解囊，有的買包子、汽水、麵包。一個學生說，這一天我幾乎吃遍了北京市所有的冷飲，都是群眾給的。有的學生口袋裡塞滿了群眾給的錢。在復興門，許多群眾攔住了支援的軍車。一個老頭拄著拐杖對戰士說：「可不能打學生啊！」

三，許多學生說，「警察並不可怕」。清華一些學生說，當聽到「人民警察愛人民」時，有的警察背過臉笑，轉過臉來又板著臉，警察也夠可憐的，他們也是不得已。一些人大學生說，起初還怕警察動武，所以爭著要去，「多一個人就少一份挨打的危險」。後來人多勢眾，遊行的學生又團結，所以我們走過來了。

清華部分老教師說，昨天上午校領導很緊張，怕出事。下午總算是一塊石頭落了地。他們認爲，

昨天不打學生是英明的。一旦流血局面將不可收拾。清華一些教師說，看到百姓爲學生送水送飯的情景，十分痛心，這是從來沒有過的場面。我們黨革命這麼多年，怎麼會這樣？事情過去後，共產黨應該檢點自己的缺點和錯誤。

今天，北大出現了「今日痛飲慶功酒，壯志未酬志不休」的標語。

二十八日，首都各大報紙對「四·二七」學生遊行作了比較客觀、公正的報導，這是胡耀邦逝世以後對學生示威遊行第一次比較客觀、公正的報導。學生和社會反應良好。原因何在呢？

李鵬主持政治局常委會議

原來，就在四月二十七日上午，主管意識形態和新聞輿論的政治局常委胡啓立、中央書記處書記芮杏文主動找新華社、《人民日報》、《光明日報》等幾家主要報社負責人進行座談，強調了新聞報導的重要性。現根據有關會議材料整理。

座談會一開始，這些報社的主要負責人幾乎異口同聲地說，「我們這幾天不知被多少人罵了。社會上的人罵我們，報社裡的記者罵我們。不少記者都去採訪遊行的學生，也到大學裡去與師生交談，可他們寫的稿子都壓在我們這些人手裡。記者們向我們發牢騷，說『學生們現在都不願與我們談，都願意向外國記者談。因爲我們不會發表他們的談話，而外國記者會報導他們的談話。』我們

不知道如何掌握對這次學潮報導的分寸，希望中央拿出明確意見。」

胡啓立說，「我認爲，在這個問題上，報社主編有權決定可以報導什麼，或不報導什麼。不一定事事都要請示。」

在談到如何報導這次學潮的問題時，芮杏文說，「我們的新聞戰線的確有很多方面需要改革，不能幾十年一貫制。新聞改革是大勢所趨，也是人心所向。但是新聞改革必須堅持既積極又穩妥的原則，新聞報導一定要說真話，千萬不能製造假新聞，不能失實。」

在回答有關上海《世界經濟導報》處理一事時，胡啓立說，「上海市委處理《世界經濟導報》事件是報告過中央的，中央支持上海市委的處理決定。」

在這次會議上，胡啓立、芮杏文表示愿意就新聞改革問題與記者進行對話。無疑，這次談話，給原本十分沉悶的新聞界帶來了一絲清新的空氣，報社總編輯的膽略比原先要大一點了。

面對胡耀邦逝世以來規模最大的「四·二七」北京學生大遊行以及全國主要大中城市聲勢浩大的學生示威遊行，李鵬感到十分難堪。他原本以爲社論的發表可能起到平息學潮的作用，想不到事與愿違，反而起了火上澆油的作用。面對這一局面，李先念、鄧穎超、王震、薄一波、宋任窮等一些中共元老紛紛向李鵬等人詢問情況，要求作出新的對策。李鵬想到必須做三件事：再發一篇社論，再發一個通知，再開一次會議。

二十七日下午，李鵬與袁木談話，要求袁木再寫一篇《人民日報》社論。李鵬說：「社論的主

題就是穩定，當前壓倒一切的大局就是保持社會的穩定。」根據李鵬的指示，袁木起草了《維護大局，維護穩定》，並於二十八日以《人民日報》社論的名義發表。袁木在文中對大學生們說，「一切單純的善良的青年學生，都應當懂得，在大規模的群眾性的事件中，往往是魚龍混雜，居心叵測者正等待著你們的感情衝動和行爲失當而混水摸魚。」「如果聽任各種污蔑、謾罵、攻擊黨和國家領導人的大、小字報滿天飛，如果聽任各種『奪權』和『搶佔』蔓延，如果到處罷課、串聯，我們的國家很可能又將陷入一場全面性的動亂。」語氣比「四・二六」社論略有緩和，但仍然擺出一副居高臨下的姿態，難以讓學生接受。

李鵬的第二件事就是打電話給李鐵映，詢問國家教委的對策。李鐵映說，「我已經告訴何東昌同志馬上再發一個通知，要求各地教育部門和各高校，廣泛深入宣傳中央的有關精神和人民日報社論；開展同幹部、教師的對話以及在適當時機開展同學生的對話，對學生串聯必須採取有力措施堅決制止，特別要防止有人到中小學串聯和煽動鬧事。」李鵬說，「《通知》中一定要強調這場鬥爭的複雜性和長期性。」二十八日，國家教委向全國教育系統發出了第六個《通知》。《通知》說，「當前北京的局勢仍很複雜，一些學校不時出現大小字報，蠱惑人心。特別是還有相當一部分幹部、教師的思想認識還沒有統一起來。特別是對極少數別有用心的人的言行尙待揭露的情況下，群眾對社論不易完全理解。我們必須清醒地估計到穩定學校局勢的工作，特別是統一思想認識的工作仍然十分艱巨。」《通知》還說，「這場鬥爭是極少數搞資產階級自由化、並有一定策略的人，在國外

勢力的配合下，經過相當時期的準備挑起來的。他們製造這場動亂是有長期準備和預謀的。我們必須看到這場鬥爭的複雜性和長期性。根據當前的情況看，北京局勢的平穩還需要有一個過程，工作十分艱巨。」

李鵬經與楊尚昆等商量，決定於二十八日下午，召開中央政治局常委擴大會議，再次就如何平息學潮進行部署。爲了更進一步向中央政治局反映北京高校的「嚴峻局面」情況，李錫銘、陳希同決定在二十八日上午召開全市高校校長、黨委書記會議，進一步尋求對策。

二十八日上午，北京市委召開全市高校校長、黨委書記會議，會議一開始先由北大、清華、政法、人大、北師大等院校負責人介紹情況。這些高校負責人反映，二十六日晚當學校得知第二天學生要上街遊行，便動員黨團幹部去學生宿舍進行勸導。北大「學生自治會」五名頭頭曾表示「我們可以不組織同學遊行，但同學們執意要去，我們還得出面組織。」政法大學領導與「自治會主席」周擁軍談到凌晨三點，周同意不搞遊行，學校爲他提供一輛車，讓他去通知北大、人大等校學生，但周未實現諾言，第二天仍上街。清華「和平請愿委員會」曾於二十六日晚宣佈解散，但深夜十一點又傳出成立聯絡組的消息。總之，現在學生是反反覆覆，看來不達到和中央對話的目的是不會罷休的。

針對這些情況，很多高校領導建議：一是中央應針對黨內存在的不正之風等現象，幹幾件漂漂亮亮的實事，這樣群衆的情緒才會安定下來。同時，還要把學生中憂國憂民的合理情緒和動亂分開，

否則會失去一部分群眾。二是中央有關領導應該出來和學生見面，讓他們發發牢騷，耐心聽聽他們的意見，這樣也可能使學生平靜下來。三是現在學校與學潮組織者談話時口氣都較硬，對他們提出了開除學籍、開除團籍等嚴厲警告，但是這些校紀、團紀處分今後能否實現，學校很擔心。如果兌現不了，將會產生一些副作用。他們希望上面有個明確的尺度。

在聽了高校負責人的匯報後，陳希同對平息學潮作了進一步安排：

一，各學校回去要總結經驗，根據《人民日報》四月二十六日社論精神，找出差距。

二，要千方百計爭取中間群眾，要做耐心的思想工作，同時也要同學生開展理論鬥爭，從理論上說服他們。

三，如果再出現遊行事件，繼續採取克制態度，勸阻學生不要上街，分化削弱他們的力量。這樣做，不是政府軟弱，而是從穩定大局考慮，如果在遊行中真有人受傷了，讓他們抓住了把柄，對大局不利。

四，解散非法學生組織。若他們又重新組織，則繼續解散，和他們開展拉鋸戰。

五，積極分子也應貼大字報，把他們的大字報蓋住。

李錫銘強調：「要把這場鬥爭作爲政治鬥爭來看，現在有些同志思想還不轉過來，應盡快轉過來，特別是黨內同志要頭腦清醒，不要被學生搞得亂七八糟。」

二十八日下午的政治局常委擴大會議，在李鵬主持下召開。這次會議，儘管沒有出現大的原則

分歧，但對一些具體問題的處理卻有不同的看法。這說明，在趙紫陽出國期間中共高層對學潮的看法並不一致的。現根據會議紀錄予以綜述。

李鵬：「人民日報社論發表後，在全國各地引起很強烈的反響，在全國人民頭腦中敲響了防止動亂的警鐘，對一些資產階級自由化分子起到了震懾作用。各省、自治區、直轄市都採取了預警措施。這對穩定全國局勢特別是北京的局勢很有利。當然，一些教師、學生、社會上的群眾對社論不能完全理解，甚至一些幹部的思想也還不能統一到社論的精神上來，這就需要我們更加清醒地認識當前的形勢。這場動亂是由國內極少數資產階級自由化分子勾結國外反華勢力進行長期預謀和準備的結果，是蓄謀已久的。因此，我們一定要充分認識到這場政治鬥爭的複雜性和長期性。」接著，陳希同匯報了上午北京市高校負責人會議的情況，何東昌匯報了全國學潮情況。一些政治局委員爭相發言。

楊尚昆：「我看了一些材料，不少人對社論中的『動亂』和『嚴重的政治鬥爭』的提法有意見，認爲定性過高。我看，他們對社論中的提法有意見主要是沒聯繫上下文看，社論中的『動亂』是在列舉全國各地一些不正常現象後提出的。這需要我們在適當場合作出說明。我認爲絕大部分學生的主觀愿望是好的，對學生的行爲總的是要疏之導之，不能壓。到現在爲止，我們對學生上街遊行一直採取寬容的態度，昨天這麼大規模的學生遊行我們都沒有強行阻止，本身就說明了我們的克制和寬容。但是，一定要讓學生知道，安定團結局面的來之不易，一味地遊行、罷課不僅無助於問題的

解決，很可能還將走向事物的反面。」

喬石：「仔細分析，學生由悼念耀邦同志到最近的連串行動，有不少是出於一腔熱血，爲國擔憂的。學生提出的口號中，有不少是與中央一致的，例如懲治腐敗，加強廉政，重視教育，依法治國等。但是，學生們的行爲缺少理性和冷靜，不少人隨大流，沒有自己的判斷力。在這樣的情況下，很容易被一些別有用心的人利用。所以，在目前情況下，我們應該盡快與學生開展不同層次的對話，增加透明度。」

楊尙昆接著說：「喬石同志的意見很好，我們應該要求各地各部門與學生乃至教師、工人等開展不同層次、形式多樣的對話。北京可以帶個頭。」

田紀雲：「這次學潮在群眾中同情、支持者爲數不少，這是因爲學生所提一些口號在群眾中很有吸引力，容易與學生形成共鳴。所以，中央通過這次學潮也該好好反思一下，爲什麼會鬧出這麼大的動亂？有個別壞人利用學潮這不可否認，但是中央自身的毛病也給人以把柄。現在社會上到處流傳什麼太子班、秘書班、女婿班在掌權，老百姓一聽就心寒了。黨的威信已經降到了很低點，不端正黨風，就不能消除腐敗，動亂仍不可避免。」

薄一波：「學潮發生以來，國外對我國的政局進行說三道四的又多起來了。我剛剛看了昨天的《遠東經濟評論》，有一篇題目叫『中國改革的前途』，說今後十年中國可能出現的十種前景。其中九種前景都是可怕的，只有『加速激進的改革』才是光明的。而加速激進的改革就是要我們實行多

黨制，放棄社會主義制度。言下之意，中國現行的改革沒有出路。國外大量散布這種論調，目的是給學潮鼓勁，搞亂我們的黨心、民心。」

宋平：「確有一些人想利用這次學潮反黨反社會主義。方勵之在二十五日對《亞洲華爾街日報》記者鼓吹說，如果中國的人權狀況沒有取得進展，外國公司就應當抽走它們的資金。真是厚顏無恥、赤裸裸的賣國。」

陳希同接著說：「北大的民主沙龍的幕後指使者就是方勵之和他的老婆。他們公開把矛頭直接對準小平同志，污蔑小平同志『垂帘聽政』，在這次學潮中造成很大影響。我在前幾天的會議上，專門就這個問題向北京高校負責人作過說明。我說，小平同志在黨內外、國內外享有崇高的威望，關於小平同志與中央政治局的關係問題，黨的十三大曾有過明確規定，小平同志雖然不擔任黨內領導職務了，遇到重大問題，中央政治局仍然可以向他請教。小平和陳雲、先念、彭真等老同志都是我們黨的寶貴財富。大家聽了我的解釋後，認爲這有利於澄清是非。」

姚依林：「現在有一種說法，認爲學生們是帶著歷史的使命感自覺參與這場運動的，並無人在背後操縱。這一說法純屬無稽之談。」

李鵬接過話題舉例：「除了方勵之夫婦，還有西單牆時期的一些非法組織頭頭，還有從美國跑來搞簽名的。還有一些知識分子在幫學生出主意，一些新聞記者也開始爲學潮鼓勁。在北京高校，每天都有一些身份不明的外國人在校園出入，約見非法學生組織頭頭，出謀劃策。還有，國民黨在

二十六日舉行的中央常務委員會會議上作出決定，公開支持這次學潮。這說明，這次學潮的背景已越來越複雜了。」

李錫銘：「這些非法學生組織頭頭公開接受外國記者採訪，向合法的校團委、學生會奪權，得到了一些反動勢力的支持。前幾天，法新社記者採訪了北師大一個叫吾爾開希的，這個非法學生組織頭頭只有二十歲，維吾爾族人。經瞭解，他在北師大讀書，學習成績是班上最差的。這樣的人，懂得什麼叫策略？還不是有人背後幫著出主意。這個吾爾開希狂得很。所以，我們要盡快揭露這些人，讓人們認清這些人的真面目。」

楊尚昆：「聽外交部反映，最近一個星期，海外對這次學潮已越來越關注。先是一些留學生表示關注。如美國波士頓地區留學生二十四日已到我領館前進行示威，已宣佈成立『中國學生團結聯盟北美分會』，陳軍、胡平等人發表『致全中國大學生公開信』等；二十六日，美國國務院新聞發言人第一次就學潮發表評論，對我們查封《世界經濟導報》事件表示遺憾，一些國家的政府官員或國會議員私下裡向我使領館瞭解我國的政局動向，希望我不要採取嚴厲措施；香港市民也密切關注這次學潮，並將我們如何處理這次學潮與香港回歸問題敏感地聯繫起來，徐四民(政協委員)、廖瑤珠(人大代表)等愛國人士也紛紛發表談話，呼籲政府與學生早日對話，不要對學生採取武力。『四・二七』學生遊行，我們沒有採取強硬手段阻止，國際上反映是比較好的。」

胡啓立：「隨著學潮的持續，新聞界的壓力也越來越大。一些報社記者寫了不少有關學潮的報

導，都被總編們壓著。一些記者心裡有氣，說他們遭學生罵是替別人受氣。已經有不少報社負責人向我反映了這個問題，感到有壓力。《科技日報》、《農民日報》、《工人日報》和《中國青年報》的一些記者已越來越強烈地呼籲要求進行新聞改革。《世界經濟導報》遭整頓後，全國新聞界反應非常強烈。剛剛得到消息，北京一些知識分子如吳祖光、嚴家其、戴晴等三十餘人正在散發題爲《捍衛新聞自由—致中共上海市委的公開信》。當然，我們支持上海市委的決定。同時，我們可以在適當的範圍內與新聞記者進行對話，並適時地進行新聞改革。」

李鐵映：「這次學潮還在進一步發展中，一些大學生已經到北京市的十四所中小學進行串聯，要求中小學生也上街遊行，這種情況非常可怕。教委已發出通知，要求各地教育部門切實加強對中小學的工作，嚴禁有人到中小學串聯。與以往不同的是：一，這次學潮不僅僅限於北京一個城市，全國一些大中城市都出現了學生遊行；二，非法學生組織正試圖從北京向外擴展，並最終發展成爲一個有組織的全國性組織，取代已有的合法的全國學生組織；三，學潮不僅得到了反動力量的支持，也得到了一部分民眾的支持。所以，對這次學潮的處理難度很大。正象李鵬同志所說，要作好打持久戰的準備。」

會議認爲，應該抓住時機，與學生進行對話。會議決定：由全國學聯和北京市學聯安排，於二十九日下午，由國務院新聞發言人袁木、國家教委副主任何東昌、北京市委常委兼市委秘書長袁立本、北京市副市長陸宇澄等與北京學生代表進行座談對話。三十日下午，由李錫銘、陳希同等與學

生代表進行對話。同時，要求國務院各部門負責人、各省、自治區、直轄市黨政負責人與學生開展不同層次、多渠道的對話。袁木、何東昌列席了這次會議。

「學生示威遊行衝擊有多大？」

就在學生「四・二七」大遊行那天，美國的中國問題專家、哥倫比亞大學政治系教授黎安友在《世界日報》發表了題爲「學生示威遊行衝擊有多大？」的評論文章，這篇文章，通過新華社、國防部和安全部多個渠道送達中南海。引起了中共高層的重視。現摘要如下：

中國大陸的學生示威象徵著中共已出現第二次的「正當性」危機。雖然此一危機相當嚴重，但是我不認爲這會危及中共的生命，甚或迫使他們從事重大政治體制改革，因爲新危機的短期政治影響相當有限。

第一，是學生和其他社會群體並沒有強有力的聯繫。學生也無法接近傳播媒體去聯絡其他社會團體。

第二，任何主要的社會團體均未絕望到採取激進政治行動的地步。工人仍然擁有紅利和其他福利，農民享有經濟自由。他們仍然記得十年前的苦日子，他們會抱怨、罷工或偶而示威，但我不認爲他們會想要去推翻政權。學生也是同樣的情形，一進入大學，他們就成爲一個特權團體，而將享

有美好的前途。如果中共處罰少數學生領袖，將可迫使其他學生回到教室，而他們將等待另一次示威的機會。

第三，中共在此剔除了壓制別無良策，領導階層無法因示威而放棄任何政治權力，因爲這將減弱他們控制經濟情勢的能力，而結果將引發更多的社會反對勢力和失去更多的權力。換言之，中共目前的情況並不是安定得足以採取政治改革，面臨此一情形，中共領導人似乎已有共識要求嚴格的紀律和嚴厲控制社會。

最後，中共有足夠的軍警力量可隨時壓制示威活動。雖然中共政權沒有足夠的把握從事政治改革，但還沒有衰弱到被推翻的程度。短期內，示威將不會導致中共政權的垮台，而當政者和知識分子間的衝突，這已經成爲中國政治上的固定特徵了。

江澤民整頓《世界經濟導報》

《世界經濟導報》整肅事件是一九八九年民主運動中的一個重要事件，它不僅直接導致全國新聞界的廣泛抗議，進一步促使趙紫陽加快新聞體制改革的決心；更成爲江澤民得寵於鄧小平等黨內元老，並最終晉升中共中央總書記的政治資本。爲了客觀反映當時中南海所瞭解的《世界經濟導報》事件經過，現將四月二十九日中共上海市委向中共中央的報告擇要摘錄（注：此前，中共上海市委

已有報告向中央書記處、中宣部作過說明）：

四月二十日，上海市委宣傳部從香港四月十七日的《華僑日報》得知，《世界經濟導報》（以下簡稱《導報》）將開闢專欄悼念胡耀邦同志。爲了瞭解社會思想動態及《導報》有關內容，二十一日下午，市委副書記曾慶紅、市委宣傳部長陳至立找《導報》總編輯欽本立瞭解有關情況。欽本立同志說，《導報》確實將在新的一期中用幾版篇幅刊載該報與《新觀察》雜誌社四月十九日在北京舉辦的一個悼念胡耀邦同志的座談會的內容。曾慶紅和陳至立同志請他將這期《導報》的清樣盡快送閱，欽本立同志當場答應第二天一早即送到。但直到第二天中午清樣還未送達。下午，市委宣傳部打電話到《導報》催問，當時找不到欽本立。到十六時左右在《解放日報》社找到欽本人，他說，清樣剛剛送去。十六時半，曾慶紅、陳至立同志收到清樣，閱後，請辦公室打電話約請欽本立同志談話。

晚上八時半，曾慶紅等同志與欽本立同志討論四三九期《導報》清樣問題。他們耐心地向欽指出，上海各報都宣傳了胡耀邦同志的優秀品質，表達了對胡耀邦同志的悼念之情，激發起人民建設四化、振興中華的熱情，這本是報紙應盡的責任。《導報》這篇長達二萬多字的報導中，有一些段落是比較敏感的，拿到報上公開發表不合適。現在學生上街、集會，其中有極個別人喊出了出格的甚至是反動的口號。高校的教師、幹部日日夜夜在做工作，花了許多精力，盡量使學生保持穩定，使悼念耀邦同志的活動能夠正常進行。在這種時候要考慮輿論宣傳的社會效果。因此，爲了愛護《導

報》並使它能夠更健康地辦下去，建議對嚴家其、戴晴等人發言中直接把矛頭指向小平同志，爲胡耀邦同志的錯誤「平反」和爲資產階級自由化「翻案」的部分內容作删節(約删五百字左右。如删去說小平同志已經「忘了人民、脫離人民了」，嚴家其要黨中央「無私地承認自己的錯誤」、「如果不承認錯誤，重蹈覆轍就在眼前」。戴晴則大談中國共產黨七十年來的歷史，大談幾位總書記的命運，說什麼黨的總書記都沒有好下場，都是「非程序權力更迭」；鼓勵學生和群眾上街遊行，說「中國的凝聚力在天安門廣場」、「中國的前途和希望在天安門廣場」等)。可是欽本立同志說：「出了事情我負責，反正江澤民同志沒看過清樣。如果發表出去有什麼後果，不必市委、市委宣傳部負責。」曾慶紅同志說：「現在不是哪個人負責的問題，而是整個社會效果的問題。此外，人家在座談會上的講話特別是有關敏感問題的發言，未經本人審閱同意就發表也是極不慎重的」(據瞭解，有幾位發言者聽說此事後，也明確表示他們沒有同意過公開發表他們的發言)。欽還是堅持由他負責，不同意删改。在這種情況下，曾慶紅向江澤民同志匯報此事。

江澤民同志將此事告訴了汪道涵同志(汪是《導報》的名譽理事長)，然後一起赶到辦公室。江澤民同志嚴肅批評了欽本立同志。道涵同志看了清樣以後說，在目前情況下，把那些敏感的內容發表出去不合適，我們對黨負責。有的問題可以通過內部正常渠道向中央反映。這篇座談會發言報導中還談到耀邦同志近一、二年的一些談話，現未經組織和耀邦同志家屬核實就發表也是不慎重的。汪道涵同志還對欽本立說，你我都是共產黨員，在這樣的情況下我們要有黨性原則，删掉若干段落並

不影響整個版面，而且二十二日上午耀邦同志的追悼會消息和趙紫陽同志所致的悼詞都不登，也是不符合事實上的政治和新聞要求的。這時，欽本立同志才同意了刪節後印發。但當欽打電話給《解放日報》社時，令人驚異的是十幾萬份報紙都已印好了，《導報》對外號稱發行三十萬份，實際上只有十幾萬份訂戶，這就是說，這裡在討論清樣是否要刪節的過程中，那邊報紙已經開印。欽本立同志又打電話對發報紙的同志說，已經印好的報紙不發。然後說定，欽本立負責刪節，早晨再由汪道涵和宣傳部有關負責同志看一下。

二十三日清晨，汪道涵同志發現未經修改的報紙已送到他家，立即打電話給《導報》副社長蔡北華同志。蔡北華說，他在二十二日晚八時已經收到了報紙。汪道涵同志馬上打電話批評欽本立同志言而無信。

據瞭解，欽早就決定四三九期報紙要提前印刷發行，以便趕在四月二十三日前，即耀邦同志追悼會前送去北京發行。四月二十一日上午十時左右，《導報》電告《解放日報》有關車間，本期報紙要提前印刷，二十二日下午六時左右報紙開始印刷，隨後，部分報紙當即送有關方面和個人，還有四百份左右已批發給個體報紙。此外，還有相同數量報紙直接送往北京了。

與此同時，二十三日早晨，海外一些報紙就刊出了所謂《導報》被「沒收」、「查封」《導報》的消息。我們瞭解到，這是《導報》北京辦事處約見和電告一些海外報紙駐京記者的，希望得到海外輿論壓力。當天下午，市委再次要求《導報》立即提出版面處理意見，盡早編排付印，欽本立同

志當時提出了改排方案，並向市委表示要盡快出版。當晚，欽本立就在家裡召開編委會，他在發言中說：「我本來就認爲沒有什麼錯，這些刪去的內容正是我們的報紙要說的。」並攻擊小平同志，「我就是要鄧小平(在胡耀邦同志辭職問題上)檢討。鄧小平早檢討，早主動，早得人心。他要檢討，我們就擁護他。」

二十四日上午，《導報》電告《解放日報》社排字車間要求協助。十時多開始發稿，至下午五時左右工人打出六份新大樣，由《導報》同志取走，講好第二天來改樣，但直到第二天傍晚還不見送回大樣。其間，市委宣傳部多次打電話到《導報》和欽本立同志家裡催問，均被推託。傍晚，印刷廠廠長主動打電話到《導報》編輯部，均沒有人接。再打電話到欽本立家，回答說欽不在家。據瞭解，當時欽本立已轉移到上海西郊的櫻花渡假村「看病」去了。

二十五日晚，《導報》給市委送來一份「緊急報告」，以「不激化矛盾，不擴大事態」爲由，堅持要發行未經修改印好的那份報紙。最後以「專此奉告」結束。這就意味著，並不需要市委意見，他們要把原四三九期發行出去了。

至此，二十六日凌晨一時，市委召開書記辦公會議。上午十時召開市委常委會討論了《導報》問題。重申四三九期原版不能發行。鑒於欽本立同志嚴重違反紀律的情況，作出停止他的總編輯、黨組成員職務，並對《導報》進行整頓的決定。下午，市委召開「旗幟鮮明反對動亂」的萬人幹部大會，江澤民同志在會上宣佈了市委的決定，並義正詞嚴地指出，「當前，有人企圖利用海外輿論，

對我們施加壓力，這是絕對辦不到的，也決不能動搖我們維護安定團結的決心。」

四月二十七日，上海市委整頓領導小組進駐《導報》，並立即開始工作。由於《導報》的有關同志思想有抵觸，不肯在改排的四三九期大樣上簽字付印，最後，在整頓領導小組主持下，由《導報》副社長蔡北華同志(原來不負責報社具體業務)簽發了大樣。

在江澤民整頓《導報》之前，上海的學生運動在全國不是最激烈的。江澤民意識到，整頓《導報》之後，上海的學生運動和新聞界肯定會有強烈的反應。因此，江決定於二十七日召開全市大專院校負責人會議，分析、研究大專院校連日來出現的新動向。江澤民在會上代表市委提出了六點要求：

一，把中央的最新精神迅速傳達到高校黨內，用中央的最新精神、《人民日報》社論統一高校黨員幹部的認識。

二，抓住前一階段工作較爲主動而現在高校相對平靜的有利時機，努力做好學生、教師的思想教育和疏導工作，特別是爭取做好中間群眾的工作。

三，要在高校廣泛而深入地開展安定團結的教育，並採取有效措施，決不允許成立非法組織，禁止非法示威遊行，禁止以任何形式到工廠、農村、學校、機關串聯，特別是防止大學生到中學串聯。

四，要分清兩類不同性質的矛盾，要注意內外有別，防止外國人插手高校。

五，加強對高校的管理，嚴肅校規校紀，對帶頭鬧事、經教育不改的要繩之以校紀。

六，要有長期作戰的思想準備，高校要有兩套班子，一套抓日常教育工作；一套抓處置突發事件，抓穩定局勢工作。

果然，就在江澤民作出對策的同時，一場席捲上海乃至全國新聞界的抗議上海市委整頓《導報》的風暴來臨了。

袁木的對話

袁木此人，原係新華社記者，以能說會道著稱。文化大革命中，因善於察言觀色而受寵於當時的國務院副總理紀登奎。一九八三年，差點因文革污點而打成「三種人」，在國務院辦公廳調研室黨的組織生活會上，痛陳自己失足，流下了「悔恨」的眼淚。最後，還是李先念說話(袁參加了《李先念文選》的編輯)，才過了一關。一九八四年到一九八七年，借調到中央財經領導小組，但一直在國務院辦公廳調研室領工資，因爲不受重用，總是唉聲嘆氣，感慨自己官運不濟。一九八八年，李鵬就任國務院總理，袁木終於瞅準了這一機會，說動了李鵬，由他充當國務院新聞發言人。這個國務院新聞發言人在中南海也沒有人知，既無固定辦公場所，也無機構級別，連袁木本人和打字員在內一共只有五人。袁木出差到外地，有關省政府辦公廳常常打電話給國務院辦公廳，「國務院新聞

發言人是部級嗎？」常常使接電話人員無從回答，因爲國務院副部長名冊從來沒有袁木的名字。正是這麼一點家底，這麼一個人，卻靠得寵於李鵬，而於一九八八年下半年，又從李鵬那裡爭得了「國務院研究室」這塊牌子。儘管有了兩塊牌子，但是總共不足二十人，仍然沒有解決袁木的職務和機構級別問題。這個時刻，一九八九年的學潮來臨了。袁木作爲一個政治投機分子又一次敏銳地發現了投機的機會。於是，在李鵬的支持下，袁木義無反顧地充當李鵬的代言人，「代表政府」與學生對話去了。

二十九日上午，李鵬召集袁木、何東昌開會，聽取袁木、何東昌關於對話的準備，李鵬說：「對話直接關係到黨和國家的聲望，一定要態度堅決、旗幟鮮明。小平、先念等老同志非常關注這次對話。有老一輩無產階級革命家的支持，有全國人民的支持，我們一定要理直氣壯。」袁木、何東昌分別匯報了準備對話的有關內容，李鵬對一些具體問題表明了自己的看法。李鵬說，「老袁，請你捎話給對話的學生並轉告北京高校的廣大同學，『四二六社論』中講到的關於否定中國共產黨的領導，否定社會主義制度的政治鬥爭問題，是針對極少數人的違法行爲說的，並不是針對廣大同學說的。黨和國家的領導同志希望同學們充分認識到自己肩負的責任。」李鵬的談話給袁木、何東昌鼓了勁。

下午，李鵬與胡啓立、田紀雲等參加了在人民大會堂舉行的全國總工會慶祝「五一」大會。而袁木、何東昌則於下午二時三十分，在全國學聯和北京市學聯的安排下，和北京市委常委兼秘書長

袁立本、北京市副市長陸宇澄一道，與北京十六所高校的四十五名青年學生進行座談對話。對話剛開始，一些學生就對代表權問題提出質疑。中國政法大學學生項小吉聲明：「對話是在國務院與首都全體高校的學生代表之間進行，而今天所到的學生不具有這種代表權，從所到學校看，只有十六所，從所到的同學看，並沒有經過普選產生，所以說，今天所到的學生不具有這種代表權。」「所以今天只是一個接觸會議，而不是廣大學生所要求的對話。」北京航空航天大學的一名學生席間退場。

在答覆「黨風不正和各種腐敗現象有目共睹」時，袁木說：「我還是認爲我們黨就總體或者它的大多數來說，黨的幹部、黨員還是好的，但是存在著嚴重的問題。於是，同學們這次遊行的時候，也就打著羞辱共產黨的口號，這個是基本前提，如果它已經徹底腐敗了，從內部完全腐化了，已經變了質了，不要說同學們不擁護，我也不擁護。」事實上，當初中共高層一些退下來的老幹部都已對黨風不正開始咬牙切齒了，而袁的講話仍然掩蓋了本質。

面對「中央如何過緊日子」的提問時，袁木說，「往年中央、國務院常常要到北戴河去辦公。」「要增加一筆財政開支。」「今年考慮到這個不大行，因爲這和要求制訂政策過緊日子的要求不大協調，已經正式宣佈不去了，從此我想也不會再去了，並且決定從現在開始，不再進口豪華汽車。」這又是一個蒙騙。不到兩年，北戴河辦公之風比原來更盛，所花開支更大。進口物資方面，已不僅僅是小汽車的問題了。在中南海，姚依林的秘書馬祖彭就譏諷袁木，「包票打得太早了。」共產黨

真的言而無信。

在回答「新聞要講真話」時，袁木公開撒謊：「我可以很負責地告訴大家，我們國家現在沒有新聞檢查制度，我們現在實行的是各報刊總編輯負責制，總編輯如果感覺到某項報導、某篇文章、某個社論沒有把握，他可能送到有關的領導部門去，要求幫助看一看，這種情況是有的。」殊不知，三天前，上海《世界經濟導報》的總編輯恰恰因爲堅持總編輯負責制的原則，被江澤民停了職，報紙也遭到整肅。正是不知羞恥。

袁木在回答關於「四·二六」社論中將北京的學生遊行與西安、長沙的打砸搶混爲一談的問題時，態度強硬地說：「我倒覺得北京高校裡頭一些在背後策劃的人，他們往往比長沙、西安那些直接打砸搶的人可能還要更厲害一些，他們要造成的動亂可能還要更大一些。」袁木借用「一個老紅衛兵的名義」說，「現在的許多作法和當年的文化大革命有驚人的類似之處。」這段話，在當初就激起高校師生的強烈不滿，認爲袁木是無中生有的捏造。

關於鬧學潮的問題，袁木擺譜說，「我們也從年輕人過來，我沒有意思在同學們面前擺什麼資格，不是這個意思，我們在大學裡面也鬧過學潮，那不過是在國民黨反動派統治下面。」此話引起包括很多大學校長的反感，更不要說血氣方剛的學生了。

袁立本在回答學生提出的「我們是愛國行動而決不是動亂時」說：「但是同學們也要想一想，特別是有的長鬍子的人，我說是老一點的人，是不是真轉過來了呢(指打倒共產黨)？這個問題值得大

家深思。」此話一出，學生都認爲這是污辱，因爲學生運動是自發的運動，並不受袁立本所說的長鬍子的人操縱。

對於「學生遊行爲什麼要用人民解放軍進行阻擋」的問題時，袁立本回答：「我們北京市的公安力量並不多，所以只起個阻擋作用。但同學們也可以深思一下，最後我們沒有阻擋成功，爲什麼？因爲我們面對的是學生。」這裡袁立本避而不談實質性的解放軍問題，而是轉移談話內容，當即就有學生說他「滑頭」。

關於「因黨內民主生活不正常導致胡耀邦下台」的問題，袁木這樣回答：「耀邦同志八七年辭職的事情，當時耀邦同志自己對他在那段工作中的缺點作了自我批評，並且感到在當時他已不適宜再擔任總書記的職務，主動提出了辭職申請，經中央政治局擴大會議批准，後來又經過十二屆七中全會批准。我覺得這件事是黨內的正常生活，不能反映說黨內的生活不正常。」在當時人們已經普遍認爲胡耀邦是因非正常下台的情況下，袁木的說法更顯得欲蓋彌彰。

此外，這次談話迴避了很多實質性問題，如學生要求放映新華門的錄像帶，以證明武警有沒有打人，「四•二二」有很多官員從大會堂出來觀看，卻無一人與學生代表對話，爲什麼要將「動亂」這頂帽子扣在作爲這次活動主體的全體大學生身上？爲什麼不能公佈胡耀邦下台的真相？

對話結束後，當天晚上，袁木打電話，李鵬給予了充分肯定，說袁木的對話一張一弛，局面控制得非常好。第二天，李鵬還專門對羅幹和李世忠（注：係李鵬的大秘書，並任國務院副秘書長）

說，「老袁的對話很好地體現了國務院的意圖。」李先念對姚依林說，「袁木不簡單啊。」田紀雲在見到袁木的時候說，「老袁，你的太極拳打得不錯啊。」調侃之餘帶著一絲嘲諷。不久，袁木的名字傳遍中國大地，也引起了國外的關注。而在中南海，更多的人對袁木敬而遠之了。

學生的反響

客觀點講，袁木等人與學生畢竟有了面對面交談的機會，對話總比不對話要好，但對話沒有產生實質性的效果，反而引發了更多學生的抗議。據各省、自治區、直轄市報告，在二十九日晚中央電視台播出袁木等人與學生的對話錄像後，全國有上海、天津、武漢、蘭州、長春、瀋陽、杭州、長沙、重慶、成都、西安等二十三個大中城市的高等院校上街或在校內進行遊行，抗議袁木等人的講話。

安全部的報告稱：據對北大、清華、人大、北師大和政法大學五所高校學生的瞭解，少部分學生認爲對話會開得比較成功，約有三分之二以上的學生表示不滿。少部分認爲對話比較成功的學生表示，總的看，這次對話的氣氛、姿態、內容以及回答的問題都是比較令人滿意的，對這次對話的意見，一是覺得晚了點，二是覺的有些問題應進一步說明，政府應學會利用電視這樣的渠道樹立自己的形象，定期與學生交心。表示不滿的學生普遍認爲：參加對話的學生沒有代表性，對話不平等，

袁木等迴避一些實質性的問題。

當天下午，剛剛將「首都學生臨時自治聯合會」改名為「北京高校學生自治聯合會」的負責人王丹、吾爾開希等在香格里拉召開中外記者招待會，王丹、吾爾開希宣佈不予承認，王丹說：「很遺憾，這不是對話，倒更象是一次記者招待會，由學生來充當記者，提問題。」對話當晚，北京各高校紛紛貼出大字報。北師大的一張大字報倡議建立「對話智囊團」，「民選出真正的學生代表」，並要求預先準備好確鑿的材料。這份大字報分析，參加這次對話會的有三類人：一類是真正代表學生利益的，敢於說真話的，如中國政法大學的代表；一類是有良好愿望，但水平較差，給政府提供了機會的，如北大的郭海峰；再一類是由政府精心挑選組織來的，如北師大的張朝暉等。這最後一種人在對話會上佔了絕大部分。對於袁木等人這次對話的成果。北京高校廣為張貼的一副對聯作了高度概括。對聯寫道：如此對話國家何時東昌，這副嘴臉政府何以立本。橫聯是：袁木求魚。

在袁木等人的對話播出後，反映最為強烈的是蘭州和武漢。

中共甘肅省委在四月三十日零時三十分和凌晨四時的報告中稱：二十九日二十三時四十分，當國務院發言人同首都高校學生代表對話結束之後，蘭州高校數千名學生再次上街遊行。當對話正在進行時，許多學生對袁木等同志的回答表示不滿。有的吹口哨，有的呼喊。對話剛結束，蘭州大學就有上千名學生聚集在校園裡議論紛紛，認為袁木對話避重就輕，不回答實質問題；何東昌儘管參加過學潮，但不理解學生，一付教訓人的口氣；還有的回答問題口氣強硬，令人難以接受。據瞭解，

這些學生認爲政府在三個問題上還在繼續「愚弄」：一是胡耀邦辭職眞相沒有正面答覆；二是「四二〇」慘案不說眞話；三是對中央領導是否廉潔含糊其詞。二十三時五十分左右，蘭大學生首先上街，蘭州醫學院學生也隨之上街，人數約三千人左右。遊行隊伍於凌晨一時三十分到達省政府，要求與省長對話，試圖推開已關閉的省政府大門，一百五十名武警戰士在政府大門前排成人牆，直至凌晨三時，經二十多名校領導做工作，學生開始坐校車返回。整個遊行、靜坐過程中，學生比較有秩序，沒有發生其他事件。

中共湖北省委四月三十日凌晨四時電報：昨夜國務院發言人與首都學生代表的對話播出後，武漢工業大學約八百名學生扯起「爭取民主，爭取自由」的大標語，來到華中師範學院邀人。零時十五分，兩校約二千名學生來到武漢大學校園，在邀武漢大學學生上街遊行未成的情況下，幾所大學的部分學生在武大校園商量了五四遊行方案。據現場瞭解，這次三千多名學生的串聯，主要是對國務院發言人袁木的對話不滿引起的。有學生說，「中央和國家沒有主要領導人出面，只叫袁木來搪塞，這怎麼行呢？」還有的說，「袁木在對話中態度不眞誠，回答問題避重就輕，繞圈子，根本不是誠心解決問題。」在武大操場上，三校學生各站一邊，集體商量了「五四」遊行方案，準備立即著手：一是成立武漢學生行動委員會；二是各學校統一口號，推選出演講人；三是製作好標語、傳單；四是備好一定的武器，以防警察的干涉。凌晨三時十分，學生們才紛紛離去。

三十日上午，趙紫陽從朝鮮回國。在迎接他歸來的北京車站，他與李鵬、喬石、田紀雲、溫家寶等作了簡單寒暄，就吩咐說，「明天召開政治局常委會議，分析學潮並部署對策。」說完，趙紫陽就回家看材料去了。他想通過自己的分析、判斷來認識正在發生的這場學生運動。

李鐵映在看了袁木、何東昌等人與學生的對話後，對國家教委幾位副主任說：「對話很有藝術，有助於廣大師生統一思想、提高認識。」要求國家教委再發一個《通知》。當天，國家教委向各省市教育行政部門和委屬高校發出了第九個通知，要求各省市教育部門和高校要認真組織學生收看袁木、何東昌等人與學生的對話，組織廣大幹部、教師和學生深入學習「四·二六社論」。《通知》指出：「當前工作的重點是在於引導廣大學生充分認清這場鬥爭的性質，統一認識，同時，不承認並堅決取締一切非法組織。」

當天下午，李錫銘、陳希同等在北京市委二樓會議室，與北京市屬十七所高校的二十九名學生進行對話。由於這些高校在北京地區影響不大，對話並沒有引起強烈反響。但是，從今天陳希同的結局看當初陳希同在大學生面前信誓旦旦的言論，真讓人有遭受莫大污辱之感。在回答懲治官倒的問題時，陳希同說，「我們充分認識到，如果不對經濟環境，特別是流通領域裡的混亂現象進行整頓治理，經濟體制改革就無法深入下去。我們希望社會各界積極參與整治官倒的工作，尤其歡迎學

經濟和法律的學生參加這項工作。」在學生要求回答其家庭收入情況時，陳希同痛快地回答：「我每月的工資加補貼共三百多元。愛人和二個孩子工資加起來不到五百元。我的愛人和孩子沒有一個參與官倒。」陳希同特別強調：「有人說，我的兒子在貪污受賄。這是不真實的。這種謠言使人想起了文化大革命。」據陳希同專案組提供的情況，陳希同的腐敗從他當上市長的那天起就開始了。如果當初對話的學生知道與他們對話並信誓旦旦的市長是一個道貌岸然的「僞君子」，早已金屋藏嬌，不知作何感想？我想，作爲當年與陳希同對話的二十九名學生應該聯合起來，對陳希同提起公訴，起訴他當初爲何要欺騙並愚弄這些良心可鑒的學生。而當初與學生對話的最大主角袁木，更在中南海被稱爲不納稅的「稿費專業戶」。袁木本來就靠筆吃飯，每月總有不少稿費，在中南海是幾個屈指可數的稿費大戶之一。「六四」以後，袁木更到處發表文章或去各地講座，袁木僅從爲中南海服務的三十九郵電支局收到的稿費每月就不少於一千元，而從未見袁木將這部分收入上報繳個人收入調節稅。一九八九年九月，袁木家的電話打了五千多元，其中一個國外長途就打了一千五百元。爲此，國務院辦公廳行政司財務處不予報銷，有人說，「袁木給別人講守法，而自己從不守法。在家裡因私打國際長途，要公家報銷。那裡都講不通。」由此想到，今天在台上的一些中共領導人，肯定會有不少是陳希同、袁木一般的貨色。只是一直沒有人去揭發他們或者火候還不夠。所以，他們仍然可以象當年的陳希同、袁木一樣道貌岸然。這難道不是中國的悲哀？

二十九日、三十日的北京高校比起全國其他地區的高校來顯得相對平靜，大部分學校的學生仍

在罷課，一些學生運動組織者更多地轉向研究下一步對策，更多的學生在養精蓄銳期待著「五四」的到來，這並不意味著學生運動即將消退。可笑的是，出於權力鬥爭的需要，李鵬等人在清算趙紫陽的時候，把這當作一條嚴重錯誤。李鵬說，「在『四・二六社論』發表、國務院發言人與學生對話以後，北京的學潮趨於明顯降溫狀態，而趙紫陽同志的講話則把學生原本已經消退的情緒又重新點了起來。」為此，我們引用北京市委的報告：

二十九日，北京市委教育部對全市四十所高校的調查統計，舞蹈、美術、體育等十所文體院校的學生繼續上課；廣播、輕工、旅遊等六所院校八十%的學生上課；民族、林業、中醫、北航等七所院校上課人數有所增加；北大、清華、人大、北師大等二十多所院校的大多數學生仍在罷課；政法大學基本沒有學生上課。

三十日的罷課和復課情況為：

一，基本上課或全部上課的十二所，即北京體院、北京舞蹈學院、中央美術學院、中國協和醫科大學、北京聯大文法學院、北京自動化工程學院、北京師範學院分院、中央音樂學院、中國音樂學院、中央戲劇學院、北京電影學院、中國戲曲學院。

二，少數學生罷課，多數學生上課的五所，即北京旅遊學院、北京建材輕工業學院、北京聯大文理學院、中國石油大學、北京聯大電子工程學院。

三，情況好轉的十四所，即北京體育師範學院、北京廣播學院、北京輕工學院、中央民族學院、

北京建工學院、北京中醫學院、北京林業大學、北京航空航天大學、北京外語學院、北方工業大學、北京師範學院、北京信息工程學院、中國地質大學、北京醫科大學。

四、大規模罷課的四十五所，以北京大學、清華大學、人民大學、北京師範大學爲首。據統計，罷課學生人數爲九萬，爲整個北京高校學生人數的七十％左右。

一些高校學生復課，與近日國家安全部、林業部、農業部、航空航天部、經貿部、冶金部、衛生部等一些部委負責人到所屬學校與學生對話、做宣傳教育工作有關，也與一些學生想積蓄力量到「五四」再大鬧一下有關。

而三十日各省市自治區的報送中南海的二十七份材料中，沒有一份說學潮已有緩解的跡象，而離北京最近的河北、山西兩省，則反映石家庄、太原的高校學生情況異樣，已經出現局部抗議的現象，天津市委的三十日的報告則強調「《人民日報》社論發表四天來，南開大學、天津大學的大小字報繼續增多，罷課學生總數仍在二分之一至三分之一之間居高不下。」所以，用這一條來套趙紫陽是站不住腳的。

四月下旬海外輿論

四月三十日，安全部向中南海報告了海外輿論對四月份中國局勢的綜述。擇要如下：

一，報導規模和連續報導時間之長迄今罕見

自四月十五日胡耀邦逝世之後，中國的學生運動和政治局勢一直是西方新聞機構最關注的國際問題。以美國為例，《紐約時報》從十六日至三十日共發表了十八篇報導和評論，《華盛頓郵報》十六篇，《巴爾的摩太陽報》十三篇。這三家報紙僅就一件事如此連篇累牘地報導和評論是前所未有的。美三大電視網四月十六日後多次播出中國學生遊行場面。四月二十七日三大電視網都把中國學生遊行活動作為晚間的頭條新聞，播映達二分鐘，這在美國可說是空前的。英、法、德、日等國的通訊社和報社也每天都有關於中國學生運動和政治局勢的報導。以美國為首的西方新聞媒介都對中國學生事件感到十分意外，對中國政府的克制和容忍態度也感到意外。它們報導和評論的特點是與中國新聞媒介「反其道而行之」，以數量形成國際輿論。他們從一開始便肯定和支持學生的運動，「唯恐中國天下不亂」，一再讚揚學生對當局置若罔聞、不顧禁令、藐視領導。「挑戰」和「公然反抗」兩詞在各報標題中屢次出現。他們宣傳黨和政府「喪失權威」，「喪失控制能力」。稱讚學生組織良好、行動溫和、勇敢，說學生是「和平遊行」。影響最大的電視新聞中出現的都是有利於學生的場面，如學生手挽手秩序井然地前進、警察嬉笑觀望並不阻攔學生、學生攀登軍車和向軍人解釋民主的意義、建築工地工人在高架上鼓掌、街道兩旁樓房居民探身窗外歡呼、過路行人踴躍捐款、學生向軍警遞交飲水食品等等鏡頭。他們誇大參加活動的學生人數，動輒說十萬、十五萬、二十萬，法新社說五十萬。他們宣傳工人和其他市民支持學生。在國務院發言人表示歡迎與學生對話

後，他們宣傳學生取得勝利，說政府被迫讓步，又宣傳這種對話是政府詭計，學生代表是經政府挑選和指定的。

二，對學生遊行和罷課行爲大加渲染，宣傳學潮係對現實不滿所致

「這次學生運動，時間之久，範圍之廣，爲一九四九年以來未曾有過。他們對中國高級領導人進行尖銳批評」（合衆國際社）；「學生抗議活動達到了驚人的程度，是四十年來非官方組織的最大的學生示威」（《紐約時報》）；「中國社會上的不滿已處於有機會就可能爆發的程度」（共同社）；「學生運動得到了工人的同情和支持，使共產黨的統治基礎發生了顫動」（英國《每日電訊報》）；「中國學生對改革已不再抱幻想，這是中國發生變化的前兆」（日本《產經新聞》）；「自胡耀邦追悼大會之後，學生運動毫無減弱之勢，北京高校無限期罷課，學生運動進入了一個新階段」（共同社）。

外電報導普遍宣傳，這次學潮「係對現實不滿所致」，問題包括「民主進程緩慢，知識分子待遇低」，「政風腐敗」，「財富分配不公」，「教育經費低」，「對前途感到不安」等。「學生的要求首先是政治上的自由與民主；其背景是存在著對經濟運行中的失敗並招致通貨膨脹的當局感到強烈不滿。即使在這種情況下，黨的幹部卻仍在肥私囊，腐敗透頂，這激起了學生的憤怒」（《產經新聞》）。「大字報的共同點是對掌握著黨政實權的特權幹部階層的腐敗感到氣憤。在老百姓爲物價上漲而叫苦連天的情況下『官倒們』利用雙重價格制度，倒賣物資，大發橫財。高幹子弟依仗老子的威風橫行霸道。中央幾年前高喊實行廉政，但腐敗現象卻日益嚴重」（共同社）。「自文化大革命之

後，許多青年失去了奮鬥向上的目標，整個社會風氣日趨腐敗，幹部弄權，貪污盛行，當局缺乏大力整頓的決心。儘管中共近年來比過去開明和寬鬆得多，但許多方面限制還很大。法治尚未嚴格建立，黨權大於法權，人權重於法權的情況普遍存在，進步的速度赶不上人民的要求」（香港《明報》）。

三，藉機指責批評中國政府，認爲政府要虛心聽取意見，緩和學生情緒

外國新聞媒介普遍注意到對這次學潮中國領導方面「態度克制，沒有採取高壓措施」，「這是明智的做法，令人寬慰」（《美洲華僑日報》），「用武力鎮壓只會火上加油」（法新社），「只有進行對話，才可以使政府避免跟學生以及他們的同情者處於對立的地位」（《洛杉磯時報》），「在學生和青年的心中，不僅有民主化要求，還有對經濟方面的不滿和對黨內特權和腐敗的憤怒。假如黨和政府不虛心聽取學生的呼聲，不認真對待他們的要求，學生的騷亂恐怕就不會停止，社會安定也會得不到保障」（《朝日新聞》），「黨的領導人如果把最近發生的支持民主的騷亂視爲部分受蒙蔽學生所爲而不予重視，那是不行的。即使騷亂平息下來，那種由來已久的要求言論自由的情緒的餘波很可能會繼續蔓延」（《印度快報》），「除非共產黨自身進行改革，否則，它在這場賭博中不可能贏。如果無視這種挑戰，將會使自己處於危險之中」（英《每日電訊報》）。

美國廣播公司新聞節目中說：中國政府對老百姓封鎖新聞，中央電視台播映的都是不利於學生的鏡頭，如燒毀的汽車和砸爛的房子等。他們重播中央電視台的某些鏡頭與美國廣播公司拍攝的場景作對比。他們渲染中國政府動用軍隊，播映軍車裝載軍人進城的鏡頭。其新聞節目開場白的第一

句話就是，「在數以萬計的學生面前，中國政府顯得是紙老虎。」「四·二六社論」發表後，西方新聞媒介大肆宣傳中國政府將進行鎮壓。一些中國留學生到我使、領館進行示威請愿，與這種宣傳不無關係。一些西方新聞媒介關於中國學生事件的報導和評論，不乏點名攻擊中國領導人之處，有的社論露骨地叫嚷要推翻共產主義制度。《華盛頓郵報》說，希望在中國發生的事「是一種專斷、殘酷和不起作用的政治秩序—共產主義—的崩潰。」

三 「五四宣言」

不平常的「五一」

一九八九年的五月一日，對學生和政府來說都是真正的「勞動節」，一些新聞界人士也在積極活動。這一天，僅《人民日報》、《工人日報》、《光明日報》、《科技日報》、《中國日報》、《中國青年報》、《中國婦女報》、《文藝報》等報社的三百多名記者打電報給《世界經濟導報》表示慰問。政府和學生都在爲下一步的事態發展部署對策。這一天，北京的學生召開了一個規模龐大的新聞發佈會，上海的學生則決定五月二日進行全市學生總遊行，而趙紫陽則主持了回國以後第一個中央政治局常委會。

五月一日十二時，安全部向中南海詳細報告了新聞發佈會的情況，報告稱：

「北京高校學生聯合自治委員會」今天上午九時至十時二十分，在北京大學圖書館前籃球場舉行中外記者招待會，有六十多名中外記者參加這個會，二千多名學生旁聽。會上，「北大籌委會」倡議成立「全國學聯籌委會」，並「舉行全國高校大罷課」。

這個委員會的北大代表王丹等主持了這次會議。現場看到有許多記者和學生在錄音或做記錄，會場有三台攝像機在拍攝。

會上宣讀了「北京高校學生聯合自治委員會」的對話要求聲明，主要內容有：1，正確評價胡耀邦功過；2，重新公正客觀評價報導這次學生運動，查處北京市欺上瞞下製造動亂藉口的行爲；3，懲處「四·二〇」打人事件中的直接責任者；4，反貪污、反腐敗，懲處官倒，解決康華問題；5，盡快出台《新聞法》，允許民間辦報，支持香港報人徐四民先生回大陸辦私人報紙的要求；6，提高教育經費，改善教師待遇。公佈全國政協三個調查組關於北京市教育經費的調查結果；7，檢討政府重大政策性失誤，由全國政協出面，組成專家論證小組，分析去年通貨膨脹的原因等。聲明最後指出，一切以私人名義發散的宣傳品，與本會無關，本會概不負責。

「北京高校學生聯合自治委員會」的第二份聲明指出，由北京四十九所高校發起的學生民主愛國運動，得到了全國各階層人民的廣泛支持，這在中國民主運動史上寫下了光輝的篇章。對政府在改革十年中失誤的批評及建議，表達了人民的心聲，但從運動一開始，政府就禁止與學生平等對話，對學生採取了不明智的態度。《人民日報》社論壓制了民主的呼聲，希望全國學生、人民團結起來，加快民主現代化進程，民主萬歲！

會上宣讀了「北京高校學生聯合自治委員會」告香港同胞書。「同胞書」中說，以悼念胡耀邦的逝世爲起點的學生民主愛國運動，得到了各界人民的廣泛支持。我們這次民主運動是爲了加快政治體制改革的步伐，反對腐敗，提倡自由，對政府工作提出合理意見，但是政府一開始就對學生運動不予理睬；我們的目的是加快中國民主化建設，建立完善的社會制度，這也是加快祖國統一的一

部分。我們希望香港各界有識之士，支持我們的行動，讓我們團結起來，把鬥爭進行到底。

會上還宣讀了一些學者、作家致中共中央及全國人大常委會的公開信。公開信中說，近日來，北京高校學生通過各種渠道，反映了政府腐敗現象和社會存在嚴重分配不均等問題，這一行動是正義的，我們予以支持。簽名者中有北島、蘇曉康、鄭義、韓少華、戴晴、宋偉、孔捷生、陳建功、史鐵生、趙瑜、劉衛華等數十人。公開信說，簽名運動仍在繼續。

會上還宣讀了「北京大學（學聯）籌委會」的倡議書，要求成立「全國學聯籌委會」，統一行動，號召全國高校學生總罷課。

接著宣讀了留美五百多名學生和學者發來的支持信。信中說，大陸學生的民主愛國運動，不僅不會破壞安定團結，反而會推進中國的民主進程，強烈要求當局正確評價學生運動，對中央電視台、《北京日報》、《人民日報》的片面報導表示抗議，對《科技日報》、《世界經濟導報》致以敬意，對那些有良心，遵守新聞記者職責的新聞工作者致以敬意。

會上宣讀了「北京大學學生聯合行動籌委會」的聲明。聲明中說，國務院發言人和北京市政府近日同學生的兩次對話，參加對話的學生不能代表學生的根本利益，我們一概不予承認。

當天有關北京高校的另十二份報告中，特別提到各校學生「正在積極地重新選舉本校『學生聯合自治籌備委員會』。北京科技大學今天產生了新的籌委會，北京外語學院明天將產生新的籌委會。北京大學、清華大學、北京農業大學昨天選舉產生了新的籌委會。據瞭解，各校普選的原因是：鞏

固和加強學運班子的力量，使之更有『民主性』，讓『高水平和組織能力更強的學生』擔任負責工作等。目的是在全國成立『學生聯合自治委員會』，以領導全國高校的學潮。他們目前所做的努力在於試圖要政府承認其合法。各校『籌委會』現正在徵集政府腐敗的事例，黨和國家領導人子女工作安排情況等，以便作爲同政府領導人對話的依據。」

當天二十一份反映各地學生運動情況的材料中，尤以上海的學生活動最爲活躍。現摘錄上海市委當晚二十一時的報告。

今天，復旦大學、同濟大學、華東師範大學、上海交通大學等一些高校學生秘密集會，商量五月二日全市高校學生總遊行。今晚，在復旦大學有三百多名學生集會，會上有人宣佈明天全市性高校學生大遊行。爲了統一行動還成立了全市的學生「聯合會」。這次遊行的要求是：

1，堅決要求恢復《世界經濟導報》總編欽本立的職務，要求將四月二十四日的《導報》原版重新發行；2，堅決要求政府出公告保障學生人身安全，不得以任何形式及藉口進行報復；3，堅決要求遊行集會自由；4，要求新聞出版自由，要求新聞媒介客觀及時地報導這次學生運動。集會上還散發了傳單，詳細提出了「全市高校學生總遊行」的綱領、目的、要求、行動安排等。集會後，題爲《上海市高校聯合會公告》的傳單已迅速在上海各高校散發。傳單的主要內容是：

我們決定於一九八九年五月二日舉行全市高校學生總遊行，現特公告如下：

一，綱領：我們的行動決不是反對共產黨，而是發揚「五四」光榮傳統，支持和推動政治體制

改革，促進民主進程。

二，目標：1，結社自由，我們的組織應是合法的；2，遊行自由，廢除限制遊行的條例；3，新聞自由，開放報界，解除報禁，如實報導全國各地的學生運動；4，出版自由，允許私人辦報。

三，要求：1，保障同學安全；2，如實報導這次遊行；3，抗議警察打人，懲處兇手；4，解釋海南出租；5，解釋《世界經濟導報》的查禁；6，調查嚴懲破壞分子。

四，標語口號：不得超出本綱領，更不要有反動口號。

根據這一情況，市委已要求各高校採取一切措施，堅決穩定局勢，決不能鬆懈。對於煽動學生上街的大小字報，要堅決揭掉。已要求各高校黨政負責人立即做遊行組織者的勸阻說服工作，盡力把明天各校的遊行隊伍攔在校內。

趙紫陽主持政治局常委會

五月一日下午，趙紫陽主持召開中共中央政治局常委會議，這是中共一九七八年改革以來在「五一」節召開的第一個常委會議。會議的氣氛比較輕鬆。李鵬、喬石、胡啓立、姚依林，有權列席政治局常委會議的楊尚昆、薄一波參加了會議，李鐵映、李錫銘和陳希同以國家教委和北京市黨政負責人的身份列席會議。現根據會議紀錄予以綜述。

趙紫陽在開場白中說，「同志們辛苦了。對於這次學潮，小平同志的重要講話和二十四日常委會議的決定我都擁護。同志們做了大量的工作，前一段對學潮的處理是好的。今天主要是分析形勢，並商量一下具體部署。」

陳希同代表北京市首先匯報。陳希同說，「這次學潮到現在算是一個低潮。鬧得最兇的是『四・二六社論』發表以後那兩天，這兩天，我們與學生進行了對話，看起來效果不錯。很多學生不鬧了，一些非法學生組織頭頭這幾天膽戰心驚，生怕被抓。清華大學的幾個非法組織頭頭，已經辭職並宣佈不參加遊行。北京大學一個非法組織頭頭已被其父母帶回家，禁止他參加遊行。北師大那個叫吾爾開希的壞學生也嚇得對美聯社記者說，他打算不遠離自己的宿舍，不再多組織活動，生怕自己會被逮捕。看起來，我們的對話和分解政策是有效果的。現在學生們不僅不願進行領導，而且還不願被領導。一些非法學生組織頭頭開始相互指責對方有野心，甚至指責是團委或學生會的人。一些年齡較大的和同學中受尊重的人，已經怕站到這次學潮的前列，這對化解學潮很有利。」

楊尚昆問：「那末，五四大規模學生遊行的可能性怎樣？會有多少學生參加遊行？」

陳希同：「五四學生大規模遊行的可能性仍然存在，估計會有三四萬人，規模不太可能超過二十七日的遊行。今天上午『高自聯』在北京大學召開中外記者招待會發表九項聲明，並叫囂要發動全國高校學生總罷課就是一種跡象。但是，絕大部分學生已經與這些非法學生組織頭頭相疏遠，這些非法學生組織頭頭將慢慢被孤立起來。」

李錫銘：「針對學生將在五四可能舉行的大規模遊行和下一步的學潮動向，市委制定了下一步反對動亂的七條具體對策。明天上午市委市政府將區別對象，分兩攤召開會議。一攤是高校負責人會議，由我和李其炎主持；一攤是各區縣局和總公司負責人會議，由希同和袁立本主持。主要是進一步強調提高對這場政治鬥爭的艱巨性、複雜性、長期性的認識，我認爲，製造動亂的人不會死心，他們不會就此善罷甘休，問題不可能很快解決。我們要爭取中間群眾，爭取大多數，這是決定這場鬥爭成敗的關鍵。高校要爭取中間群眾。工廠、農村、商店也都要爭取中間群眾。這部分人的工作做好了，就更有利於孤立少數鬧事的人。做好這部分人的工作，關鍵是我們自已的隊伍要堅強、團結，否則，中間群眾難以爭取過來。還要揭露製造動亂的人所採取的手段，比如造謠惑眾等等。同時，堅決抵制非法串聯活動。我們提出對來串聯的人員有關單位要登記姓名、單位、人數和目的。個體勞動者協會對個體戶要進行教育，指出他們給學生捐錢不合適，有錢應捐獻辦教育，不要助長非法活動。爲確保亞行會議的順利召開，我們已制定具體保安措施，防止首都出現長沙、西安那樣的打砸搶事件。我們已明確要求各單位直至居民委員會，說服和動員市民對遊行不要圍觀。如果在五四發生學生遊行，市民千萬不要摻合。」

李鐵映：「從全國高校的情況來看，學潮的面在擴大而不是縮小。但是，各地禁止外地高校學生進行串聯的措施正在起作用。」他引用教委的報告說，「上海、天津、杭州、武漢、西安、哈爾濱、長春、南京、長沙、合肥等十八個城市的高校都發現有外地學生。全國高校所採取的統一措施

是，一經發現，由校方保衛部門出面立即攆走，這個辦法很管用。學潮鬧了半個多月了，對很多學生來說，新鮮感也馬上要過去了。特別是採取對話以後，分化學生的目的已開始逐步見效。我認爲，五四全國高校學生大規模的遊行避免不了。五四過後，學潮將慢慢地消退。」

陳希同：「我補充二點關於學生串聯情況。一，北京學生到外地去串聯。從北大成立非法學生組織那天起，就揚言要派人到外地串聯。四月二十三日，北師大的大字報『到全國去』，建議高校聯合會組織宣傳團南下北上，西行東走，發動全國性的抗議活動。在上海、南京、杭州、武漢、西安、長沙、哈爾濱、長春、瀋陽、合肥等地的高校都發現有北京的學生在搞串聯活動。據北京團市委反映，目前清華大學有三分之一的學生不在校內，部分高校四分之一的學生不在學校。二，外地學生來京串聯。二十一日、二十二日，天津南開大學等一百多名學生到京，並參加了二十二日的天安門廣場活動。二十九日下午五時十五分，天津大學、南開大學、河北工學院等一千多名學生坐七十八次列車到京，在火車上學生還散發了傳單。三十日，河北大學有四百多名學生來京，華北電力學院和唐山煤炭學院也有部分學生來京，有的學生帶有校旗，據稱是準備五月四日早晨在北師大集合搞遊行。如果局面沒有大的改觀，學生串聯情況會更加頻繁。」

喬石：「我的看法是，這幾天學生們正處於守勢，他們在積蓄力量，準備打持久戰。我看了一些材料，總覺得學生的情緒平靜不下來。相當多的學生參與了遊行、罷課和張貼大小字報，他們沒能把自己與『極少數別有用心的人』區分開來，覺得自己反正已經參與了『動亂』，一不做二不休，

看政府能把我怎樣？還有一些教師從過去的學潮風波中吸取了經驗教訓，不再輕易表態，一直保持沉默。在這種心態支配下，一些政工幹部和學生幹部有一種留後路的想法，免得日後對這次事件的評價一變而陷於被動。所以，我們應該進一步闡明政策界線，將絕大多數學生從『參與動亂』的思想包袱下解脫出來。」

胡啓立：「學潮拖得時間越久，參與的人會越多。現在新聞界的思想比較亂。學生遊行一開始就把矛頭對準新聞界，說新聞輿論說假話。新聞記者肚子裡就憋著一口氣。最近，上海《世界經濟導報》事件一出，新聞記者和一些知識分子就沉不住氣了。到現在為止，全國新聞界就有四五百名記者以各種形式聲援《導報》和欽本立，有的公開向上海市委提出抗議，要求有錯必糾。這幾天上海高校的形勢就比較緊張。」

趙紫陽打斷：「對《世界經濟導報》的問題應該進行認真分析後再決定如何處理。我認為，在這件事情上，上海市委的處理太草率、匆忙了，這種簡單化的處理方法反而使事情搞糟了，搞被動了。當然，我們仍然要支持上海市委已經作出的決定。」

姚依林：「處理學潮應該宜早不宜遲，工作早做早主動。國家每天有多少事務需要處理，而學潮又牽制了我們多少人的精力。再這樣拖下去，對黨對國家對人民都不利。對學生，該強硬的地方就得強硬，一時思想轉不過彎來，也是能夠理解的。總之，不能因為學潮而影響正常的國家機器的運轉，影響人民群眾正常的生活和工作秩序。」

薄一波：「千萬要阻止學潮勢態的進一步擴大。現在一些學生已經開始到全國各地串聯，這可不得了呵！千萬不能重演文化大革命的歷史悲劇。全國上下一定要步調一致，否則就會亂套。不要小看這些學生，這些學生頭腦一發熱，全國安定團結的政治局面就要面臨很大的衝擊，就會影響改革開放的發展進程。這幾天，一些海外報紙又從他們的臆斷出發，猜測說中國的領導層存在鬥爭，有一份英國報紙說我遲遲才譴責學生，反映了黨內思想混亂。說我們對於如何處理這場危機，也許存在嚴重的內部分歧，學生運動可能發展成爲一場深入的權力鬥爭。因此，越是處理這類敏感問題，我們的決策就越是要堅決，態度越是要鮮明。與學生開展對話是爭取時間瓦解和平息學潮的一種好的策略。如果我們能以軟性的方法平息學潮，我們就會得很多的分。」

楊尚昆：「五月份北京有兩個很重要的國際性活動。一個是四日就要在北京舉行的亞洲銀行理事年會。還有一個就是戈爾巴喬夫同志來訪，實現中蘇關係正常化。因此，能否把這次學潮處理好，是對我們能力的一次考驗，事關我們的國際影響。在當前形勢下，我們通過對話進行疏導，避免激化矛盾的策略有利於問題的解決。團結大多數、孤立一小撮。通過這兩個國際性活動，要向世界表明，中國共產黨是有能力、有信心通過和平手段平息這次學潮的。」

趙紫陽：「我們要繼續以疏導爲主，開展多層次、多渠道和各種形式的對話，並堅決勸導學生盡快復課。我想在後天北京紀念『五四』七十周年大會上的講話，主要講兩個問題，一是必須堅持兩手抓，不能忽視政治領域的工作；二是政治體制改革必須跟上，主要是社會主義的民主和法制建

設必須跟上。我深深感到，時代不同了，社會和人們的思想觀念發生了變化，民主已經成爲世界潮流。當然國際上有一股反共反社會主義的逆流，他們也往往打著民主、人權的旗號。在我國，民主的旗幟如果我們黨不高舉，就會被別人奪去。我覺得我們與其被動地走，不如自覺地、主動地走。當然，堅持共產黨領導，不搞西方那種多黨制，這條基本原則絲毫不能動搖。」

楊尙昆打斷：「一黨領導必須能夠解決民主的問題，能夠解決對黨和國家機關內部的、消極的、不健康的，以致某些腐敗現象的有效監督的問題。這樣我們的黨才會有強大的生命力。」

趙紫陽：「我們黨必須適應新時代和新情況，學會用民主和法制等等新辦法去解決新的問題。例如，要加強政治生活的透明度，充分發揮人大的作用，加強與完善共產黨領導的多黨合作制和政治協商制度，完善並改造選舉制度，加強人民群衆對黨和政府的監督，用具體法律來保證和規定言論自由，允許經過合法申請和批准的遊行，等等。總之，要使人民切身感受到，在共產黨的領導下，在社會主義制度下，能夠享受到眞正而切實的民主和自由。這樣，社會主義才能增長對人民的吸引力、凝聚力，它的優越性才能更加顯示出來。因此，我們各級領導機關和領導人就必須適應在民主和法制的條件下進行工作和生活。我們不允許打著民主的旗號搞資產階級自由化；同時，我們在反對資產階級自由化的時候也不妨礙發揚民主。今後，黨的領導作用的重要方面，要表現在積極領導人民進行民主和法制建設上，使我們的社會主義國家成爲眞正的法制國家。

李鵬：「有的社會主義國家是在社會矛盾相當尖銳，黨的地位已經大爲削弱的時候去搞政治改

革，局面很難控制。所以，我們當前首先要穩定大局，在穩定大局的前提下再推進政治體制改革。」

胡啓立：「民主政治的建立要與中國的經濟發展同步進行，既不能超前，也不能滯後。當前我們壓倒一切的任務是穩定。當然穩定不是不讓人說話。只有真正發揚社會主義民主才能保持社會穩定。反過來，假如政局不穩，甚至連已經取得的成就也會失去。」

薄一波：「的確如此，兩者相輔相成。如果不把政治改革擺到重要議事日程上，不僅經濟改革中的難題很難解決，社會、政治各種矛盾也會日趨尖銳。我們應當在黨的領導地位相對鞏固的時候，主動地去搞民主建設。當然，當前的頭等大事是如何盡快平息學潮，平息動亂。」

李鵬說：「這場學潮的嚴重程度前所未有，其影響面和波及程度相當嚴重。一些非法學生組織頭頭正在策劃更大的活動，他們公開打出否定反對資產階級自由化的口號，目的就是要取得肆無忌憚地反對四項基本原則的絕對自由。他們散布了大量謠言，攻擊、污蔑、謾罵小平同志等黨和國家領導人，鼓勵成立各種非法組織，並強迫要求黨和政府承認。如果他們的目的得逞，什麼改革開放、什麼民主法制、什麼社會主義現代化建設，都將成爲泡影，中國將出現一次歷史性的倒退。」

趙紫陽：「的確，這次學潮很嚴重，影響面很廣。不可否認，在這次學潮中有極少數人混水摸魚，反對資產階級自由化。但學生們提出的擁護憲法推進民主，反對腐敗等口號，是與黨和政府的主張基本相一致的。我的想法和同志們一樣，盡快使這一已經擴大了的事態盡快平息下來。無論進行什麼樣的改革，前提就是社會穩定。我們這樣一個大國，再也經受不起折騰，所以，我將特別強

調穩定對於我們國家的重要。讓全國青年尤其是大學生們明白，穩定對於我們國家的極端重要性。如果把穩定都破壞了，我們就什麼都得不到，只能得到動亂。」

結束時，趙紫陽補充說，「我的這篇五四講話送審稿已經在大家手裡，請同志們提出修改意見。」

這次會議強調：

一，各級幹部要提高對這場鬥爭的艱巨性、複雜性、長期性的認識。這場鬥爭由來已久，情況複雜，不要急躁。我們黨有能力解決當前面臨的問題，要認真地從政策和策略上、從全局上考慮問題。

二，要認真組織黨團員聯繫實際學習《人民日報》社論和政府部門負責人同高校學生的對話，做好思想教育工作，把大家的認識統一到中央的精神上來。生產誤了不行，思想工作放鬆了也不行。現在是最需要做思想政治工作的時候。

三，堅決抵制非法串聯活動。大學生到工廠、農村、中學、商店串聯，要堅決予以反對。他們串聯到哪裡，就應當抵制到哪裡。要勸他們回到學校，好好學習，盡快復課，不要辜負黨和人民的期望。

四，要做好民主黨派人士的工作，多向他們通報有關情況，聽取他們的意見，以取得他們的支持。對一些非黨人士也要做好工作。

五，「五四」青年節，全國各大專院校要盡可能在本單位組織紀念活動。北京，特別要保證五

月四日「亞行會議」在人民大會堂順利召開。

對話十二條

就在李錫銘召開高校負責人會議的時候，北京大學的「學生自治會籌委會」在他們自己建立的廣播站宣稱：爲了確保學生自治會能得力地領導「五四」大遊行，籌委會監督委員會作了調整，由王丹、封從德等五人統一領導「五四」期間的一切活動。

二日下午二時三十分，北京四十多所高校七十多名學生代表集體到中共中央辦公廳、國務院辦公廳信訪局接待室，中辦國辦信訪局局長鄭幼枚出面接待。學生代表向鄭幼枚遞交了致全國人大常委會、中共中央和國務院的「請願書」，要求中央在三日中午十二時以前答覆，不然，將在五月四日保持繼續請願的權利。請願書提出了對話的十二條要求和四點聲明。內容如下：

一，雙方對話應建立在完全平等、真誠地解決問題的基礎之上。在對話中，發言、質疑的機會應均等。

二，參加對話的學生代表應該由大多數高校學生(特別是參加此次四月愛國民主運動的高校學生)公認推出。同時，我們認爲，鑒於各高校學生會、研究生會在這次運動中沒有起到任何正確的引導和有益的組織作用，因此我們絕不同意由各高校學生會、研究生會指派代表，也絕不承認由政府單

方面未經廣大同學的同意而私下邀請的學生充當學生代表。

三，我們提出學生代表組成方式如下：鑒於同學自發組織產生的北京市高校學生自治聯合會在這次運動中一直起領導組織作用，並且在廣大同學中獲得了認可，可以由市文聯出面聯絡組織，由首都各高校學生根據人數多少的比例各推出若干名代表組成學生代表團。在代表團內部經充分討論磋商後，從中推舉出若干名學生代表作爲學生一方總發言人，其他代表具有列席旁聽，並對學生方面的發言作協商補充，及向政府方面發言人提出質疑的權利。

四，政府方面出席對話的成員，應爲中共中央政治局常委、全國人大常委會副委員長、國務院副總理級別以上，具有瞭解國家各種事務及決策權力的人員。

五，對話必須允許雙方邀請的民間人士或團體的代表參加旁聽，任何一方不能以任何理由拒絕或阻擋。被邀請代表在對話過程中不具有發言權，但具有事後就對話內容發表看法的權利。

六，雙方發言人必須有發言機會均等的權利。雙方發言人每次發言必須限定時間，質疑應限定在三分鐘以內，答問應限定在十—十五分鐘之內，允許發言人在回答中多次質疑。

七，對話過程中必須允許中外記者現場採訪報導，同時中央電視台、中央人民廣播電台應現場直播全部對話過程。對話雙方均具有現場攝像、錄音和記錄的權利，任何團體或個人不得以任何藉口加以干涉和阻撓。

八，對話應在政府和學生代表分別指定的地點輪流舉行，時間可由雙方商定。

九，政府參加對話人員在對話過程中應盡量回答並在會後盡量解決可以回答和解決的問題。如果某些問題確實不能迅即答覆，可商定在限定的時間內舉行下一輪對話，任何一方不得無理拒絕。

十，爲保證對話結果的法律效力，對話雙方必須對對話結果出具聯合公告，並經雙方共同簽字證明。

十一，必須保證對話雙方代表的人身和政治安全。

十二，每一輪對話之後，必須在國家各大報紙及電台上如實報導結果，出具公告，並宣佈下一輪對話的時間、地點等事宜。

關於以上要求，我們聲明如下：

一，爲確保對話盡快達成，對以上要求，我們希望在五月三日中午十二時以前予以答覆，並在對具體要求作具體答覆的基礎上，附注各條答覆的理由，形成書面文件。

二，如果五月三日中午十二時以前我們得不到答覆，我們將保留在五月四日繼續請愿的權利。

三，關於第一輪對話我們建議在五月四日上午八時三十分，地點可設在北京大學。

四，此請愿將抄一副本給中華人民共和國政治協商會議。

請愿書收悉後，鄭幼枚即以特急件呈送中央政治局各位常委和楊尚昆。中共中央政治局當即決定，五月三日上午，由中國記協邀請國務院發言人袁木舉行中外記者招待會，對學生所提的請愿書進行反擊。

當晚，安全部的一份報告稱：北京高校出現一些値得注意的動向。一，今天下午北大三角地貼出一份《籌委會公告》，稱中午接到美國加州十六所大學留學生代表電話，說爲他們捐款八千四百七十七美元，還說成立「大陸學生後援領導小組」，建議盡快使籌委會合法化；二，今晚北大學生廣播提出以下政治性要求：「把領導的小轎車拍賣封存；中央領導要從中南海搬出，把中南海變成人民的公園；毛主席的遺體從紀念堂搬到八寶山去；中蘇會談時，中央要與學生舉行一個懇談會；公佈中南海特供商品價格，取銷特供制度；要把天安門廣場變成海德公園，讓人們享受；四項基本原則是民主運動的四座大山；『五四』必須大遊行，大遊行後外地學生回去進行宣傳動員，等戈爾巴喬夫來時再搞一個全國性的大遊行。」

上海學生大遊行

上海學生大遊行於五月二日如期舉行。安全部報告記錄了這次遊行的全過程。特此摘錄：

復旦大學、華東師大爲首的上海學生大遊行於今天中午一時許在各高校同時開始，有約四百餘名大學生走出校門，上街遊行。

華東師大遊行隊伍中的標語是：「打倒官倒、反對特權」、「新聞要說真話」、「聲援北京學生」、「自由萬歲」、「堅持四項基本原則」、「提高教師待遇」等。

復旦大學學生先是聚集在校園裡，揚言要砸爛校廣播台，到一時左右，他們一邊起鬨，一邊衝出校門，領頭的學生打著「開放報禁，還我導報」、「復旦人，北京正注視著你們」、「新聞自由是自由的根本」等標語。在復旦校園，出現了大量關於《導報》的大字報。一張題爲「快訊」的大字報「抗議上海市委粗暴干涉新聞自由，並向導報全體同仁和欽本立致以慰問」。還稱「《中國日報》贈對聯一幅：威武不屈，欽總扮雲下報人風範；真理不死，導報是十年改革先鋒」。還有題爲《捍衛新聞自由，致上海市委公開信》，署名「嚴家其、包遵信、許良英等七八十人」的大字報，稱上海市委對欽本立的處理「違反中國共產黨關於黨政分開的根本原則，也是對憲法和法律的蔑視」、「上海市委干涉導報編輯工作的行爲，違反憲法第三十五條」，稱上海市委負責人說導報四三九期的有關內容會加劇動亂「是對座談會參加者的嚴重誹謗」。

這兩支遊行隊伍現在正分別沿中山北路、國權路向市區行進。他們將沿途串聯同濟大學、上海交大的學生，一道到市政府、市人大請愿。

據瞭解，復旦大學、同濟大學部分學生昨晚就開始策劃今天上街遊行。復旦大學昨晚在三一0八教室選舉「非常學生會」，會議由香港人、復旦管理學院科學系八六級學生張才主持，會上散發了「上海高校學生聯合會公告」等四份傳單，約六百張。張才宣佈一日下午一時集合。如校門關閉，就分散出去，在校外集中，然後會同同濟大學學生一起遊行到人民廣場。並稱：華東師大、交大等也將在人民廣場集合，參加全市高校一齊行動。另據瞭解，昨晚七時，同濟大學約有五百多人，在

一百二十九教室開會，由一九八六年學潮骨幹、化學系八四級學生曹建華主持並宣佈二日上午全校罷課，下午一時半在校門口集合，等復旦學生遊行隊伍出來後，一起匯合。

華東師大四千餘名學生的遊行隊伍經過兩小時步行，於下午三時抵達人民廣場。復旦、同濟的學生遊行隊伍已到達外白渡橋，隊伍前面有兩面藍旗開道，復旦的藍旗上繡著「民主」二個紅字，同濟的藍旗上繡著「自由」二個紅字。兩支遊行隊伍均六人一行，通過市區主要馬路。遊行學生呼喊口號，唱國歌，沿途圍觀群眾很多。

遊行學生的口號有：「聲援北京學生！愛國無罪！」「修改遊行條例！」「新聞要說真話！」「民主萬歲！」「推進民主，嚴懲官倒，淸除腐敗！」「恢復《導報》原狀！」「打倒官倒，反對特權！」「讓創造財富的人先富起來！」「增加政治透明度！」「不讓人民說真話，就不是強大自信的表現！」

華東師範大學學生在散發的《告上海市民書》中說：「尊敬的上海市民，我們上海高校聯合遊行示威，以聲援北京學生運動，同時要求政府減免上海上繳財政以保證解決上海住房與交通問題所需的資金，要求撤銷對《世界經濟導報》的處理。」「查封《導報》，是對憲法規定的言論自由的公然踐踏。因此，我們強烈要求新聞要說真話，不然，經濟休想起飛。」「我們的行動不是破壞安定團結，而是鏟除不安定的根源，這種根源就是政府權力不受任何監督所導致的腐敗。目前中國不存在表達市民愿望的『正常途徑』，通過所謂的『正常途徑』表達要求，效果甚微。我們採用遊行示

威、和平請愿的方式來表達學生與市民的共同愿望—清除腐敗，振興經濟。」

由復旦、同濟學生組成的遊行隊伍，已於下午六時到達人民廣場，與先前到達的華東師大學生匯合靜坐，並發表演說。據現場採訪的記者估計，目前廣場有七千多名學生。警察已封鎖了廣場兩頭，禁止行人和圍觀群眾進入。

靜坐學生向市委、市政府提出四點要求：1，恢復原《世界經濟導報》總編輯欽本立的職務；2，恢復四三九期《世界經濟導報》原狀；3，取銷上海市的遊行《條例》，保障學生人身安全；4，要求新聞媒介如實報導學生運動情況。學生們說，如市委、市政府在今晚六時三十分以前不予明確答覆，他們將再到市政府門前遊行示威，並將於明天實行全市高校總罷課。

目前，廣場上有四名學生正在發表演說。一個自稱華東師大研究生的人說：「這次學生運動與文革時期的學生運動完全不一樣，這次是理智與激情的交融，文革是愚昧與狂熱的匯合。當局說我們是在搞動亂，我們秩序井然，哪有一點是在搞動亂？」這位演講者還大聲問靜坐的學生：「有人說我們高校聯合會是非法組織，我們不承認是非法組織。我們到底是合法還是非法？」靜坐的學生齊聲說：「合法！」並報以熱烈掌聲。

另一名學生拿著乾電池喇叭對警察說：「我們從校園走到廣場，就是爲了追求真理，我們需要工人、農民的支持，也需要頭戴國徽的警察的支持。我們承認共產黨是強大的，但從上到下都是官倒，大小貪官污吏正在撈錢！我們出來不是爲了錢，而是爲了祖國的前途。可惜的是，我們的行動

沒有得到應有的理解。當局說我們是反黨反社會主義的行動，我們的標語口號哪裡有一點是反黨反社會主義？！」

晚七時十分，一名自稱是北大的學生發表演說，受到廣場上靜坐的學生熱烈歡迎。這位演說者批駁了《人民日報》「四·二六」社論。他說，憲法中規定公民有言論、集會、結社的自由，我們履行憲法規定的權限，爲什麼說我們的行動是危害社會主義的動亂？我們反對官倒，反對特權，反對腐敗，這正是爲了保護人民的利益，也是完全符合憲法精神的。我們要維護憲法的尊嚴與權威。這位演說者最後高呼：「憲法萬歲！誹謗有罪！造謠可恥！」

晚八時四十五分，在人民廣場靜坐的學生們向上海市人大常委會遞交了「請願書」後，由廣場出發途經西藏路、南京路到外灘上海市人民政府門口集結、靜坐。

在市政府門口席地而坐的學生們不時呼喊口號，並一遍又一遍地唱《國際歌》、《國歌》。一些群眾在警戒線外圍觀。有的說，「這些學生挺累的，連晚飯也沒吃。」有的說，「學生的口號我是贊成的。現在實際上最大的失誤是不推進民主進程。」有的說，「學生的愛國熱情應該予以肯定。」還有的說，「這不像是動亂！」

晚八時三十分左右，兩名學生代表向上海市政府送上了「請願書」，內容是「恢復欽本立職務、恢復四三九期《導報》原狀、取銷《上海市遊行條例》、要求新聞媒介如實報導」等。學生們要求市政府在今晚九時三十分以前對四點要求作出明確答覆，並揚言，「如果不答應，還要坐下去！」

據測算，目前在外灘的大學生約有八千餘人。這是這次學潮中上海學生遊行規模最大的一次。

到晚上十時零五分，聚集在市政府門前的學生開始陸續散去。「上海高校學生聯合會」一名成員在離散前對學生們說，「明天晚上六時，請各校同學按原定路線到市府門口集中，一定要市府答應我們的四點要求，不達目的，決不罷休！」他還拿著電喇叭大叫：「現在宣佈，無限期罷課！」一些學生在離開現場時還對民警起鬨：「明天再見！」

趙紫陽五四講話

五月三日上午，趙紫陽出席紀念五四七十周年的大會並發表講話，楊尙昆、李鵬、萬里、鄧穎超、喬石、胡啓立、姚依林等參加。趙紫陽的這個講話由鮑彤起草，事先經過政治局和中央書記處成員的審核，在審核過程中，楊尙昆、李鵬、喬石、姚依林和李錫銘都分別提出要在講話中增加「反對資產階級自由化」這句話。李鵬還將自己修改的稿子交給了楊尙昆，希望楊尙昆再對趙紫陽強調一下。大會開始前，楊尙昆找了趙紫陽。楊尙昆說：「好幾個同志都建議在五四講話中加上『反對資產階級自由化』這句話，你是不是在講話中加上？」趙紫陽笑著對楊尙昆說，「尙昆同志，我覺得在這樣的氣候下，還是暫不強調爲好。」楊尙昆沒有堅持。後來，楊尙昆在十三屆四中全會上提及此事時，說趙從朝鮮回來後已聽不進別人的意見。

趙紫陽的五四講話，主要是講關於穩定和反對動亂的，平心而論，是一篇語重心長的講話，能打動人心。這裡摘錄有關段落：

十一屆三中全會以來的十年，黨的正確方針政策之所以能夠貫徹實施，改革和建設之所以能夠取得大家都切身感受到的成效，最重要的一條是保持了社會的穩定。這是全國人民共同努力維護的結果。全國的工人、農民、知識分子、青年學生、各民族、各黨派、各界人士都爲穩定出了力，也都從穩定受了益。在穩定這個事關全局的問題上形成共識，同心協力，不容易呵！身在穩定之中，有時不大覺得穩定之可貴，但是，如果一旦失去穩定，就會痛悔莫及！我們渴望辦成的事，就一件也辦不成，連已經取得的成就，也會毀於一旦。如果把穩定破壞了，能得到什麼呢？什麼也得不到，只能得到動亂。

如果再發生動亂，發生大規模的社會衝突和無政府狀態，亂了人心，亂了社會秩序、生產秩序、學習秩序、工作秩序、亂了人民自己，鬧得國無寧日，一個很有希望很有前途的中國，就會變爲一個動亂不安的沒有前途的中國。如果出現那種局面，全國人民包括廣大青年學生希望的建設、改革、民主、科學，一概都談不上。不僅如此，那些反民主反科學的東西，愚昧甚至野蠻的東西，就會泛濫和橫行。全黨、全國人民、全國青年都要旗幟鮮明地反對動亂，堅決維護得來不易的安定團結的政治局面。穩定不是不要民主，而是要使我們的民主走上一條有秩序的法制化的正道。我們在建設社會主義商品經濟新秩序的同時，也要建設社會主義民主政治的新秩序。這是一種建立在四項基本

原則基礎上的民主政治新秩序，無疑是現代化所必需的，也是維護社會政治環境的穩定所必需的。穩定、漸進、理智、秩序、法制，這是建設和改革的要求，也是民主和科學的要求。

廣大群眾包括廣大學生希望推進民主政治，要求懲處貪污腐敗，發展教育和科學，這也正是我們黨的主張。中國共產黨之心，是同人民之心、青年之心連在一起的。讓我們大家互相溝通、互相理解。

認清歷史的使命，清醒，理智，堅毅，沉著，實事求是，艱苦奮鬥，這是當代青年最可貴最需要的品質。

這裡，趙紫陽通篇講了穩定與動亂的關係，肯定了學生的愛國之心。可謂語重心長。

趙的這篇講話發表以後，全國各地反饋回中南海的消息都是一片稱讚。而李先念、陳雲等中共元老則認為不應該這麼講，薄一波在四中全會上說，「在這種情況下，給青年講愛國，無異於助長他們搞動亂。」

袁木記者招待會

三日上午，由中國記協出面，邀請國務院發言人袁木、國家教委副主任何東昌、北京市委副書記汪家鏐、北京市委秘書長袁立本舉行中外記者招待會，針對學生所提的請愿書進行反擊。袁木等

人的對話主要強調了以下幾層意思：

一，不能排除合法組織。袁木一開始就說，「昨天部分學生遞交的請願書的核心問題是三點。第一，他們要求對話要排除經過民主的、合法的程序選舉出來的中華全國學生聯合會，北京市和各高等院校的學生會。」「我認爲，將合法的學生組織排除在外，而只由部分學生對話，這種做法是不合情理的，而且只會容易造成北京市學生之間的不團結，更加引起紛爭。政府是不願意看到這種情況的。」

二，對話不應有先決條件。袁木說，「對話不應有先決條件。他們提出的請願書的核心的第二點，就是同政府平起平坐，成爲談判的對手，而且要超越於政府之上。我覺得在這一點上，不僅不合情理，還表現了青年學生的相當程度的一種幼稚的衝動。」「在他們的請願書當中，不僅對對話提出了種種政府必須事先答應的條件，而且要求政府有什麼人參加，必須經過他們同意。」「我覺得這種先決條件的提出，我想公眾輿論大概都不會同情的。」「請想一想，這樣的做法是否合情合理？在對話之前，就事先由一方指定一方應該如何才能對話，這怎麼能對得起來？」

三，請願書帶有威脅性質。袁木強調，「第三，這種請願書提出如此苛刻的條件，而且採取了對政府的最後通牒的形式，限今天中午十二時以前答覆，如果不答覆，就要繼續示威。」「這是最後通牒式的請願，是帶有威脅性的。我認爲，從請願書中看出確實現在在背後有人給學生出主意，挑起社會的動亂。政府已經多次表明過這樣的態度，挑動動亂的是極少數。」「我們指出有極少數

人在背後製造否定中國共產黨的領導、否定社會主義制度的政治鬥爭，我們希望廣大學生能夠愈來愈多地理解這一點。」

四，學生觸犯刑律將按刑律追究。袁木說，「我說學生的背後有極少數人出主意製造動亂，這些人我個人的看法主要不是學生，但也不排除極個別的學生。我們已經宣佈過如果不觸犯刑律，學生過激的言論，過激的行動都不予以追究，如果觸犯刑律將按刑律追究。」何東昌說，「我認爲我們的大學生，百分之九十九點九是好的，是善良的，但是確實有人在背後企圖挑動他們，挑動的人提出的一個公開的、綱領性的口號，就是要求徹底否定反對資產階級的自由化。」「這些所謂有七條、九條的要求，他們的共同點就在這裡。」並說，「四月二十二日，在人民大會堂東大門外，用封建的習慣下跪要求中華人民共和國總理接請愿書的人，我非常擔心他們背後有人。」

五，平心靜氣對待學生。對於可能發生的五四學生遊行，袁木說，「如果一旦再發生，我們將採取我們前一個時期已經採取的正確的態度和做法來對待這件事情。」在關於海外對學潮的報導時，袁木說，「我已經注意到國際輿論對中國學生行動的種種報導。有一點是相當共同的，都認爲政府採取了正確的政策的措施。說區別，從根本上說，有的輿論是企圖煽動這場動亂越來越大，有些輿論關注的是希望這場動亂平息下去。」

六，動亂成因頗爲複雜。袁木說，「據我們所知，有一些人已經在我們的高等院校當中，進行了幾年的灌輸，灌輸種種錯誤的思想，提出種種錯誤的政治綱領，進行種種非法的組織串聯活動。」

「對於有一些沒有露面，但在背後埋得很深，出主意，很惡毒之人，在目前許多人被裹進了動亂的情況下，我們不準備現在採取措施。魚龍混雜，難以分清，不利於採取直接的措施。」袁木表示，「在很特殊的情況下，不管學生宣佈成立什麼樣的組織，政府都承認並和他們對話，這樣會導致學生之間的更加不團結。」「我們在處理學生問題時，每一個步驟都要十分慎重，不能不利於學生之間的團結。如果導致這種不團結，我們就會犯罪。」

袁木在中外記者招待會上的答覆，引起北京高校一些學生的強烈不滿。袁木的記者招待會結束後，「高校自治學生會」的學生代表來到中辦國辦信訪局，詢問對「請愿書」的答覆。鄭幼枚回答，「請愿書中所提問題，國務院發言人在答中外記者招待會時已經回答，不再答覆。請同學們回去盡快復課。」學生代表深感失望。

對袁木講話的反應

安全部三日下午發回了有關袁木答記者問後北京學生的反應。報告稱：

北京高校部分學生對袁木在中外記者招待會上的答覆強烈不滿。今天下午「高校自治學生會」在北京師範大學物理樓開會，有四十七所高校的學生代表參加會議。在表決明天是否去天安門廣場遊行的問題時，在場的四十一票贊成，五票反對，一票棄權。會後，北京各高校學生進行緊急部署，

並紛紛張貼題爲「五四行動」的傳單。內容是：

經「高校自治學生會」四十七所學校一致同意，明天(五月四日)活動安排如下：

1，八點從各校出發，遊行到廣場，沿途散發傳單，不演講，少喊「打倒」。

宣傳重點：

1)支持改革，反對倒退。

2)民主、科學、自由、人權、法治。

3)要求對話，對話要講誠意。

4)維護憲法的言論新聞自由、聲援《世界經濟導報》。

5)集會、結社自由，高自聯合法地位。

6)反對官倒，打倒腐敗。

7)全國高校聯合起來。

2，下午四點，市高聯在廣場發表《五四宣言》，然後各校自由組織活動(集體活動結束)。

另：住各校的外地學生代表上午七時三十分在師大門口集合。

據多方面消息，許多學生對袁木今天在中外記者招待會上的答覆不滿。有的學生說，袁木講話態度強硬，反映了政府的態度，這是政府要動手的信號。有的學生說，中央低估了學生的熱情和力量，對學生的心情理解不夠。爲什麼一提打倒「官倒」，清除腐敗，要求民主，中央的某些領導人

內心就恐慌，人民政府哪裡有怕人民的道理？

據北大、清華、人大、北師大和北京理工大學的情況，教職工對袁木的答覆反映還是好的。有一位教師說，經過對話和記者招待會，很多問題已經說清楚了，學生再鬧，就越鬧越沒理了。而學生從總體上說表示不滿，但不滿的情緒沒有象二十七日那麼高。學生的不滿主要還是對不承認自治聯合會、強調動亂、「一小撮」接受不了。學生認爲不承認「學生自治聯合會」是中央不瞭解情況，目前學生中八十%是支持聯合會的。

中國政法大學學潮骨幹分子郭恒忠說，一講就是查背景、揪後台，咱們領導人善於查背景，一遇運動就查，我們大學生是有頭腦的，沒那麼容易就上當受騙，被人利用。政法大學就沒有背景，是自發的，二十七日遊行是政府和人民日報社論造成的。學生並不想搞亂國家，動不動就和文革比，中國有動亂的基礎嗎？

有的學生說，政府總說學生搞學潮背後有壞人，我們不能接受。你說有壞人，爲什麼不敢拿出證據，揭露壞人。

有的學生說，我們要建立一個「全國高校學生聯合自治委員會」的目的，就是要建立一個監督政府的機構，由於黨的領導的這種高度集中制，很可能由於主觀主義造成政策的失誤，我們就是想通過罷課、遊行等形式來幫助政府時刻保持清醒的頭腦。

今天下午，北大、清華、北師大、人大、科技大學等校學生正在準備橫幅、自製喇叭。一些教

師擔心，如果政府採取強硬措施，會使一些學生走向反面，會使他們的態度更堅決。

當天，北京市委報告了首都二十八所高校學生產生對話團的經過，這份報告引起了李鵬、姚依林、袁木等人的高度警覺。摘錄如下：

據首都部分高校學生會主席、團委書記介紹，被宣佈爲非法組織的北京市高校學生自治聯合會近日在首都二十八所院校中通過普選產生了一個六十五人的對話團。

這個由北京市高校學生自治聯合會組織選舉的對話團一經產生，便立即宣佈脫離「北高聯」，是介於合法學生會、研究生會和「北高聯」之外的獨立的學生組織。

據悉，這個對話團第一次對話的提綱有三條：一是對這次學生運動性質的評價；二是由官倒、腐敗引起的政治體制改革問題；三是強調憲法規定的自由權利，並特別強調新聞自由、出版自由和結社自由，爭取「高自聯」的合法性。這三方面的問題，各個高校都有分工。如第二個關於政治體制改革的問題，就有七個方面的內容：1，由胡耀邦辭職所引起的黨內民主問題；2，由《人民日報》等報導所引起的新聞自由問題；3，由官倒、腐敗現象所引起的政治決策的科學化、民主化問題；4，由黨和國家領導人不負責任、推卸責任所引起的國家權力結構問題；5，由經濟領域分配不公所引起的利益分配機制問題；6，由掠奪性的剪刀差導致農業危機引起的整體性政治體制改革問題；7，由國家四大機關運轉不正常所引起的政治、經濟、文化等綜合政治經濟一體化問題。

對於上述三方面的問題，對話團作了充分認真的準備。而且在學生中目前最關注的中心問題也

是對話問題。學生幹部們反映，在對話問題上，學生會、研究生會的主動權已經喪失，希望中央密切注意這個問題，及早作出決策。

另據學生幹部反映，目前「北高聯」正在採取種種辦法，力爭取得合法地位。現在在學校他們也不從事干擾學校正常秩序的活動，並逐漸把自己的活動納入學校的正常活動中去。他們爭取合法的方式有：一，爭取獨立，獲得承認；二，與學生會、研究生會並存，學生會、研究生會搞學校的各種文娛活動，他們搞運動；三，以社團的身份加入學生會，並爭取改組學生會、研究生會。

三日當天，在全國大中城市中，只有南昌、西寧兩個城市的大學生進行了上街示威遊行。上海、天津、哈爾濱、長春、瀋陽、大連、西安、蘭州、鄭州、武漢、長沙、南京、杭州、合肥、重慶、成都、昆明、貴陽等城市的高校則全部出現鼓動學生五月四日上街遊行的大字報和傳單。其中，上海市委報告稱：復旦大學、同濟大學、華東師範大學三日當天三校均已有三分之二的人罷課。上海各高校相繼出現要求罷課的大字報，罷課的原因是「政府欺我們學生軟弱，連四點要求都不屑於答覆我們」。要求「各高校從即日起無限期罷課，罷課期間，請不要進入教學區，可在宿舍、圖書館學習」，並於「五月四日上午九時三十分上街遊行，到人民廣場市人大門口集中」。

魯迅博物館會議

五月三日晚，安全部發回了五月二日、三日一些新聞記者在北京魯迅博物館開會的有關情況。報告稱：五月四日，在北京的遊行隊伍中，可能出現一支由首都新聞工作者自發組成的遊行隊伍。那麼，這些分屬若干家新聞單位的記者們是怎麼聚集在一起，由誰牽頭組織這次難度很大的行動呢？茲摘錄報告的有關內容：

廣州有家報紙叫《亞太經濟時報》，由廣東省社會科學院主辦，向海內外發行。這家報紙在國內知名度不高，據說在海外還有一些影響。該報擬設北京記者站，派員來京籌建，暫住魯迅博物館內。今年四月底，該報記者向博物館同志講，他們五月二日要組織一次首都新聞界紀念五四座談會，魯博同志表示同意。五月二日，幾十位分屬首都若干家新聞單位包括《世界經濟導報》駐京辦事處的記者們都來到魯博座談。這次會議的主旨不是紀念五四，主要是圍繞上海市委處理《導報》及新聞自由等問題暢所欲言。發言中不乏慷慨陳辭，且有爭論。此日會議整整一天似乎不達到預期目的，因此決定三日下午在原會址繼續進行。

三日下午的會議，一些新聞單位聞訊又趕來不少人。外國的、香港的，甚至台灣的記者也得知了這次重要會議，紛紛帶著像機、錄像機前來赴會。由於人數太多且喧嘩聲太大影響魯博的正常工作，會議乾脆移到室外草坪上開。在《亞報》人員主持下，會議先由《世界經濟導報》駐京辦事處負責人介紹了上海市委處理《導報》事件的經過。會上大家一致同意要對《導報》事件作出聲援，但對四日的遊行一事意見並不統一，一些人持反對意見，認為新聞工作者要有別於學生。會上爭論

不休，遲遲做不出決定，一些人乾脆提前退了席。會議開得很晚。最後，會議擬定採取兩項行動：一是在首都新聞界發起請愿書簽名，要求與主管新聞輿論的中央領導對話。二是在五月四日與學生一起遊行至天安門，新聞記者或編輯可以請愿、集體圍觀、集體採訪的名義加入遊行隊伍。

對於這兩天的會議和明天可能進行的記者遊行，會上，一些香港、台灣和外國記者已紛紛表示進行新聞報導，有的電視台還要播放錄像。

「五四宣言」

五月四日的北京，人人都關注著長安街、天安門，學生們將大規模遊行的消息，早已不脛而走。這裡記錄安全部門對這次遊行的即時報告。

今天首都五十一所高等院校的數萬名學生上街遊行，並在天安門廣場集會，發表了「五四」宣言，向公衆宣佈五日復課。

早晨八時半左右，按「北京高校學生自治聯合會」的安排，各校學生分頭在校內集結，不聽校方勸阻陸續走上街頭。今天的遊行隊伍分三路向天安門廣場行進。清華、北大、人大、理工大、外院、民院等院校萬餘人，從西郊進城；北師大、政法大學、北航、北醫、北中醫等院校幾千人從北路向城區靠攏；東路遊行隊伍則由北工大、經濟學院、機械工業學院、廣播學院、工藝美院等院校

近萬人組成。中午十一時許，三路遊行隊伍突破警察在城外設置的警戒線，從復興門、建國門進入城區。東路學生在十二時多鐘首先進入天安門廣場，他們手拉手圍成圈坐下，高呼口號，唱國際歌，等候另二支隊伍的到來。幾位組織者爬上紀念碑，揮著藍白相間、中有紅星的「高校學生自治聯合會」的旗幟，同時敲著小鼓，引來了許多圍觀者。下午二時多，西路、北路的遊行學生隊伍進入廣場。約三時左右，學生舉行集會。

在人民英雄紀念碑北側台階上，在印有「北京高校學生自治聯合會」字樣的藍白條相間的旗幟下，一位學生宣讀了《五四宣言》。《宣言》在回顧「五四」運動七十年的歷程後，主要講了以下內容：

「中華民族的前途和命運緊緊地繫著我們的每一顆心。這次學運的目的只有一個，即高舉民主、科學大旗，把人民從封建思想的束縛中解放出來，促進自由、人權，促進法制建設。爲此，我們促請政府加快政治、經濟體制改革的步伐，採取切實措施，保證憲法賦予人民的各項權利能得到保障，實現新聞法，允許民間辦報，鏟除官倒，加強廉政建設，重視教育，重視知識，科學立國。我們的思想與政府不矛盾，我們的目的只有一個：實現中國的現代化。

「這次學運是繼五四以來規模最大的學生愛國民主運動，是五四運動的繼續和發展，是史無前例、極其成功的。十多萬大學生走上街頭，喊出了我們自己的口號，表達了我們的心願。學運的功績還表現在，一大批高年級學生和研究生成了學運的領導和主幹力量，使整個行動更爲成熟、更爲

理智。我們還在學運中成立了一個在各校學生自發成立的群眾性組織基礎上，由我們高校代表選舉產生的『學生自治聯合會』。這是一個新的組織，在這次學運的壯舉中，它表現了同學們高度的民主意識和運用民主手段促進現代化建設的自覺性，它對日後的民主改革肯定會大有裨益，起到推進作用。尤其令人鼓舞的是，學運中幾十萬市民及各界人士以各種形式幫助並支持了我們的行動，這也是前所未有的，學運的勝利是民主運動的勝利，是全體人民的勝利，是『五四』精神的勝利。

「但是，同學們，同胞們，這個勝利是極其微弱的。幾千年的文明，不僅無法爲我們拿出一個富國強民的現成方案，而且長期的帶有封建色彩的政治經濟制度及其基礎農業文明極大地影響了並且在一個相當長的歷史時期內將繼續影響著我們的現代化建設。爲此，我們當前的任務是：首先，在學運的發祥地—校園內率先實行民主體制改革和嘗試，校園生活民主化、制度化；第二，學生積極參政，堅持要求與政府對話，促進政府的民主政治體制改革，反對貪污腐化，促進新聞立法。我們認爲，這些近期目標雖然只是民主改革的第一步，而且是細小而蹣跚的一步，但確實是偉大的一步，可喜的一步，我們首先應該爲這一步而奮鬥，爲這第一步而歡欣。

「同學們，同胞們，民族的昌盛是我們這次學生愛國民主運動的目標，民主、科學、自由、人權、法制是我們數十萬大學生共同奮鬥的理想。幾千年的歷史與文明希望著，十一億偉大的人民注視著，我們有什麼可顧慮的呢？我們有什麼可怕的呢？同學們，同胞們，讓我們在這富有象徵意義的天安門下，再次爲民主、科學、自由、人權、法制，爲中國富強而共同探索，共同奮鬥吧！

「讓我們的吶喊來喚醒年輕的共和國！」

接著，又宣讀了「北京高校學生自治聯合會」的決定：

1，經北京市五十二所高等院校學生代表民主表決，決定從五月五日起，北京市所有高校全部復課。

2，由「北京高校學生自治聯合會」組織成立的高校學生代表團與政府交涉，繼續要求對話。

3，聯合會隨時聽取代表團與政府交涉的結果，廣大同學應保持熱情，自治會保持鬥爭的權利，我們仍然可以統一行動起來。

4，在北京市內廣泛開展演講活動，將今年五四請愿活動介紹給廣大的市民。

下午三時左右，各校學生陸續撤離廣場。

今日參加遊行的人數與四月二十七日遊行人數相近，但參加遊行的學校有所增加。這次遊行的一個顯著特點，就是來了不少外地高校的學生。我們看到，三十多名南開大學的學生打著「南開大學」的橫幅，五十多名河北大學的學生與北師大的遊行隊伍相連，還有香港中文大學、廣州中山醫科大學、深圳大學、海南大學、華北電力學院、吉林大學等外地二十餘所院校的學生，舉著寫著校名的小旗。

今天參加遊行的除了學生外，還有約二百名記者、編輯。遊行隊伍最前面打著寫有一幅「首都新聞工作者」的橫幅。在後面的一些橫幅上寫著「新聞公開有利於安定團結」、「我們有筆想寫文

章不能寫」、「我們有口想說眞話不能說」、「欲說不能」等等。遊行者喊著「強烈抗議整頓《世界經濟導報》」、「新聞要說眞話」、「重大新聞應讓人民知道」、「還我本立」等口號。

今日遊行中學生打的橫標與口號突出了「弘揚五四精神，爭取民主自由」、「科學興國，教育爲本」、「對話要有誠意」等內容。主要口號有：「對話對話，平等對話」、「對話對話，真誠對話，沒有誠意，等於空話」、「向欽本立先生致敬，新聞要說真話」、「不是文革，不是動亂」、「學生運動，反對動亂」、「貪污腐敗，懲辦不殆，特權衙內，必須治罪」。主要橫幅有：「不自由毋寧死」、「德先生你好」、「三十年河東四十年河西，已經過了七十年，還要再等七十年？」「受窮只因讀書，流血爲爭自由」、「完了？沒完！」「結束老人政府」、「一小撮等於十一億乘以九十九%」、「廉潔的中國共產黨萬歲」等。

今天的遊行，圍觀者不如上次多。當西行遊行隊伍從中關村往白石橋行進時，沿途很多人拍手致意。一些行人說，讓他們年輕人鬧鬧，政府才能清醒點。遊行隊伍進城後，表示支持學生遊行的以青年人爲多。據北京市公安局反映，在北路學生突破學院南路警戒線時，曾擠倒一些警察。在西郊白石橋，警察爲阻擋遊行隊伍，曾擠倒一些圍觀者。

全國學生大遊行

五月四日，全國大中城市高校學生以遊行示威的共同方式來紀念五四七十周年，同時向黨和政府表達要求進行政治體制改革，爭取民主、自由、法治的意愿。據中南海當天得到的報告，全國有五十一個大中城市的青年學生進行了示威遊行。現擇要摘錄有關報告：

上海：從四日十時至五日凌晨二時。以復旦大學、同濟大學、華東師範大學爲首的二十幾所高校約八千多名學生參加了遊行示威、靜坐抗議活動。遊行學生下午在外灘市政府門口靜坐，要求與市政府領導對話。晚上約有七千多名學生繼續到康平路市委所在地靜坐，學生們在市委門前一遍又一遍地高呼「江澤民出來！」至五日凌晨一時，仍有一千餘名學生在市委門前靜坐。遊行學生廣爲散發了《告上海市民書》。文中稱：「市民們，物價飛漲，經濟停滯，通貨膨脹率達二十％以上，中國已經處於危急之中。三十九％的中國人生活水平在下降，四十二％的上海市民生活水平在下降！製幣的印刷機在高度緊張地晝夜不停地運轉，貨幣在大幅貶值！市民們，你們想過沒有，錢到哪裡去了？其實巨款被揮霍的情況連想也想不到。我們再也不能被愚弄，不能被欺騙，不能被壓榨了！我們要做真正的主人！」這份署名「愛國學生」的傳單在上海引起巨大反響。

西安：從四日九時十八時三十分。以西北工業大學、西北大學、西安交通大學等校爲主的約一萬二千餘名學生參加了遊行、靜坐抗議活動。在省政府門口，一名青年學生宣佈，這次遊行是由西北工業大學「五四青年會」率先發動的。組織這次遊行的目的是：「一，要求糾正新聞輿論對西安學生運動性質的歪曲；二，要求糾正新聞輿論對四月二十二日事件嚴重失實的報導；三，要求政府

與學生進行有誠意的對話；四，要求學校正式聲明對本次罷課的同學不進行打擊報復。」遊行途中，學生沿途張貼了很多關於高幹背景的「關係圖」。有一千多名警察維持秩序。學生代表最終與陝西省副省長孫達人等人進行談判。

武漢：從四日八時三十分衝出校園至二十二時。以武漢大學、華中理工大學、華中師範學院等校爲主的十八所高校約一萬多名學生參加了遊行、靜坐。參加抗議的學生向省政府遞交了「請願書」。「請願書」共六條：1，打倒貪官，徹底根除一切腐敗現象；2，新聞要盡早立法。反對新聞封鎖，允許民間辦報，允許發表不同意見；3，提高知識分子待遇，增加教育經費；4，抑制通貨膨脹，保障廣大人民的生活水平；5，爲勇於說真話的《科技日報》、《世界經濟導報》平反，撤銷對他們的錯誤處罰，恢復有關人士的職務；6，嚴禁對愛國學生實施無理迫害，保障青年學生的正當權利。

杭州：從四日十時三十分至十六時。以浙江大學、杭州大學、浙江工學院等校爲主的十所高校約一萬名學生參加了遊行示威。遊行途中散發了「請願書」。主要內容是：1，肯定學生提出的民主、科學、自由、人權、法制的口號；2，要求省政府公開省政府整頓經濟秩序、治理經濟環境的實績；3，採取有效措施制止通貨膨脹，確保人民生活水平；4，增加教育經費，從根本上解決學校危房問題；5，公開緊俏商品優惠票證的分發情況和流向；6，要求省市領導與學生公開對話，堅決反對政府只與校方指定的學生代表對話；7，堅決取銷「動亂」的說法，解除報禁，公開報導

這次學生民主愛國運動；8，不許以任何形式迫害參加遊行的學生。

重慶：從四日八時至二十一時。以重慶大學、重慶醫科大學、重慶師範學院等校爲主的八所高校約七千名學生參加了遊行示威，並在市政府院內靜坐抗議。參加抗議的學生要求與市長對話，並提出八點要求：1，公開聲明這次學生運動不是鬧事、動亂；2，重慶新聞界報導要眞實、客觀報導這次遊行靜坐情況，不能作假；3，要求市政府對這次學生運動作出公正、客觀評價；4，與政府對話的學生代表要由學生自己產生，不能由校方指定；5，學生要有自己的刊物；6，提高知識分子待遇；7，要求直接對話，增加透明度；8，嚴禁迫害學生，保護學生安全。由於市政府領導沒有出面，八所院校的學生代表在市政府院內宣佈：五日上午舉行全市高校罷課和遊行，不達對話目的決不罷休。

長沙：從四日上午九時至十五時三十分。以湖南大學、湖南師範大學、長沙鐵道學院等院校爲主的十餘所高校約六千餘名學生參加了遊行，並進行了流動性的演講。一些學生稱，「這次遊行很不容易，幾位學生領袖被軟禁，還有幾位在遊行隊伍中被拉走。沿途約有近十萬群眾圍觀，學生秩序較好，沒有發生衝突。遊行途中，學生散發了《告同胞書》。《告同胞書》稱：「中國又一次處於生死關頭」，並提出五條：「一，言論自由，新聞自由，集會自由，遊行自由，要求發行被禁的四月二十四日《世界經濟導報》，恢復總編輯職務；二，取銷一切封建特權，廢除事實上的幹部終身制；三，抑制物價上漲，拯救農業危機；四，增加教育投資；五，允許新聞界如實、公正地報導

這次學生運動。」《告同胞書》說，「工人、農民同胞們，我們爲你們不公平的經濟地位和社會地位在呼籲，也同樣希望得到你們的支持，個體工商者，你們用血汗掙來的錢比官僚靠權勢所竊來的財富要乾淨得多，我們理解你們！」

當天上報的省會城市和計劃單列市的學生遊行情況爲：蘭州六千多名學生、天津五千多名學生、長春五千多名學生、福州二千多名學生（冒雨遊行）、南京二千多名學生、成都二千多名學生、昆明二千多名學生、貴陽二千多名學生、廈門二千多名學生、大連二千多名學生、廣州一千五百多名學生、太原一千多名學生、洛陽一千餘名學生、西寧一千餘名學生、合肥約一千名學生等。由於學生以和平的手段進行遊行，秩序井然，也由於各地政府對警察發出了決不能動用武力毆打學生的警告，五月四日全國規模的學生遊行抗議活動沒有發生一起暴力事件，這是値得慶幸的。

趙紫陽：在民主法制軌道上解決問題

正當學生們在天安門廣場宣讀「五四宣言」的時候，趙紫陽會見了亞洲開發銀行理事會第二十二屆年會的亞行成員代表團團長及亞行高級官員，並發表了被稱之爲「第二種聲音」出來了的那篇著名講話。現摘錄其主要部分：

我認爲，遊行隊伍中的絕大多數學生對共產黨和政府的基本態度：又滿意，又不滿意。他們絕

對不是要反對我們的根本制度，而是要求我們把工作中的弊病改掉，他們對十年來改革和建設的成績，對我們國家的進步和發展，是很滿意的，但對我們工作中的失誤是很不滿意的。他們要求糾正失誤，改進工作；而肯定成績，糾正失誤，繼續前進，也正是我們黨和政府的主張。有沒有企圖利用並且正在利用學生的行動呢？中國這麼大，當然難免，總有人希望看到我們出現動亂，總有人會利用，不利用是不可想象的。這樣的人極少，但值得警惕，我想絕大多數學生是會懂得這一點的。現在北京和其他某些城市的遊行仍在繼續。但是，我深信，事態將會逐漸平息，中國不會出現大的動亂。我對此具有充分的信心。

應該在民主和法制的軌道上解決學生的合理要求，應該通過改革來解決，應該用符合理性和秩序的辦法來解決。分析一下具體情況就清楚了：現在學生最不滿意的是貪污腐敗現象。這本來是黨和政府近幾年來一直在解決的問題，但爲什麼有這麼多的人有意見，而且意見這麼大？兩條原因。一是由於法制不健全，缺乏民主監督，以致某些確實存在的腐敗現象，不能及時地得到舉報和處理；二是由於公開化不夠，透明度不夠，有些傳言，或是張冠李戴，或是無限擴大，或是無中生有。其實，我們絕大多數黨和國家機關的工作人員，不但是低工資，而且除了工資以外並沒有什麼其他收入，更沒有什麼法定的特殊權利。違反法紀，搞特權、特殊化的人，有，但並不像人們傳聞的那麼多，那麼嚴重。當然，腐敗問題是一定要解決的，但這個問題必須也只能同完善法制、民主監督、擴大透明度等改革措施結合進行。

在處理學生遊行這一事件時，也同樣應該在民主與法制的軌道上來解決，在理性和秩序的氣氛中解決。現在需要廣泛地進行協商對話，同學生對話，同工人對話，同知識分子對話，同各民主黨派和各界人士對話，在民主和法制的軌道上，在理智和秩序的氣氛中，交換意見，增進理解，共同探討解決大家共同關心的問題。

現在最需要的是冷靜、理智、克制、秩序，在民主和法制的軌道上解決問題。黨和政府準備這樣做，我相信，學生會贊成這樣做，各界人士也會贊成這樣做。

趙紫陽的這個講話，是由鮑彤起草的，講話前沒有經過政治局常委討論，也沒有請中央書記處審核。趙紫陽在講話前就對稿子比較滿意。講話一結束，聽到的幾乎都是一些好的反應。

趙紫陽講話結束後，與李鵬作了一次私下交談。李鵬一坐下，就對趙紫陽說，「紫陽同志，你的話講得很好，反應不錯。我在明天會見亞行代表時，也要呼應一下。」

趙紫陽說，「這個講話的調子比較溫和。我希望這個講話能起到促進學潮盡快平息的作用，同時也能增強外資對中國穩定的信心。」接著，趙紫陽著重談了他對「四·二六社論」的看法。他說：「李鵬同志，我從朝鮮回來以後，聽到各方面對人民日報四月二十六日社論的反映很大，似乎四二六社論已經成爲影響學生情緒的一個結子。我們能否採取適當的方式，解開這個結子，以緩解學生的情緒。」

李鵬：「紫陽同志，你知道，四二六社論是根據四月二十四日政治局常委會議的精神特別是小

平同志的講話精神發表的。這個社論裡面有些語氣可能表達得不很準確，但要改變這篇社論的定性肯定是不可能的。」

趙紫陽：「我先說一些我的想法。這次學潮，我認爲有兩個很値得注意的特點。一是學生提出要擁護憲法推進民主，反對腐敗等口號。這些要求其實跟黨和政府的主張是基本一致的。二是參加遊行和支持學生的人非常之多，各界人士都有。不僅北京人山人海，上海、天津等一些大城市也是如此。學潮已經擴大爲全國性的規模。所以，我想，要盡快平息事態，必須首先應該著眼於大多數，把多數人的主流肯定下來。我覺得四月二十六日社論有個問題，就是沒有肯定多數人的主流，而是從整體上做了一個多數人難以接受的籠統的定性，帶有敵我矛盾性質。極少數人反對四項基本原則，渾水摸魚肯定是有的，我在今天的講話中也指出了這一點。但是幾十萬人的、全國性的行爲只由少數的人操縱，則很難完全解釋得通，也難以令人信服。學生們認爲四月二十六日社論給他們戴上一頂帽子，情緒變得激烈起來，主要原因也在這裡。因此，我主張對社論做些改變，鬆一鬆口。」

李鵬：「紫陽同志，這場學潮的背景極其複雜。四二六社論並沒有講廣大學生在搞動亂。袁木與學生對話和答記者問時都代表政府作了多次解釋。學生們應該是明白的。問題是，現在的學潮絲毫沒有減退的跡象，反而出現非法學生組織公開向政府要挾。你看『高自聯』的那個請愿書，不僅要把合法學生組織排除在外，更把黨和政府當作談判的對手，而且要超越於政府之上，附設種種條件。請愿書本身就帶有威脅性質。小平、陳雲、先念等老同志都認定這次學潮有極少數人在背後操

縱，其目的很淸楚，就是否定中國共產黨的領導、否定社會主義制度。我也是這麼認爲的。從這一點來說，四二六社論的定性是正確的，不可能改變。」

趙紫陽：「我不反對社論中『動亂』的說法。我認爲『動亂』只是指學潮規模，和對社會秩序的影響程度而言，並不說明性質，可以是自發的，也可以是敵對的。我想，我們還是應該再有一篇東西，把廣大青年學生和社會上很多同情者的行爲與極少數人的企圖利用學潮渾水摸魚、製造事端，攻擊黨和社會主義的行爲嚴格區別開來，避免把整個學潮籠統地作一個敵我矛盾性質的定性，著重採取疏導的方針，避免激化矛盾，這樣可能更有助於事態的平息。」

李鵬說，「紫陽同志，我不同意你的這個意見。」趙紫陽與李鵬關於四二六社論的談話各執己見，誰也沒有說服誰。

趙紫陽講話的社會反響

趙紫陽講話發表後，引起了社會各界的熱烈反響。五日各省、自治區、直轄市向中南海的報告中，普遍對趙的講話給予了充分肯定，認爲講話有利於盡快平息這次學潮，也有一些報告對趙的講話提出了一些疑問。特此摘錄各地報告主要內容：

北京：「這個講話對當前國內形勢特別是學潮的起因、性質、形勢和前景作了公正、中肯、恰

當的分析，並提出了冷靜而策略的解決辦法，將有利於緩解大學生的情緒，穩定局勢、穩定人心。在民主和法制的軌道上解決問題，符合民心和學生愿望。這表明黨和政府的胸懷和誠意，也表明黨和政府有能力有信心解決當前存在的一些問題。」「部分同志提出了一些疑問：一，講話中沒有對學生運動明確提是動亂，只從正面講『中國不會出現大的動亂』，這與四二六社論定性爲『是一場有計劃的陰謀、是一次動亂』調子不一樣，是否社論說過了頭？二，四二六社論、袁木同志與學生對話和答中外記者問中都較明確肯定有黑手在幕後策劃，而紫陽同志講話中只是說『當然難免』，這相差太遠了，讓人不好理解。」

上海：「不少幹部、教師、學生認爲，講話對當前我國國內形勢的估計是正確的，解決問題的方針也是妥當的。應該說，最近一部分學生上街遊行，並不是形勢亂得不得了，而是反映了廣大青年學生既滿意又不滿意的一種情緒。現在中央態度明確，講話誠懇，方法對頭，事態會很快平息。」「也有些幹部對講話表示不理解：上街遊行到底對不對，講話避而不談，既然青年學生的主張同黨和政府的主張是一致的，爲什麼還要我們日夜做工作勸說學生不要上街遊行？」

黑龍江：「講話中的一些提法比較客觀，基本估計也與我們聽到的群眾的呼聲一致。許多群眾對學潮不反感，爲學生們的愛國行動、憂患意識叫好。講話具體分析了參加學潮的大多數學生的動機，並給予肯定，指出學生提出的『清除腐敗』等口號與黨的目標是一致的，這就更符合實際了。」「有的幹部認爲，講話在分析學潮產生的原因時講得不夠透徹。應該建立一種有效機制，使政府官

員置於人民的監督之下。」

遼寧：「講話既十分適時，又入情入理，將對平息事態產生巨大的促進作用，大家都感到輕鬆多了。紫陽同志的講話對學生上街遊行的性質闡述得很科學、很準確，表達出黨和政府的真誠愿望。講話的態度親切誠懇，通篇沒有『訓人』的說教味，連『冷靜、理智、克制、秩序』幾個字，也是對學生和政府的共同要求，這就和學生的心呼應起來了，反映出黨中央和政府的大度胸懷。」「許多人把紫陽同志的講話與四二六社論相對照，認爲其中一些提法和態度的不同發人深思。」「中央對學生上街這類易引起社會震盪的大事，一定要採取正確而又穩妥愼重的方針，切忌隨意性。」「紫陽同志的講話應該成爲我們這一段實際工作的指導方針。」

江蘇：「講話既沒有迴避學生遊行問題，也沒有諱言我們工作中的失誤，而是實事求是地分析國內形勢，講得坦誠、親切，表現了一種信心。」「中央應該認眞考慮學生在大字報中遊行中提出的意見和要求，拿出具體措施。」

浙江：「這個講話本身就體現了冷靜和理智。」剛剛通過的省政協六屆二次會議政治決議，「因委員們的呼聲刪去了『反對和防止動亂』一句話」，委員們普遍認爲，「紫陽同志的話如果能提前講的話，可能就不會發生前段時間的學生大規模遊行了。」「在今後的民主政治建設過程中，還會發生小的騷動，甚至還會有人罵黨和政府，這是正常的現象。黨和政府應學會習慣這些現象，大可不必對群眾和學生加以苛求，也不必過分敏感和緊張，更不能上綱上線。否則，一有動靜就說是動

亂，說有人幕後指使，又說有證據，往往會把學生和群眾推到對立面去，激化矛盾。正因爲如此，紫陽同志的這次講話才令人滿意。」

廣東：「趙總書記的講話實事求是，有理有節，絲絲入扣，分析學生和群眾的想法很中肯。」「如果各級政府都能疏通上情下達的渠道，讓學生和各界人士有發表意見的機會，學生就不會採用這種遊行請愿的形式了。」「用完善法制、民主監督、擴大透明度等改革措施來解決存在的問題，特別是懲治貪污腐敗的問題，是廣大人民群眾的共同心愿，但是要堅決、快速，給人民以信心，不要讓人民失望。」

陝西：「講話有兩個特點：第一，從策略上講，有利於穩定和團結大多數學生，孤立和分化少數人。講話雖然沒有完全肯定大學生的行動，但對他們上街遊行所提出的要求是理解的，而且也接受了和我們意見一致的積極的建議。第二，講話表明了黨和政府推進民主政治的決心。學生們提出的有利於改革的建議和要求，黨和政府應從積極方面加以採納。一些幹部認爲，如果四月二十六日《人民日報》社論也能把握這一基調的話，事情也不至於發展到如此地步。一些工人說，如果講話還象四月二十六日社論那麼強硬，把學生指到對立面去，工人很可能起來。現在廣大職工中存在著一種浮躁情緒，如果有人組織的話，工人也可能上街。」

甘肅：「紫陽同志的講話是解決當前國內問題以理智代替『高壓』的明智之舉。省委一些幹部認爲，中央一再強調要穩定，但不能滿足於表面穩定上。這次學潮的焦點集中在腐敗問題上，說明

中央在反腐敗上步子邁得不大，沒有動真格的。穩定應建立在消除腐敗、消除不安定因素、消除群眾不滿情緒的基礎上。否則遲早還會發生更大危機。」「紫陽同志提出的廣泛協商對話，是消除學生怨氣、聽取群眾呼聲的可行辦法。今後，省委、政府要在這方面把工作做在前頭。」「這個講話如果再早一點，可能效果更好。」

四川：「省委一些同志認爲，紫陽同志的講話是黨中央解決學潮的正確方針和指導思想。只要按這一方針辦，學潮問題能夠得到解決。但也有幹部認爲，紫陽同志對黨內腐敗現象的估計與認識，與學生、幹部及群眾的看法差距較大。」「一些同志認爲，紫陽的講話說『學生最不滿意的是貪污腐敗現象』，爲什麼迴避了『官倒』問題？現在風靡大街小巷的順口溜『毛澤東的兒子上前線，林彪的兒子搞政變，鄧小平的兒子搞捐獻，趙紫陽的兒子倒彩電』，真是無風之浪？但愿如此。」四川建築機械廠的黨委書記說，「其實現在工人心裡也憋了一肚子火，物價上漲，分配不公，主人翁地位名存實亡等等，只是工人們還要考慮一家老小的生計。如果不及時糾正腐敗現象，將潛伏著更大的危機。真正工人走上街頭了，局面就不可收拾了。」一些高校負責人認爲，「紫陽同志的講話比較入耳，但我們又擔心講了不算，問題依舊。一個行動，勝過十萬保證。希望真真切切拿點行動出來。」

雲南：「紫陽同志的講話對形勢的估計很正確，提出了解決辦法，表明了中央態度，學生、黨政領導幹部都能接受。」「下一步怎麼辦？省委建議有幾個問題值得注意：一，要採取切實有效的措施解決學生提出的問題，一定要做出成績來，否則學生的氣會越來越大；二，學生大規模遊行對

黨和政府的形象有所損害，要通過恰如其分的工作挽回，中央應該有個明確的指示；三，在實現民主的進程中，要加強對不斷出現的新情況和新問題的研究，否則黨的工作就會很被動。」

海外焦點：下一步會怎樣？

西方的中國問題觀察家對中國二十天來的學潮既激動又驚訝，五四過後，他們開始在問：「下一步會怎樣？」對此，我們綜述五月一日至六日呈送中南海的六十二篇關於學生運動方面的報導。

一，趙紫陽的講話使學潮失去了勢頭。

五日的法《世界報》說，趙的講話「表明了一個最明顯的跡象：他回到北京以後親手控制住了事態」，他「沒有重申這以前的官方聲明中提出的要求(即對話要通過政府渠道進行)，趙「出色地使形勢變得對他有利了」。趙的講話「在學生運動的領導人方面似乎引起了良好的反響。他們當中不少人呼籲復課，並呼籲同當局開展對話」。

路透社在五日的新聞分析中說，「趙的講話重新確立了他的權威，並採取行動使正在逐步升級的民主運動失去勢頭」。趙的講話「採取了一種十分同情的態度，講話的調子比較積極，也比較有個人特色。」「與一周前對學生們的嚴厲譴責形成鮮明對照」。

六日的法《費加羅報》發表一篇題爲「中國：趙紫陽時代」的報導，說「趙紫陽從朝鮮返回起，

就表現出他能作出反應。」報導引用一位大學生的話說，「五月五日將在我國歷史上成爲這樣一個日子，自那天起，新聞開始自由—」「觀察家們認爲，實際上，政府選擇開放的解決辦法是符合客觀估計形勢的結果的。好像領導班子的某些成員很快就懂得胡耀邦逝世只不過是引爆劑，而且還懂得大學生的行動反映了一定的情況，應當從中吸取教訓。」

香港《經濟日報》五日題爲「自立自信」的文章稱：「未來局勢，須視改革派能否把握當前最佳時機，因勢利導，藉著政治改革，把經濟改革帶上健全的輕車之路？從趙紫陽這兩天的談話看，足以顯示他是較能理解今次學潮意義的大員。」

二，美國總統及國會聽證會談中國學潮。

美聯社四日報導，「美國總統布什今天在白宮與加拿大總理馬爾羅尼舉行會談後發表講話說，他已重新看了中國學生抗議者們的要求，並且『從廣泛的、總的意義上來講，許多要求均得到我的熱情支持』。他說，『我不會向任何國家的任何領導人建議接受每個團體提出的每一項要求』，他接著說，『美國當然可以對他們表示贊同』。布什還鼓勵中國和其他一些極權國家『盡快沿著民主道路走下去』」。

新華社四日電報：「今天下午美國衆議院外交委員會舉行聽證會討論中國學生最近舉行的示威遊行活動，以及美國應採取何種措施來支持學生的問題。參加作證的有三人：美國國務院代理助理國務卿邦辦威廉姆斯、布魯金斯學會高級研究員哈里．哈丁以及中國留學生裴敏欣。

「威廉姆斯在作證中發表三點聲明：1，美國政府相信並支持和平集會，包括和平抗議，以及言論自由的權利；2，美國對與此原則相違背的各種做法、包括關閉《世界經濟導報》的決定表示遺憾；3，美國希望在中國的示威遊行(如果還將繼續下去的話)能保持和平的方式，並希望中國當局採取克制的態度。他說，美國希望中國政局穩定，如果中國政府能接受學生的一些要求，將有助於穩定。同學生對話是一種較好的辦法，走向新聞自由也有助於穩定。如果中國的學生遊行遭到鎮壓，這將無疑會促使美國對中國的人權問題(包括政治權利)表示強有力的關注，從而在一定程度上影響中美關係的發展。

「哈里．哈丁稱中國政府如在經濟和政治改革中後退將影響中美關係。他在作證中表示，美國應支持學生的和平示威。美國過去只表示支持中國的經濟改革，而對中國的政治體制改革談得不多，因此，今後美國應公開表示支持中國的政治改革。如果中國政府在經濟和政治改革的問題上後退，這就會影響中美關係的發展。

「裴敏欣乞求美國施壓。在哈佛大學攻讀博士學位的裴敏欣(此人曾訪問過台灣)在作證中要求美國政府通過其駐華使館『勸告』中國政府不要動用武力鎮壓學生，並向中國政府遞交一份可能實行制裁的清單。他要求美國政府在中國政府動用武力或逮捕、關押學生領袖時採取如下制裁措施：1，立即停止對中國的與軍事有關的技術轉讓；2，動員美國的盟國共同譴責對學生的鎮壓；3，抵制在北京舉行的各種國際會議，推遲中國領導人的訪美計劃。他說，中國政府一般比較重視國外輿論，

尤其是美國國會的輿論，因此美國國會應通過正式決議支持學生，譴責鎮壓措施。美國國會的決議雖然不能起直接的作用，但是中國學生可以通過美國之音瞭解到美國國會的立場，從而受到鼓舞。裴是來自中國大陸的人幾十年來在美國國會就中國問題作證的第一人，他激烈的言詞和具體的要求並未引起在場聽衆的多少同情。

「哈里·哈丁在聽完裴敏欣的要求後表示，美國國會不應通過正式決議來評論中國的事情。他說，美國不應對只有短期行爲的(中國)事件，包括可能的武力鎮壓，做出過分的反應，不管這些事件是積極的還是消極的。美國做出的反應應該有長遠的考慮。」

三，中國留學生聲援國內學潮。綜述新華社消息：

在美國，三日、四日、五日，中國留美學生相繼在紐約、費城、波士頓、洛杉磯、休斯頓、亞特蘭大、芝加哥等地舉行集會遊行，這些遊行大都到中國領事館前舉行，人數少則幾十人，多則上百人。有兩名共產黨員王宏愷、周志嘉在遊行時宣佈退黨。三日，正在美國的劉賓雁、王若水等參加了在波士頓地區有七百多名中國留學生舉行的五四運動紀念集會。四日，中國留美學者學生聯誼會致電中共中央、全國人大和國務院，「誠懇希望黨和國家領導人正確對待學生的民主運動」。留美學生已陸續募捐一·五萬美元，希望國內學生能用這筆錢辦一份報紙。

在英國，牛津大學中國學生學者聯誼會一日致電中共中央、全國人大和國務院，呼籲黨和政府「順應並支持人民的民主、自由、改革的正義呼聲，加速政治體制改革，真正實行新聞、言論、出

版自由」。

在西德，五百多名中國留學生於四日在波恩舉行集會，並在使館前遊行，集會通過了三封信，一是宣告成立西德中國學生聯盟；二是致信全國人大和國務院，呼籲政治改革；三是致國內學生的公開信，聲援國內學生運動。

在法國，由剛成立的「中國民主運動聲援會」組織，三百多名留學生在巴黎鐵塔廣場舉行遊行、募捐，部分學生到中國大使館前示威。

三，充滿激情、真誠、自發的學生運動

五月四日的英《獨立報》發表題爲「中國大學生表現出激情但是沒有目標」的文章，文中說，「當成千上萬大學生聚集在天安門廣場高喊『打倒獨裁者』的時候，他們是自發、真誠而不是挑釁性的。他們之間似乎沒有什麼接觸。」文中引用了哈佛大學政治系羅德里克·麥克法夸爾教授的看法，中國「政府的權威的確一落千丈」。這次示威遊行同一九八六-一九八七年的示威不同，那一次失敗的是學生。這一次很象同政府對峙的波蘭團結工會。北京的共產黨應當認識到，波蘭同志由於無視團結工會而損害了他們的國際地位。中國領導人千萬不要由於開槍打死一名大學生而出現一位使人民團結在其周圍的烈士從而釀成全國性的運動。他們也許不得不爲了保持中國的純潔而把他們的一些貪污腐化的子弟送上祭壇。」

香港《新報》「紀念五四七十周年」的社論說，「如果說這次學生有『黑手』及『後台』的話，

他們就只能是悲哀的中國歷史及『民主』二字。」《新報》五日的社論說，「對於學生的代表性問題，中共只應讓學生選出代表與他們進行談判，而不能以一句『非法』就否定數十萬大學生的權利。北京幾百名記者參加了遊行，喊出『不要逼我們造謠』的口號，中共亦應進行徹底反省。」

《香港虎報》五日「大學生遊行政府作出讓步」的報導說，「今天中國的政治現實是非常清楚的。雖然共產黨犯了許多錯誤，可是迄今還沒有任何政治力量能夠取代共產黨的統治，不管是通過和平或暴力的手段。如果學生們力圖謀求具有改革思想的領導人的支持，那麼他們的運動可能會把政治改革推上正確的軌道。遺憾的是，他們攻擊了幾乎所有的領導人。」

美國《基督教科學箴言報》五日「中國學生在抗議」的報導說：「據中國知識界人士和西方外交官說，雖然這場運動得到許多經常參與在中國發生的政治動亂的人的支持，北京仍然允許它繼續存在下去，因爲當局比較有節制。」

《香港虎報》五日發表題爲「民主聯盟承認參與中國的學潮」，指出，「中國民主聯盟副主席姚岳乾(譯音)昨天表示，該聯盟的一些成員實際上參與了這次學生運動。他說，『我們的成員還與北京的學生進行了討論，介紹我們在出版刊物和組織學生運動方面的經驗』。自學生運動爆發以來，他們中的許多人已返回中國大陸。」

四 絕食

趙紫陽談新聞改革

五月六日上午，趙紫陽同胡啓立、芮杏文就當前的新聞工作進行談話。胡啓立說，「這次學潮中，學生們非常強烈的一點就是要求新聞界對他們的遊行等活動進行如實報導。學生們對新聞報導的不滿一開始主要是對四月十九、二十日晚學生在新華門前靜坐示威的報導不滿，認爲新華社的報導過於片面。接下來就是對四二六社論的強烈不滿，認爲對學生的定性是完全錯的。接著就是上海《世界經濟導報》被整頓一事傳得紛紛揚揚。新聞界在這次學潮中承受的壓力很大。學生們提出新聞要講真話的強烈呼籲，在新聞記者中引起很大反響。一些記者對報社領導扣壓有關學潮的報導很有意見，連新華社、人民日報社都出現這種情況。所以，在四月二十七日，我們開了一個會，把幾大家新聞單位的負責人都召集來了。會上，他們強烈要求對這次學潮報導的分寸，中央要有一個明確意見。所以我在會上說了一條原則，就是在報導學潮這個問題上，報社主編有權決定可以報導什麼，或不報導什麼。不一定事事都要請示。」

趙紫陽：「我看這幾天的新聞，放開了一點，對遊行作了報導。沒有什麼不好的反映嘛。新聞公開程度增加一點，風險不大。」

芮杏文：「我也跟啓立同志匯報過這個問題。新聞要講真話，要使之真正成爲黨的喉舌、人民的喉舌，要讓老百姓相信。現在，我們自己的新聞記者就不相信自己。四日有二百多名新聞記者上街遊行，打出的主要標語就是『新聞要說真話』、『新聞屬於人民』，其中有一條激烈的標語上寫著『不要逼我造謠』。這除了說明這次學潮已開始波及新聞界，需要引起中央高度重視外。我們的新聞體制的確需要盡快改革，不能幾十年一貫制。」

趙紫陽：「這幾天聽了不少反映，看了不少報告，我覺得新聞改革既是大勢所趨，也是人心所向。面對國內人心所向，面對國際進步潮流，我們只能因勢利導。要向首都新聞單位的主要負責同志講清楚，新聞報導一定要說真話，千萬不能製造假新聞，不能隱瞞事實。新聞報導要真正做到：客觀、全面、真實、及時，這也是我國民主政治建設的一部分。」

胡啓立：「據新華社反映，這幾天首都新聞界正在發起一場新聞記者簽名活動，要求與我們對話。」

趙紫陽：「我們歡迎各種形式和層次的對話。與新聞記者進行對話，傾聽他們的呼聲，瞭解他們的想法，有助於我們的新聞改革。當然，我們對一些過激的言論要提出忠告和批評。今後，在處理一些敏感的新聞事件時，一定要慎重、慎重、再慎重，千萬不能匆忙、草率地簡單下結論。《世界經濟導報》事件搞得我們很被動，原因就在這裡，要引以爲鑒。」

胡啓立、芮杏文於當天下午向北京主要新聞單位主要負責人作了傳達。

趙紫陽楊尚昆會談

五月六日下午，趙紫陽拜訪楊尚昆。

趙紫陽說，「從朝鮮回來後，我除了看材料瞭解一些情況，還分別找喬石、啓立、紀雲和許家屯同志談過話，前天還與李鵬同志交換過意見。主要是想全面瞭解對這次學生運動的看法。我總覺得，這次學潮的主流是好的，是擁護黨和支持改革的。很多青年學生期望改革的步子能更快一點，國家的民主化程度能更高一點。他們的主觀愿望是好的，但言行過激，有些地方表現得不冷靜，缺少理智。所以，我在亞行理事會上的講話特別強調了要冷靜、理智、克制、秩序，我相信能在民主、法制的軌道上解決這次學潮。」

楊尚昆：「你在亞行理事會的講話，黨內反應很好，喬石、萬里、榮老板、許家屯都說講得不錯，學生、社會的反應也很好，北京高校現在已經大部分復課了。這就是效果。你說得對呵，這次學潮的確跟以往不同，支持學生的人很廣泛，包括廣大的黨政機關幹部。學生所提的口號也相當策略，擁護共產黨，擁護改革開放。這一方面表達了大多數人的意見，另一方面也反映出的確有人在幫學生出主意，這裡不排除那些自由化分子，也不排除某些外國勢力以及港台一些反共勢力的介入，但運動的主流是好的。」

趙紫陽：「我覺得，這次學潮如果處理得好，可能有利於我們進一步推進改革。」

楊尙昆：「所以，對這次學潮，還是應該疏導、分化，不能鎭壓，應該爭取學生的絕大多數，把極少數反共、搞破壞的人孤立起來。」

他又說：「學生們要求廉政，反對貪污，反對『官倒』，反對特權，……這些都是我們黨提出的，現在學生和群眾支持是好事嘛。我們要通過對話，對於群眾提的要求，接受合理的部分。所以，我建議採取一些具體措施，來制止、杜絕這些弊端。」

趙紫陽：「我也正在考慮這個問題。如反腐敗，特別是高幹子女問題，首先從我做起。我準備向中央寫一封信，建議先調查我的子女，如有腐敗問題，就接受國法處理；如有涉及我本人，一樣。再如『特供』（指給予副總理級以上幹部廉價食品和生活用品的制度）問題，從常委做起，先考慮取消給常委的『特供』。小平、先念、陳雲等老同志，可以繼續保留。常委外出的專機、專列和警衛制度要改革，幾位老同志可以保留，新的常委要考慮輕車簡從。最根本的是，建議全國人大常委會盡快討論、制定反貪污、反官倒、反特權的具體法律。」

楊尙昆：「許家屯已經把你的話捎給我了。」

趙紫陽：「我今天就是想向您談一下自己的這個想法。我覺得，四二六社論稱這次學潮爲『動亂』，把矛盾激化。提法上欠斟酌。社論發表後，我聽說北京市的廣大幹部和市民都很震驚，多數人不同意社論的看法，罵小平同志；也有一種說法，說有人把小平同志抬出來了。我們要維護小平同

志的形象，不能把他的形象給損壞了。」

楊尙昆：「我們的看法是一致的。」他特別強調，「一定要維護小平同志的威信。」

趙紫陽：「我覺得，現在主要是二個問題：一是爭取小平同志同意改變對學生運動的定性，二是徵求常委意見，改變決議。您認爲怎樣？您和小平同志是老戰友，您去向小平同志反映，效果一定更好。常委這邊的工作我來做。」

楊尙昆：「我揣摸，常委這邊的工作也不一定好做。」

趙紫陽：「喬石、胡啓立應該沒有問題，姚依林、李鵬可能會聽不進去。」

楊尙昆：「我去同小平講，他的脾氣，你是知道的，他可能聽進去，也可能聽不進。我試試吧。」

學生醞釀新對策

自四日「北京高校學生自治聯合會」在天安門廣場宣佈復課以後，北京乃至全國高校的學生進入一個相對平靜的日子。從五日到七日，除了西寧大學生不滿新聞報導宣佈罷課、太原大學生不滿市政府負責人談話，於六日發動近二千名的學生上街遊行外，各地學生的抗議活動都轉入校內進行。復課情況也大有好轉。各地的報告稱：學生盡快復課，除了呼應北京學生的建議外，更主要的是「紫陽同志的講話起了促進作用」。

我們綜述國家安全部門五日、六日、七日三天關於北京學生運動主要報告的有關內容：

據北京市委教育部五日初步統計，北京高校已有八十％的罷課學生今日起復課。清華大學五日學生上課率達到八十％；中國人民大學應有五十九個教室有課，其中五十四個教室有學生上課。北京大學和北京師範大學罷課學生復課情況較差。北京大學有五十％的學生上課，原因是「北大學生自治聯合會」昨晚在三角地廣播一個緊急通知，號召北大學生繼續罷課。今日上午北大貼出一份「緊急通知」的大字報寫道：「臨時成立的籌委會與市學聯可以解散，並不再號召組織罷課、遊行活動，以保證與政府一起以冷靜、理智、克制的態度共同解決問題。通過合法程序改選學生會、研究生會及市學聯。如果我們能民主地選舉對話代表，並成功地走上講台與政府在平等條件下進行對話，我們就能在現實條件下取得成功。」在這個未署名的通知旁有人寫道：何人宣佈復課？你能對得起你的良心和海內外關心支持我們的華人同胞？

此外，還有一篇未署名的致校黨委的公開信中寫道：「學生運動兩周過去後，學生已不知道下一步該向何處去了，希望校黨委出面收拾殘局。」信中說，校黨委應當出面主動建立一套民主化的管理模式。現在情況變得複雜了，形勢撲朔迷離，校黨委在此時應當審時度勢，盡快出面組織學生。

北京大學「學生自治聯合會」今天上午正在印製一份民意測驗材料，內容有：同學，北大繼續罷課是否具有可行性和現實性？你是否願意繼續參加？原因？

今天十九時，近千名學生在北大三角地進行辯論。一部分學生認爲，要堅持罷課。要堅持罷課，

中央給學生定性的帽子不摘掉就要罷課。二十二時，近千名學生在校內遊行。二十三時四十分，北京大學「學生自治聯合會」廣播「緊急通知」：「1，五月六日繼續罷課；2，明天上午各宿舍展開討論，三角地爲主要場所。中午十二時以各宿舍爲單位進行投票，決定復課還是繼續罷課。下午四時公佈投票結果。晚上邀請人大、清華、政法、北師大四校商量下一步工作計劃」。

北師大「學生自治聯合會」負責人吾爾凱西昨晚宣佈，五日繼續罷課。北師大很多學生受他影響，今日沒有復課。

今日沒有復課的學生中，有的是「鐵桿派」，有的因外出旅遊未歸，有的是被父母以「母病速歸」的藉口叫回家鄉未回，也有的因昨日遊行勞累所致。

六日上午，北大學生在三角地進行是否復課的討論。十二時二十分，北京大學「學生自治聯合會」將是否關於復課的問卷發到每個學生宿舍,進行「民意投票」。在一千二百六十八張「有效票」中，贊成繼續罷課的佔六十四．二%，反對罷課的佔二十四%，棄權票佔十一．八%。根據北大關於罷課的投票表決情況，下午二時，「北京高校學生自治聯合會」在北師大開會，作出決定：1，先由北大和北師大聯合罷課，再號召全市罷課；2，活動以校園爲主，辦講壇、出報紙、搞印刷，在校園內搞遊行示威活動。並準備找四通公司支持一些印刷設備。

下午三時，由北京二十三所高校學生署名的「北京高校對話團請愿書」送達中辦國辦信訪局，中辦國辦信訪局局長鄭幼枚、全國人大信訪局局長陳文煒出面接待。四名學生代表要求交請愿書遞

送給中共中央、全國人大和國務院。他們說，這份請愿書和五月二日的請愿書沒有聯繫。他們希望這份請愿書能於五月八日得到有關方面的答覆。

學生代表還聲稱，他們是按照民主原則由各校推選出來的，具有廣泛的代表性，和「北京大學生自治聯合會」沒有任何關係。

請愿書全文如下：

北京高校學生對話代表團請愿書

中共中央、全國人大常委會、國務院：

最近，北京及全國各地高校學生通過遊行、請愿等方式，反復表達了同黨和政府要求對話的要求。黨和政府領導人也多次以不同方式表達愿意同學生對話，共同商討解決大家共同關心的問題。我們作爲北京高校學生民主選舉產生的代表，本著廣大同學幫助黨和政府改進工作，推進我國改革開放和現代化進程的態度，懇切請求盡快同黨中央、全國人大常委會和國務院就當前的學生愛國民主運動、深化政治經濟體制改革和推進民主法制建設等問題，進行真誠的、建設性的公開對話。我們希望中共中央、全國人大常委會和國務院的代表盡快同我們約定時間、地點，就對話程序事宜進行協商，以利對話的順利進行。我們請求，根據新聞自由原則，允許新聞界對這次對話進行採訪，並全面、公開、準確地作出報導。我們準備於五月八日下午三時左右前來聽取答覆。

七日晚，「北大學生自治聯合會」成員王丹在三角地再次重新主持召開「民主沙龍」，一千多

名學生參與。王丹說，「要繼續罷課。五月九日下午有部分記者將到中國記協去請愿，爲了配合這次行動，希望得到廣大同學的支持。現在，記者起來了，同學們不要停下來，我們一定要支持他們的行動！」

這幾天的海外輿論主要報導了北京學生爲了敦促政府滿足他們的要求而醞釀繼續罷課和再次遞交請愿書的活動。其中七日的《華盛頓郵報》刊登了該報記者六日發自北京的題爲「抗議活動的領袖有共同的信念和目標」的報導，文中主要介紹了王丹和吾爾開希。摘錄如下：

報導說，二十一歲的吾爾開希和二十歲的王丹自從中國的學生民主運動三周前開始以來一直站在運動的前列。雖然這兩個學生的作風不同，但是他們都有組織能力，都有獻身民主理想的精神，都有公開道出自己信仰的勇氣。

吾爾開希說，他的少數民族的背景和他同外國人的友誼使得他易於接受新思想。他同西方記者在一起時輕鬆自如，並且對自己給他人的印象感到得意。他的這種好出風頭的作風使他成爲新成立的高校學生自治聯合會的主席。政府已宣佈這個學生組織是非法的。吾爾開希毫不猶豫地點名批評高級領導人，這在北京依然被認爲是危險的。

王丹不像吾爾開希那樣愛出風頭，但是他的信仰同樣堅定。他說，他從未想到要當領導，但是同學們要求他在學生運動中起領導作用。王丹並不是突然成爲學生領袖的。幾個月來，他組織討論會，自由討論民主理想。學生稱這些討論會爲「民主沙龍」。當抗議運動開始時，許多人認爲他是

當然的領袖。在王丹看來，學生到目前爲止已實現了兩大目標：他們建立了一個獨立的學生組織，並且得到了空前的公衆支持。但是他說，這只是短期目標。長遠目標還有待實現。他強調說，政府最近採取的顯然是和解的態度並不表明這個運動已經完結。

政治局常委會議

五月八日上午，趙紫陽主持召開中央政治局常委會，聽取北京市關於近期學潮情況的匯報，提出對策，並就廉政和民主政治建設問題展開了討論。現根據會議紀錄予以綜述。

會議首先聽取李錫銘、陳希同代表北京市委、市政府關於近期學潮情況的匯報。在介紹完學潮情況後，李錫銘說：「這次學潮的確是一次有計劃、有組織的陰謀，北大爲什麼鬧得這麼兇？就是因爲有方勵之、李淑嫻夫婦在幕後策劃，北大學生所謂的民主沙龍就是在他們的支持下辦起來的。現在，反動組織中國民聯已經公開承認插手了這次學潮。美國國會還舉行關於中國學潮的聽證會。所以說，我們當前最主要的是統一思想，步調一致。在這場嚴峻的政治鬥爭面前，北京市委、市政府堅決與黨中央保持一致，希望中央對我們北京的工作提出明確的方針，以便迅速制止事態的發展。」

陳希同接著說：「這幾天來，我們市委、市政府的處境非常困難。紫陽同志在亞行年會上的講

話發表後，總的社會反映是不錯的。但也有一些同志提出疑問，尤其是高校的同志感到有些迷惑，工作上感到無所適從。他們說，『總書記的講話沒有對學生運動明確提是動亂，也沒有明確肯定這次學潮的背後有黑手在幕後策劃，與四二六社論的調子不一樣，讓人不好理解。我們到底以哪個爲準？』」

趙紫陽表態：「關於我在亞行年會上的講話，我講錯了我負責。」

在會議的討論過程中，趙紫陽首先發言：「這次學潮的發生，實際上是近年來國內外多種因素積累和演化的結果，它的社會背景十分複雜，主要有以下幾點：一，由於近年社會中分配不公，導致兩極分化現象，使少數人暴富，這中間包括一些政府官員和幹部子弟。這一現實，使不少人對現行制度的社會主義性質產生懷疑。二，由於我們工作中的一些失誤，使人民群眾對黨的方針政策的信任程度大爲降低。三，通貨膨脹直接影響了廣大人民群眾的生活水平，引起人民群眾廣泛的不滿。所以，這次學潮在人民群眾中產生了很大影響。爲了及時有效地平息這次學潮，解決人民群眾普遍關心的一些問題。我覺得，我們應該在廉政和民主建設方面辦幾件實事，使群眾看到我們正在做出努力。」

薄一波：「這次學潮不是一件孤立的學生事件，它已經影響到我們正常的社會生活，北京市民普遍同情學生，說明學生所提的一些口號正是老百姓非常關心的。所以，紫陽提出的在廉政和民主建設方面做幾件實事，我看是得人心的。古人云：『施之以德，威之以法』、『以德者昌，以力者亡』。

回憶建國初期，中國共產黨的權威建立在一種大得民心的清廉光輝的基礎上，共產黨的的確確爲老百姓謀幸福。而最近二十年，共產黨的光輝形象卻逐漸被黨內腐敗分子所玷污，他們以權謀私、貪污腐化、利欲熏心，這是最令人痛心的。我認爲，恢復黨的形象，必須從廉政入手，必須從中央做起。也只有如此，才能從根本上消弭政治動亂的根源，平息老百姓的不滿，實現國家長治久安。」

喬石：「我們對當前社會中存在的矛盾和危險不可低估，對人民群眾中存在的失望和不滿情緒不可低估。以這次學潮爲出發點，如果人民群眾普遍關心的一些問題不能得到妥善適當地解決和引導，就將嚴重危及社會安定。現在，我們在加強廉政和民主政治建設方面作出一些實質性的措施非常適時。如果我們的措施有力，並對廣大人民群眾進行因勢利導，可以把這次學潮中要求改革、擁護共產黨(哪怕是表面上的擁護)、愛國主義的潮流，引導到推進政治體制改革和加強民主制度建設，清明政治，革除腐敗現象的方向上，從而激發青年中的愛國主義和奮進精神。」

李鵬：「國務院決定盡快向全國人大常委會報告清理整頓公司的情況。我們確實應該下決心整頓一些與高幹子弟有關，在社會上很有影響的大公司，並把整頓結果及時向社會公佈，有問題就查處，沒有問題要澄清。這是廉政建設的必要措施，也是恢復黨在人民中形象的重要一步。」

胡啓立：「我認爲，我們黨五十、六十、七十年代行之有效的一些領導方式和政治鼓動方式，今天已不是很有效。從新聞輿論來說，我們的新聞改革的確需要增加一定的透明度和公開性，否則，不要說老百姓，就是新聞記者自己，他都有很多想法，認爲自己寫的東西不能一抒胸臆，或者寫多

了不能發表。所以，我們要盡快進行新聞改革，討論並出台《新聞法》。我們應切實推進政治體制改革，並提出具體方案，以向人民顯示黨確有推進政治民主化的信心。還有，應明確宣佈，建立黨和政府高級幹部向社會申報和公佈財產的制度。這也是廉政建設的重要措施，是恢復黨和政府形象的一個關鍵步驟。」

楊尚昆：「這次學潮，流傳著一張在社會上傳播很廣的所謂的『親官圖』或叫作『革命關係圖』。圖中羅列了高幹子弟擔任省軍級以上高級官職的親屬譜系。這張圖在社會上傳播極廣，已達到臭名昭著、大失民心的地步。小平同志也聽說了，非常生氣。我看了此圖，裡面所列有真有假。這是對黨和政府威信的極大損害。我認爲，有必要在適當場合對此加以澄清。我認爲，高幹子女中有德有才的完全可以與平民子弟同等資格擔任高級幹部。問題是必須保證『同等資格』這一點，很多老百姓對此不相信。在政治改革中，應當建立制度化選拔和提升幹部的方式，使無論高幹子弟還是平民子女，其中的優秀分子都能有平等的機會，根據德才標準，擔任高級職務。目前由於缺乏這一制度，事實上使許多擔任高級職務的高幹子弟在人民群眾中受到廣泛嘲罵。他們即使自己工作很有成就，人民群眾也會認爲他只是沾老子的光當官而已。所以，我們同樣要盡快建立這樣一種公開選拔任用幹部的制度。」

姚依林：「我沒有別的意見。我想補充一點，這次學潮還沒有完。這幾天雖然太平一點，但學生們又在醞釀下一步的動作，又有一些別有用心者在爲學生出主意。我們是執政黨，好的意見我們

接受。不好的我們要理直氣壯地反駁。這次學潮已經牽扯了我們太多的精力。學生現在在採取『拖』的策略，我們不能『拖』，我們『拖』不起。該強硬的就一定要強硬起來，決不能因爲學潮而打亂我們正常的工作部署。」

趙紫陽：「我想我們大家和依林同志的意見一樣，決不能因爲學潮而打亂我們正常的工作部署。當然，對這次學潮的處理，我們還是要堅持把廣大青年學生的愛國熱情與極少數人企圖利用學潮渾水摸魚、製造事端，攻擊黨和社會主義的行爲嚴格區別開來。我的基本想法是，把廉政作爲政治體制改革的一件大事來抓，把廉政同民主、法制、公開性、透明度、群眾監督、群眾參與等密切結合起來。當前，在廉政建設方面，我的初步想法是，國務院盡快向全國人大常委會報告清理整頓公司的情況；公佈副部長以上高級幹部的收入和身世；取消八十歲（或七十五歲）以下中央政治局委員的『特供』；由全國人大常委會組織專門委員會對涉及高幹及其家屬的舉報案件進行獨立調查；在廣泛討論的基礎上，制定新聞法和遊行示威法等等。我建議把今天會議的討論內容放到政治局的會議上再進行討論，以便提出更加全面有力的方案。」

復課條件

以下摘錄安全部八日、九日關於北京學生運動的主要情況。

八日上午七時四十分，北京大學「籌委會」廣播說，「籌委會」作出繼續罷課的決定。據北大教務處報告，當天約有五十％學生上課。

八時，北京大學「籌委會」廣播站廣播了《北京大學籌委會關於復課的條件》。十一時，《復課條件》以大字報形式貼在三角地和中關村路口。北大「籌委會」提出的復課條件是：

1，要求《人民日報》就四月二十六日社論公開糾正錯誤之處，對這次學生運動重新作出公正客觀的評價。

2，要求承認學生自治會的合法性。

3，要求國務院立即公佈調查官倒的統計數字，成立審查官倒小組，著手懲治官倒。

4，要求立即給《世界經濟導報》總編輯欽本立復職。

5，要求重新審議北京市關於遊行示威的十條。

下午三時三十分，「對話團」四名學生代表到中辦國辦信訪局接待室詢問遞交「請愿書」的結果。鄭幼枚答覆說：「最近一個時期以來，國務院和北京市的有關領導同志已和部分學生對話。有些部的部長也去學校，到學生宿舍或辦公室，或邀請同學到部辦公地點和同學對話。對話的效果是比較好的。今後將繼續多層次、多渠道與高校的同學進行對話。」鄭幼枚還表示，「爲了更好地與同學們對話，將繼續請各學校、北京市學聯收集同學們要求對話的問題和如何搞好對話的意見。」

晚上七時三十分，北京大學三角地貼出「高自聯聲明」。「聲明」說，「要廣泛進行校園民主

建設，如自治會的選舉、確認，保留校園自由講話，保留校園民主牆，絕不讓它輕易失去。要繼續對民眾進行宣傳，如進行普法，普及民主自由思想的基本常識，並可以文藝形式宣傳。總之，鬥爭尚在繼續，同學尚須努力！」

二十二時三十分，北京師範大學三百多名學生在三一八紀念碑前集會，會上廣播了北師大自治會的決定：明天繼續罷課一天。還廣播了「高自聯的通知」。「通知」說，「宣佈五四復課是政法大學周擁軍擅自作出的，高自聯要追究他的責任。在政府沒有答應我們的對話要求前，爲鞏固現有成果，同學們應繼續罷課。」

二十三時許，北京大學二百多名學生舉著「堅持罷課，決不罷休」、「爲民主忍痛罷課」、「爭自由求助恩師」等橫幅，高呼「堅持罷課，師生團結」等口號，在教師宿舍區遊行。

九日，北京大學學生在人大、清華、北師大、政法大學等院校散發「北大籌委會公告」的油印傳單。「公告」說，「北大學生五月十日上午九點，組織自行車大遊行」。晚上，「北大籌委會」在校內舉行了新聞發佈會。會上，首先宣讀了「高自聯」聲明：五月四日，周擁軍代表高自聯宣佈復課的決定作廢，將周擁軍開除出「高自聯」。同時，「高自聯」通知：五月十日中午，北京各高校學生到中國政法大學集合，騎車環城遊行。這次遊行的目的是：「1，給政府施加壓力，盡快答應學生對話的條件；2，支持新聞記者的請愿行動，聲援欽本立；3，向社會聲明學生沒有復課，仍在罷課。」二十一時三十分，北京大學籌委會重申了上述內容。

晚八時許，王丹在北大籌委會廣播站發表演講：

「我現在是從籌委會退出來了，什麼都不幹了。不過，說在頭裡，可能過幾天要再出來。有人說我害怕，壓力太大了。如果我害怕，早就退出了。當初我何必站出來呢？——進入下一階段，應進入一些新的人手，保持我們組織的活力。——如果同學們需要我的話，我還是要站出來。面對鬥爭的黑暗，我個人覺得他們並不那麼強大。不要自己嚇唬自己，不就那麼幾百萬軍隊嗎？咱們不是有十億人民嗎？——我剛才講這些就是希望能有更多的同學在關鍵時刻站出來，加入籌委會。」

「我們這次學生運動，作爲愛國啓蒙運動，有兩點：一是要啓群眾之蒙，主要是煥發各階層人們的熱情，我想這一點通過『四·二七』、五四大遊行高呼口號，沿街散發傳單，已經達到這個目的；二是要啓自己之蒙，我們應該切實按憲法做起，不管他允許不允許，只要憲法允許的，我們就應該做。憲法不是允許言論自由嗎？那麼對不起，我們就想說我們想說的話。憲法規定了出版自由，我們就能出版自己的報紙。你可以說不允許辦報紙，但是，你代表憲法嗎？方勵之老師講壓力集團，『四·二七』、五四就是壓力過程，結果怎樣，誰輸了？是人民還是政府？下一階段主要任務是校園民主建設。——校園民主主要包括：學生自己辦自己的報紙，辦自己的廣播，辦一些講座。邀請哪些學者，不經過黨委或校領導來批。我們應該有自己的民主牆，應該有與校方對話的機制。相信，我們今天的行動，歷史一定會給我們作出公正的判斷。」

一千0十三名記者請愿書

九日下午，兩名記者把有一千0十三名首都新聞工作者簽名的請愿書送交中華全國新聞工作者協會，請愿書要求中央主管宣傳工作的領導人對話。

《中國青年報》的學校教育部兼科技部主任李大同在遞交請愿書時向在場的中外記者宣佈，請愿書的一千0十三名簽名者分別來自《人民日報》、新華社、《經濟日報》、《中國青年報》、《北京日報》、《北京晚報》等三十多家首都新聞單位。

這份寫給全國記協書記處的請愿書說，根據趙紫陽五月四日接見外賓時關於對話的談話精神，有必要與中央主管新聞工作的領導人就新聞界發生的不正常的事件對話。

請愿書列舉了三項對話內容：引起海內外強烈反響的上海《世界經濟導報》總編輯欽本立停職；因爲種種原因，新聞單位無法對最近發生的學潮作客觀、公正、全面的報導，在很大程度上加劇了事態的發展，違反了黨的十三大提出的重大情況要讓人民知道的原則；袁木四月二十九日同首都大學生對話時關於「我國新聞是自由的，報社實行總編負責制」的說法與事實不符，這恰恰是新聞改革要解決的首要問題。

另一名遞交參加送交請愿書的是《中國青年報》記者部主任郭家寬。他說，簽名是個人行爲，不代表其所在單位。作爲一名新聞工作者，他對新聞界關於這次學潮的報導感到尷尬。出自記者的

職業道德和對黨的事業的責任感，他希望與中央主管宣傳的領導人對話，共同探討大家都很關心的問題。他認爲，這符合趙紫陽最近講話的精神。

全國記協書記處書記楊翎和龐非在記協二樓大廳接收了請願書。楊翎感謝記者們對記協的信任。他說，記協將負責轉交請願書，一有結果，馬上轉告請願者。他強調記協有責任維護記者權益，爲新聞改革貢獻力量，盡力滿足大家的要求，希望新聞界朋友與記協保持密切聯繫。

龐非稱記協爲「記者之家」。他表示充分理解新聞界朋友要求對話的意願，愿意爲新聞界朋友做記協能做的工作，而且全國記協將要求地方記協也這樣做。他說，記協將努力爲新聞界朋友服務，溝通新聞界與黨、政府和社會各界的聯繫，共同努力推進新聞改革和新聞事業的發展。

在記者遞交請愿書時，近千名來自北京大學、北京師範大學等高等院校的學生聚集在記協門前，聲援請愿的記者。他們舉的横幅上寫有「新聞自由，解除報禁」、「聲援新聞界之良心」、「向新聞工作者致敬」等。學生們還高呼「爲民說話，事關重大，團結起來，振興中華」等口號。

當天，中南海得到了紐約《亞美時報》八日刊登的一篇報導，題目是「劉賓雁等不及大陸解除報禁在美籌辦《中國！中國！》」。報導說：

劉賓雁已等不及中共當局開放報禁了，而正在動手籌辦一份雜誌，取名《中國！中國！》。他說，這份在美國出版的刊物不依附任何政黨，將以人民的利益出發，報導中國大陸的現狀，進行分析、論證，並幫助海外瞭解中國的歷史和現狀，尋求問題所在和解決的辦法。

《中國！中國！》將是一份社會、政治、文化、經濟的綜合性刊物，原計劃在今年秋天發刊，但鑒於國內情勢的變化，可能考慮提前。

對於當前的中國局勢，劉賓雁是既樂觀而又不樂觀的。他說，「目前很難樂觀，因爲中共當局的所謂對話不過是種應付搪塞，至今仍是種欺騙，目的不過在軟化學生，阻止學生上街。」劉氏認爲官員起碼應該承認學生們的組織，並且准許。

另方面，他認爲官方高層也有分歧，而且內部存有分歧，因此不會斷然鎮壓。而學生們得到人民和工人熱烈的支持，也受到鼓舞，因此預料雙方會對峙一個時候，後果很難預料。

長遠而言，劉賓雁還是樂觀的，他說，學生們的行動粉碎了兩年來流行的「悲觀論」、「亡國論」，以爲中國人沒希望的論調。「消極、沉默，不過是表面的現象，人們對現狀的不滿，又沒有力量去干預，只能作出無聲的抗議。」

對於出版自由，劉氏說，沒有民辦刊物，就沒有五四，也不可能有後來的共產黨。事實上，人民所要求的獨立出版自由，不過是恢復一九四九年以前人民所有的自由。「四十年來中國共產黨不斷的犯錯誤，而人民卻往往是正確的。」

趙紫陽主持政治局會議

五月十日上午，趙紫陽主持召開中共中央政治局會議，會議全面分析了當時全國學潮的情況，並就廉政和民主政治建設等問題進行了討論。現根據會議紀錄予以綜述。

趙紫陽說：「這次學潮，由於黨和政府採取非常克制和容忍的態度，也由於大多數學生日益表現出理智，注意了秩序和紀律，避免了事態的激化。現在大部分學生都已經復課了。情況比預料的好一些。當然，學潮還沒有結束，我們還有很多的工作要做。如果我們在處理這次學潮中措施得當，說不定能使壞事變好事，真正把廣大青年學生和人民群眾的愛國熱情引導到建立社會主義民主政治新秩序的軌道上來。」

李鐵映：「到昨天爲止，全國的學潮總的還算平靜，京、津、滬三大市的學生基本都在校園內集會遊行，搞所謂的『校園民主建設』。今天下午北京高自聯將發動大學生騎自行車上街遊行。」

楊尚昆打斷：「會有多少學生？」

李錫銘答：「估計有大幾千人。已部署警力作準備。」

李鐵映繼續：「一個值得注意的現象是，前一陣鬧得兇的一些城市的學生這幾天不太鬧了，而前一陣不怎麼鬧的太原、蘭州、西寧、海口等地的學生昨天開始又鬧開了。昨天太原先後有五千多學生參加遊行、到省政府靜坐，要求與王森浩對話。」

李鵬打斷：「我看了材料，這次遊行主要是太原的一些學生對八日省政府負責人與學生的對話不滿引起的，這些學生從前天晚上十時一直鬧到昨天下午六時，整整二十個小時。並揚言如果不能

滿足重新對話的要求，就要衝擊今天在太原開幕的『兩會一節』(注：山西國際經濟貿易洽談會、山西進出口商品展覽交易會、山西文化藝術節)，造成國際影響。國辦已發電要求山西省政府堅決避免事態擴大。」

李鐵映繼續：「昨天，蘭州有五所高校學生約三千多名學生上街遊行，主要是對甘肅省委、省政府分五次與蘭州五所主要高校學生分別對話不滿，強烈要求聯合對話。所以，當昨天，甘肅的一名副書記、一名副省長去蘭州大學對話時，學生就到省政府靜坐了。其中蘭州大學因爲緊閉校門，最後被學生抬掉校門。昨天有一千多名學生多次衝擊省政府，省政府用了五層武警戰士進行阻擋，並關閉了省政府大門，最後，學生隊伍中有人向武警扔磚塊、酒瓶，四名武警被砸傷，其中三名住院，一名頭上縫了七、八針。幸虧武警與學生沒有發生激烈衝突。到今天一早，甘肅省政府門前才撤銷戒嚴。至於昨天晚上到今天早晨海口海南大學五百來名學生上街遊行、到省政府門口請愿，則是由食堂飯菜質量下降引起，所以，小事也會釀成大事。」

李錫銘：「關於北京的情況，大家都很瞭解。李鵬同志比我還淸楚。我只想說兩點：一是北京的學潮已與一些知識分子相結合，並摻雜了一些外國人在裡面。現在雖然各大校園都嚴格限制外國人進入，但各大校園裡每天都能發現不少外國佬，北京街頭更不少。所以，因爲戈爾巴喬夫過幾天要來，這些學潮骨幹分子肯定還會搞什麼名堂，今天的自行車遊行就是他們的一招。所以，我們絲毫不敢懈怠。」

趙紫陽看著李錫銘，說：「要注意身體啊。」

李鵬插話：「錫銘他們北京市的領導已經有二十多天沒睡過太平覺了。」

李錫銘繼續：「我想說的第二點是，要注意北京工人的動向。北京工人已有鬧事的苗頭。問題最嚴重的是北京礦務局。從四月二十五日到昨天，已經發生十次請愿事件，最多一次達到二百八十人。全局六千多名家屬工中，已經有三分之一的人參加請愿。」

萬里：「具體是些什麼人？」

李錫銘：「主要是農民輪換工、礦區農民和一些家屬工，主要是要求提高生活待遇，解決農轉非和參加養老保險等問題。這幾天，北京礦務局有三條電話線被掐斷，房山礦南大門被當地農民用石頭砌成一米多高的牆壁堵住，一些農民工不止一次衝進食堂搶糧食。我們正在認真研究並慎重對待家屬工的待遇和農轉非問題。」

楊尚昆：「千萬不能因此而影響社會安定。工人鬧事可了不得呵。戈爾巴喬夫來華訪問，一定要讓全國人民知道，黨和政府正在抓緊研究解決廣大學生和人民群眾提出的合理要求，特別是北京的學生和市民一定不要做妨礙中蘇高級會晤的事情。」

趙紫陽：「我們不僅要與學生、新聞記者進行各種形式的對話，還應該與工人座談，傾聽工人的呼聲。」

李瑞環：「我說點天津的情況。天津的學生總是跟著北京的學生跑，鬧學潮也總是慢半拍。我

們的態度很明確，你要對話可以，但你首先得遵守憲法；你要遊行不阻止，但你不能破壞整個社會的秩序。我說，你有什麼問題就解決什麼問題，堅持實事求是。所以，天津總的社會秩序正常，工人照常上班，市民照常生活。我今天想說的是，不能把這次學潮單純地歸之於胡耀邦同志逝世，單純地歸之於極少數陰謀家的教唆挑釁。建國四十年來，我們黨有過『反右』、『文革』等多次沉痛的教訓。而根據目前的形勢，如果我們再有重大的政治失誤，很可能會大失民心。」

薄一波：「請說具體一點。」

李瑞環繼續：「這次學潮的發生，我認爲有幾種因素：一是學生中的不滿情緒和崇尚民主、自由、人權意識的增強；二是近年西方激進改革思潮、自由主義、虛無主義思潮對大學生的影響；三是國內極少數自由化分子的暗中支持；四是海外敵對勢力的背地裡鼓動。所以，在目前情況下，對話很有必要。我們不宜再對學潮發表一些刺激性、對抗性的宣傳，也不宜再強調『反黨反社會主義』，現在社會上，特別是一些知識分子和青年學生對『反黨反社會主義』這頂帽子望而生畏，顯得特別神經過敏。結果是誰戴上這種帽子，大家就同情誰。我們應對這幾年來社會上老百姓強烈的逆反心理有足夠的估計，你說物價不漲，事實是它就漲了，老百姓還不逆反？上次學潮我們開除了劉賓雁等人的黨籍，結果他們的名望反倒更響了，成了知名的『持不同政見者』。所以，我們沒有必要再用類似的辦法處理這類人與事。對一些持不同政見者，不宜一味地抓、關、管，可以放他們出國，並在適當時間內，暫不允許回國。」

薄一波：「我同意瑞環同志的說法。以中國之大，人口之衆，面臨問題之複雜，在今天只有中國共產黨能凝聚民族精英，進行改革開放。所以，我們完全有信心和能力採取溫和的方式解決這次學潮。我們應當重申十一屆三中全會以來關於不搞政治運動的方針。」

江澤民：「上海的情況介於北京和天津之間，這幾天的局勢稍稍平靜一些。對《世界經濟導報》的整頓所造成的社會影響，我們原先也曾估計過，但實際引起的社會影響還是比估計的大。」

胡啓立打斷：「整頓《導報》的第二天，上海發生了大規模的遊行，公開打出了『還我《導報》』和要求恢復欽本立職務以及言論自由的旗幟。王若望、白樺和欽本立本人走在遊行隊伍前列參加遊行。」

江澤民繼續：「讓這些自由化分子公開跳出來並沒有不好，問題是學生和知識界一些人士也參與進來。魚目混珠，不利於我們的工作。」

趙紫陽：「在處理《導報》問題上，你們市委的處理顯得倉促、草率，以至把並不複雜的問題搞被動了、搞糟了。」

江澤民：「在處理《導報》這一事件中，我們一直從大局出發，注意內外有別，是堅持黨的原則的。欽本立以陽奉陰違的手段欺騙市委，作爲一個黨員，違反了起碼的黨的準則，理應受到處理。關鍵是這件事情被新聞界擴大化了。對於這次學潮，市委的態度是鮮明的，就是決不能讓學潮影響上海正常的生產、生活秩序，決不允許成立非法組織，禁止非法示威遊行，禁止以任何形式進行串

聯，努力做好學生、教師的思想教育和疏導工作，特別是爭取做好中間群眾的工作，化解矛盾，力爭盡快平息事態。」

趙紫陽：「在我們這樣一個大國，要想一點問題不出是不可能的，總會出現這樣或那樣的問題，出現一點麻煩；但總的來說，不會有太大的問題。」

楊尚昆：「紫陽講的在民主和法制的軌道上解決問題，這個辦法有利於平息學潮。在目前情況下是可行的。」

李鵬：「我認為，要平息這次學潮，當前最重要的是讓學生盡快復課。復課越早，對學生對社會的損失就越少。現在全國一些高校實際上已經出現無政府狀態。各種誣蔑、謾罵、攻擊黨和國家領導人的大小字報滿天飛，各種奪權和搶佔行為蔓延，到處遊行、罷課、串聯，不要說起碼的地方性法規如各省市制定的遊行法規不能遵守，就是連最起碼的校規都不能執行，這怎麼能算是民主？這又是什麼樣的自由？這與文化大革命又有什麼區別？如果聽任發展下去，我們的國家很可能又將陷入一次全面的內亂。為此，國務院已經向全國人大常委會提交了《集會遊行示威法(草案)》。」

萬里插話：「這次人大常委會議將列入這一議案。」

李鵬繼續，「所以，對話是重要，但決不能被學生認為我們是在縱容學生，必須立場鮮明，決不能在原則問題上有絲毫退讓。在要求的民主的問題上，我們只能按照我們的國情在法制的軌道上循序漸進，不能感情用事，失去準繩。」

姚依林：「對於這次學潮，我一直認爲黨和政府必須要有鮮明的態度，這是一次動亂。不能因爲學潮而影響正常的社會生產和生活秩序；不能因爲學生要對話就一味地接受對話；更不能因爲學生指出了我們工作中的一些錯誤就一味地認爲學生所提的意見什麼都對。我們是共產黨，共產黨是爲人民謀利益的，我們的政府也是人民的政府。所以，我們沒有什麼理不直氣不壯的，我們的克制和忍讓態度全世界都知道。」

吳學謙插話：「據各駐外使館反映，好多國家特別是美、英、法等西方資本主義國家對我們採取的克制和忍讓態度表示吃驚，有些國家的一些官員私下裡對我們的領館人員說，學生做得過分了。」

姚依林繼續：「我們要象父母對待孩子一樣地對待這些學生，所以，該嚴厲時就得嚴厲。對於學生提的意見，好的我們接受，錯的要理直氣壯地反駁。我還是常委會上的那句話，這次學潮已經牽扯了我們太多的精力。學生現在在採取『拖』的策略，我們不能拖，我們拖不起。該強硬的就一定要強硬起來，決不能因爲學潮而打亂我們正常的工作部署。」

楊汝岱在介紹了四川學潮的情況後，說：「這次學生上街遊行爲什麼有很多老百姓在街頭拍手助威，一個很重要原因是老百姓對我們的腐敗現象很有意見，迫切希望中央能在懲治腐敗上拿出一些實質性的過硬措施來。」

田紀雲：「要求懲治腐敗的呼聲好像是這次學潮中一個共同的呼聲，這說明我們過去在懲治腐

敗方面的工作做得很不夠。當前我國經濟改革中出現的種種問題和障礙，在於我們的政治體制改革沒有真正展開。權力和經濟利益的結合導致社會分配不公，官倒猖獗，一些黨政官員腐敗，黨和政府的威信嚴重下降。因此，我們應該在廉政建設方面採取得力措施，同時加快民主政治建設的步伐。」

胡啓立說：「進行新聞體制改革是加快民主政治建設的重要環節。正常的新聞輿論批評是使我們的黨和政府永遠保持活力的必不可少的手段之一，要切實以立法手段來保障我們的新聞制度有法可依，真正做到重大事件讓人民知道，新聞輿論切實反映人民的心聲，起到監督的作用。」

宋平：「我們的確應該在懲治腐敗上要採取一些過硬措施。在這次各省與學生的對話中，都強烈地反映了這個問題。如山西學生的口號中就有『省委大樓全國第一，人均收入倒數第二』。昨天甘肅省委省政府與學生的對話中就有學生提出『書記專業戶』的問題。」

姚依林：「什麼『書記專業戶』？」

宋平：「『書記專業戶』指的是甘肅省委書記李子奇，有學生要求詳細回答。據中組部瞭解，李子奇的愛人現為省輕工廳副廳長，一個兒子最近去武威市當市長。群眾反響強烈。」

秦基偉問：「這種情況在省級幹部中多不多？」

宋平：「據中組部瞭解，不少省級幹部的親屬不是從政，就是經商。象李子奇這樣的情況還有一些。」

喬石：「腐敗問題的確十分嚴重。我們應該從亡黨亡國的高度來看待這個問題。中紀委受理的

腐敗案件一年多於一年，案情也一年大於一年。群眾中很多失望和不滿情緒是由腐敗現象引發的，任建新同志對我說，今年一季度全國性的刑事案件達到八萬二千件，比去年同期上升十五%，刑事案件中很多是由腐敗現象引發的。如果我們再不在腐敗問題上拿出一些實質性的措施，真的有亡黨亡國的危險。」

趙紫陽：「懲治腐敗的確刻不容緩。我的初步想法是，全國人大常委會先盡快聽取關於清理整頓公司情況的匯報；由全國人大常委會組織專門委員會對涉及高幹及其家屬的舉報案件進行獨立調查。」

萬里插話：「建議在全國人大常委會成立廉政委員會。」

趙紫陽繼續：「這是一個好建議。我認爲，懲治腐敗問題，首先從我做起。在反腐倡廉的問題上，我建議先從調查我的子女開始，如有腐敗問題，就接受國法處理；如有涉及我本人，也一樣。還有，我們政治局應該作出表率，公佈副部長以上高級幹部的收入和身世；取消八十歲（或七十五歲）以下中央政治局委員的特供等，這些問題，都需要我們認真加以討論，並盡快作出決定。」

會議決定：一，政治局成員按現有分工與各口子負責人一道與各條戰線群眾進行對話和座談，傾聽群眾呼聲。先安排：趙紫陽、李鵬同志與北京工人進行座談或深入工廠考察；胡啓立和芮杏文、閻明復同志深入北京各新聞單位並與新聞界人員進行對話；李鐵映、李錫銘、陳希同同志與北京高校學生進行對話，必要時李鵬同志出面。二，將這次政治局會議中討論涉及需要全國人大立法或需

要全國人大審議批准的問題，建議全國人大常委會盡快列入下次常委會議予以審議。三，關於廉政和民主政治建設問題，政治局要再開會進行專題討論並定出具體措施。四，要深入細致地做好戈爾巴喬夫來訪的安全保衛工作，確保中蘇首腦會晤成功。戈爾巴喬夫訪問期間，要確保天安門廣場的庄嚴，並提前作好清場工作。五，萬里同志對美國、加拿大的訪問如期進行。

當天下午，萬里主持召開了全國人大常委會委員長會議，討論關於召開第七屆全國人大常委會第八次會議的問題。委員長會議決定：第七屆全國人大常委會第八次會議於六月二十日左右在北京舉行，會期一周。委員長會議建議本次常委會：一，聽取關於清理整頓公司情況的匯報；二，聽取關於學生遊行示威和罷課問題的匯報；三，審議國務院關於提請審議《中華人民共和國集會遊行示威法(草案)》的議案；四，聽取關於新聞法起草情況的匯報等。

北京自行車遊行

按照「高自聯」和各校學生「自治會」的通知，十日下午一時許，北大、清華、北師大、政法大學等北京十一所高校約一萬名學生分別騎自行車走出校園上街遊行。

遊行隊伍在沿途散發請愿書、遊行說明和印刷的口號。他們在「請愿書」中提出，懇切要求中共中央、全國人大常委會和國務院就學生的愛國民主運動、深化政治體制改革、推進民主法制建設

進行對話，希望中央和國務院的代表按規定的時間、地點進行對話。允許新聞界採訪、準確進行報導。他們在「關於五月十日的遊行說明」中，闡明他們的目的是：一，抗議政府就與學生對話採取的拖延態度，要求政府五月十一日作出明確答覆；二，聲援北航、中央工藝美術學院等院校學生自治組織的「艱難處境」；三，聲援五月九日的記者請愿活動。他們在沿途呼喊的主要口號有：「不要虛假的安定團結」、「打倒腐敗的官僚」、「不要無能的官僚」、「改革不能拖延」、「民主不能拖延」、「聲援記者」、「爲正義而戰」、「要(欽)本立，不要(袁)立本」、「支持《世界經濟導報》」、「爲人民說話」、「自由萬歲」等。

遊行隊伍途經中央人民廣播電台，中央電視台、新華社、《北京日報》、《人民日報》等新聞機構所在地。遊行者打著各校的校旗、小三角旗等，在途經這些新聞機構門口時呼喊口號，並散發傳單。

下午十七時許，約有三千多名遊行學生騎車先期來到《人民日報》社，呼喊口號，還有大批的遊行者陸續過來。據幾名頭紮彩帶遊行的大學生說，《人民日報》社是他們的最後一站，十八時三十分，遊行學生陸續騎車離開《人民日報》社返校。據瞭解，小說《老井》作者鄭義等少數作家也參加了今天的自行車遊行。

據北京市委報告，中央民族學院的穆斯林學生今天提出，將於五月十二日到天安門廣場遊行，以表示對《性風俗》一書出版的抗議。

晚上，中國人民大學工會青年部在八百人大教室舉行報告會。光明日報記者戴晴、中國社科院包遵信等人發表了演講。戴晴說，「從一九八九年四月二十七日開始，我們國家統治了中國人上千年之久的權威統治，從此就要結束了。」「『四二七』大遊行，使中國知識分子看到了光明與希望。」「一定要爭取言論的自由，辦報的自由，出版的自由。」包遵信在演講中說，「這次學潮，強調民主，強調自由，這是頭等重要的，不是什麼自由化。」「這次『四二七』學潮，將要在中國歷史上大書特書，它標誌著中國的現代化、民主化進程進入重要階段。」「這次學潮，並不像袁木講的，有什麼長鬍子的黑手，並不是什麼動亂。」「『四二六』社論就是文化大革命的語言和思維方式。」「關於下一階段學運，比如說言論自由，現在能不能提出來?我們能不能辦自己的報紙，能不能結社自由，如果能達到這個目的，就有助於運動的深入。」

太原衝散「兩會一節」開幕式

幾千名太原學生，衝擊了太原舉辦的「兩會一節」，並衝進了迎澤賓館。

山西省國際經濟技術合作洽談會、進出口商品交易會、文化藝術節今天在太原開幕，開幕式會場設在迎澤賓館前的迎澤大街上。九時三十分宣佈開幕，接近十時，山西工業大學的遊行隊伍衝破四道防線進入會場，在馬路的右邊通過。他們打出的橫幅有：「省委大樓全國第一，人均收入倒數

第二」、「大樓蔽天，永無晴日」、「貪官污吏滾出山西」、「教授越教越瘦、學生越學越窮」等。遊行隊伍中還有一幅漫畫，畫的是省委大樓，下面寫著「省市領導決策者辭職」。遊行隊伍走到「五一」廣場時，與山西財經學院的隊伍匯合，又折回向西走，佔了文藝表演隊伍的路線，使原定文藝節目無法表演。十時四十五分，遊行隊伍行至迎澤賓館樓前靜坐，要求省長出來對話。參加開幕式的外賓都撤離到並州賓館和山西大酒家。到中午十二時，圍觀的群眾中有人向學生送麵包、汽水等食品。下午二時，在迎澤賓館門口靜坐的三千多名學生衝進賓館，圍觀者尾隨而來，約有近二萬人。學生呼叫：「王森浩出來！王森浩出來！」要求和省長對話。賓館負責人告訴學生，省長開完會就已經走了。

住在迎澤賓館的外賓感到恐慌，擔心安全沒有保障。一些外商說，「事態發展不可預料，給我們定馬上離開太原的飛機票，原有的項目可以到北京談。」香港世芝公司經理袁世利退了房間要求馬上離開。他說：「現在鬧成這樣還談什麼生意呢？本來是可以疏導的，但政府官員躲著不見面。」據瞭解，今天的遊行是由「省城部分高校自治聯合會」發動的。昨晚已有二千多名學生在省委、省政府門前靜坐。

下午三時，山西省政府門前有三千多名大學生進行遊行、靜坐。十六時三十分，學生遊行、靜坐隊伍全部撤離迎澤賓館向省政府門前集合。省政府門前氣氛緊張。學生們高呼：「兩會一節，官倒聚會」、「官倒不倒，人民受難」等口號。十七時四十九分至五十七分，學生向省政府大院衝了

三次，武警嚴密防守，沒有衝進去。十八時左右。省政府派出工作人員開始與八所院校的十六名學生代表商談。經協商，省政府答應安排省長與學生對話。到十九時三十分，遊行學生開始撤離，陸續返校。

鄧小平楊尙昆會談

楊尙昆與鄧小平是四川同鄉，早在三十年代於中央蘇區工作時，兩人的關係就很密切。中共建國後，楊尙昆一直擔任中共中央辦公廳主任，一九五六年的中共「八大」，鄧小平出任中共總書記，楊尙昆爲中央書記處候補書記兼中共中央辦公廳主任，兩人的關係越加密切，開始成爲相知相交的親密戰友。文革中，鄧小平與楊尙昆被打倒，鄧小平被流放江西，而楊尙昆則與彭真、羅瑞卿、陸定一被稱爲反黨四家店，比鄧小平遭遇更慘，被長期監禁並一再被嚴厲批鬥，直到江青等「四人幫」垮台後兩年，鄧小平復出重新掌握國家大權，楊尙昆才得以重見天日，前後離開政治舞台達十二年之久。楊尙昆復出後，得到鄧小平充分信任。先於一九八0年九月，從廣東調入北京，被補選爲全國人大常委會副委員長兼秘書長；一九八一年七月，任中央軍委常委兼秘書長；一九八二年九月，升任中央軍委常務副主席兼秘書長，協助鄧小平主持中央軍委日常工作；在一九八二年和一九八七年召開的中共十二大、十三大上，楊尙昆當選爲中共中央政治局委員，繼任中央軍委常務副主席兼

秘書長；在鄧小平的竭力堅持下，一九八八年四月，在第七屆全國人大第一次會議上，楊尙昆更以八十歲高齡出任中華人民共和國主席。可以說，鄧小平與楊尙昆的關係，比起鄧小平與同輩人陳雲、李先念、彭真的關係，前者是密友，後者則是同志，即使是死心塌地追隨鄧小平的王震，也超越不了楊尙昆與鄧小平的關係；作爲八十年代鄧小平的三大愛將：胡耀邦、趙紫陽、萬里，他們與鄧小平更象師傅與徒弟的關係，也難以達到鄧楊那種親密無間的程度。正是有這一層非比尋常的友誼，楊尙昆可以隨意出入鄧家，楊尙昆更成爲鄧小平退出權力核心圈後，傳遞、溝通鄧小平與中共中央政治局信息的使者。中共中央政治局遇有重大事情向鄧小平請教，都是通過楊尙昆傳達的。而楊尙昆與當時五個常委的關係，最親近的就是和趙紫陽的關係，這不僅因爲楊尙昆、趙紫陽都曾經在廣東工作過，更因爲兩人在一些問題的看法上相同，思想觀點比較接近的緣故。所以，在如何處置學潮這一敏感問題上，楊尙昆的作用就更加突出了。

十一日下午，楊尙昆去鄧小平家，向鄧小平匯報。這次私下談話，主要談論了以下這些問題：一，這次學潮爲什麼結束不了；二，爲什麼有這麼多人支持學生；三，政治局的態度；四，部隊的情況；五，北京和地方政府的態度；六，下一步怎麼辦？

楊尙昆：「這次學潮與兩年前的那次很不相同，支持學生的人很廣泛，學校教師、新聞記者包括一些機關幹部都有。學生所提的口號也有很多方面是老百姓想說而沒有說出來的。所以，這次學潮有市場。現在，全國一些大學開始出現一些所謂的學生自治組織，北京還成立了一個叫高自聯的

組織，公開來策劃這次學潮。到目前爲止，可以說，這次學潮，一方面表達了大多數人的意見，另一方面那些資產階級自由化的極端分子也正在積極利用這次學潮，還有西方反華勢力以及港台一些反革命組織的介入。」

鄧小平：「我們從來沒有遇到過這種情況，一小撮壞人混雜在那麼多青年學生和圍觀的群眾中間，提出所謂反腐敗的口號來激動人心，使我們在採取策略上猶豫不決。我看，現在是學生在逼我們。」

楊尚昆：「這次學潮之所以鬧大，還持續不散，原因就是那些別有用心的人利用了人民渴望反腐敗的心理。」

鄧小平：「人民要求反腐敗，我們當然接受。現在這些別有用心者提出反腐敗，我們也要當好話來接受。當然，這個口號只是他們的陪襯，他們的核心是要打倒共產黨，推翻社會主義制度。」

楊尚昆：「對於這次學潮的處理，常委已經開過多次會議。趙紫陽提出要在民主和法制的軌道上解決學潮問題，政治局已建議六月份的人大常委會議專題研究這次學生提出的、人民群眾關心的幾個熱點問題。」

鄧小平：「你怎麼看待趙紫陽的亞行講話？」

楊尚昆：「紫陽的亞行講話，調子比較溫和，但與四月二十六日人民日報社論的基調不一致。紫陽講話後，各地情況反映較好，北京罷課的一些學生也開始復課了，但也有一些省市對紫陽講話

提出了一些疑問，如北京和上海認爲紫陽講話中沒有明確提動亂，只從正面講『中國不會出現大的動亂』，與四二六社論定性的調子不一樣，四二六社論明確肯定有黑手在幕後策劃，而紫陽講話中只說『當然難免』，也讓人不好理解。王震同志對我說，『趙紫陽本事真大，他的一篇講話就可以把學潮解決了？』我認爲紫陽講話對緩解學潮有一定好處，但學潮並沒有到此爲止，只是間歇。」

鄧小平：「趙紫陽亞行講話後，先念同志就打電話對我說，現在中央有兩種聲音。陳雲同志也捎話來，要我看看趙紫陽的這篇講話。當然也有一些人認爲講話有說服力，能打動人。這幾天我一直在考慮這個問題，到底哪一種處理辦法更有利於問題的解決？」

楊尙昆：「前幾天，趙紫陽就跟我談了他的一些想法，要我把他的想法向您報告一下。趙紫陽認爲，四二六社論在對學潮的提法上欠斟酌，定性高了。他還說，『現在社會上有一種說法，說有人把小平同志抬出來了。我們要維護小平同志的形象，不能把他的形象給損壞了。』趙紫陽主張，對這次學潮，要疏導、分化，爭取學生中的絕大多數，把極少數反共、搞破壞的人孤立起來。趙紫陽希望在適當時機對四二六社論的定性作一些改變。」

鄧小平：「常委中別人的意見呢？」

楊尙昆：「他的這些看法只是私下裡對我說，還沒有在常委和政治局會議上正式提出來過。依趙紫陽的估計，喬石、胡啓立可能會同意，李鵬、姚依林大概不會同意。」

鄧小平：「我看常委中只有姚依林的觀點最鮮明，態度最堅決，並且一以貫之。在重大政治問

題面前政治局常委一定要果斷，要敢於堅持原則。當然，我們要盡力採取平和的手段解決這次學潮。」

楊尚昆：「戈爾巴喬夫過幾天就來了。爲了確保這次會晤的圓滿，中央外事工作領導小組提出了很詳盡的接待方案，常委們都已傳閱。特別是戈爾巴喬夫與您的最高級別會晤，我已特別叮囑吳學謙一定要外交部精心安排，不能有疏忽。」

鄧小平特別強調：「戈爾巴喬夫在北京期間，天安門一定要有秩序，要注意我們的國際影響。天安門如果亂糟糟，會成什麼體統？」

楊尚昆：「天安門是我們的臉面，我們尤其不能在戈爾巴喬夫來華這幾天把天安門搞得烏煙瘴氣。我會再向他們(指趙紫陽、李鵬)強調的。」

鄧小平問：「你怎麼看京、津、滬三地對這次學潮的處理？」

楊尚昆，「處理這次學潮，態度最堅決的是北京，李錫銘、陳希同幾乎整天把兩眼都盯在學潮上，生怕北京出現大的亂子，擔當不起。陳希同就感嘆說，『現在才真正體會到首都市長的難當。』我看最近他們是高度的神經緊張，也難怪他們對有些問題的看法過於嚴重。」

鄧小平：「要做到處亂不驚並不是容易的。」

楊尚昆：「天津的局面控制得最好。李瑞環的態度很明確，你要對話可以，但你得遵守法律；你要遊行不阻止，但你不能破壞社會秩序。李瑞環強調一點，有什麼問題解決什麼問題，實事求是。所以，天津總的社會秩序較好。我認爲李瑞環蠻有思想。」

鄧小平：「李瑞環他懂哲學，能辯證地看問題。」

楊尙昆：「上海的旗幟最鮮明。江澤民處理《世界經濟導報》很乾脆，我看了上海關於處理《世界經濟導報》的報告，市委沒有分歧意見。但這個事件的確在國內外，特別是新聞界引起強烈反響，上海的壓力不輕。我個人認爲，上海在這件事情處理上可以更策略一些。」

鄧小平：「江澤民整頓《世界經濟導報》後，陳雲同志對我說，『處理學潮就應該象江澤民一樣有決斷。』先念說，『江澤民既堅持四項原則，又堅持改革開放，政治敏銳，黨性強，有大局觀。』他完全支持江澤民的做法。」這裡，鄧小平沒有闡明自己的看法。

楊尙昆：「江澤民在處理學潮上有一套。記得上次(指導致胡耀邦下台的一九八六年底至一九八七年初)學潮，江澤民在上海交通大學與學生對話並演講，還用英文背誦馬克思著作。當時，先念就指示中直機關黨委，組織中央各單位收看江澤民與學生對話的錄像。我印象很深。」

鄧小平：「部隊思想狀況怎麼樣？」

楊尙昆：「學潮發生以來，總政治部已經連續發出四個通知，要求各大軍區認真做好官兵的思想政治工作。決不介入地方政府處理學潮的事務。對於涉及嚴重影響地方社會安定的打砸搶事件，地方政府需要軍隊出面維持秩序的，必須報經中央軍委批准。現在，軍隊的政治學習抓得很緊，一些軍區還開展了官兵對話活動，針對性很強，有效果。七大軍區和三總部的領導班子成員精神面貌很好，沒有不團結現象。」

鄧小平最後對楊尙昆說，「趙紫陽、你、我，我們三人認真談一談。」

醞釀絕食

綜合安全部十一日、十二日的報告：自十一日始，北京高校出現一些值得注意的動向：

十一日下午二時許，北京大學三角地貼出一份署名爲「四十六樓部分研究生」的「緊急建議」。「建議」策劃採取激烈行動，使事態升級。

鑒於目前的嚴峻形勢，我們建議破釜沉舟，採取如下緊急措施：

A，集體絕食，具體時間、地點可商量。

B，竭盡北京高校之全力，於戈氏訪華之日遊行進駐天安門，作最後拚搏。成敗在此一舉，同胞們一起努力。

晚七時，北京大學學生籌委會在二教二〇三教室舉行新聞發佈會，由天津「高自聯」的兩名代表介紹天津學生情況。會上，北大籌委會宣佈：學生要求對話，政府在一個星期內答覆；「高自聯」總部移至北大；在戈爾巴喬夫來華期間將邀請戈氏來北大，並進行邀請戈爾巴喬夫來北大演講的簽名活動，準備將簽名信於十三日送往蘇聯駐華大使館。近四百名學生和三十多名外國記者到會。

在新聞發佈會後，北大三角地二十八樓學生自辦的廣播站，圍繞著戈爾巴喬夫來華如何採取行

動進行了辯論，大多數發言者表示贊同邀請戈氏來北大，認爲蘇聯與中國國情有許多是一樣的，但蘇聯在政治體制改革中比中國進了一大步，戈爾巴喬夫是位有頭腦、有理論、體力充沛的政治明星，中國現在非常需要這樣的領導幹部等。有學生建議北大校長授予戈氏名譽博士；有學生說，不管戈爾巴喬夫是否來北大，只要我們的簽名邀請信送到，戈爾巴喬夫必有所表示，這樣我們就可滿意了。

北大三角地的一份「快訊」說，天津高校精選學生代表五百名，將於十三日騎車來京，目的是：(1)歡迎戈爾巴喬夫訪華；(2)要求深化政治體制改革，加強民主進程；(3)要求政府盡快與學生對話，聲援北大學生。

晚上，北大「籌委會」廣播站播送發自上海的消息：今天下午，上海高校學生自治聯合會在復旦大學召開記者招待會。會上宣佈組織七人請愿團，以「上海高校聯合會」名義赴京請愿。請愿的內容是：1，恢復《世界經濟導報》總編輯欽本立的職務；印發《導報》四三九期原版；2，修改市人大通過的遊行條例；3，就欽本立的問題同江澤民對話；4，要求新聞自由。同時，質問國務院，《導報》錯在哪裡？欽本立錯在哪裡？什麼叫總編負責制？什麼叫新聞自由？會上還宣佈，取消「上海高校學生聯合會」名稱，啓用「上海遊行組織者」名稱。會後，七人請愿團乘一百六十二次列車進京。

據北大、北師大的同學反映，「高自聯」學生頭頭王丹、吾爾開希等今晚正式聚會策劃絕食，籌備有關組織，他們的理由是：「絕食是同學們自發組織的，誰也沒有權力阻止。」「高自聯」關

於絕食的通告明天將會在北京各高校公開。

十二日上午，北京大學約二百名學生頭纏白布條，騎自行車到中國記協，據一位手持話筒的學生說，他們聽說國務院發言人袁木在這裡與首都新聞工作者進行對話，特意趕來。事實上，袁木是在中國記協舉行中外記者招待會，不是對話。袁木在回答記者關於「聽說學生要在蘇聯領導人戈爾巴喬夫訪華時遊行示威，並要求同他對話，請問政府對此有何反映？」的提問時說，「我們希望通過對話的辦法，依照合理的途徑，在民主和法制的軌道上，使問題逐步得到解決。」當這些學生到達記協時，記者招待會已經結束，袁木也已離開。尚未離開的一些中外記者對學生進行了採訪。

據學生透露，目前在北大、北師大正在進行萬人簽名請願活動，中心是希望戈爾巴喬夫訪華時能抽出時間去北大與學生座談、見面，介紹蘇聯政治體制改革的一些做法。他們準備十三日下午將請願書遞交蘇聯駐華大使館和我國外交部。

有記者問，學生們是否準備再次舉行遊行示威活動？手持話筒的學生說，「遊行示威作爲一種向政府施加壓力的手段，我們不會輕易使用。至於十五日(戈氏訪華那天)是否上街遊行，現在尚未確定。」

下午，「北京高校學生自治聯合會」宣佈：他們將舉行一次絕食。他們在北京大學、北京師範大學、人民大學、清華大學、北京航天航空大學等高校貼出徵集參加絕食簽名的大字報，大字報稱：十三日中午十二時集合去天安門廣場絕食請願，希望同學們報名參加。絕食的目的是：1，要求新

聞自由，取消報禁；2，促使政府與學生對話；3，促進民主化進程。

在北京大學，一名「高自聯」成員說，「我們的絕食將沒有限期，我們將一直絕食到我們的要求得到滿足爲止。我們保留在戈爾巴喬夫訪問期間舉行抗議活動的權利。」

學生們爲舉行絕食而選擇的一個口號是「我愛吃飯，但更愛真理」。目前還摸不清「高自聯」這一要求的分量有多大，但是他們已開始利用戈爾巴喬夫的訪問使重新開始的要求民主的示威遊行成爲人們注意的中心，繼續進行對抗。

下午三時許，北京大學約有四百多名學生在塞萬提斯像前舉行第十七次民主沙龍。中國社科院包遵信進行演講並回答學生的提問。

包遵信演講和答問的主要內容是：

「這次四二七遊行，宣佈長期封建家長制應當結束，標誌著中國民主運動達到一個新的水平。幾十萬大學生上街遊行，組織得那麼好，那麼有紀律，口號目標那麼明確，而且非常有策略，這是很有水平的。它的規模和影響都超過了五四。」

「青年學生上街以後，使我們看到中國還是有希望的，還是有前途的。凝聚力在哪裡？大家要有個目標，民主化、現代化，這不能只停留在口頭上，而且還要有具體步驟。」

「從官方來看，學生背後有一小撮人挑動。如果這一小撮人能夠在這樣的條件下，鼓動十幾萬人上街，那也是了不起的。所以，應該把四二六社論給推翻，它從語言到思維方式都是文化大革命

那套東西，而且這個社論埋了很多釘子，如果不把它推翻，有朝一日他們還會秋後算賬。」「如何防止秋後算賬，我的看法是堅持鬥爭，不達目的，誓不罷休。所以我贊成社會上的知識分子與學生結合起來，不要怕，民主是全國人民的事情，每一個知識分子都有責任。」「現在我們要防止藉口中國有八億農民是比較落後的，知識分子很多想法不切實際等觀點，而不搞民主化。」

全國性穆斯林遊行

十二日，北京、呼和浩特、蘭州、西寧發生大規模的穆斯林學生和群眾遊行，聲討上海文化出版社三月份出版發行的《性風俗》一書。爲了避免將這一事件與學生運動摻雜在一起，引發可能出現的全國性騷亂，公安部下發了緊急通知，要求各地一定要嚴陣以待，認真對待穆斯林群眾的抗議活動，嚴格將穆斯林抗議活動與學潮區分開來。下面綜述上述四個城市的穆斯林群眾抗議活動。

蘭州：十二日下午，蘭州市二萬餘名穆斯林舉行焚毀《性風俗》群眾大會，人群情緒激昂，組織失控，省出版局一輛送書的轎車被推翻，司機被打成重傷。

十六時許，蘭州市各方的二萬餘名穆斯林高呼口號，陸續進入蘭州市中心廣場。參加這次大會的有各大教派的各界代表，上至八十九歲的老人，下至七歲的小學生，還有不少婦女和大專院校學生(回民)，這是幾十年來少見的。據一位穆斯林介紹，蘭州各派穆斯林平時互不來往，這次聚到一起

來了。

會場曾因事先沒有布置好高音喇叭亂了一陣，高音喇叭安裝好後，大會舉行了抬經儀式，這表明要不惜鮮血和生命捍衛穆斯林精神。會上一些代表發言，要求處死《性風俗》作者。還請了穆斯林律師，宣讀起訴書，要求按刑法處死作者。發言中，不時高呼處死作者的口號。

十七時三十分，省出版局將已收繳的一百八十二本《性風俗》送到會場東北角。早已知情的穆斯林「嘩」一下涌過去。出版局負責護送的工作人員怕書被搶走，不讓打開車箱蓋。圍上來的人們不由分說將伏爾加車推翻。汽車前後擋風玻璃打碎，車體砸得坑坑洼洼。司機胡文磊打開車門往外跑，被人用旗桿打、用腳踢，用石塊砸，已打成重傷送醫院。

十八時許，在焚書大會結束後，有一百多名穆斯林先行衝擊省政府，被武警戰士擋回。隨後有三百多名穆斯林赶到，一起用刀子、旗桿、磚頭砸省政府大門，經過多次衝擊，於十八時十六分，因武警不能還手阻擋被他們強行進入大門，並追打武警。有的戰士被刀子削掉手指、有的手腕被打成骨折。省政府傳達室玻璃全部被砸。相聚的近萬名穆斯林還不罷休，要衝擊省政府辦公大樓。三百多名武警赶來增援，將他們驅散，其中圍截了三十二人並移送公安局。經查，這些人身上全都帶有兇器。這次穆斯林衝擊事件，共有一百一十五名武警戰士被打傷，其中三十九名重傷。

西寧：十二日下午，一萬多名穆斯林上街遊行，強烈抗議《性風俗》一書，要求政府嚴懲編著者。

下午三時，「主馬」日宗教活動結束，穆斯林群眾即從東關清真大寺出發，沿東關大街，東西大街往西行進。遊行群眾舉著大幅橫標，上寫：「堅決擁護中國共產黨，擁護黨的民族政策，加強各民族團結」，「維護我國在世界上的聲譽，強烈要求處死柯勒、桑婭、高國平（注：均爲編著者）」，「頭可斷，血可流，伊斯蘭不可侮，穆斯林不可欺，一日不判決，一日不罷休！」

遊行隊伍行進約三公里多路，到省政府門口全都坐在地上，不停地呼喊口號。有二人發表簡短演講。在一萬多人的遊行隊伍中，有青海民族學院的四百多名回族、撒拉族學生。整個遊行活動比較有秩序，遊行者未與武警發生衝突。

下午四時三十分，遊行群眾中推出一些代表與省政府工作人員對話，對話後，由東關清真大寺大學阿訇馬祥成轉達省政府態度：一是理解回族群眾心情；二是肯定《性風俗》是壞書；三是向中央轉達意見；四是三天以後對回族群眾意見再作答覆。四時五十分，穆斯林遊行隊伍開始散去。

呼和浩特：十二日下午，五百多名穆斯林高呼「維護安定團結」，「擁護共產黨領導」，「絞死柯勒、桑婭」，「絞死高國平」等口號上街遊行，從回民區清真大寺一路走向呼和浩特市政府，在市政府門前的十字路口靜坐。

遊行的穆斯林說，我們不是鬧事。他們說，《性風俗》以極其卑劣下流的筆調，惡毒歪曲污蔑伊斯蘭教教義，詆毀神聖的《古蘭經》、伊斯蘭教五功之一的朝覲和後世以及伊斯蘭教寺院建築物，是惡毒誹謗伊斯蘭教和廣大穆斯林的政治事件。

一位穆斯林說，《性風俗》正值伊斯蘭教的齋月出版，影響極壞。如果不嚴懲作者和出版者，可以引起世界穆斯林的反抗。一位穆斯林在高呼「反對種族岐視」後說，「這本書是嚴重挑撥民族與黨的關係的壞書。」另一名女穆斯林說，「不可理解的是象這樣的書爲什麼能夠公開出版！」

穆斯林向市委、市政府提出三條要求：一，判處作者死刑；二，判處責任編輯死刑；三，由《人民日報》、中央人民廣播電台向全國的穆斯林公開道歉。市委、市政府當即派代表與穆斯林代表談話。

北京：十二日上午十一時，首都高校近千名信仰伊斯蘭教的學生上街遊行。這次遊行經北京市公安局批准。

十一時，中央民族學院、北京外語學院、北京農業大學等校的學生走出校門，他們打出的標語有：「古蘭經不可辱」，「維護憲法尊嚴」，「維護穆斯林合法權益」，「尊重人權，還我尊嚴」，「嚴懲《性風俗》作者編輯」。沿途呼喊的口號主要有「打倒官倒，反對腐敗」，「民族平等，信仰自由」，「擁護黨的民族政策」等。

遊行隊伍十二時許走到復興門，又有舉著清華大學、北京師範大學、北京工業大學等高校旗幟的幾百名學生加入。中午一時十五分，遊行隊伍經過牛街清真寺，受到數百名伊斯蘭教居民的熱烈歡迎。中國伊斯蘭教經學院的一些學生也加入了遊行隊伍。

一時四十分，遊行隊伍來到了中國伊斯蘭教協會。學生代表向中國伊斯蘭教協會會長沈霞熙遞

交了請愿書。此前，兩名學生代表已向國家民委、國務院宗教局遞交了相同內容的請愿書。

三時許，遊行隊伍經過珠市口、前門、天安門來到人民大會堂南門，圍觀群眾達三、四萬人，學生代表向全國人大信訪局局長陳文煒遞交了請愿書。學生代表要求陳文煒發言。陳文煒說，要及時上報有關領導，按照全國人大的工作程序來進行，及時、有力地解決這一問題。之後，遊行隊伍沿西長安街返回校園。這次遊行基本上是按北京市公安局指定的路線，遊行沒有發生任何衝突。在今天的聚禮日上，北京市伊斯蘭教協會對政府採取的這次行動表示滿意。

「公開性的轉折點」

十一日、十二日提供給中南海的二十七篇海外媒體報導中，有四篇在當時的中南海決策圈引起較多議論。下面分別摘錄：

十一日紐約《聯合日報》刊登題爲「中國處理學運方式聯合國秘書長表讚賞」，文章說：聯合國秘書長德奎利亞爾今晚在此間對中國最近發生的學生遊行一事發表評論。他說，「中國青年學生的熱情使我十分感動，我對關心國家前途，追求理想的青年表示敬意。然而，對我而言，人權、民主的概念所涵蓋的內容十分廣泛。我認爲，學生的要求和中國政府的愿望實際上是一致的。而中國政府在整個學生運動中，始終未採取過激手段，使學生運動和平地結束，這一點也給我留下

了極其深刻的印象。」

十一日《遠東經濟評論》刊登羅伯特·德爾夫斯的文章，題目是「政府接受公眾表示的不同政見」。現摘要如下：

在今後的歲月裡，中國四月底開始的這場學生運動很可能被看作是中國政治發展的轉折點。北京的領導人對學生的大規模示威採取的和解態度，表現有決心奉行使黨沿著重大政治改革的方向前進的方針。

黨新採取的較為緩和的態度在平息這一次學生騷亂方面顯然是成功的。

這場危機的和平解決發生在離中蘇首腦會談僅有一周的時候。要是在蘇聯領導人戈爾巴喬夫來這裡訪問之時繼續舉行大規模抗議活動，或者要是動用武裝部隊來鎮壓學生，那將會使中國領導人鄧小平極為難堪。但是，鄧小平現在可以因處理這場危機的驚人的平穩方式而受到讚揚了。

自從去年全面的價格改革計劃失敗以來，中國主張改革的領導人一直處於守勢。另外，面對公眾對官員貪污腐化表現出的日益增強的不滿，黨似乎是消極被動的，或者不過是應付而已。

形勢為趙紫陽提供了一個意想不到的機會，使得他能設法使黨重新面對公開表示出來的公眾不滿等問題，和設法做出新的努力以求得到要求自由的學生和知識分子的支持。要這麼做，趙紫陽必須使人相信，進一步實行改革可能是加強政治穩定和恢復黨的威信的一個途徑。

這種態度也會帶來巨大的風險。對黨的許多領導人來說，對學生騷亂採取較為和緩的態度不過

是一種策略。最主要的擔心是，如果人們認爲黨屈從於學生的要求，那麼心懷不滿的工人、農民和其他知識分子就可能也採用與當局對抗的形式。任何大規模的動亂都可能給黨斷然重新採取鎮壓措施。

十一日新加坡《聯合早報》刊登題爲「中國學潮帶來什麼影響」的文章說：此次學潮在中國已經產生了兩大效果。一是中國的傳統勢力，包括共產黨、黨元老的勢力，都有「地盤沉下」的趨勢；二是學生提出「反官倒、要民主」的口號切中時弊，也使當政者不得不面對現實，必須有所回應。

「自治學聯」的出現，間接否定了「全國學聯」和「北京學聯」等官方組織的權威，而後者不僅是中共的外圍組織，實際上也是中共統治中國的基本架構。中共的學生外圍組織一旦遭到破壞，中共的工人、知識分子組織等組織同樣會面對生存威脅，影響不僅巨大，而且深遠。

中共處理上海《世界經濟導報》的拙劣手法，顯然就是傳統的權威主義表現，而它對中共形象的破壞，對民主運動的反面刺激作用，肯定是遠遠出乎傳統派的估計。

趙紫陽緩和了局勢，但他也難以挽回《世界經濟導報》事件所帶來的破壞作用。從整個事件發展過程來看，中國新的形勢確實需要新的手法才能對應。

十二日香港《成報》發表題爲「進行對話不必藉助外力」的評論。評論說：由悼念胡耀邦逝世引起的遊行，仍在北京和其他大城市持續，形式與內容略有不同。遊行規模

縮小，次數幾乎每天都有，高舉的横幅和呼喊的口號多元化，顯示出以這種方式表達民意，在政府的寬容下是受歡迎的，根據大陸憲法，人民有遊行權利，但是各地方仍可制定法令，規定遊行要預先申請，或規定某些地點不能舉行遊行。自四月下旬以來，北京市政府關於遊行的法規，無疑是受到破壞，從建立法治社會的原則來說，這並非好現象，因爲學生即使有再大的理由，也不能享有特權，遊行也要依法行事，必須上軌道，否則其身不正，也就不能指責別人有法不依的行爲。

更爲令人擔憂的，是本月十五日戈爾巴喬夫抵京之日，據報學生又計劃大遊行。如果在戈爾巴喬夫訪問期間，特意安排大遊行，就很不恰當。我們認爲，會晤和遊行是兩回事，不可混爲一談。

事實上，只要大陸的大學生、新聞界、作家、或廣義而言全體知識分子，自信有力量可以通過遊行、請愿、對話，促使政府改變現狀，鏟除腐敗，建立廉政，就不必藉助外國元首訪問時舉行大遊行。

胡啓立芮杏文與新聞界對話

十二日下午，萬里啓程開始對加拿大、美國進行爲期二十一天的訪問。上午，萬里打電話向趙紫陽道別，萬里請示趙紫陽，「這次訪問的路線和日程已與雙方商定，有沒有壓縮行程的必要？」趙紫陽表示，確定的就沒有必要更改，並祝萬里美加之行成功。令雙方誰也沒有意想到的是，萬里

和趙紫陽的這一電話道別，竟是趙紫陽在政治舞台上與萬里的最後一次道別。萬里再見趙紫陽，已經是四中全會聲討趙紫陽的時候了。

根據政治局會議作出的決定，十一日至十三日，胡啓立、芮杏文、閻明復連同當時的中共中央宣傳部部長王忍之，分別走訪了新華社、人民日報社、光明日報社和中國青年報社。由於一千０三十一名新聞記者的請愿書是由中國青年報的兩位記者遞交的。所以，十一日上午，胡啓立親自走訪中國青年報社，並與該報記者進行了對話。十三日上午，胡啓立與閻明復一起在統戰部應邀聽取了北京新聞理論界一些專家和新聞記者的意見。下午，胡啓立、芮杏文、閻明復等與北京十五家新聞單位的主要負責人進行座談。

綜述這三天胡啓立等人與首都新聞界的座談對話，效果是明顯的。與會者特別就這一時期學生遊行示威等情況和新聞報導問題發表了各自看法，並對民主法制建設和新聞改革提出了許多建設性意見。與會者的共同觀點是：

一，大學生參加學潮的主要動機是憂國憂民。從這次學潮不難看出，大學生「極端地爲民族前途擔憂，也爲共產黨的前途擔憂」，他們堅持改革，但由於他們的一些特點所決定，他們在思想和行爲上往往單純而偏激。在當前這種形勢下，尤其不應忽視大學生們在學潮中提出的一些有益的、合理的、切合實際的要求，千萬不要再直接或間接地激起大學生的失落、挫折乃至憤懣的情緒，中央應盡快與學生對話。

二，一定要注意發揮新聞媒介的「安全閥」效應。一個國家如果缺乏適當的供人民群眾發表意見和渲泄不滿的渠道，就象一隻煤氣罐，不爆炸則已，一爆炸非常可怕。新聞媒介可以較好地起到減壓、渲泄的作用。西方國家很重視新聞媒介，而我們的新聞媒介則缺乏渲泄不滿的機制，所以不鬧事則罷，一鬧事就是全國性的。因此，一定要增加新聞報導的公開性和透明度，重大事情讓人民知道。

三，對學潮的處理不宜採用強制性措施。四二六社論是政府採取強制性措施的具體體現，它在一定程度上增強了大學生的逆反和抵制心理，擴大了學潮的規模。疏導工作在這次的學潮對策中還沒有真正發揮主導作用。事實證明，單純的強制性措施解決不了這次學潮。要致力於引導、消化、分散和削弱導致學潮的各項原因，使大學生的不滿得到緩解。

四，建議《新聞法》(草案)在提交全國人大常委會審議前先公開發表，給全國新聞工作者一個發表意見的機會。改革目前所有報紙雜誌全都由國家包下來的體制，實行分級管理。1，黨報，如新華社、《人民日報》，各省黨的機關報，是黨和政府的喉舌，仍實行國家直接任命幹部幹部和財政全包政策；2，比較重要的專業性報紙，如《科技日報》、《光明日報》等，主要幹部由上邊任命，經費由國家負擔一部分，其餘由報社自負盈虧；3，地方小報或零雜小報，原則上政府不管。幹部任免由董事會決定，完全做到自主經營、自負盈虧，但要嚴格接受新聞出版法及各種法律法令的約束。

在這幾天座談對話中，胡啓立、芮杏文都傳達了趙紫陽關於新聞改革的談話精神。在與首都新聞界負責人會談時，胡啓立特別指出，「紫陽同志強調，新聞改革既是大勢所趨，也是人心所向。面對國內人心所向，面對國際進步潮流，我們要因勢利導。新聞報導要真正做到：客觀、全面、真實、及時，這也是我國民主政治建設的一部分。新聞報導一定要說真話，千萬不能製造假新聞，不能隱瞞事實。要使之真正成爲黨的喉舌、人民的喉舌，要讓老百姓相信。」

三天的座談對話，胡啓立、芮杏文、閻明復等都坦率地談了自己的意見和想法，但總的是聽多於談，座談對話的氣氛活躍、輕鬆。他們三人的主要觀點是：

胡啓立：「新聞改革作爲政治體制改革的一部分，已經到了非改不可的時候了。對待新聞改革，我們的態度一定要堅決，步子一定要穩妥。要在民主與法制的軌道上解決問題。」

芮杏文：「對於這次學潮的報導，最近幾天來報導開始多一些了。這對我們下一步的新聞改革是有好處的。我同意大家要求盡快進行新聞改革的意見，不能再幾十年一貫制，老面孔了。要從領導方法、思想觀念、管理體制和傳播方式上對新聞體制進行更新和改進。我們正在起草新聞法。當然，新聞法的制定要嚴格按照立法程序來進行，在全國人大常委會審議前，還要展開廣泛的民主討論，歡迎大家就新聞法的制定提出更多積極有效的建議。」

閻明復：「很有必要在當前對我國的新聞工作進行一番認真的回顧和總結，要進一步增強新聞輿論的公開化、透明度，充分發揮新聞輿論的監督和促進作用，真正做到黨的十三大報告提出的重

大情況讓人民知道，重大問題讓人民討論。」

胡啓立、芮杏文都再次重申：「版面的事由報社自己決定。」

鄧小平趙紫陽楊尙昆會談

十三日上午，趙紫陽、楊尙昆到鄧小平家，向鄧小平匯報了近期工作部署。這是趙紫陽在胡耀邦追悼會後第一次見鄧小平。經過上次鄧小平與楊尙昆的談話，鄧小平對趙紫陽的態度有了比較清楚的瞭解，而趙紫陽雖然大體知道了上次鄧楊談話的一些內容，但對鄧小平在四二六社論的態度上還是心裡沒底。在向鄧小平問安和閑聊幾句朝鮮情況之後，切入正題。這次三人會談的主要內容仍然圍繞著上次鄧楊會談的話題展開，趙紫陽則更多闡述了他在政治局幾次會議上的一些觀點。

趙紫陽：「小平同志，我先向您匯報一下學潮和動亂以來我的一些思想。四月中旬以來，學潮愈鬧愈大，我和大家想的都是使事態盡快平息下來。但是，我也看到這次學潮有兩個很值得注意的特點。一是學生提出要擁護憲法推進民主，反對腐敗等口號。這些要求跟黨和政府的主張基本是一致的，我們不得拒絕。二是參加遊行和支持他們的人非常之多，各界人士都有。在這種情況下，我的一個想法，就是要想平息事態，必須首先著眼於大多數，把多數人的主流肯定下來。」

鄧小平：「事情一爆發出來，就很明顯，是極少數人挑動了大多數人。把絕大多數人的情緒都

激發起來了。」

趙紫陽：「所以，我主張把廣大青年學生和社會上很多同情者的行爲與極少數人的企圖利用學潮渾水摸魚、製造事端，攻擊黨和社會主義的行爲嚴格區別開來，著重採取疏導的方針，開展多層次、多渠道和各種形式的對話，互相溝通、增進理解。避免激化矛盾，盡快平息事態。」

「對話，好嘛。關鍵是要解決問題。不要讓人牽著鼻子走。」鄧小平接著說，「這次學潮已經拖得太久了，將近一個月了。老同志們心都焦急著呢。陳雲、彭真、先念、王震還有鄧大姐，包括我，心裡都急著呢。要有決斷力。我不止一次說過，我們要力爭有個穩定的環境，把自己發展起來。亂糟糟的局面，怎麼發展？」

楊尚昆：「戈爾巴喬夫後天就來了。聽說學生今天要宣佈絕食，這是有意想把事情鬧大，造成重大國際影響。」

「天安門是中華人民共和國的象徵。戈爾巴喬夫在北京期間，天安門一定要有秩序，要注意我們的國際影響。天安門如果亂糟糟，會成什麼體統？」鄧小平再次特別強調。

楊尚昆：「這次學潮尚未完全平息，又聽說要搞絕食。我很擔心這次重大的國事活動受到干擾。國家之間領導人的互訪是一項重要的國事活動。任何一個國家都十分重視。這次戈爾巴喬夫來訪的每項日程都事先經雙方協商做好安排。爲確保訪問按照計劃順利進行，要求學生和北京市民加以配合，這是稍有愛國心的人都能夠接受的。不知這次歡迎儀式能否順利在人民大會堂東門外廣場舉

行。」

趙紫陽：「在人民大會堂東門外歡迎戈爾巴喬夫是最基本的禮儀，事關國家榮譽，我相信廣大青年學生是識大體、顧大局的。不會在歡迎戈爾巴喬夫儀式上節外生枝，相信這個大道理這些青年學生應該是懂得的。北京市和教委已經向各大院校學生講了這個道理。」

鄧小平說：「學生情緒一旦偏激可顧不上這麼多。」

楊尙昆：「我們還是按照原計劃行事。」

趙紫陽：「對於戈爾巴喬夫訪問一事，下午我透過新聞界再強調一下。」

鄧小平：「我說過，這次事情的發生不簡單。對方不只是一些青年學生，還有一批造反派和大量的社會渣滓，更有極少數竭力反對反資產階級自由化的人。這些人是要顚覆我們的國家、我們的黨。一小撮人混雜在那麼多青年學生和群眾中間。是有很大工作難度。要看到這個問題的複雜性，不是單純的學生與政府之間的關係。」

趙紫陽，「政治局的一致意見是，當前要疏導、分化，積極爭取學生和知識分子中的絕大多數，把極少數反共、搞破壞的人孤立起來。用民主和法制的辦法解決這次學潮。爲了把工作做在前頭，政治局成員已分頭與社會各界群眾展開對話。今天上午，李鵬去首鋼，下午我與首都工人代表座談，胡啓立他們這幾天正與新聞界進行對話，還有—」

鄧小平打斷：「現在社會各界心態怎樣？」

趙紫陽：「這次學潮波及面雖廣，但只在全國一些有高校的城市。農村不受影響，農民是穩定的。城市工人是穩定的，他們對一些社會現象不滿，發發牢騷，同情這次學潮，但照常上班，沒有罷工、遊行和串聯的事情發生。」

楊尙昆插話，「部隊官兵的思想是統一的，與黨中央、中央軍委保持高度一致。這次學潮對部隊官兵的思想不會有大的影響。」

鄧小平：「這次事件爆發出來，很値得我們思索，促使我們冷靜地回顧一下過去。我對外國人講，十年最大的失誤是教育，這裡我主要是講思想政治教育，不單純是對學校、青年學生，是泛指對人民的教育。這種教育很少，是我們工作中很大的失誤。這些天我總在想，四個堅持和改革開放是相輔相成的，本身沒有錯，如果說有錯的話，就是我們堅持四項基本原則還不夠一貫，沒有把它作爲我們的基本思想來教育人民，教育學生，教育全體黨員和幹部。我們必須堅持兩手抓，不能忽視政治領域的工作。在我國，堅持共產黨領導，不搞西方多黨制，這條基本原則絲毫不能動搖。同時，黨也必須解決民主的問題，解決黨和國家機關滋生的腐敗現象的問題。」

趙紫陽：「黨必須適應新時代和新情況，在做好思想政治工作的基礎上用民主和法制的手段解決問題。您一直強調要加強政治生活的透明度，充分發揮人大的監督作用，加強與完善共產黨領導的多黨合作制和政治協商制度，加強人民群衆對黨和政府的監督等等。這是非常重要的，在當前情況下顯得更加重要。實行民主，意見紛紜，表面上是有些『亂』。但是，有了在民主和法制範圍內的

正常的小『痲煩』，就可以避免大亂。國家才能長治久安。」

楊尙昆：「要把正當的民主要求，行使正當的民主權利與搞資產階級自由化區劃開來。我們決不允許打著民主的旗號搞資產階級自由化；同時，我們在反對資產階級自由化的時候也不妨礙發揚民主。」

趙紫陽：「高舉民主和法制的旗幟深得民心，對廣大人民群眾有很強的吸引力、凝聚力。記得小平同志在一九八四年就曾經說過，黨的領導作用的重要方面要體現在積極領導人民進行民主和法制建設上，使我們的社會主義國家成爲眞正的法制國家。我覺得，我們要利用當前這一時機，在黨的領導下，有計劃、有步驟、有秩序地發展一種堅持四項基本原則的、適合我國國情的社會主義民主制度。」

楊尙昆：「要下大力氣堅決克服、消除腐敗現象。現在老百姓一提起腐敗，個個咬牙切齒。恨不得天天有腐敗分子被揭露。」

趙紫陽對鄧小平說：「消除腐敗現象的確已成爲當今的頭等大事，老百姓的眼睛都盯著我們，看我們是不是動眞格的。政治局正在研究，把廉政作爲政治體制改革的一件大事來抓，把廉政同民主、法制、公開性、透明度、群眾監督、群眾與等密切結合起來，採取一些實際措施和步驟，紮紮實實地加以解決。在反腐倡廉的問題上，首先從政治局做起，我已建議政治局先從調查我的子女開始，如有腐敗問題，就接受國法處理。萬里還提議在全國人大常委會成立專門的廉政委員會。」

鄧小平：「懲治腐敗，要認真做幾件大事，至少抓一、二十件大案，透明度要高。要抓住這個時機，把腐敗問題好好解決一下。最近我想，這個問題爲什麼一直搞不通，大概因爲我們黨的高級幹部或他的家庭陷進去的比較多，講了好幾年，爲什麼成效不大，原因可能就在這裡。處理這個問題不能遲。這次事件，沒有反對改革開放的口號，比較集中的是反對腐敗。當然，這個口號是他們的一個陪襯，其目的是用反腐敗來激動人心。但對我們來說，要整好我們的黨，實現我們的戰略目標，不懲治腐敗，特別是黨內的，確實有失敗的危險。」

最後，鄧小平特別叮囑：「在重大政治問題面前政治局常委一定要果斷，要堅持原則。當然，對這次學潮，我們要盡力採取平和的手段解決。」

這次三人談話，並沒有太多實質性的內容，但至少說明鄧小平對趙紫陽還是信任的，並不存在十三屆四中全會上所說，趙一開始就與鄧小平意見相左。鄧小平的談話既沒有提及四二六社論，也沒有明確指出下一步該怎麼做。只是希望趙紫陽盡快拿出辦法，不管這是一個什麼樣的辦法，關鍵是能把學潮平息。這與鄧小平「不管白貓黑貓，能抓老鼠就是好貓」的思想是一致的。

趙紫陽李鵬與工人對話

正當鄧趙楊在鄧小平家聚首的時候，李鵬則來到首都鋼鐵公司，與這個公司的煉鋼工、軋鋼工

等生產在第一線的工人進行座談對話。現將座談中有關對學潮的看法和社會安定方面的主要內容摘錄如下：

工人代表：「今天總理能到首鋼來，表明了黨和政府的胸懷和誠意，也表明了黨和政府有能力有信心解決目前存在的一些問題。我認爲，這次學生的罷課、遊行，說明學校黨組織完全起不到作用，是黨的建設和思想工作長期削弱的結果。」

李鵬：「如何加強黨的領導，如何改革學生會、工會等群眾組織的確值得我們認真研究。這次學潮後，我們要對黨的政治思想工作進行全面反思。」

工人代表：「改革出現失誤，人們可以承受，但對黨內腐敗等問題，人們無法容忍。學生們提出的反對腐敗的口號，說出了我們工人階級的心裡話。中央應該從自身做起，下決心採取有效措施解決腐敗問題。不然的話，就會失去民心。」

李鵬：「中央正在研究制訂一套具體措施，在加強民主監督、增加透明度和反對貪污腐敗方面將拿出具體、明顯的行動來。比如，現在傳言很多，正在考慮能不能把高幹子弟經商、辦公司的情況用適當的形式在適當的範圍內公佈和澄清。在肅貪治腐方面中央將盡快公佈一批案子，以表明決心。」

工人代表：「首鋼工人雖然沒有上街遊行，但並不意味著反對學生上街遊行。現在社會上有物價飛漲，官倒現象普遍。所以，我們認爲學生上街遊行對解決當前國家面臨的一些實際問題是有好

處的。」

李鵬：「經濟的發展、社會的穩定和廣大工人的努力是分不開的。廣大工人是發展生產力的主力軍，是維護安定團結的主力軍。當前，我們搞治理整頓，壓縮經濟規模和速度是暫時的，就像人跑得很快，要喘一口氣，目的是爲了克服當前經濟中存在的困難，更好地改革開放。」

工人代表：「我們希望黨和政府與各個階層群衆的對話是正常性的，不要碰到事情了，再去進行對話。希望今後要經常、及時針對群衆中的問題進行對話。」

李鵬：「我們要切實加強黨和政府與各個階層人民群衆的對話，並形成制度，真正保證正常渠道的暢通，瞭解基層的情況和意見，使工作走上法制的軌道。同時，對一些群衆中的熱點問題進行疏導，避免釀成事端。」

李鵬特別指出，「首鋼工人的素質過硬，紀律性強。我也愿在此表示，政府歡迎工人、學生和廣大人民群衆提出批評和建議，比如大家對懲治貪污腐敗、經濟生活當中的混亂現象，黨政機關中的官僚主義作風的意見，確實反映了社會上和我們工作中存在的問題。黨和政府正在研究一系列有力的措施，通過民主和法制軌道來解決這些問題。我們將在繼續深化經濟體制改革的同時，進一步推進政治體制改革。」

下午，趙紫陽與喬石、胡啓立、閻明復在人民大會堂同首都工人代表進行座談對話。因爲已經知道學生已經來天安門廣場進行絕食的消息，所以，座談會一開始。趙紫陽就說：「即將舉行的中

蘇高級會晤是舉世矚目的大事，會晤的成功，符合中蘇兩國人民的利益，也有利於世界的和平與穩定。所以世界各國都很關注。我們每一個有愛國心的公民，只要理智地想一想，都一定會努力維護祖國的尊嚴和我國的國際形象，都不會做任何妨礙和損害這次中蘇高級會晤的事情。」

由於學生突然宣佈要在天安門廣場進行絕食，使趙紫陽感到十分難堪。上午，他還向鄧小平和楊尚昆保證，相信廣大青年學生是識大體、顧大局的，不會在歡迎戈爾巴喬夫儀式上節外生枝。事實證明他的看法過於樂觀了。因此，下午與工人的座談對話，趙紫陽幾乎把所有的話語都集中在中蘇高級會晤這件中共高層最爲看重的大事上，趙紫陽淸楚地意識到，這個事情上如果處理妥當，他就能說服鄧小平推進政治體制改革，如果此事處理失當，那將證明他沒有決斷力，下一步形勢的發展就難以預料了。他感到了前所未有的壓力。

趙紫陽對工人代表說，「我想告訴同志們，近來學生提出的合理要求，工人和其他群衆提出的合理要求，黨和政府都在認眞負責地抓緊研究解決。多渠道、多種形式的對話正在廣泛開展。各級黨委和政府都在爲搞好治理整頓、爭取經濟形勢的好轉而進行著艱苦的工作。中央爲推進民主和法制建設，加強廉政建設，促進政治體制改革，圍繞廣大人民群衆普遍關心的熱點問題，最近正在研究許多實際措施和步驟，紮紮實實地加以解決。」

趙紫陽說，「當然，我們的各項工作只能在現實的條件和基礎上進行，不可能在一夜之間把一切都辦得盡善盡美。但我們將堅定不移地在民主和法制的軌道上解決問題。六月下旬全國人大常委

會全體會議將把群眾關心的若干熱點問題列爲主要議題，就是我們決心依靠民主和法制解決問題的一個重大步驟。儘管人們可能有這樣那樣的意見，這是不可避免的，也是正常的。」

趙紫陽強調指出：「大學生也好，其他公民也好，如果因爲對本單位或國內的工作有意見，就去干擾國際會談，妨礙中蘇高級會晤，如果出現那樣的事，那就沒有道理了，就不會得到人們的同情和支持。希望廣大同學都能保持理智，顧全大局，自覺地維護國家的尊嚴和利益。」趙紫陽特別呼籲：「對於那種有損國家利益，有損中國人的聲譽和形象的行爲，不要響應和支持。千萬不要做親者痛，仇者快的事情。」

在這次會議上，有工人代表特別提到了「鄧小平同志現在是否仍參與中央的一些重大決策？」的問題。當時，趙紫陽作了如下回答：「鄧小平等老一輩無產階級革命家是我們黨和國家的寶貴財富。從黨和國家的事業出發，我們仍然需要鄧小平等老一輩無產階級革命家的豐富經驗和政治智慧，需要他們把關。況且小平同志現在還是中央軍委主席。」

趙紫陽的談話，通過新聞媒介，當晚就進行了充分的報導。會後，趙紫陽、楊尙昆、李鵬、喬石、胡啓立、李鐵映、李錫銘、閻明復、陳希同等在中南海碰頭，馬上部署對策。

會上，除了通報學生在天安門宣佈進行絕食的情況外，還獲悉下午北京師範大學和北京大學兩隊學生先後到蘇聯駐華大使館遞交信件，邀請戈爾巴喬夫訪問北京大學並與學生進行座談，北京大學遞交的信件後還附有一份據說有三千名學生和教師簽名的請願書。蘇聯大使館的外交官們答應將

他們的信件轉交給戈爾巴喬夫，並告訴學生代表說，戈爾巴喬夫在北京的日程已排滿。這些學生帶著的一幅紅色的巨大橫幅上寫著：「戈爾巴喬夫，北京大學歡迎你」。一些外國記者進行了攝像報導。

在介紹完情況後，趙紫陽、楊尙昆、李鵬等都對學生的突然行動感到氣憤，決定：一，晚上先由閻明復代表中共中央與高校教師和絕食學生座談；二，如果座談沒有大的效果，則由李鐵映、李錫銘、陳希同等到廣場勸說學生回校；三，爲防止事態擴大，楊尙昆同意將歡迎戈爾巴喬夫的儀式由人民大會堂東門外廣場臨時改由首都機場舉行。更改的決定於明天上午正式由外交部通知蘇聯駐華大使館，請求諒解。

絕食的開始

綜合十三日中辦、國辦、北京市、國家教委和安全部的報告。

十三日凌晨二時，「北京高校學生自治聯合會」向中辦國辦信訪局提出了與黨和政府領導人進行對話的要求。經請示，鄭幼枚代表中共中央辦公廳、國務院辦公廳於凌晨四時答覆表示同意。自鄭幼枚五月六日接受學生的請愿書開始到十三日，已經與遞交請愿書的二名學生代表協商了三次，具體時間爲八日、十一日和十二日。

十三日上午八時，鄭幼枚通知遞交「請愿書」的二名學生代表：中共中央、國務院和有關部門負責人將於五月十五日繼續同北京高校部分學生及各界人士座談對話。二名學生代表表示同意，同時，學生代表提出將原定的二十人對話名單擴大到二百人。鄭幼枚表示爲難，他說，「對話是一件嚴肅的事情，已經確定的事情最好不要輕易改變。」二名學生代表認爲，「如果政府不同意將學生參加對話的人數由二十人增加至二百人，就說明政府對這次對話毫無誠意。」在二名學生代表離開後，鄭幼枚接受了新華社記者的採訪，向新聞界宣佈了中共中辦國辦信訪局答覆首都高校學生「請愿書」的意見：中共中央、國務院和有關部門負責人五月十五日將繼續同北京高校部分學生和各界人士對話。

上午，北大、北師大、政法大學等院校相繼貼出「高自聯」的「絕食書」和「絕食宣言」。

「絕食書」全文如下：

在這個陽光燦爛的五月裡，我們絕食了，在這最美好的青春時刻，我們卻不得不把一切生之美好絕然地留在身後了，但我們是多麼的不情愿，多麼的不甘心啊！

然而，國家已經到了這樣的時刻，物價飛漲、官倒橫流、強權高挂、官僚腐敗，大批仁人志士流落海外，社會治安日趨混亂，在這民族存亡的生死關頭，同胞們，一些有良心的同胞們，請聽一聽我們的呼聲吧！

國家是人民的國家，

人民是我們的人民，
政府是我們的政府，
我們不喊，誰喊？
我們不幹，誰幹？
儘管我們的肩膀還很柔嫩，儘管死亡對我們來說，還顯得過於遙遠，但是，我們去了，我們卻不得不去了，歷史這樣要求我們。
我們最純潔的愛國熱情，我們最優秀的赤子心情，卻被說成是「動亂」，說成是「別有用心」，說成是「受一小撮人的利用」。
我們想請求所有正直的中國公民，請求每個工人、農民、士兵、市民、知識分子、社會名流、政府官員、警察和那些給我們罪名的人，把你們的手撫在你的心上，問一問你們的良心，我們有什麼罪？我們是動亂嗎？我們罷課，我們遊行，我們絕食，我們獻身，到底是爲什麼？可是，我們的感情卻一再被玩弄，我們忍著飢餓追求真理卻遭到軍警毆打……學生代表跪求民主卻被視而不見。平等對話的要求一再拖延，學生領袖身處危難……
我們怎麼辦？
民主是人生最崇高的生存感情，自由是人與生俱來的天賦人權，但這就需要我們用這些年輕的生命去換取，這難道是中華民族的自豪嗎？

絕食乃不得已而爲之，也不得不爲之。

我們以死的氣慨爲了生而戰。

但我們還是孩子，我們還是孩子呀！中國母親，請認真看一眼你的兒女吧！雖飢餓無情地摧殘著他們的青春，而死亡正向他們逼近，您難道能夠無動於衷嗎？

我們不想死，我們想好好地活著，因爲我們正是人生最美好之年齡，我們不想死，我們想好好學習，祖國還是這樣的貧窮，我們不忍心留下祖國就這樣死去，死亡決不是我們的追求。但是，如果一個人的死或一些人的死，能夠使更多的人活得更好，能夠使祖國繁榮昌盛，我們就沒有理由去偷生。

當我們挨餓時，爸爸媽媽們，請不要悲哀；當我們告別生命時，叔叔阿姨們，請不要傷心，我們只有一個愿望，那就是讓你們能更好地活著；我們只有一個請求，請你們不要忘記，我們追求的絕不是死亡！因爲民主不是一個人的事情，民主事業也絕不是一代人能夠完成的。

死亡，在期待著最廣泛而永久的回聲。

人將去矣，其言也善；鳥將去矣，其鳴也哀。

別了，同仁，保重！死者和生者一樣的忠誠。

別了，愛人，保重！捨不下你，也不得不告終。

別了，父母！請原諒，孩兒不能忠孝兩全。

別了，人民！請允許我們以這種不得已的方式效忠。

我們用生命寫成的誓言，必將晴朗共和國的天空！

「絕食宣言」全文如下：

各位親愛的同胞，在繼前幾次聲勢浩大的遊行示威活動之後，今天，我們決定在天安門廣場進行絕食鬥爭。

絕食原因：第一，抗議政府對學生罷課採取的麻木冷淡態度。第二，抗議政府一直對這次學生民主愛國運動冠以「動亂」的帽子，及一系列歪曲報導。

絕食要求：第一，要求政府迅速與北京高校對話代表團進行實質性的具體的真誠平等對話。第二，要求政府爲這次學生運動正名，並給予公正評價，肯定這是一場愛國民主的學生運動。

絕食時間：五月十三日下午二點出發。

絕食地點：天安門廣場。

口號：不是動亂，立即平反！

馬上對話，不許拖延！

爲民絕食，實屬無奈！

世界輿論，請聲援我們！

各界民主力量，請支援我們！

九時三十分，北京大學「籌委會」廣播了「絕食行動方案」：

1，十一時三十分糾察隊在校南門集合。

2，絕食團中午十二時出發，十三時到達師大宣誓、誓師，通電中外記者、中外紅十字會和各國政府。

3，紀律：除水和飲料外，不進食任何食物，不准帶巧克力等食品，否則你不要參加。

北京大學南校門布告欄上貼出"緊急募捐"的大字報：希望廣大師生踴躍捐款，中午在燕春園飯館爲絕食學生"餞行"。

十時三十分，在北大二十九樓前，頭紮白布條的一百六十名左右學生以「北大絕食團」名義集體宣讀「絕食誓詞」：「我宣誓：爲了促進祖國的民主化進程，爲了祖國的繁榮，我愿絕食。堅決服從絕食團紀律，不達目的，誓不罷休。」宣誓結束後，「絕食團」成員在燕春園飯館吃北大青年教師爲他們準備的「餞行」飯。北大作家班學員爲絕食學生寫的橫幅「壯士一去盼回還」立在燕春園飯館內，絕食學生一批批在橫幅前照相。

十二時二十分，北大絕食團成員約四百人(其中簽名絕食的一百六十人左右，其他爲糾察隊、救護隊、宣傳隊、後勤隊等)向北師大進發。各校絕食隊伍在北師大匯合後統一到天安門廣場。

下午三時二十五分，到天安門廣場絕食請愿的約二百名高校學生率先從西長安街進入天安門廣場。他們打著「維護法制、還我公道」、「尊重教育、還我校園」、「《導報》無罪，本立無罪」

等十多幅橫幅。呼喊的口號有「要求對話」、「遊行自由」、「打倒官倒」等。這批遊行者在繞場一周後，在人民英雄紀念碑北側圍成一個大圈，一些糾察人員阻止群眾進入圈內。

廣場上，圍觀群眾問學生：上次他們不是和你們對話了嗎？學生答：「袁木的對話光是在和代表繞彎子，沒有直接回答問題，他們沒有誠意。」還有的學生說，「那些代表不能代表我們，如果我們去，提出的問題他們更難回答！」

下午四時十分，又有約二三百名大學生頭紮白布條騎自行車進入廣場，他們的口號有：「立即對話，不得拖延！」「鏟除官倒，從中央做起！從現在做起！！」「反對愚民政治」、「新聞自由」。大約一刻鐘以後，約一千名左右學生進入廣場，遊行隊伍打出的上百幅橫幅、標語的主要內容有：「絕食請愿，實屬無奈」，「絕食，不吃油炸民主」，「絕食罷課，請求對話」，「飢餓可忍，民主不可忍」，「爲民族悲，爲絕食哀」等。隊伍中有「北京大學」，「清華大學」，「北京師範大學」，「上海絕食請愿團」等二三十所大學的校旗。

大批遊行者進入天安門廣場後，在紀念碑前升起了「絕食」的旗幟。一名大學生手持電喇叭宣讀了市「高自聯」的簡短聲明。聲明提出：近來學生所進行的主要目的是反對黨內和社會上的腐敗現象和裙帶關係，政府一再拖延和學生進行對話，北京高校的大學生自發到天安門廣場絕食請愿以示抗議。聲明宣讀者宣佈，現在大學裡仍在進行簽名運動，要求和戈爾巴喬夫進行對話。隨後，絕食學生在一名學生的帶領下宣讀了「絕食宣言」。下午五時四十分，絕食開始。同時，幾名學生手

持複印照片給群眾，大喊：「這是四•二０慘案中警察打學生的真相，這就是中國政府所謂的容忍和克制。」群眾爭先圍觀。

晚六時，「高自聯」三名成員王丹、王超華、馬少方在中國歷史博物館西側台階上舉行了中外記者招待會。他們宣佈：「這次絕食請愿活動，同學們已經決定不達目的決不罷休。」

晚八時，閻明復邀請部分高校教師和高自聯、學生對話團、絕食學生代表二十多人座談，這些人員中有：劉曉波、周舵、王超華、王丹、吾爾開希、柴玲、馬少方等人。這些不同組織的代表各坐一方。

閻明復說，「黨中央對這次整個學生運動的主流是肯定的，黨和政府對同學們提出的合理要求，正在認真研究許多實際措施和步驟，紮紮實實地加以解決。當然，我們的各項工作不可能在一夜之間得到圓滿解決。同學們應該知道，六月下旬全國人大常委會全體會議將把群眾關心的若干熱點問題列爲主要議題，這表明了黨和政府的一個決心，我們決心依靠民主和法制的軌道上解決問題。儘管同學們有這樣那樣的意見，這是可以理解的，也是正常的。」

絕食學生代表提出，「政府應接受學生自治聯合會提出的參加對話的四十名學生代表名單，並將這次對話現場直播。」閻明復說，「我現在不能馬上答覆同學們，但我會盡快將同學們的要求如實報告中央。」

絕食學生代表：「政府不能給予答覆，絕食的廣大同學也就很難現在就結束絕食返回學校。」

閻明復：「現有事態的發展，已經超出了發起人的善良愿望，已經不是你們所能夠影響得了的。無論從國家利益還是同學們自己的身體狀況著想，都不應該進行絕食。同學們完全可以通過正常的對話渠道提出你們的要求和建議，我可以負責地說，從現在起，黨和政府對話的大門是暢開的。希望廣大同學都能保持理智，顧全大局，自覺地維護國家的尊嚴和利益。」閻明復最後表示，「尤其在中蘇高級會晤之際，同學們從維護國家的尊嚴出發，也不應該去干擾國際會談，妨礙中蘇高級會晤。否則，就沒有道理了，就不會得到人們的同情和支持了。希望說服正在廣場上絕食的同學。」

閻明復的呼籲沒有得到實質性的回應，第一步方案失敗了。座談結束後，閻明復當即向趙紫陽作了匯報，閻明復明確表示，「現在的形勢的確非常複雜。來參加對話的學生組織就有高自聯、學生對話團和絕食學生代表，他們本身的意見就不統一，連座位都分開坐。我看，他們誰也代表不了廣場上的絕食學生，很難對廣場絕食的學生發生影響。」在第一步行動不能奏效的情況下，決定採取第二步行動。晚上九時，根據既定部署，北京市政府安排的市紅十字會的醫務人員和市急救中心的兩輛救護車進入天安門廣場附近，醫護人員開始救護工作。

十四日凌晨二時半，李鐵映、李錫銘、陳希同帶領國務院副秘書長安成信、北京市委副書記李其炎、汪家鏐、張健民等來到天安門廣場勸說絕食學生回校，一些被激怒的學生大聲吼：「太晚了，太晚了。」「早知今日，何必當初！」還有一些學生在議論：「有人在出賣我們！」「有人已經在和政府作交易了！」更多的學生對李鐵映等人的勸說不予反應。李鐵映、李錫銘、陳希同等分別找

絕食團的一些同學談話，也沒有得到積極的響應。顯然，絕食的學生中有著一種失望的情緒。李鐵映找一位學生：「你們爲什麼要絕食？」學生回答：「政府總在拖延時間，今天廣播裡說十五日與學生對話，到底對得成對不成，我們沒有信心。」李鐵映又問：「你們絕食的真正目的是什麼？」另一位學生回答：「我們不是要推翻現政府，而是要幫助政府整風，比如說官倒問題，政府爲什麼不能揪出幾個官倒老虎？我們希望政府廉潔。」陳希同問：「你們準備絕食到什麼時候？」一位學生回答：「絕食到失去知覺，直到被抬出去。」另有學生回答：「我們現在製造輿論，只是爲了喚醒民眾。」李鐵映等人的勸說，以學生們的不響應再告失敗。

絕食引起的反響

十四日，聽到北京學生絕食的消息後，正在外地休養的李先念和陳雲非常關注。李先念親自打電話給鄧小平，李先念說：「小平同志，現在的事態發展已經嚴重到我們無路可退的地步了。無論如何要開一個會，確定一個方針，我們黨究竟應該怎麼辦。」鄧小平告訴李先念：「我也認爲現在的事態發展非常嚴重。」當天，李先念就結束休假，赶回北京。在外地的陳雲也於當天赶回北京，見到薄一波時，陳雲對薄說：「學生由貼大字報、遊行、搶廣播站、成立非法組織到搞絕食，步步緊逼，我們還要不承認搞動亂。我們對得起成千上萬爲中國革命流血犧牲的烈士嗎？」很少打電話

給鄧小平的彭真，對鄧小平說：「長期以來，你提出的反對資產階級自由化的正確方針，沒有得到很好的貫徹執行，造成了很大的思想混亂。這次學潮就是由於黨內思想混亂的結果造成的。對當前的混亂局勢，我們不能不表示關切。我愿意爲迅速扭轉這種局面做點事情。」王震直接跑到鄧小平家，對鄧小平說：「小平同志呵，黨內現在有兩種聲音呵，我們不再對這些學生採取嚴厲措施，真的要黨無寧日，國無寧日，人頭落地了。」鄧小平告訴王震：「等陳雲、先念同志回來了，我們幾個老同志開個會，聽聽他們(指趙紫陽、李鵬等)的意見。」

與中共高層對絕食的看法完全不同的是，社會各界人士更多地表現出對絕食學生的同情和支持，尤其在首都知識界引起了更爲強烈的反響。絕食的消息傳出以後，不僅是國內記者，包括到北京準備專門報導中蘇高級會晤的一些外國記者也更多地把眼光投向天安門廣場的絕食學生們，相反沖淡了對中蘇高級會晤的報導。

五月十三日晚，安全部向中南海提供了北京大學季羡林、嚴家炎等三百名教授和青年教師就學生絕食致黨中央、全國人大常委會和國務院的公開信、以及在北大、人大、北師大、清華等院校出現的署名嚴家其、蘇紹智、包遵信等人題爲「我們再也不能沉默了」的大字報。

北大教授的公開信要求中央盡快採取措施，妥善解決學潮問題。全文如下：

北京大學教師就絕食上書黨中央、人大常委會、國務院：

五月十三日，北京大學、北京師範大學的部分同學開始進行絕食請愿活動，學潮事態進一步擴

大，形勢更加嚴峻，引起社會各界及國內外的嚴重關注。對此，中央及北京市政府的態度和措施至關重要，其適當與否，對今後的事態發展影響甚大。在此，我們出於促進改革和維護社會穩定的目的，同時，從教員關心學生和愛護學生的身心健康和生命安全的角度考慮，特提出如下建議：

第一，黨和政府的高層領導人，應盡快與首都高校學生對話代表團進行實質性對話，以求盡早妥善解決問題。

第二，應當盡早對這次學潮的性質作出客觀公正的評價，以安定民心、黨心，不應採取拖延政策。

第三，應當高度重視這次絕食請愿活動，以認真、謹慎和人道主義的態度，採取一切措施，保證學生的身心健康。

署名嚴家其、蘇紹智、包遵信等人題爲「我們再也不能沉默了」的大字報，呼籲「十五日下午二點在復興門立交橋集合步行到天安門，舉行首都知識界大遊行，聲援在廣場絕食的學生。」大字報說，「知識分子們，我們不能再沉默了！拿出我們的良心、勇氣和社會責任感吧！！讓我們書寫歷史！！！」

十四日，爲聲援天安門廣場絕食的學生，北京各個高校再次罷課，北京大學、北京師範大學等校「部分教師」貼出《倡議全體教師罷課》的大字報，提出：「若在今晚十一時以前政府不答覆學生的要求，十五日將罷教」。

安全部的報告比較詳細地描述了十四日天安門廣場的情況，摘要如下：

今天，在天安門廣場的絕食學生人數已達一千多人，圍觀的學生和群眾白天達到兩萬多人，晚上則達到十萬人左右。絕食靜坐的學生顯得秩序良好，學生糾察隊在維持秩序，防止外人進入，但圍觀的群眾秩序較亂。不時有人演講，廣場上時而傳來「九一八」、「國際歌」、「國歌」、「血染的風采」等歌聲。早晨，當廣場升起五星紅旗時，許多學生起立致敬，並唱起國歌。學生們打出的橫標有：「專制不死，國無寧日」、「動亂之源在於腐敗」、「人民養不起寄生虫」等。

學生絕食不絕水，不時有人爲絕食同學送來開水、汽水和糖以及藥品。到晚上十時在天安門廣場發現有十多名絕食學生暈倒或胃痙攣。北京市政府安排在廣場附近的急救車當即將他們送到市急救中心緊急搶救。

今天從早到晚都有很多學生和教師先後來到天安門廣場對絕食學生表示聲援。上午八時，上海高校首批進京請愿團來到廣場，接著又有北大、北師大、清華、中國青年政治學院等校的學生前來聲援，下午中國人民大學青年教師、中國政法大學青年教師、北京理工大學博士生等都打著橫幅、旗幟赶來。接著，天津大學、南開大學的七百多名「和平民主請愿團」人員也來到廣場。每當新的聲援隊伍出現，都繞場一周，吸引數千學生和群眾跟隨。

魯迅文學院作家研究班的一位名叫路遠的作家，向學生宣讀了一些作家學者聲援學生的「五·一六聲明」，並稱已經在全國展開了廣泛的著名作家簽名運動，目前已有幾百名作家簽名。他還說

明天中午一時三十分將舉行五千人的示威遊行，表明中國知識界聲援學生愛國民主運動。

北京大學的一名教師今天在天安門廣場宣讀了北大三百名教師就學生絕食請愿活動，致黨中央、人大常委會和國務院的公開信，提出黨和政府的高層領導人，應盡快與首都高校學生對話代表團進行實質性對話等要求。

今天下午李鐵映、閻明復等同志與絕食請愿的學生代表對話的消息傳出以後，學生們議論紛紛，有的說這是絕食請愿的成果，不少學生覺得規格太低，要求趙紫陽、李鵬同志出來對話。到晚二十四時，天安門廣場仍有三千多名高校學生。

李鐵映閻明復與學生對話

針對學生在天安門廣場絕食的堅決態度，趙紫陽、楊尚昆、李鵬、喬石、胡啓立、李鐵映、李錫銘、吳學謙、閻明復、陳希同等再次進行緊急磋商。一，接受閻明復的建議，決定由李鐵映、閻明復和尉健行出面與首都高校三十多所高校推舉出的對話代表進行對話(由尉健行出面與學生對話，是爲了更好地向學生介紹反腐倡廉的情況，並表明中央懲治腐敗的決心)；二，北京市要千方百計保證絕食學生的身體安全，紅十字會和急救中心一定要嚴陣以待。學生一有暈倒現象，立即送醫院急救，絕對不能死一個學生。現根據國家教委、統戰部的有關材料和現場錄音擇要整理。

上午十時多，爲使下午的對話有效果，閻明復又約請高自聯成員王丹、吾爾開希、王超華等人在統戰部小會議室談話。閻明復說，「我可以負責地告訴大家，今天下午四時，在統戰部禮堂，李鐵映、我本人和尉健行等愿意與學生指定的對話代表進行對話。我希望這次對話能解決一些實質性問題。」學生代表似乎認爲官方的級別還不夠，但沒有說出來。對此，閻明復鄭重指出：「李鐵映是政治局委員、國務委員，我本人是中央書記處書記，尉健行是國家監察部部長。你們覺得哪個級別還不夠？」學生代表表示同意。學生代表一致要求：「這次對話由中央電視台進行現場直播。」閻明復明確表示：「這不可能。統戰部禮堂沒有直播設備，而電視台的轉播車又都去準備採訪戈爾巴喬夫了，調不出來。」爲了打破僵局，閻明復主動提議：「關於這次對話，我們可以進行現場錄像，由學生代表監督封存，送往中央電視台，保證當晚播出。」閻明復嚴肅地說，「現在廣場的形勢非常複雜，你們有沒有信心能勸說廣場的同學停止絕食？到底有多大的把握？」學生代表表現一種爲難情緒，一個學生代表說，「要是有著名的知識分子出來進行勸說效果就好了。」另一位女學生說，「今天下午很多著名學者要在光明日報開會，我爭取想方設法把他們請來！我可以試試。」閻明復當即表示歡迎。

下午四時，在中共中央統戰部機關禮堂，李鐵映、閻明復、尉健行與首都高校三十多所高校推舉出的對話代表進行對話。閻明復主持了對話會。閻明復首先介紹了這次對話的準備過程。閻明復：「黨的十三大提出，應建立經常性的協商對話渠道。我們黨同民主黨派、非黨人士建

立了對話制度。與同學們還沒有建立起經常性的對話渠道。這次，同學們提出對話要求，黨和政府是很重視的。既然對話，就不應是敷衍的、應付的，使同學們一時滿意，這樣不利於問題的解決，無助於改革的進程，也是對同學們不負責任的。今天的對話應該坦誠地進行，希望這是個良好的開端。」

李鐵映：「從今天起，我們要把多層次的對話渠道廣泛地建立起來。當然，對話只能是交換意見、溝通信息、增加透明度的渠道，社會上一些深層次的矛盾，不是光靠對話就能解決的，更要靠實際工作，靠我們大家的共同努力。我們非常愿意與同學們進行多渠道、多形式的對話，同時，我們還要和教育界的廣大老師、職工建立經常性的對話制度。」

對話學生代表：「我們爭取到今天這次對話的機會很不容易。這次對話，我們希望在三個方面進行。一是怎樣評價這次學運；二是怎樣保證憲法第三十五條規定的公民權利；三是如何推進中國的改革。」

這次會談基本圍繞第一個問題進行。學生代表主張承認這次學運是學生愛國民主運動，公開糾正四二六社論的錯誤定性。李鐵映、閻明復等主張，肯定這次學潮中廣大同學的愛國熱情和善良愿望。同時，李鐵映特別強調，「但是，目前的整個事態還在進一步發展，有些事情不以人們的意志爲轉移，希望廣大同學冷靜、理智，讓時間和實踐對這次學潮作出評價。」由於雙方意見的極大差距，在第一個問題上就難以達成一致意見。對話進行到晚七時左右，在天安門廣場絕食的學生代表

來到對話現場，再次向閻明復提出要求現場直播這次對話。閻明復回答這裡的技術設備條件無法解決現場直播問題。在雙方對話僵持的情況下，閻明復宣佈休會。第二天上午繼續就有關問題進行對話，統一認識。

知識分子緊急呼籲

根據統戰部、安全部和中辦國辦信訪局提供的報告，這裡著重介紹十四日戴晴等十二名知識分子到天安門廣場勸說絕食學生並發表《緊急呼籲》的經過。

就在李鐵映、閻明復等與學生代表對話破裂之時，正在光明日報召開知識分子座談會的十二名學者、作家在《光明日報》記者戴晴的倡議下決定愿意去做勸導學生絕食的工作。下午五時多，戴晴打電話到統戰部，表示正在《光明日報》參加座談會的十二名知識分子愿意去廣場做勸說學生停止絕食的工作，並希望在人民大會堂與學生代表會談。閻明復同志聽了匯報後表示，統戰部答覆歡迎知識分子做學生的思想說服工作，建議與學生的對話改在中辦國辦信訪局接待室進行。閻明復還在電話裡與學者代表嚴家其通了話，希望他們努力做好勸導學生絕食的工作。

晚六時左右，戴晴、于浩成、李洪林、溫元凱、李澤厚、李陀、嚴家其、劉再復、包遵信、蘇曉康等十二人先行來到中辦國辦信訪局接待室，與二十多名學生代表進行了座談。座談會期間，戴

晴等人在信訪局起草並複印《我們對今天局勢的緊急呼籲》。座談進行了不到四十分鐘，一些學生代表迫切希望參加對話的學者能直接到廣場向廣大同學陳述他們的意見。於是，十二名學者、作家離開信訪局接待室到統戰部。晚七時左右，一到統戰部，戴晴等就大聲呼籲：「爲打破僵局，建議政府和學生雙方都要讓步，政府先讓步，學生也要讓；至於條件，如果同學們相信我們，我們愿向政府方面作出更多的努力。」隨後，戴晴代表十二名學者、作家向統戰部呈遞了他們剛剛起草好的《緊急呼籲》，並與閻明復同志見面。

閻明復同志說，「廣場上的同學最起碼應暫時撤出，他們有什麼條件？」

戴晴回答，「我們已與學生代表談妥，條件是：由中央領導人親自出面宣佈，承認這次學生運動是愛國民主運動，承認學生自治組織是合法組織，承認決不對學生搞秋後算賬。」

閻明復同志表示，「這是絕對做不到的。」

戴晴說，「爲了打破僵局，趙紫陽、李鵬應該出來與廣場上的學生見面，這樣也許可以打破僵局。」

閻明復同志表示，「現在學生的胃口越來越大，要求也越來越高，他們之間的意見也越來越不統一。如果學生不再附加任何條件，不討價還價，我想紫陽、李鵬同志會考慮與廣大同學見面的。」

戴晴表示愿意將這個信息告訴給廣場上的廣大同學，並說，「我們愿意去做廣場上同學的思想工作，我們愿意試試。」

在統戰部大院，一些學生代表向李洪林、溫元凱、李澤厚等人反映學生內部不團結的狀況。一個學生大聲說，「我們是被正式推舉出來的對話團代表，可現在我們什麼也代表不了。我們在這兒談，剛有一點進展，就被他們推翻，以前說的全都不算。」一名學者問，「他們是誰？」這位學生說，「就是廣場絕食團的同學。」

晚八時左右，戴晴等十二名學者來到天安門廣場，並全部坐在學生絕食團的「廣播站」中心。戴晴代表十二名學者宣讀了他們的《緊急呼籲》。《緊急呼籲》全文如下：

鑒於天安門廣場目前形勢，我們十二位學者、作家本著良知和責任心，發出以下緊急呼籲：

一，要求中央負責人發表公開講話，宣佈這次學潮是愛國民主運動，反對以任何形式對參加運動的學生秋後算賬。

二，我們認爲，由大多數學生經過民主程序選舉產生的學生組織是合法組織，政府應當承認。

三，反對以任何藉口、任何形式、任何方法對靜坐絕食的學生採取暴力，誰這樣做，誰將成爲歷史的罪人。

親愛的廣大同學們，自昨晚得知大家來天安門廣場靜坐絕食的消息，我們都非常難過，非常擔憂。從四月中旬以來，你們爲推進中國民主、中國改革的進程，一次次走上街頭，以令人羨佩的無私精神和大無畏的氣概，開創中國歷史的新紀元。人民會永遠記住你們在一九八九年的今天作出的歷史功績。但是，民主是逐步成長的，不能期望它在一天實現，我們要徹底清醒，有人要極力挑起

事端，激化矛盾，促使事態惡化，以便破壞改革和民主化的事業。爲了中國改革的長遠利益，爲了避免發生親者痛仇者快的事情，爲了中蘇最高級會晤能夠順利進行，我們懇請同學們發揚這次學潮中最可貴的精神，暫時撤離天安門廣場。

我們相信同學們是能夠做出明智的判斷的。我們鄭重重申：如果政府不能做到以上三點，我們將和同學們一道爲實現上述三點堅定不移地奮鬥下去。

讀畢，戴晴向廣場絕食學生宣佈撤出條件：「趙紫陽、李鵬來看望大家，同學們從廣場撤出，哪怕暫時撤到中山公園，爲明天的國事活動讓出地方。」過了一會，絕食學生中出現一片反對聲：「光來看看有什麼用，必須對我們的要求作出明確答覆。」「我們不要求施捨。」「爲什麼不能承認我們是愛國行動呢？」

在議論聲中，溫元凱發表了演說。溫元凱說，「今天下午，我們十二位大學教授、學者憑著社會責任感，自發地匯集到一起，商量了今天在天安門廣場發生的事態。我們十二人在下午就已向新聞界表示了對學潮的整個看法。」「鑒於今天晚上天安門廣場的情況，我們希望同學們要認清國情，認識到我們國家的民主化進程，這是一個長期的過程，不可能通過一次運動就能解決所有的問題。要注意爭取有效的時間去實現有效的目標，同時要注意警惕有人可能會挑起事端，使事情朝著惡化民主化的方向發展。因此，爲了使中蘇最高級會晤的順利進行，我們懇切希望學生能夠在政府答應條件的前提下，撤離天安門廣場。而且，我們經過研究，如果政府不答應條件，我們將和同學們一

起行動。」

蘇曉康說，「同學們，你們已經取得了非常偉大的勝利，你們第一次在中國教會、並正在教會人民和政府如何進行現代政治運動、現代民主運動。你們比政府、比官員、比文化精英聰明得多。四月十五日以來，學生運動最値得稱讚的就是你們的理性精神。現在的政府和執政黨，對民主政治表現得非常無能。我還想說，正因如此，你們大家要講理性，要教會他們。我們還有沒有這樣的理性？（學生高喊：「有！」）。那好，如果政府作出讓步之後，我們能用我們的理性回答他們。」

戴晴在演講中說，「我們絕對不能有小小的技術上的閃失，而使同學們取得的成績付之東流。如果沒有你們，全國人民就不會看到現在的中國人民會這麼成熟，對民主要求是這麼迫切，這是你們取得的第一個成就。如果沒有你們，怎麼會有新聞記者要求新聞自由，也不會有這麼多報紙不再用新華社的專稿，而用他們自己的稿件，這也是你們的功勞。如果沒有你們，領導人也不會跟你們對話，也不會來這裡看你們。這也是你們的勝利。」「同學們，我現在再重復剛才的兩條，如果大家同意，我就要回去跟他們商量去了。」「趙紫陽、李鵬等政府和國家領導人到同學們中間來，但是，同學們不要要求他們，考慮到他們的地位，不要要求他們講話，回答各種問題。」

在溫元凱、蘇曉康、戴晴等人的演講聲中，不時聽到學生中的悄聲議論，說「政府的說客來了，我們可千萬不要上當。」「我們受苦受累，他們卻想摘桃子。」「不要聽信他們的言行。」「想不到他們也沒有骨氣！」「我們不要說客！」「以爲我們什麼都不懂，只會教訓人。」

緊接著，一名戴眼鏡的學生從人叢中擠出來，對著廣場的同學大喊：「同學們，同學們，現在，跟我念三遍絕食宣言！」

晚十一時三十分左右，學者們承認勸說無效，遂撤出廣場，回到統戰部。閻明復同志、李鐵映同志先後對戴晴等人的努力表示感謝，並派車送他們回家。

兩個邊遠省份的報告

十三日、十四日兩天，報送中南海的三十二份關於學潮及其相關報告中，有反映上海、天津、遼寧、山西、內蒙古、陝西、山東、江蘇、浙江、湖北、湖南、四川、新疆等地的學生示威遊行活動的。現摘錄十四日內蒙古自治區黨委、十三日新疆自治區黨委向中南海的兩個報告。

內蒙古：自十一日開始，內蒙古師範大學在呼和浩特率先發起示威遊行，到十四日，以內蒙古大學、內蒙古師範大學學生為主的三千多名學生已連續第四天上街遊行，爆發了呼和浩特建國以來規模最大的高校學生遊行。

遊行學生的主要口號是：「人民需要一個廉潔的政府！」「打倒官倒，消除腐敗！」「聲援北京學生的愛國行動！」等等。

主要橫幅標語有：「撕破內蒙古裙帶關係！」「教師除了良心一無所有！」「教育救國，高薪

養知！」「埋葬官倒，埋葬腐敗！」「物價不能再漲了！」「奔馳獻總理，洋房獻部長，我拿什麼獻人民？」「爲民主自由人權奮爭！」「爲民請愿死而無憾！」等等。

十四日的大規模遊行，從上午八時三十分到十一時五十分，遊行學生在公安幹警和武警戰士極少的情況下，自己在馬路兩側維持秩序，動員圍觀群眾不要阻塞交通、站到馬路兩旁人行道上。遊行學生隊伍外圍，有兩名學生高舉募捐箱，請求群眾給予贊助。十一時五十分，遊行隊伍聚集到市中心的新華廣場，有十多名學生進行演講：主要是要求知情者揭露烏蘭夫家屬的腐敗，官倒橫行，通貨膨脹，知識貶值，呼籲我們不能再麻木了事等。

學生指出，他們的遊行雖然違反政府的戒律，但他們的行動是愛國之舉，請求政府和人民諒解。十二時，一千多名公安幹警和武裝警察調集到新華廣場維持秩序。十四時三十分，學生們在演講結束後有秩序地返校。

新疆：十三日上午，新疆生產建設兵團的一百三十多名曾經參加原子工業生產的職工，到烏魯木齊市中心廣場進行靜坐示威，聲援北京學生的愛國民主運動，並要求解決他們自身的問題。爲防止事態擴大，自治區黨委、自治區人民政府和新疆生產建設兵團的負責人及時與他們的代表進行對話。

早在七十年代，新疆生產建設兵團曾有二千多名年輕力壯的職工，參加天山西部鈾礦的開採與加工。後來，由於鈾礦停產，他們回到農七師、農八師和工建一師等處，從事農業生產和修築鐵路

工作。

這些曾在極其簡陋的條件下參加核工業生產的職工，近兩年陸續發現原子射線病狀。有的牙齒、頭髮脫落，有的性功能失常，有的白血球大量減少，有的喪失勞動能力，有的已經死亡。

自去年下半年以來，他們先後多次到自治區和生產建設兵團上訪，要求按照國家有關規定，予以照顧，但是一直沒有結果。

自治區黨委常委梁國英、自治區人民政府副主席何德爾派、新疆生產建設兵團政委郭剛等，及時與他們的八名代表進行對話，充分肯定他們當年為我國核工業生產作出的貢獻，答應按照國家的有關規定，對他們的工作與生產給以妥善安排。並指出他們採取靜坐示威的辦法是不對的，希望他們馬上給家裡打電話，不要再派人到烏魯木齊來靜坐示威，來了的由兵團派車於下午送回原單位。

八人代表團和一百二十二名上訪群眾，對自治區黨委、自治區人民政府和新疆生產建設兵團的答覆比較滿意，表示不再在中心廣場靜坐，並盡快返回原地。

李鐵映閻明復再次對話

繼十四日李鐵映、閻明復、尉健行等與學生對話之後，十五日上午八時三十分，李鐵映、閻明復、尉健行、杜導正(國家新聞出版署署長)、袁木、何東昌、安成信、孫琬鐘(國務院法制局局長)、

陸宇澄等在政協禮堂與五十多位首都學生代表繼續進行座談對話。這次對話，名義上改由全國學聯和北京市學聯邀請，對話仍然圍繞到底如何評價這次學生運動展開，對話的實質是勸說學生停止已經在天安門廣場進行的絕食請愿。現根據錄音及有關材料擇要綜述。

學生代表：「學生運動是各種社會問題的晴雨表。這次學潮的焦點是消除腐敗，與黨和政府的意愿是一致的。能否對這次學潮做出客觀公正的評價，是目前學校廣大師生最爲關切的問題。同學們期待著黨和政府對這次學潮盡快作出正確的評價。同學們採取絕食請愿實在是一種無奈的選擇。」

李鐵映繼續強調昨天的觀點：「黨和政府的領導人已經在多次講話中肯定了廣大同學的愛國熱情和善良愿望。但是，目前整個事態還在進一步發展，還不能這麼匆忙地下結論。絕食無論對國家還是對自己都不是一件好事，同學們可以通過對話等渠道向黨和政府提意見、建議。有些事情不是以廣大同學的意志爲轉移的，希望廣大同學用自己冷靜、理智的行動，讓時間和實踐對這次學潮作出評價。我希望，同學們能夠盡快停止絕食行動，回到課堂去，一切問題可以通過對話協商等多種渠道解決。」

學生代表：「在如何評價這次學潮的問題上，政府每次都採用拖延的手法。不對學潮作出正確的應有的評價，就不可能勸說同學停止絕食行動，更不能平息這次學潮。難道政府最這最起碼的一點都不懂嗎？」

閻明復：「我除了對學生在四月二十七日、五月四日上街遊行未向政府申請並得到批准這一點

表示遺憾外，對整個學生運動的主流是肯定的，但對這期間出現的一些情況也感到憂慮。現在一些學生正在天安門廣場絕食，已經在一定程度上影響了我們國家的形象。我希望同學們用自己的行動證明自己是有理智的，我真誠地希望你們能勸說廣場上的同學放棄絕食。」

學生代表：「一九八六年底的學潮同學們就喊出了反對腐敗的口號，喊了這麼長時間，就是不見大的行動。當官的去做買賣，這中間有沒有權錢交易的問題？現在光喊與公司脫鉤就行嗎？一些老人爲什麼要死死地把住高位不放？爲什麼政府不對學生和廣大人民群眾關注的社會問題進行認真的反思呢？」

尉健行專門就這幾年的查處官倒等腐敗現象的有關情況作了說明，接著，尉健行說，「黨和政府決定在近期公佈一批腐敗案件的查處情況，並將就加強幹部隊伍廉政建設作出專門的規定，接受人民群眾的監督。」

李鐵映：「這次學潮中提出的許多問題值得很好地反思。黨和政府的工作確實有很多地方值得改進。比如決策科學化、民主化問題，黨政領導幹部廉潔問題，幹部的選拔任用問題，新聞改革問題等，都是當前亟待解決的問題。這些問題的解決需要有個過程，需要通過立法，健全民主與法制，加強社會監督，包括輿論監督，增加國家政治生活的透明度，完善各種規章制度，在推進經濟體制改革、政治體制改革中，在民主與法制的軌道上解決問題。」

學生代表：「現在，我們的意見是一致的，就是如何盡快平息這次學潮，如何勸阻廣場上的同

學停止絕食。而所有這一切，都取決於政府對這次學潮的評價。在這個問題上，政府爲何要支吾其辭呢？」

閻明復：「同學們的心情我們能夠理解，同時也請廣大同學理解我們的心情。同學們的愛國熱情已經得到了中央領導同志的多次肯定，我相信，時間會對這次學潮作出公正的評價。希望同學們顧全大局，從國家的利益出發，我們願意與廣大同學通過各種方式進行多渠道、多層次的座談對話，傾聽大家的意見和建議。」

將近三個小時的對話，由於仍然不可能在如何評價這次學生運動的問題上達成共識，李鐵映、閻明復等原想通過對話勸說學生停止絕食請愿的希望再次未能奏效，第二次對話再告失敗。

中午十二時整，蘇聯最高蘇維埃主席、蘇共中央總書記戈爾巴喬夫一行乘專機抵達首都機場，楊尙昆在首都機場爲戈爾巴喬夫的來訪舉行了盛大的歡迎儀式。雖然已經通過外交渠道對改變歡迎戈爾巴喬夫儀式的地點作了說明，楊尙昆還是向戈爾巴喬夫表示了歉意。據外交部的會談記錄，在當天下午人民大會堂舉行的正式會談中，楊尙昆在向戈爾巴喬夫介紹中國的改革開放情況時，說：「無論是經濟改革，還是政治改革，每個國家都有自己的實際情況。我們的看法是，不改革，我們中國的發展就沒有希望。所以，一方面要改革，另一方面改革又不能照搬現成的模式，有時免不了會出現一些決策上的失誤、處理一些具體問題上的失誤。不論怎樣，我們仍然將堅持改革，現在，我們有很多事要試驗，要進行探討，沒有一個大家都能照搬的藍圖。」楊尙昆特別強調：「在改革

方面，我們有很多方面的意見可以交換，我們對蘇聯的改革很感興趣。」楊尚昆敢於在會談中公開向戈爾巴喬夫承認政府工作中的一些失誤，並表示中國堅持改革的決心。這說明，當時的楊尚昆，仍然對學生抱有很大的同情心，並有信心用溫和手段解決這次學潮。

首都知識界遊行

對於十五日由首都知識界發起的大規模的聲援學生絕食活動，安全部、公安部、北京市和新華社等部門都於當天向中南海作了報告。現擇要綜述如下：

首都部分高校學生絕食請愿活動進入第三天，絕食請愿學生有增無減，由開始的數百人增加到上千人。前往天安門廣場聲援的人從十五日凌晨到深夜絡繹不絕，涉及的方面越來越廣，圍觀者和聲援者人數經常保持有數萬人，多時達十幾萬人。

從今日凌晨0時四十分開始，有百餘人打著「工人」的橫幅，呼喊「提高工資、降低物價」的口號進入廣場；三時五十五分，標有「市民請愿隊」的一群人在廣場轉遊，高喊「刀槍不入」。

上午九時二十分，絕食學生成立「天安門廣場絕食指揮部」，由北大女學生柴玲任總指揮，統一領導絕食請愿活動。這個指揮部在下午一時半舉行中外記者新聞發佈會，介紹了絕食的原因、經過、規模、身體狀況和他們的要求。他們說，我們的要求很簡單，就是公正評價學生運動是愛國民

主的，不是動亂，可沒有一個領導人敢來說這句話。絕食的目的一定要達到，否則將用生命來實現誓言。他們激動地流著眼淚說，如果政府再置之不理，就在廣場自焚。

中午十二時十五分，中央電視台、中央人民廣播電台的午間新聞節目播送了戴晴等十二人發出的《我們對今天局勢的緊急呼籲》。

下午，約有三萬多名首都知識界人士走上街頭聲援學生。他們大多數是從復興門立交橋匯合後走到天安門廣場的。下午二時左右，遊行隊伍正式從復興門立交橋出發，嚴家其、包遵信、柯雲路、錢理群、王魯湘等走在遊行隊伍的最前排，舉著攜有「中國知識界」大字的橫幅和「五・一六聲明」全文。隊伍行進中，「高自聯」組織的學生糾察隊一直幫助維持秩序，長安街兩側站滿了圍觀的市民。

在今天下午知識界發起的遊行隊伍中，約有二百三十多個單位參加，參加的人員大部分是首都高校的青年教師、首都科研部門的年輕的科技工作者，還有相當大的一部分是高校和科研部門中的碩士和博士研究生，其中一小部分是中、老年的教授、副教授。遊行隊伍中打出的旗幟、橫幅和標語，主要來自中國科學院、中國社會科學院、中國農業科學院、中國空間技術研究院、北京市規劃設計院以及其它部分研究所，北京大學、清華大學、中國人民大學、北京師範大學、中國政法大學、北京師範學院、北京科技大學、中國青年政治學院、中央財會學院、北京航空航天大學、中國地質大學、中央民族學院、北京郵電學院、北京外語學院、中央音樂學院、中國音樂學院、中央美術學

院、中國戲曲學院等院校的教師和研究生。

《人民日報》、《科技日報》、《經濟日報》、《國際商報》、《亞太經濟時報》、《文藝報》、《開拓文學》、作家出版社、《大學生》雜誌社等首都新聞出版界的青年記者、編輯共上千人也參加了這次遊行。

另外，還有一部分作家、畫家也參加了遊行。

下午十六時左右，有人打著「全國萬民聲援學生」、「北京萬民請願團」的橫幅走上長安街，有數百名工人、市民跟著遊行，他們其中的一些人手裡還揮著工作證、工會會員證。

郵電部、核工業部、中國銀行等單位的少數職工也參加了遊行聲援活動。

參加遊行的大部分單位都打著「聲援學生」、「支援學生」一類的標語，呼喊相同內容的口號。北京大學的隊伍不停地喊著：「數千學生、絕食廣場，無能政府，沒人相信，學生愛國，我愛學生，北大教授，罷教支持，抗議政府，見死不救，師生同在，流血不怕，救我學生，責無旁貸。」

中國社會科學院也有十幾位老教授參加了遊行。其中有兩位教授打著一個橫幅，寫著：「請問鄧小平：我的孩子在絕食、挨餓，你的孩子在幹什麼？」

其他還有：「學運代表民意」、「不是動亂、愛國無罪」、「滿足學生合理要求、正確評價學生運動」等口號。

中國科學院打著「十年了，老九還是老九」的橫幅，喊著「老九老九，一無所有」等口號。中

國社會科學院的教授們打著「教授教授，越教越瘦」的橫幅。另外一些橫幅寫有「窮教授」、「窮博士」、「SOS救救我們的靈魂」、「實驗做不下去了」等。

《開拓文學》雜誌的一個橫幅寫著：「不管白貓黑貓，抓著老鼠就是好貓，不管什麼主義，人民幸福就是好主義。」，「老年政治，早該結束」，「權力屬於人民」，「要麵包，更要自由」，「不自由，毋寧死」，「新聞記者要求新聞自由」。

《文藝報》的橫幅是：「新聞是人民的心聲，不是一個人的喉舌。」「實行大選，修改憲法，聲援學生，推進民主」，「報禁不除，官倒難除」，「愚民政策，該收場了」等等。

下午的天安門廣場一直處於沸騰狀態。從下午二時起，北京理工大學、中央工藝美術學院的一些教職工等就率先來到廣場聲援。中央美術學院青年教師打著一幅五十多米長的橫幅，上面寫著：「門前連日動地聲，千呼萬喚是民情，莫說學生不足論，滿懷憂患九州同，健全法制唯民主，清除腐敗立新風，治國貴民誠以信，何患天下不太平。」

北京大學三十多名教授打著「北大教工誓與同學同存」的橫幅來到廣場。一位頭髮花白的老教授邊走邊握著學生的手說：「你們是中國的未來，你們辛苦了！」北京科技大學的教師抱來數十件棉衣，讓同學晚上穿用。中央民族學院的二百餘名中青年教師打著紅旗，在學生絕食圈內行走以示慰問。

首都知識界大遊行的先頭部隊於下午五時左右來到廣場，並在人民英雄紀念碑的西北角坐下。

王魯湘宣讀了「五・一六聲明」。「五・一六聲明」主要提出六條：

一，我們認爲，面對當前的學生運動，黨和政府是不夠明智的。特別是在不久前，還存在著試圖以高壓和暴力來處理這場學生運動的跡象。歷史的教訓值得借鑒：一九一九年北京政府、三四十年代國民黨政府以及七十年代末期「四人幫」等獨裁政權都曾以暴力鎭壓學生運動，其結果是無一例外，都被釘上了歷史的恥辱柱。歷史證明：鎭壓學生運動決無好下場。最近以來，黨和政府開始表現出值得歡迎的理智，局勢因而有所緩和。如果用現代民主政治的規則，遵從民意，順乎潮流，將出現一個民主的穩定的中國。反之，將極可能把一個很有希望的中國引向真正動亂的深淵。

二，以民主政治的形式處理目前的政治危機，其不可迴避的前提，就是必須承認在民主程序下產生的學生自治組織的合法性。反之，就與國家根本大法所規定的結社自由相抵觸。一度把學生組織定性爲「非法」的做法，結果只能激化矛盾，加劇危機。

三，導致這場政治危機的直接原因，恰恰是青年學生在這場愛國民主運動中強烈反對的腐敗現象。十年改革的最大失誤並非教育，而在於忽視了政治體制改革。未經根本觸動的官本位、封建特權進入流通領域，才造成惡性腐敗。這不僅吞噬了經濟改革的成果，還動搖了人民對黨和政府的信任。黨和政府應該汲取深刻教訓，切實按照人民的要求，果斷推進政治體制改革，廢除特權，查禁官倒，消除腐敗。

四，學運期間，以《人民日報》、新華通訊社爲代表的新聞機構隱蔽事實真相，剝奪公民的知

情權；中共上海市委停止《世界經濟導報》主編欽本立職務。這是完全錯誤的做法，是對憲法的極大漠視。新聞自由是消除腐敗，維護國家安定，促進社會發展的有效手段。不受監督制約的絕對的權力必然導致絕對的腐敗。不實行新聞自由，不准民間辦報，一切關於開放改革的愿望與允諾只能是一紙空文。

五，把這次學生運動定性爲反黨反社會主義的政治動亂是錯誤的。承認並保護公民發表不同政治見解的權利，是言論自由的基本涵義。解放以來，歷次政治運動的實質，就是壓制和打擊不同的政治見解。只有一種聲音的社會，不是穩定的社會。黨和政府有必要重溫「反胡風」、「反右」、「文化大革命」、「清除精神污染」和「反自由化」的深刻教訓，廣開言路，與青年學生、知識分子和全體人民共商國是，才有可能形成一個眞正安定團結的政治局面。

六，所謂抓「一小撮」、「長鬍子」的幕後指使者的提法是錯誤的。中華人民共和國的所有公民，不論年齡大小，都擁有同等的政治地位，都有參政議政的政治權利。自由、民主、法制從來不是被賜予的。一切追求眞理、熱愛自由的人們，都應當爲實現憲法所賦予我們的每一個公民的思想自由、言論自由、新聞自由、出版自由、結社自由、集會自由、遊行示威自由而不懈努力。

接著，包遵信發表演說：「同學們從十三日開始絕食請愿，可是我們的政府現在也沒有人出來對話。可見這是個無能的政府。你們的肩上承擔著中國民主化的希望。今天，首都的二百多個單位，二萬多名知識分子參加遊行，對你們表示支持，向你們表示敬意。我們在此發表一個聲明：我們向

你們表示，我們中國的知識分子在你們的鼓舞和感召下，也站起來了！爲了全中國的自由，全中國的民主化，同你們戰鬥在一起！」

鄭義：「今天，首都的知識界代表整個中國知識界走到了街頭，作爲中國知識分子第一次站起來了！所有參加這次絕食的同學們，所有參加這次偉大愛國民主運動的同學們，你們是我們的老師，是你們教育了我們，使我們站起來了，我們跟著你們走。今天我們知識分子的遊行隊伍有好幾里長，我們的隊伍有好幾萬人，顯示了我們知識分子獨立的力量。我們要繼承魯迅先生，要挺起脊樑做人，要和民主的先驅們，要和我們親愛的同學們戰鬥在一起。」

嚴家其：「我，我們愿意和同學們在一起，我們和同學們一起渡過困難時期。你們一定會勝利！希望你們會勝利！中國的民主一定會實現！同學們萬歲！」

徐剛：「我們不會忘記今天這個日子，我們相聚在天安門，被人看不起的臭老九們站起來了，我們爲苦難的中華民族淚灑天安門廣場，爲這個苦難的民族擔心。但我們相信，我們的苦難將會結束，我們的明天將會到來，勝利是屬於大學生們的。」

他們四人的講話，得到了學生的熱烈歡迎，掌聲不斷。然後，全場高唱《國歌》、《國際歌》。

經過兩天兩夜的絕食活動後，不少學生身體不適，有近百人出現暈倒休克現象，設在廣場的急救站一一進行了緊急搶救。

今天晚上，來天安門廣場聲援和圍觀者仍然有七八萬人。據瞭解，到十六日凌晨一時十分，提

出要在廣場自焚的北師大學生，已被一些學生勸阻，取消自焚計劃。

京外學生聲援

十五日，當天報送中南海的上海、天津、黑龍江、遼寧、山西、安徽、江蘇、浙江、河北、陝西、河南、湖北、湖南、甘肅等十四個省份的學生運動的主題全部變成聲援北京學生的絕食行動。這裡擇要摘錄太原、哈爾濱兩市學生的抗議情況。

太原：上午十時開始，太原有一萬多名大學生上街遊行，同時，在外地的山西農業大學、晉中師專、榆次輕工業學校和太原機械學院的學生也坐火車或汽車向省城進發。中午一時，已有一萬名左右學生在省政府門口示威、靜坐。他們打出的標語有：「黨指揮槍？槍指揮黨！」「主權在民，憲法至上！」「公僕眾多，良心太少！」「中國的戈爾巴喬夫在哪裡？」「還我資源，振我山西！」「還我煤電，興我山西」。還有一幅醒目的老人頭像的漫畫，上面寫著一行字：「人老了，弦也調不準了，跟著感覺走吧！」高呼的口號主要有「對話、對話」、「王森浩出來」。

下午二時，王森浩、白清才、張維慶等與十九所高校的三十三名學生代表進行了對話。學生代表重點談了省委、省政府負責人如何加強廉政建設的問題，並列舉了省政府辦公大樓超標準建設問題，超標準將三百平方米一套宿舍分配給省委常委的問題。王森浩等作了說明。對話會上，王森浩

等表示，從十七日起，省委、省政府主要領導將分別主動到大專院校、廠礦企業與學生、工人進行對話。並商定，省政府與學生代表下次的對話會，在五月底或六月初進行。到晚上八時三十分，學生的遊行、靜坐抗議活動結束。

哈爾濱：中午十二時五十分，爲聲援北京學生的絕食行動，黑龍江大學、哈爾濱工業大學等十二所高等院校的九千多名學生走上街頭遊行示威。下午三時五十分，遊行隊伍來到省政府大門口靜坐。黑龍江大學青年教師王建美宣讀了「哈爾濱高校學生聲援請願書」。主要內容有：一，聲援北京絕食同學；二，聲援北京作家、學者、新聞工作者；三，強烈要求政府採取決策，救救絕食同學；四，要求政府全部轉播五月十四日北京對話實況。並強烈要求省長邵奇惠出來接請願書。下午五時五十分，學生未見省長出來，就開始衝擊省政府大樓。一些學生衝上省政府大樓台階，被武警築成的人牆擋住。

晚上六時三十分，省政府工作人員與學生代表商量，由副省長黃楓出來接請願書。經過談判，學生代表最後表示同意。與此同時，十二所高校的學生代表在省政府門口宣佈成立「哈爾濱大學生自治聯合會」。晚九時二十分，副省長黃楓等出來與學生對話。黃楓說：我代表省委省政府表示對同學們的愿望充分理解，大家帶來的請愿書我們負責向中央反映，你們提出二十日與省政府主要負責人對話，我們也答應。他講話時，學生不斷高喊：「打倒官僚」、「邵奇惠爲什麼不出來？」晚十時三十分，邵奇惠走出省政府與學生對話，但沒有平息學生情緒。到十六日0時，學生仍然沒有

離開省政府，對話仍在繼續。

黯然失色的戈氏訪華

十五日呈送中南海的二十篇海外報導，顯著介紹了當天首都知識界大遊行的情況，而對戈爾巴喬夫訪華的報導則作爲次要新聞處理。茲摘錄有關內容：

一，絕食行動蓋過首腦會晤。路透社十五日北京電稱：「使今天開始舉行的劃時代的中蘇首腦會談黯然失色的數十萬示威的中國學生得到了越來越多的知識分子和普通群眾的支持。」「數以萬計的大學教授、知識分子、新聞工作者和普通群眾今天遊行進入天安門廣場，加入數以千計無視當局的禁令自十三日下午就佔領了廣場的學生隊伍。」並稱，「歷史將會判斷這次運動同一九一九年的五四運動一樣有其重大意義。」埃菲社報導稱，「戈爾巴喬夫對中國的歷史性的訪問，在他抵達前夕打上了北京各大學學生遊行的印記，使到達北京的數百名記者的注意力轉向了學生們的要求。」

二，持不同政見者趨於活躍。共同社播發的題爲「知識分子在請愿書上簽名，要求釋放魏京生」的報導說，「爲了與高漲起來的學生運動相呼應，著名的政治學家嚴家其教授等一百多名中國的知識分子十五日在請愿書上簽名，要求釋放在獄中的反體制活動家魏京生，並已將請愿書遞交給中國共產黨。在請愿書上簽名的人士，除嚴家其外，還有反體制人士方勵之教授，北京大學教授湯一介

等。」法國《解放報》題爲「莫斯科之風使中國的持不同政見者感到激動」的報導稱，「方勵之說，『蘇聯頭號人物的訪問已經產生了間接影響。今年五月，馬恩列斯四鬍子的畫像沒有像四十年來那樣出現在天安門廣場，這是具有象徵意義的第一步。』嚴家其說，『莫斯科的東風很可能會顯得比西風更難抵禦，包括鄧小平，現在已沒有人能抵禦這股來自莫斯科的風。中國已沒有任何意識形態概念來對付蘇聯的改革了。』但是，許良英說，『蘇聯無疑不能被看作一種榜樣。那裡的真正的民主並不比我們這裡多。有人甚至說戈爾巴喬夫在搞個人迷信。』」

三，學生取得局部勝利。共同社說，「中國共產黨和政府的領導人開始同迄今斷定爲非法的組織對話是當局的一大讓步。在歡迎蘇聯共產黨總書記戈爾巴喬夫的天安門廣場進行絕食鬥爭的學生所採取的邊緣行動取得了很大勝利。」「一千多名學生的通宵絕食鬥爭，逼使當局作出讓步，這樣一來便在要求舉行跟學生自治組織單獨對話方面取得了勝利。」《南華早報》題爲「北京學生可能失去支持」的文章稱：「當局可能利用學生的絕食行動聲稱，學生們企圖利用外界支持來解決國內問題。分析家們說，當局可能對學生們決定尋求外國支持一事感到惱火。」「學生們常常批評領導信任外國客人而不相信本國人民。看來學生們現在也在這樣做。」「學生們這次採取行動的動機是不明確的。如果學生們希望通過戈爾巴喬夫來訪期間絕食使領導人丟臉或說服來訪的蘇聯貴賓對中國領導施加壓力，那麼他們就大錯特錯了。」一位分析家說，學生們沒有說清楚他們究竟要什麼。」

四，當局面臨真正的進退兩難。美國《基督教科學箴言報》發表題爲「中國長達七十年之久的

鬥爭」的文章，文章稱：「學生公開無視政府規定的這種作法正在迫使中國領導人至少對民主化做出某些讓步，要不然就要冒失去支持學生運動的民眾信任的風險。」「學生要求的已不僅僅是一位新的明智的領導人。他們對於以人治爲基礎的制度感到幻滅。歷史已經證明，即使是最偉大的人也會犯錯誤。學生擁護實行法治這個民主原則，包括保證人民的政治參與和肅淸官方的腐敗。」「共產黨對學生的挑戰卻沒有任何思想準備。它面臨眞正的進退兩難局面。它的領導人非常瞭解，公開對抗只會引起更大的不滿和進一步的疏遠，甚至可能使危機深化。」「歷史表明，爭取民主的鬥爭總是遭到那些一定會失去其特權的人的堅決反對。不管目前這場學生運動的結果是什麼，民主與科學的精神都將最後獲得勝利，因爲它代表人民的意志。」

社會各界聲援絕食

綜述當天各部門報送的材料，最重要的莫過於發生在天安門的情況：在人民大會堂東大廳，鄧小平與戈爾巴喬夫會晤，實現了中蘇關係的正常化；而在人民大會堂正門外的廣場上，則是數十萬各界人士的聲援絕食。

十六日凌晨一時許，中共中央辦公廳、國務院辦公廳向天安門廣場的學生發表廣播講話。講話稱：「近日來，北京一些高等學校的同學在天安門廣場靜坐絕食，要求與黨中央、國務院領導同志

對話。現在，黨中央和國務院領導同志與同學們的對話已經開始，還將多層次、多渠道繼續進行。廣大青年學生提出的合理意見和要求，黨和政府正在研究，採取切實措施和步驟加以解決。六月下旬，全國人大常委會議將把群衆關心的若干熱點問題列入主要議程，通過加強民主和法制建設解決問題。這些都需要有一個穩定的局面，現在最需要的是冷靜、理智、克制、秩序。」「當前，中蘇高級會晤已經開始，這是舉世矚目的大事。會晤的成功符合中蘇兩國人民的利益，也有利於世界的和平和穩定。希望同學們以大局爲重，不要做有損於國家尊嚴和利益的事情。」「現在，由於同學們靜坐絕食時間較長，夜間氣候較涼，有的同學已出現病情。黨中央、國務院領導同志對此十分關切，希望同學們盡快返回學校。我們也希望學校領導、老師、家長做好勸說工作，動員同學們回校。」

上午八時三十分至九時三十分，天安門學生絕食請願團在歷史博物館前舉行第二次新聞發佈會。會上，首先向記者介紹了請愿團總指揮柴玲及王丹、馬少方、李祿等成員。接著，柴玲講話，她說：「從昨天下午一時半召開新聞發佈會到現在，我們向政府提出的要求仍未滿足，因此，我們絕食的決心也沒有變。同學們儘管身體都很虛弱，但還在喊，『不達目的誓不罷休。』另外，有些情況在變化，那就是昨天下午首都有上千名教師、知識分子遊行，聲援絕食請愿。市民也成立了聲援委員會。現在請愿團中大批大批同學倒下了，我們在飢寒交迫中度過了六十七個小時。希望記者能夠把這裡所發生的一切，真實、準確地告訴廣大群衆。」

日本《朝日新聞》記者：政府對學生的要求一直未答覆，你們是否改變請愿方式？

答：我們將永遠和平請愿。

香港無線電台記者：你們將絕食到何時？

柴玲：我們將一直堅持到最後一個人。她又補充說，有些事情使我們感到很困惑，昨天下午三時左右，從人民大會堂發出告急說，有人要衝人民大會堂。我們糾察隊員衝過去，手挽手攔住了要衝的人群，同時用已沙啞的嗓子喊著，「請你們尊重我們的請愿行動，不要幹違法的事。」到晚上七時多，群眾的情緒又激動起來，成千上萬的人匯集在人民大會堂前。我們糾察隊員又過去干預他們的行動，阻止他們，不要衝擊人民大會堂。我在此只想說，如果以後再發生這樣的事情，請記者說句公平話，我們是在保護人民大會堂，是在維護這次和平的請愿活動。

還有一件弄不明白的事情，就是昨天一位同學聽說首鋼七萬多工人要罷工支持我們，廣播站未加考慮就播送了這條消息。今晨的新聞廣播中，政府以此爲理由，說有人在造謠。我們懷疑是否有人在設這個圈套？

中國新聞社記者：現在有多少人送入了急救中心，又有多少人回來了？這個行動將持續多久？

李祿：目前已有二百多人昏迷；有的人打完點滴清醒後又返回天安門廣場；有五名同學二次送進急救中心。

一名叫楊昭輝的學生，舉起紅腫的左胳膊說，「你們看，這就是打點滴的反應。」

路透社記者：如果戈爾巴喬夫到這裡來，你們對他將說些什麼？

王丹：我們的愛國行動與戈爾巴喬夫訪華是個巧合，但我們歡迎他這個優秀的改革家。如果他上我們這裡來，我們就要求他從人道主義的立場出發，勸勸中國政府，不要讓學生做出更大的犧牲。

英國電視台記者：如果政府一直不理睬你們，你們怎麼辦？

馬少方：我們要對三千一百六十名同學的生命負責，如果要死，我們先死。

《橋》雜誌記者：今天早晨電台廣播中有那些與事實不符？

答：首先，數字不符。我們絕食人數一直在三千一百人左右，而電台廣播說有一千多人。其次，醫療隊是學生自發組織的，不是官方派來的。急救車是急救中心院長自做主張派來的，也不是官方派來的。藥品一部分是腫瘤醫院送的，一部分是募捐得來的。而電台說這些都是官方派來的。再有，昨天來的教師都是聲援我們的，而電台說是來勸說我們回去。

美聯社記者：你們募捐了多少錢？

答：約三萬多元。

《光明日報》記者：你們是否向世界衛生組織、人權組織發出呼籲？有答覆嗎？

答：我們是向世界組織呼籲，請保護我們這落後國家的難得人才！(四周熱烈鼓掌)但未答覆。

回答到此，柴玲突然暈了過去，一群人上前把她抬走。場內混亂了一陣，接著又開會。

《時代周刊》記者：現在你們和政府之間渠道是否暢通？

答：前兩天是與統戰部閻明復對話。現在處於僵持階段。

《工人日報》記者：昨天閻明復講，除了對你們的遊行申請不同意外，對其他的行動表示肯定。你們怎麼看？

答：閻的講話我們不能確定是否代表政府，如果代表政府，最好請明確說出我們是愛國行動而不是動亂。如果代表個人，我們只能向他表示感謝。

《北京晚報》記者：據說你們組織中有失控現象？

答：內部有分歧是無疑，但這是正常的，沒有失控現象。

中新社記者：請願團中有人請求不要繼續絕食，是否有這一想法？

答：我們自愿絕食，堅持到底。

這時，李祿介紹二名工人代表說話。一個自稱是山東寧陽人的十九歲小伙子說，家鄉人非常支持你們，籌集了六百多元錢來支援。他誇獎學生是八十年代最可愛的人，是至高無上的人。一個叫沈銀漢的三十多歲的男子說，他是市民聲援委員會的代表，他們全力支持學生。因爲政府總派人打入他們隊伍，因此他的工作單位不能透露。他還說，昨天晚上公安局抓走了他們中的兩人，凌晨四時才放出來。他們指揮部設在紀念碑北側。

宣佈散會之際，又有一個學生昏迷過去。

從上午九時到下午六時，北京一些機關、科研、新聞、文藝、醫務、企業系統的工作人員自發組成聲援隊伍，從四面八方來到天安門廣場，總計達三十多萬人次。打出的橫幅主要有「政府：你

打算讓學生餓多久?」「孩子們沒有錯」,「拖延真誠對話,就是殘害學生」,「聲援學生,救救學生」,「接受條件,平等對話」等;呼喊的主要口號有,「不能坐視學生餓死」,「惜我學生,悲我政府」,「聲援學生有理,抗議政府無情,學生有好歹,人民不答應」,「廣場無水無食,學生危在旦夕」,「與大學生們共存亡」等。

由全國總工會、中國文聯、中國作協、石油部、航天工業部等部門一些工作人員組成的遊行隊伍相繼從長安街進入天安門廣場,民盟、民革、九三學社等民主黨派部分人士也前往廣場聲援學生。

許多前往聲援的大學生四處爲絕食學生募捐。一些畫家還在廣場爲學生作畫義賣。送飲料、藥品的人們不斷進入絕食隊伍中。在今天的遊行隊伍中,第一次出現了中學師生的遊行隊伍,它們是北京大學附中、北京七十二中學、北京一0五中學等一些中學師生。中央民族學院的約三十多名青年教師組成「絕食團」到廣場聲援學生絕食。

據瞭解,策劃並主張這次絕食的「高自聯」一些成員原來估計政府在學生絕食的兩天後會讓步,今天他們則準備開展一場長期的抗議活動。學生們用公眾捐助的錢購置了傘和帽子用以擋烈日,他們組織了一些卡車,把水桶運進廣場,並把垃圾運走。他們還自發維持交通秩序,以便讓卡車和救護車通行。

據急救中心的醫生介紹,「最大的問題是脫水,其次是腹瀉,因爲不少學生喝了冷水或不潔水。」他們說,「大部分的絕食學生還能再堅持三四天,三四天之後,他們恐怕有生命危險了。」到晚上

十時，廣場上絕食學生已有近六百人次暈倒。

今天，現場救護絕食學生的北京二十二所醫院和醫學院校師生呼籲，要求市紅十字會迅速採取措施，以保證絕食學生的生命安全。同時，有一千二百名絕食學生聯合簽名，對市紅十字會及各醫院幫助他們的醫護人員表示崇高的敬意。十九時，高自聯成員熊煒等與市紅十字會負責人會面，熊煒拿出一份給國際紅十字會、中國紅十字會、北京紅十字會的呼籲書，要求紅十字會進行干預。經過協商，市紅十字會與高自聯達成協議：從十七日凌晨一時起，由北京紅十字會全部接管對絕食學生的監護、搶救和治療工作。

誰來救救學生？！

殘酷的學生絕食現實，牽動了社會各界的心。而感受最複雜、體會最深刻、反應最熱烈的莫過於北京的知識分子。在學生絕食進入第四天，與當局對話相互僵持的情況下，德高望重的知識分子和各大學的校長們則公開站出來說話了。以下四份呼籲書以及天安門的學生絕食情況以及活躍的知識分子的表現，不僅開始成爲當晚政治局常委的緊急會議上的議題之一，更成爲中央政治局和中共元老們進行下一步行動的重要依據。

一，朱德熙、馮友蘭、季羨林、吳祖緗、聞家駟等十位北京大學著名教授聯署發出「緊急呼籲

書」。十教授的「緊急呼籲書」提出兩點要求：(一)懇請中央負責人發表公開講話，肯定這次學潮是愛國的、民主的行動，即不是動亂。絕不以任何形式對學生「秋後算賬」，同時承認由大多數學生經過民主程序選舉產生的學生組織是合法的，並承諾不以任何藉口、任何名義、任何方式對靜坐學生採取暴力。(二)希望學生從大局出發，停止絕食，撤離天安門廣場，通過和政府對話來解決其他問題。

二，北京師範大學校長方福康教授、清華大學校長張孝文教授、北京大學副校長陳佳洱教授、北方交通大學校長萬明坤教授、北京外國語學院院長王福祥教授、中國人民大學副校長黃達教授、北京航空航天大學校長沈士團教授、中國政法大學校長江平教授、北京科技大學校長王潤教授、北京農業大學校長石元春教授等十名大學校長於下午三時四十五分聯署發出給絕食學生的公開信。公開信說：「前天政府和絕食同學代表的對話沒有取得結果，天安門廣場的事態在進一步激化。面對這種形勢，我們感到十分焦急和憂慮。」「在當前的形勢下，正確的選擇只能是對話。進行建設性的對話，需要的是冷靜、理智和現實主義的態度。在群情激昂、感情對立的情況下，本來可以解決的問題也會變得難以解決。我們真誠希望有關方面和有關的當事人保持克制，不要進一步激化事態，避免出現令人痛心的難以挽回的事情。」「目前，天安門廣場上的情況不能再繼續下去了，這樣對峙下去總不是辦法。我們希望黨和政府的主要負責人盡快與同學們直接見面和對話，廣大同學和政府之間沒有根本的利害衝突，我們相信廣大同學憂國憂民、希望推進改革進程、消除腐敗現象的愛

國熱忱和合理要求會得到黨和政府的高度重視和認真對待。只要大家有信任、諒解、誠意和耐心，一定能夠找到一條積極解決問題的現實途徑。」

三，北京郵電學院院長胡健棟教授、北京理工大學副校長高文俊副教授、北京醫科大學校長施景義教授、北京工業大學常務副校長秦少富教授、北京中醫學院院長高賀平副教授、北京師範學院院長楊傳偉副教授、北京經濟學院院長余迪副教授、中央財政金融學院常務副院長錢忠濤副教授等八位校長於下午五時三十分發表致絕食學生的公開信。信中說：「我們完全贊同清華、北大、師大等十位校長公開信中的幾點看法。我們首先表示完全理解同學們的心情，對同學們的愛國熱情應當予以充分肯定，我們再次呼籲能在不影響中蘇高級會晤首腦會談的前提下，盡快安排黨和國家的主要領導人與同學進行直接見面和對話，對學生的愛國熱情和行爲作出更明確的正面答覆。其次，我們對天安門廣場事態的發展的確深感不安和憂心忡忡，熱切希望並呼籲有關方面和有關當事人以及廣大同學保持冷靜克制，共同努力，引導事態向理智和秩序的方向發展，停止絕食行動，盡快回到學校。第三，我們愿與十位校長一起，做好溝通工作和聯繫工作，以諒解、誠意和耐心，用更冷靜、更實際、更有效的辦法，與同學一道促成黨和政府的主要領導人盡早與同學直接見面和對話。」

四，北京醫科大學校長曲綿域教授、中國協和醫科大學校長顧方舟教授、北京中醫學院院長高鶴亭副教授、首都醫學院院長徐群淵教授，對廣場絕食學生的健康十分焦急，認爲事態繼續發展下去，將可能誘發傳染病蔓延、甚至危及生命的嚴重後果。爲此，他們聯名發出緊急呼籲：

(一)廣大同學的愛國熱情是非常可貴的，但要保重身體。不要絕食，更不要絕水。要接受治療，注意個人衛生，防止併發其他疾病。

(二)事態不能再繼續下去了。希望黨和政府的主要領導人高度重視學生狀況不斷惡化可能造成的嚴重後果，盡快與同學們直接見面和對話。

五

趙紫陽下台

閻明復廣場講話

下午五時四十分許，閻明復來到天安門廣場。上午，閻明復詳細地向趙紫陽匯報了這兩天與學生代表的對話情況。閻明復明確地對趙紫陽說：「通過與學生的對話，我深深地感到現在學生的情緒特別容易波動，很多學生的心理素質脆弱，高自聯、對話團、絕食團這些學生自治組織的意見統一不起來，這些學生組織沒有一個能夠把已經參加絕食的學生勸說回來，一些學者、教授去廣場勸說也沒有效果。在廣場絕食的學生被推到前台去了，想下也下不來，這些絕食學生現在真的是被放在火上烤呵。所以，我建議，爲了使這次學潮盡快得以平息、學生停止絕食，中央必須盡快拿出措施，最好是由你和李鵬同志出面見一下學生，這樣有利於事態的解決。」

趙紫陽：「晚上常委會就專門討論這個問題，是到非解決不可的時候了。我們拖不起呵。」

閻明復：「我準備下午到廣場去看望絕食學生，再勸一勸學生。但是，我想實質性問題還得由中央來作出。」

趙紫陽表示同意。

閻明復到廣場，就直接到絕食學生隊伍中進行了誠懇的勸說，並對絕食學生發表了講話。閻明

復說：「同學們，未來是你們的，改革需要你們進行下去，你們沒有權利這樣自我摧殘、你們沒有權利這樣用自己的生命來換取你們的要求的達到。」「你們要愛護自己，等待正義的裁判的這一天就要到來了。我請求你們，我可以和你們一起靜坐，請求你們能夠愛惜自己，要爲國家保存我們這些力量，保存你們自己。這，不只是爲了你們自己，甚至不是爲了你們的家長，而是爲了我們的國家。你們的精神已經感動了全國。你們以自己英勇的行爲證明了你們的決心。我相信，包括我們中共中央、包括人大常委會，一定會很快地對整個局勢作出全面、公正的判斷。我希望同學們在這幾天內，不要用自己的生命作爲代價。」「我希望同學們，特別是在廣場絕食的同學們，能夠到醫院去，能夠回到學校去。如果同學們對我講的話不相信的話，我愿意作你們的人質，與你們一起回到學校去。」

閻明復的這一講話，打動了廣場上許多學生的心，但當時的局勢已經無法靠幾段打動人心的話而平靜。因此，閻明復的話並未起到扭轉局勢的作用。不可思議的是，這次打動人心的講話，卻成爲閻明復下台的重要依據。

趙紫陽戈爾巴喬夫會晤

幾乎與閻明復到廣場向學生發表講話的同一時間，趙紫陽在釣魚台國賓館與戈爾巴喬夫進行會

晤。上午，鄧小平與戈爾巴喬夫會晤時對戈爾巴喬夫說：「今晚，你還要同趙紫陽總書記見面，這意味著兩黨關係實現正常化。」爲了呼應鄧小平上午的這句話，也爲了進一步強調鄧戈會晤是中蘇兩國最高級會晤和鄧小平在中國的重要作用，趙紫陽在與戈爾巴喬夫會談時說，「經過中蘇雙方的共同努力，今天上午實現了你同鄧小平同志的高級會晤。從一九七八年黨的十一屆三中全會以來，鄧小平同志一直是國內外公認的我們黨的領袖。在前年召開的黨的第十三次全國代表大會上，根據鄧小平同志本人的意愿，他從中央委員會和政治局常委的崗位上退下來了。但是，全黨同志都認爲，從黨的事業出發，我們黨仍然需要鄧小平同志，需要他的智慧和經驗，這對我們黨是至關重要的。因此，十三屆一中全會鄭重作出決定，在最重要的問題上，仍然需要鄧小平同志掌舵。十三大以來，我們在處理最重大的問題時，總是向鄧小平同志通報，向他請教；鄧小平同志也總是全力支持我們的工作，支持我們集體作出的決策。我這是第一次公開透露我們黨的這個決定。這次高級會晤，也就意味著中蘇兩黨關係的自然恢復。」在談到社會主義如何進行改革時，趙紫陽說，「常常有人特別是青年人提出這樣的疑問，社會主義到底有沒有優越性？我認爲，所以會產生這樣的疑問，有我們自己主觀指導上的毛病」，「我們也確有墨守成規的錯誤。」解決這個問題，「一方面，切實做好對群眾的思想教育工作；另一方面，必須對原有的體制和政策進行改革。從根本上說，只有通過改革，才能使廣大群眾切身體會到社會主義的優越性。不改革肯定是沒有出路的。社會主義正面臨著嚴重挑戰，迎接挑戰只有靠改革。」

趙紫陽的這段談話當晚在中央電視台和中央人民廣播電台新聞節目中播出後，在社會各界尤其是中共高層引起軒然大波，並成爲下一步局勢驟變的一個重要原因。

政治局常委緊急會議

學生絕食後社會各界的強烈呼籲以及中共高層尤其是中共元老的強大壓力下，十六日晚，也就是在楊尚昆、鄧小平、李鵬、趙紫陽先後分別與戈爾巴喬夫會談，完成中蘇高級會晤最主要的議程後，趙紫陽、李鵬、喬石、胡啓立、姚依林和中共元老楊尚昆、薄一波召開了中央政治局常委緊急會議。會議的氣氛一開始就顯得緊張。現根據會議紀錄予以綜述。

趙紫陽：「現在，天安門廣場學生的絕食請願活動已經第四天了。學生們的健康已經受到極大的損害，有的學生的生命已處於危險之中。我們已經採取了一切可能採取的措施，對絕食學生進行治療和搶救，保證學生的生命安全，另一方面，多次與絕食學生代表的對話進行對話，並鄭重表示今後將繼續聽取他們的意見，希望立即停止絕食，但都未能取得預期效果。在天安門廣場人群擁擠，口號標語不斷和人群極度激動的情況下，絕食學生代表也表示，他們已不能控制局勢。」

薄一波插話：「實際上這是少數人拿絕食學生當人質，要挾、強迫黨和政府答應他們的政治條件，連一點起碼的人道主義都不講了。」

趙紫陽繼續：「現在，如果我們再不迅速結束這種狀況，聽任其發展下去，很難預料不出現大家都意想不到的情況。」

李鵬：「現在已經越來越清楚地看出，極少數的人就是要通過動亂達到他們的政治目的，這就是否定中國共產黨的領導，否定社會主義制度。他們公開打出否定反對資產階級自由化的口號，目的就是要取得肆無忌憚地反對四項基本原則的絕對自由。他們散布了大量謠言，攻擊、污蔑、謾罵黨和國家領導人，尤其是攻擊爲我們改革開放作出了巨大貢獻的鄧小平同志，其目的就是要從組織上顛覆中國共產黨的領導，推翻經過人民代表大會依法選舉產生的人民政府，徹底否定人民民主專政。他們四出煽風點火，秘密串連，成立各種非法組織，強迫黨和政府承認，就是要爲他們在中國建立反對派，反對黨打下基礎。」

楊尙昆：「這兩天北京實際上處於一個無政府狀態。所有的學校罷課，一些機關工作人員也上街了，還有交通等等基本上都混亂了，這種混亂實際上是個無政府狀態。象中蘇會談這樣歷史性的事情，使得我們沒有辦法在天安門舉行歡迎儀式，而臨時改在飛機場，其中今天兩次應該在人民大會堂會談的，被迫改到釣魚台，還取消了一些預訂的節目，這樣一種狀態原來是規定了要向烈士紀念碑獻花圈也沒有辦法進行。這個在我們對外關係上來講是非常之壞的影響。這種狀況如果繼續下去，我們這個首都呵，不能稱其爲首都，所以形勢是非常嚴重的。」

薄一波：「這次學潮時間之長，聲勢之大，牽動社會面之廣，影響危害之烈超過了以往任何一

次。學生衝擊新華門，多次佔領天安門廣場，這種情況就是十年動亂時期也沒有過。上千人在天安門廣場絕食，這也是建國以來從未有過的現象。這次學生絕食選擇戈爾巴喬夫來華的時機，嚴重干擾了國家的重大外事活動和損害了國家的形象。這幾天爲聲援絕食而連續數天的幾十萬人的遊行，甚至超過了文革紅衛兵大串聯的年代，使無政府主義重新泛濫，國家的一些法律、法令形同虛設，造成了劇烈的社會動盪。這次學潮已經嚴重破壞了首都正常的生產秩序、工作秩序和生活秩序。」

胡啓立：「我們這些天的努力並未使學潮得以緩解。相反，由於部分學生的偏激情緒，更由於極少數人的繼續煽動，學潮向著更爲複雜的方向發展。從昨天開始，上街遊行的人次已經達到二、三十萬，參加遊行的不僅是大學生，還有工人、機關幹部、民主黨派工作人員，一些司法專政機關的幹警，以至中小學教師和中學生。外地也有人專程赶來北京聲援絕食。這種做法，實際上是把學生逼到一條絕路上去。在如此聲勢浩大的、持續不斷的遊行示威中，極少數人更加肆無忌憚，重新提出各種攻擊咒罵共產黨和社會主義的政治口號，把攻擊的矛頭集中指向鄧小平同志，有的甚至公然要求『鄧小平下台』、『強烈要求鄧小平退黨』、『不要中國特色的攝政王』，有的橫幅寫著『鄧小平狠心，趙紫陽滑頭』、『李鵬下台，謝國安民』，還有的公開呼喚『中國的瓦文薩，你在哪裡？』所有這些尖銳地說明，現在已經擴大到全社會的這場學潮，已經不是一場一般的學潮，而是有人藉機挑起的一場動亂。」

喬石：「北京的事態還在發展，而且已經波及到了全國許多城市。在不少地方，遊行示威的人

越來越多；在有的地方，也發生了多次衝擊當地黨政領導機關的事件。現在，還有幾千名學生在武漢長江大橋上靜坐，交通運輸被迫中斷。種種情況表明，若不迅速扭轉局面，穩定局勢，改革開放和現代化建設將面臨嚴重威脅。我認爲，這次學潮學生有好多台階可以下，但是始終沒有下來。現在，我們不能再退讓了，但如何了結這件事情，一直沒有找出好的辦法。當然，要盡量避免使矛盾激化。」

趙紫陽：「人民日報四二六社論，揭露了極少數人製造動亂的實質。我認爲，就絕大多數參加學潮的學生來說，儘管他們採取的方式是我們不同意的，但他們的愛國熱情和憂國憂民的心是可貴的，在促進民主、深化改革、懲治腐敗等方面提出的許多要求是合理的，即使有些過激言行也是可以理解的。我從朝鮮回來以後，就聽到各方面對四二六社論反映很大，已成爲影響學生情緒的一個結子。當時我曾考慮，可否以適當的方式，解開這個結子，以緩解學生的情緒。我主張先繞開這個難題，對性質問題淡化，在民主與法制的軌道上逐步轉彎子。但是到了五月十三日幾百名學生宣佈絕食。其中一個主要的要求就是改變對四二六社論的定性。所以，這個問題已無法繞開，我們必須對四二六社論的定性作出改變，設法緩和與學生的對立狀態，盡快使事態平息下來。」

李鵬：「紫陽同志，四二六社論的定性，決不是針對大多數學生，而是指極少數趁學潮之機，利用青年學生的激情，利用我們失誤和存在的一些問題，挑起了一場以反對共產黨的領導，反對社會主義制度爲目標的政治鬥爭，並且企圖把這場鬥爭從北京擴散到全國，製造一場全國性的動亂，

這是不爭的事實。儘管四二六社論被相當多參加學潮的學生所誤解，但確實起到了揭露問題實質的作用。」

趙紫陽：「我覺得，後來之所以有這麼廣大的學生參加進來，根本原因是廣大學生對學潮的定性從內心接受不了。所以學生一直堅持要黨和政府表態，要討個說法。我覺得我們現在必須考慮這個問題，繞是繞不過去的。事實上，人民日報四二六社論我也有責任，我在平壤，中央將小平同志的講話和常委會議的決定發了給我，也就是將四二六社論的草稿徵求了我意見，我是表示同意了的。對四二六社論的責任，我不要常委負責，我愿意公開由我承擔全部責任。」

姚依林：「紫陽同志，你承擔不了這個責任。四二六社論的定性不能改變。面對全國嚴峻的形勢，我們必須有堅決的措施。我認爲，在這個時刻，中央必須作出號召：各級黨組織必須團結廣大群眾，做好深入細致的思想政治工作，在穩定局勢中充分發揮思想堡壘作用；全體共產黨員必須嚴格遵守黨的紀律，在團結群眾、制止動亂中發揮先鋒模範作用；各級政府必須嚴肅政紀法紀，必須加強對所屬地區和單位的領導和管理；全體國家機關工作人員必須堅守崗位，忠於職守，不能上街遊行；所有工商企業和事業單位都要遵守勞動紀律，堅持正常生產；各級各類學校都要堅持正常的教學秩序，凡罷課的一律應無條件復課。」

李鵬：「紫陽同志，四二六社論基本上是根據小平同志二十五日的講話精神起草的。『這是一場有計劃的陰謀』、『是一次動亂』、『其實質是要從根本上否定中國共產黨的領導、否定社會主義制度』、

『這是擺在全黨全國各族人民面前的一場嚴重的政治鬥爭』等都是小平同志的原話，不能動。」

趙紫陽：「我們要向小平同志說明這次學潮的真相，改變對這次學潮的定性。」

會議決定：一，鑒於目前局勢非常緊急，於五月十七日向小平同志進行全面匯報，聽取小平同志和其他老同志的意見；二，同意由趙紫陽同志代表政治局常委向天安門廣場的絕食學生發表書面講話，會後馬上播發。當晚的常委會議，沒有一人對趙紫陽與戈爾巴喬夫會晤時公開提及鄧小平的問題進行質疑。

十七日凌晨，趙紫陽代表中共中央政治局常委發表書面談話。全文如下：

同學們：現在，我代表中央政治局常委李鵬、喬石、胡啓立、姚依林同志，向同學們講幾句話。同學們要求民主和法制、反對腐敗、推進改革的愛國熱情是非常可貴的，黨中央和國務院是肯定的，同時了希望同學們能夠保持冷靜、理智、克制、秩序，顧全大局，維護安定團結的局面。

請同學們放心，黨和政府絕不會「秋後算賬」。

我還要告訴同學們，中央對大家提出的合理意見和要求非常重視。我們將進一步研究同學們和社會各界的意見和要求，提出和採取加強民主和法制建設，反對腐敗，推進廉政建設，增加透明度等實際措施。

同學們，建設四化，振興中華的擔子最終要落在青年一代身上，你們爲國家和民族做貢獻的時間還很長。中央希望同學們保重身體，停止絕食，盡快恢復健康。這樣，中央就放心了，你們的父

母、教師和廣大群眾也就放心了。同學們回去以後，中央和國務院的同志還會繼續聽取同學們的意見，同各方面多層次多渠道的座談對話都將深入進行下去。

我再次呼籲同學們，停止絕食，祝愿同學們盡快恢復健康。

上海、武漢學生怎麼了？

十六日，在報送的材料中，共有二十三個省份發生了大規模的學生上街遊行聲援絕食活動，其中有十一個省份的學生聲援絕食活動已由省會城市發展到省內其他城市。限於篇幅，僅介紹上海和武漢學生的聲援絕食活動。

以下摘錄安全部門的報告：

今天中午十二時起，上海復旦大學、華東師範大學、同濟大學等十二所高校的四千多名學生冒雨上街遊行。遊行隊伍從西、北兩個方向一直往市政府方向步行。打出的橫幅標語較多，主要有：「全國人民聯合起來！」「江澤民，你又錯了！」「江澤民，你辭職吧，下台吧！」「支持北京學生絕食行動！」「解放，解放，胡說八道！」「光明光明，無光無明！」「最可怕的是鴉雀無聲！」「打倒官倒，打倒官僚！」一路上，學生們呼喊口號：「工人起來！」「農民起來！」「聲援學生！」「人民萬歲！」。遊行隊伍到市政府門口後，當場散發了《我們的請愿》。

請愿書寫道：

中共上海市委、市政府：

自胡耀邦同志逝世以來，學生運動已歷時一個月，廣大同學提出了許多建議和要求，但至今仍未得到具體的實質性的結果。爲此，我們再度懇求市委、市政府認真考慮我們的如下要求：1，上海市府領導發表公開講話，肯定此次學生進行的各種形式的活動是正義的、愛國的民主運動。2，不得在任何時候，以任何名義、任何手段對參加這次運動的學生及教師進行任何形式的打擊和報復。3，立即撤回上海市委關於整頓《世界經濟導報》的決定，恢復欽本立同志的主編職務。江澤民同志作爲市委書記應負主要責任，應向導報全體工作人員及廣大讀者進行公開道歉。4，上海黨政主要領導同志就當前社會存在的各種問題，尤其是要同愛國學生運動的學生代表進行平等的、公開的對話大會，傳播媒介對此作及時、公正、全面的報導。以上幾點要求，請有關方面在五月十七日零時前給予答覆，否則，我們將保留更大規模的遊行活動及赴京請愿的權利。」

下午六時二十分，靜坐的學生代表正式向市府遞交了我們的請愿。晚十時，市委、市政府經過緊急磋商後，以市委辦公廳、市府辦公廳名義發表廣播講話：「市委、市府領導同志已經決定，明天和部分同學進行座談、對話，並將在以後多層次、多渠道地進行。對於你們提出的合理意見和要求，黨和政府會認真研究，通過加強民主和法制建設來解決，通過推進改革來解決，希望同學們保

持冷靜、理智、克制和秩序，協助黨和政府解決問題。同學們，今天上海氣溫偏低，時有陰雨，大家遊行靜坐了好幾個小時，已經十分疲勞，市委、市府領導同志十分關切，希望同學們盡快返回學校休息，也希望各個學校老師們做好勸阻說服工作，動員同學們立即返校。」到十七日凌晨，仍有二百名左右學生在市府門口靜坐，其中有四十多名學生已經簽名，準備絕食。

當天，復旦大學已有二百多名教授、教師貼出一份教師緊急呼籲書上簽名，簽名活動仍在繼續。緊急呼籲書要求：

一，我們深深震驚和感佩北京學生絕食運動所表現出的悲壯情緒和愛國熱情，並希望政府充分肯定學生爲推進中國政治民主進程所作的努力，明確宣佈學生運動是愛國的正義的。

二，政府應該盡快與學生推選的代表進行平等對話，相待以誠，並對學生代表所提出的要求作出具體、負責的答覆。

三，希望政府根據憲法精神，不要對參加遊行的學生進行任何形式的打擊報復，保障學生的合法權益和人身安全。

四，確實保障憲法賦予的新聞、言論自由，撤銷上海市委對《世界經濟導報》所作的錯誤決定，撤銷派駐到《世界經濟導報》的工作組。恢復欽本立同志的總編輯職務，重新出版被查封的四三九期導報。

武漢學生的抗議

下面摘錄安全部門的報告：

今天凌晨一時三十分，以武漢大學、水利電力學院等高校六百多名學生組成的遊行隊伍到達湖北省政府門前靜坐，到今天傍晚，遊行學生已達到一萬人次。遊行、靜坐的學生要求與省主要領導對話，聲援北京學生的絕食請愿活動。

凌晨二時，靜坐隊伍高呼要求對話，要求省委書記關廣富半小時內出來答覆，不出來就把靜坐隊伍拉到茶港關廣富家。二時三十分，見省政府未滿足他們的要求，便遊行到省委、省政府主要領導人的住地茶港，當時到達茶港的學生連同圍觀人數共約一千多人。他們在茶港地區遊行尋找了二個多小時，由於找不到關廣富的住址，遊行隊伍重新回到省政府，繼續在省政府門前靜坐。

從早晨一直到上午十一時，靜坐學生一直在省政府門前輪流演講。十一時許，省委常委通知靜坐學生派代表去商量對話問題。靜坐隊伍推出劉向陽、廖寶斌等五名學生代表，學生要求學生代表提出三條要求：一，要正確評價學生的正義行動；二，今天省委要答覆對話的時間，要關廣富出來對話；三，要求嚴懲四月十九日晚學生遊行時警察施放催淚瓦斯、使用警棍的暴行，要嚴懲兇手。

十五時左右，靜坐人數估計有四千多人，圍觀者有八千多人。武漢大學的橫幅寫著「堅決支持北京學生的壯舉」「願爲民主生，敢爲自由死」。中南財大的橫幅寫著：「堅決聲援北京學生絕食請愿」，還有一條寫道：「教師支持你們」的橫幅。口號和標語有「反官僚、反專制、反特權、反

飢餓」「要人權、要麵包」等。

十六時左右，靜坐學生增加到六千多人，加上圍觀群衆已超過一萬多人。由於劉向陽、廖寶斌等學生代表提出對話、新聞單位刊登學生運動照片、文章等要求，省政府不能及時答覆，學生代表則提出學生遊行隊伍將到長江大橋靜坐。

十七時起，一些學生開始從省政府往長江大橋進發。到晚上二十一時三十分，武漢長江大橋武昌橋頭已有靜坐學生三千多人，其中有四百多名大學教師，加上圍觀群衆超過一萬人。到晚二十四時，還有近二千名學生靜坐不去。靜坐學生表示，一直要靜坐到省政府同意對話爲止。

當天海外輿論

當天提交中南海的三十八篇報導中，有二十三篇是關於學生運動的，十五篇是評論中蘇高層會晤的。這裡僅摘錄兩篇事務性的報導。一是塔斯社常駐北京記者柯立夫的談話，一是法新社對吾爾開希的採訪。

塔斯社記者柯立夫的談話

柯立夫認爲，蘇聯對學生運動以及改變戈訪華的某些禮賓日程總的態度是：理解、掃興和擔心。

柯立夫說：學生提出的要求多是合理的。冰凍三尺，非一日之寒。學生運動是一九八六年以來

中國局勢變化的結果。政府沒有採取鎮壓措施是明智的。中國的工人、農民和知識分子階層分明，不像蘇聯那樣沒有明顯的界線。如果工人大規模地參與學生行列，可就不好辦了。尤其是中國農民眾多，他們要是也採取行動，中國歷史上的某些場面可能重演。

柯立夫對戈爾巴喬夫訪華正趕上學生運動而不能按正常安排舉行某些儀式，甚至有可能連天安門都無法看一眼而感到遺憾。尤其是，許多外國記者的注意力已從報導戈爾巴喬夫訪華轉到天安門廣場，使對戈訪華的報導暗淡失色。所以，有些掃興的感覺。《真理報》前駐北京記者，這次隨戈爾巴喬夫而來的奧夫欽尼科夫十五日晚專門打電話給新華社一位前駐莫斯科記者，向他提出學生運動對戈訪華有何影響的問題，也反映了這種掃興的心情。

柯立夫有兩點擔心：一是擔心學生運動失控，採取過激行動，導致政府轉而採取鎮壓措施，使戈訪華更加淹沒在這一事件中。因此，他說，千萬別在這幾天驅趕學生。二是擔心學生運動發展下去，導致中國政局進一步動盪，對中蘇關係的發展產生影響。

柯立夫在談到蘇聯目前政局時說，戈爾巴喬夫和利加喬夫矛盾尖銳。他說，他們雖然都主張改革，但在具體改革方案上意見很不一致。葉利欽的許多主張並不怎麼樣，一時也難實行，人民知道他不是個好領導者，但是，其他人更壞，所以支持他。蘇聯黨也面臨難題，不少人要求共產黨下台，更有一些人提出由宗教勢力取代共產黨。

吾爾開希：我們準備死

我們準備死，這是法國《費加羅報》當日發表的一篇紀要的題目，採訪的對象是年僅二十一歲的北京師範大學學生吾爾開希。摘要如下：

《費加羅報》記者問：按照禮儀安排，明天戈爾巴喬夫將到這裡來向人民英雄紀念碑敬獻花圈。屆時，絕食者和其他的大學生們是否會仍在這裡以阻止他通過？

吾爾開希答：問題不在這裡。這不是我們的問題。我能對你說的是，我們將一直呆在這裡，我們要在這裡絕食。

問：政府會怎樣看？

答：政府是一個由壞蛋和腐敗分子組成的幫。他們愿怎麼想，隨他們的便。黨和政府是一回事。要反對政府，就必定要反對黨。我們確實對政府感到失望了。它們必須答覆我們的要求，不能歪曲我們所說的話。

問：但是，當局不是已經指出，同學生代表的對話已經開始了嗎？

答：我是星期日下午對話的學生代表之一。政府方面的人一再說他們不能採取任何行動，同時又聲稱自己是善意的。這毫無意義。

問：你們是否擔心警方會在戈爾巴喬夫走後採取干預行動？

答：他們甚至可以現在即在戈爾巴喬夫還在北京時就採取干預行動，但這是不可能的。全世界

都在看著我們。
問：你們害怕這種干預行動嗎？
答：是的，但我不怕，所有在這裡同我在一起的其他人都不怕。
問：學生們準備繼續絕食多久？
答：一直堅持到我們得到令人滿意的答覆爲止。我們能夠堅持下去。我希望人們能夠明白這一點，我們能夠堅持下去。
問：即使死嗎？
答：這裡的一些男女青年都已經作好了這種準備，另一些人準備死於其他的情況下，即在警察的打擊下。
問：可能的結局是什麼？
答：一切都是可能的。甚至鄧和李鵬也可能接受我們的要求。
問：如果政府作出讓步呢？
答：我們的要求遠遠多於現在提出的三四個條件。這裡的每一個人都有自己的要求。我們必須逐步前進，但我們是不乏要求的。其中一個重要的要求是人權要求。
問：面對你們的要求，政府內部的態度是否有分歧？
答：我對領導機構內部的權力鬥爭不感興趣。我感興趣的是其他的問題。我現在很疲乏，請讓

我休息。

吾爾開希儘管很疲乏，但他仍在組織隊伍，向人們發表演說。他的頭上束有一條白布條，上面寫有「絕食」字樣。

鄧家召開常委會議

十七日上午，中共中央政治局常委會議在鄧小平家召開，鄧小平、楊尚昆、薄一波和趙紫陽、李鵬、喬石、胡啓立、姚依林參加。現根據會議紀錄予以綜述。

會議一開始，趙紫陽先簡單地介紹了學潮的情況，趙紫陽說，「現在絕食的學生被推到台前去了，想下來也下不來，事情很棘手。當前最重要的是要說服學生把絕食和他們的要求分開來，讓絕食的學生先從廣場上撤下來，回到學校去。否則，廣場上瞬息萬變，什麼意想不到的事情都可能發生。局勢很緊張。」

楊尚昆：「學潮發展到今天，已經一個多月了。這一個多月來，首都是不是發生了動亂？是。現在已經鬧得連國事都不能正常進行，連歡迎戈爾巴喬夫的儀式和接待活動都不能正常進行，鬧得連走路、上下班都成了問題，首都還有什麼秩序？還能說沒有損害國家利益、社會利益？還不是動亂？我們誰要承認這種行動不是動亂，那還怎麼進行改革、開放，進行社會主義現代化建設！但是，

我們必須把煽動、製造動亂的極少數人，和動機純潔的學生及其他善良的人們嚴格區分開。」

李鵬：「我認爲，學潮的升級，事態發展到現在這樣難以控制的局面，紫陽同志應該負最主要的責任。本來，在他出訪朝鮮期間，政治局常委徵求他的意見時，他就打回電報明確表示『完全同意小平同志就對付當前動亂問題的作出的決策』。四月三十日回國之後，他在政治局常委會議上還再次表示，同意小平同志的講話和四月二十六日社論對動亂的定性，認爲前段對學潮的處理是好的。但是，沒過幾天，他卻在五月四日下午接見亞銀年會代表時，發表了一通同政治局常委決定、小平同志講話和社論精神完全對立的意見，這篇講話未徵求過常委們的任何意見。第一，在已經出現明顯動亂的情況下，他卻說『中國不會出現大的動亂』；第二，在大量事實已經證明動亂的實質是否定共產黨領導、否定社會主義制度的情況下，他還堅持說『他們絕不是要反對我們的根本制度，而是要求我們把工作中的弊病改掉』；第三，在已經有種種事實說明極少數人利用學潮策動動亂的情況下，他還只是說『難免』『有人企圖利用』，從根本上否定了中央關於極少數人已經在製造動亂的正確判斷。趙紫陽同志的這番講話，是鮑彤事先爲他起草好的。鮑彤還要求中央人民廣播電台和中央電視台當天下午就立即播出。趙紫陽同志的這番講話，經過人民日報等報紙的報導，在廣大幹部、群眾中造成了嚴重的思想混亂，給動亂的組織者和策劃者撐了腰、壯了膽、打了氣。李錫銘、陳希同同志就反映，在紫陽同志的講話以後，北京市承受了相當大的壓力，有的說『中央出了兩個聲音，誰對誰錯，以誰爲主』，有的說『要我們同中央保持一致，同哪個中央保持一致？』有的高校做學生

思想工作的幹部感到『被出賣了』，傷心得流下了眼淚。所以，出現了高校政治思想工作幾乎完全癱瘓的局面，致使現在的局勢越來越嚴重。」

姚依林：「紫陽同志接見亞行理事會的講話，不講金融問題，只講國內學潮，要是不看標題，誰都不相信這是一篇對外國人的講話。我認爲紫陽同志的這篇講話是有明確意圖的。這篇講話講學生的行動是愛國的，這可以理解。然後就提出我們確實有很多腐敗現象，是和學生想到一塊了，我們將通過民主、法制解決這些問題。這篇講話根本沒有說四二六社論是否正確，繞開這個問題。這是一篇相當重要的講話，這篇講話等於把小平同志的意見、中央政治局常委內部的不同看法統統暴露在學生和別有用心者面前，致使學潮越鬧越大，幾乎達到失控的局面。還有一條，我不明白的是，爲什麼紫陽同志昨天在與戈爾巴喬夫會談的時候，要把小平同志推出來，在現在這樣的局勢下，講這番話，無異是要把這次事件的全部責任推到小平同志頭上，把學潮的矛頭對準小平同志，這等於是給已經混亂的局勢火上加油。」

趙紫陽：「請先允許我對這兩件事作出說明。關於我五月四日會見亞洲銀行理事年會代表的講話，本意是想促進學潮的平息，同時也想使外資增強對中國穩定的信心，講話發表後，開始聽到的是一些好的反映。我當時並沒有意識到有什麼問題。尙昆、喬石、啓立等同志都認爲反映不錯，李鵬同志當時還對我說，話講得很好，他在會見亞行年會代表時，也要呼應一下。這次講話的調子比較溫和。我的這次講話，從當時各方面的反映看，效果還可以。李鵬同志說我的講話未經常委討論，

這是事實。不過，中央各位領導同志接待外賓時的談話（除正式會談方案外），歷年都不提交常委討論，一般都是根據中央的方針自己去準備。關於昨天我同戈爾巴喬夫的談話。十三大以來，我在接待國外黨的主要領導人時，曾多次向他們通報，我黨十三屆一中全會有個決定，小平同志作爲我黨主要決策者的地位沒有改變。我的目的是讓世界上更明確知道小平同志在我們黨內的地位不因退出常委而發生變化，在組織上是合法的。這次訪朝，我也向金日成主席談了這個問題。我跟戈講這個問題實際上是慣例了。問題在於這次作了公開報導。爲什麼昨天講了這個事呢？我從朝鮮回來後，聽說小平同志四月二十五日關於學潮問題的講話傳達後，在社會上引起很多議論，說常委向小平同志匯報不符合組織原則。還有一些更難聽的話。我覺得我有必要加以澄清和說明。在戈爾巴喬夫來訪的前兩天，我與工人和工會幹部座談對話時，會上也有人提出這類問題。當時我根據十三屆一中全會的決定，作了說明，效果良好。他們說，我們過去不瞭解，現在知道了就好了。在此之前，陳希同同志就針對人們有關『垂帘聽政』的錯誤議論向大專院校負責人做過解釋，說明了黨的十三屆一中全會有關決定的情況，效果也是好的。陳希同同志在四月二十八日的常委會上還匯報過這個情況。因此，我就考慮，如果通過公開報導，把這一情況讓群衆知道，對減少議論可能有所幫助。我當時向戈爾巴喬夫同志通報的內容是，十三屆一中全會鄭重作出一個決定，在最重要的問題上仍然需要向鄧小平同志通報，向他請教（我有意識的沒有講，可以召集會議和由他拍板的話）。鄧小平同志也總是全力支持我們的工作，支持我們集體作出的決策。照理說，這些內容的話，是不會給人以

一切事情都由小平同志決定的印象的。我實在沒有想到，這樣做，會傷害小平同志，我愿對此承擔一切責任。」

趙紫陽說這話後，鄧小平說了一句分量極重的話：「紫陽同志，你五月四日在亞行的那篇講話是一個轉折，從那以後學生就鬧得更兇了。」鄧小平接著說：「沒有錯，我們是要發展社會主義民主，但匆匆忙忙地搞絕對不行，搞西方那一套更不行。如果我們現在十億人搞多黨競選，一定會出現『文化大革命』中那樣『全面內戰』的混亂局面。『內戰』不一定都要用槍炮，用拳頭、木棍也可以打得很兇。民主是我們追求的目標，但前提必須是國家保持穩定。這次事情不一樣。事情一爆發出來，就很明確。一些同志到現在還不明白問題的性質，認為這只是單純的對待學生的問題，實際上，對方不只是那些學生，更有一些別有用心的人。他們的根本口號就是兩個，一是要打倒共產黨，一是要推翻社會主義制度。他們的目的就是要建立一個完全依附於西方的資產階級共和國。不懂得這個根本問題，就是性質不清楚。我知道你們中間有爭論，但現在不是來判斷爭論的問題，今天不討論這個問題，只討論究竟應該退不退？」

薄一波：「這次事件，從深層次的原因看，是長期資產階級自由化泛濫的結果，就是要搞西方的一套所謂民主、自由、人權。現在，後退是沒有出路的。你退一步，他進一步，你退兩步，他進兩步。已經到了無路可退的程度，再退就要把中國拱手讓給他們了。當然，我們要嚴格區分兩類不同性質的矛盾。」

喬石：「一些別有用心的人的政治企圖已經越來越明顯。他們利用學潮，蓄意製造動亂，已經嚴重干擾了北京乃至全國許多地方正常的社會、生產、工作、生活和教學、科研秩序，他們的目的也很清楚。就是推翻共產黨的領導，改變社會主義制度。所以，我認爲，現在我們不能再退了，但如何了結這件事情，一直沒有找出好的辦法。我認爲，對於青年學生和廣大群眾的愛國熱情必須加以保護，對他們在學潮中的過激言行不予追究，對於煽動和製造動亂的極少數人必須予以揭露。並盡量避免矛盾激化。」

楊尙昆：「這是水壩最後的一個大堤，不能退，一退就垮了。這次學潮不僅破壞了首都的政治、經濟、社會秩序，而且也影響和破壞了全國安定團結的政治局面。這說明，我們面臨的形勢十分嚴峻，這次學潮很有可能發展成爲一場全國性的動亂，造成一發不可收拾的形勢，把一個很有希望的中國，變成一個混亂不堪的，沒有希望的中國。在這樣重要的關頭，我們一定要採取果斷而又審慎的步驟，盡快把這場學潮平息下去，同時，也要認真懲治腐敗現象，以取信於民。」

胡啓立：「的確，出現我們面前的已經不是一般意義的學潮，而是抱有明確的政治目的，背離了民主和法制的軌道，運用卑劣的政治手段，煽動大批不明真相的學生挑起的一場否定共產黨的領導、否定社會主義制度的政治動亂。所以，當務之急是先把絕食的學生從廣場上解救出來，退是不能再退了。」

鄧小平：「大家都看到了，現在，北京乃至全國的形勢都相當嚴峻。特別是北京，無政府狀態

越來越嚴重，法制和紀律遭到破壞，許多高校陷於癱瘓，公共交通到處堵塞，黨政領導機關受到衝擊，社會治安惡化，遊行的人數越來越多，已經嚴重干擾和破壞了生產、工作、學習和生活的正常秩序。如果再不結束這種狀況，任其發展下去，我們已經取得的一切成果，都將變爲泡影，中國將出現一次歷史性的倒退。退，就是承認他們那些；不退，就是堅定不移地貫徹我們四月二十六日的社論方針。陳雲、先念、彭真等老同志，當然包括我，看著北京的局勢都憂心如焚。北京已經不能維持了，必須首先解決北京的安定問題，不然全國其它省、區、市的問題解決不了。臥軌、打砸搶，不是動亂是什麼？再這樣下去，我們都要被管制了。考慮來考慮去，要請解放軍出來，要在北京戒嚴，具體一點就是在北京市區實施戒嚴。戒嚴的目的就是爲了堅決制止動亂，迅速恢復秩序，這是黨和政府義不容辭的責任。我今天鄭重地向中央政治局常委會提出來，希望你們考慮。」

對於鄧小平的建議，趙紫陽回答，「有決斷總比沒有決斷好。不過，小平同志，這個方針我很難執行，我有困難。」

鄧小平：「少數服從多數嘛。」

趙紫陽：「我服從黨的組織紀律，少數服從多數。」

會議決定：一，晚上繼續召開中共中央政治局常委會議，具體部署如何實施戒嚴；二，中央政治局常委於十八日早晨去醫院看望絕食學生；三，李鵬於十八日與學生代表進行對話，要求絕食學生全部從天安門廣場撤出來。四、十八日上午，政治局常委向鄧小平等中共元老報告部署戒嚴情況。

會後，鄧小平親自打電話給陳雲、李先念、彭真，並由秘書通知鄧穎超、王震和洪學智、劉華清、秦基偉，於第二天上午開會，通報實際由鄧小平決定而以中央政治局常委名義作出的戒嚴部署。

李鵬向心腹透露消息

下午，李鵬召集李鐵映、李錫銘、閻明復、陳希同、羅幹、袁木、何東昌等人開會，李鵬在會上隱約透露了中央準備在北京市區實施戒嚴的消息。

李鵬：「小平等老一輩無產階級革命家對目前全國的局勢特別是北京的局勢非常關心，認爲這種混亂的局面再也不能持續下去了，要馬上結束這種混亂的無政府狀態。考慮首先解決北京的問題，北京的社會安定不解決，全國其它省、自治區、直轄市的問題解決不了。小平同志說，『臥軌、打砸搶，不是動亂是什麼？再這樣下去，我們都要被管制了。』爲了盡快恢復北京正常的社會秩序，可能會請解放軍出來維持北京的社會秩序。這是黨和政府義不容辭的責任。爲此，國務院辦公廳要立即下發一個緊急通知，堅決勸阻外地學生強行進京，爲恢復北京正常的社會秩序作最起碼的準備，國家教委也應該馬上發一個類似的文件。爲盡快恢復首都正常的社會秩序，北京市要採取一系列的穩定措施並進行大量的準備工作，希望你們立即著手進行。」

李鵬對李鐵映說：「政治局常委決定明天一早到有關醫院去看望住院的絕食學生。請鐵映瞭解

一下去哪幾個醫院比較好？」

李鐵映：「我打算今天晚上先去幾個醫院看一下，爲明天早晨的常委之行打前站。」

李鵬，「還有，常委會議決定明天由我出面與學生代表進行一次對話。我想，鐵映、錫銘、明復、希同，你們這些同志都得參加，所以請你們作好思想準備。明天的對話只談一個問題，就是如何使絕食的學生從天安門廣場撤下來，解除他們的困境。堅決要把絕食和學生別的要求分開來處理。」

陳希同：「與我們對話的學生代表是學生會代表還是高自聯成員？」

李鵬；「誰能左右天安門廣場學生的局勢就找誰談。」

李錫銘：「據我所知，現在的學生會被完全架空了，一些學生甚至對學生會幹部反感。」

李鵬：「明復同志已經與高自聯的成員對了幾次話。就請明復同志通知高自聯的成員，並安排這次對話。」閻明復表示同意。

會議期間，羅幹通知國務院辦公廳起草了《國務院辦公廳關於勸阻學生強行登乘進京列車的緊急通知》，會後，羅幹立即簽發，並以電報形式發往各省、自治區、直轄市人民政府，要求「盡一切努力，堅決阻止學生進京」。何東昌也於當天下午以國家教委名義發出緊急通知，要求各省、自治區、直轄市的教育行政部門和委屬高校，「盡力勸阻學生絕食、罷課、遊行等行動，要極力防止外地學生赴京串聯」。晚上十時，李鐵映先後到協和醫院、北京醫院和同仁醫院看望絕食病倒住院

的學生。回來後，在電話裡向趙紫陽、李鵬作了匯報。

當天，正在加拿大訪問的萬里在會見加拿大總督讓·索維和總理馬爾羅尼時公開發表對學潮的意見。萬里說，「我離開中國已近一周。在此期間，北京成了國際新聞界注視的中心，發生了中蘇高級會晤和學生示威遊行罷課、絕食兩件事。」「學生示威遊行要求民主，反對政府某些官員的貪污腐敗；記者要求新聞自由，黨和政府近來一直在研究如何解決這些問題。我們將發揚社會主義民主，加強社會主義法制，使新聞變得更加開放自由。」

在回顧中國改革十年歷程後，萬里特別指出：「中國改革開放十年，國民生產總值翻了一番，但現在看來政治體制改革慢了一些，民主發揚不夠，群眾監督也不夠。現在，學生、知識分子和工人要求民主，反對腐敗，是促使加快改革的愛國行動。在剛剛結束的七屆人大二次會議上，代表們已經就這方面的問題提出了意見和建議，下個月即將召開的七屆全國人大常委會第八次會議將要討論這些群眾普遍關心的問題。」

萬里強調：「政府這次對學生的行動採取了克制的態度，我們的總的方針是要創造一個穩定的社會環境，加快改革開放的步伐。我們一定要維護安定團結的局面，只有這樣，我們才能進一步進行改革和建設。」萬里的講話傳到中南海後，趙紫陽、胡啓立、芮杏文給予了充分肯定，芮杏文指示《人民日報》第二天予以發表，並親自定了主題：「學生要求民主反對腐敗是愛國行動。」萬里講話刊發後在社會上引起強烈反響，各界人士普遍認爲萬里的講話能爲廣大群眾和學生所接受。

常委會議的繼續

晚上八時，在中南海繼續召開政治局常委會議，參加人員爲趙紫陽、李鵬、喬石、胡啓立、姚依林和有權列席常委會議的楊尙昆、薄一波兩名元老。現根據這次會議記錄予以綜述。

趙紫陽說：「晚上的會議是部署戒嚴的問題。首先，我們應該討論：局勢是不是發展到了只有戒嚴才能解決問題的地步？戒嚴到底有利於問題的解決還是會導致事態的進一步擴大？到底有沒有實施戒嚴的必要。我希望大家心平氣和地來討論這個問題。」

李鵬：「紫陽同志，戒嚴是小平同志在上午的會議上提出的。我擁護小平同志關於戒嚴的意見。我認爲，在這個會議上，不應該再討論該不該戒嚴的問題，而應該部署如何實施戒嚴的問題。」

姚依林：「我堅決擁護小平同志關於在北京市區實施戒嚴的意見。採取戒嚴這一有力的措施，有利於恢復北京正常的社會生活秩序，結束無政府狀態，迅速有力地制止動亂。」

趙紫陽：「我反對在北京實施戒嚴。理由是，在現在學生情緒極度偏激的情況下，戒嚴無助於事情的平穩解決，相反會使局面更加複雜、矛盾更加激化。更何況我們完全控制著局勢，即使是那些上街遊行的學生和群眾，他們中的絕大部分也是愛國的，擁護共產黨的。戒嚴會在廣大北京市民和學生心中造成多大的心理恐懼，後果不堪設想。」趙紫陽強調說，「建國四十年來，黨在經濟和

政治上曾有過多次失誤的教訓。而根據我國目前內外形勢的嚴峻性，可以說，如果再有重大的政治失誤，很可能導致民心盡失。所以，我認爲戒嚴是非常危險的，中華民族已經承受不起重大的決策失誤。」

胡啓立：「經過非常審慎的考慮，我也反對在北京實施戒嚴。在目前複雜的政治局勢下，我們決不宜採用高壓政策，激化矛盾。說實話，我擔心戒嚴會引發更嚴重的社會危機，成爲觸發新的群眾性抗議的導火線，說不定因爲戒嚴會使更多的人捲入這場早該結束的學潮，使局面更加難以收拾，並走向極端。總之，我認爲，戒嚴不利於事態的平和解決。」

喬石：「我一直想表明我的觀點。在對待學潮的問題上，我們不能再退讓了，但如何了結這件事情，一直沒有找到好的解決辦法。所以，在戒嚴這個問題上，我很難表明支持或者反對的意見。」

薄一波：「在常委會議上，我和尙昆同志只有列席的資格，沒有表決權。但，我和尙昆同志的意見是一致的，就是支持小平同志的意見實施戒嚴。現在，常委的意見都已經表達得很淸楚了。根據黨內生活準則，在重大原則問題面前，爲了進一步表明自己的態度，我建議常委同志就戒嚴問題進行表決，同意、反對或棄權都可以。」

在薄一波的提議下，五名政治局常委就戒嚴問題進行正式表決。結果是：李鵬、姚依林支持戒嚴；趙紫陽、胡啓立反對戒嚴；喬石棄權。

楊尙昆：「黨內允許保留不同意見。我們可以將今天晚上常委的決定再向小平同志和其他老同

志作一次匯報。盡快把這一問題解決了。」

趙紫陽：「我的任務今天爲止結束了，我不能再繼續幹下去了，因爲在學生運動性質這個問題上，我同小平同志的說法、同你們中大多數人的意見不一致。我思想不通，作爲總書記，怎麼能夠執行呢？我不能執行就給你們常委造成困難。因此，我請求辭職。」

薄一波：「紫陽同志，你不要談這個問題。上午你在小平同志那裡不是同意少數服從多數嗎？還說了有決斷力比沒有決斷力好嗎？這個時候你可千萬不能撂挑子。」

楊尙昆：「紫陽同志，你這個態度不對，現在要維護團結嘛，你卻在這時甩手。無論如何不能在這時候做使黨爲難的事。」

趙紫陽：「我身體不好，這幾天來，一直頭昏，心臟供血不足。」

薄一波：「常委的意見既然統一不起來，我們還是應該在小平同志那裡解決這個問題。」

會議決定：十八日清晨五時，中央政治局常委去協和醫院、同仁醫院看望絕食學生。而關於戒嚴問題的部署卻因政治局常委的嚴重分歧而陷於僵局，結果是常委們於第二天上午再去鄧小平家，將問題上交給鄧小平，與中共元老、中央軍委有關負責人一起部署，並由中共元老們最後拍板。此後，十三屆中共中央政治局常委的作用基本上消失了。

北京百萬人大遊行

以下綜述安全部關於十七日北京街頭的報告：

今天北京街頭的遊行隊伍中出現了這樣一條醒目的標語「政府是否坐等收屍？」對此，人們議論紛紛。

十五日午夜中辦和國辦發表廣播講話後，在天安門絕食的學生仍有增無減。十六日夜，因絕食過久而暈倒的學生猛增，救護車不停地穿梭於廣場和醫院之間，開道的笛聲在夜空中迴蕩，使許多市民焦急憂慮得徹夜難眠。十七日凌晨趙紫陽同志發表書面談話，絕食學生普遍認爲，這個談話只是出於理解表示的一種安慰，和以前的說法相比，沒有實質性的新內容，所以，絕食情況仍未見好轉。同情學生的人越來越多，聲援學生的遊行隊伍不斷擴大，許多企業職工、黨政幹部、大學教師、新聞記者也不聽各級領導的勸阻而走上街頭。人們對黨和政府主要領導人遲遲不露面很不滿意，要求領導人辭職的標語和口號越來越多。據不完全統計，今天，北京有一百二十萬左右的各界群眾上街遊行，聲援在天安門絕食的學生。

上午有一支支遊行隊伍沿著東西長安街向天安門廣場遊行，至下午三時形成高潮，天安門廣場周圍擠滿了遊行隊伍，口號聲此起彼伏，橫幅、標語、彩旗數以千計，東西長安街兩側的一些機關大樓也挂出橫幅表示聲援。今天的「全市五・一七遊行口號」的傳單上寫著：1，聲援學生絕食鬥爭！2，堅持改革，反對倒退！3，學潮不是動亂！4，推倒四二六社論！5，政府必須公開承認

四二六社論錯誤！6，我們愛民主，不要獨裁！7，我們要法制，不要人治！8，絕對權力，絕對腐敗！9，維護憲法，保障人權！10，捍衛新聞自由！11，老人政治必須結束！12，擁護共產黨的正確領導！13，歡迎子弟兵和人民站在一起！14，大學生萬歲！15，人民萬歲！16，打倒官倒，反對腐敗！17，提高警惕，保持秩序，防止壞蛋搗亂！

下午一時至四時，在長安街上依次行進的隊伍中有工人、幹部、知識分子、街道居民、個體勞動者、宗教界人士等。

中國社會科學院遊行隊伍的橫幅有：「反對個人崇拜」、「結束老人政治」等，口號有「聲援學生」、「民主萬歲」等。九三學社的橫幅有「要真理，不要面子」。個體戶請愿團的橫幅有「還我自由」等。對外友協、商界聲援團、北京起重機廠、北京變壓電器廠遊行隊伍的後面是中國革命博物館和中國歷史博物館的遊行隊伍，爲首的是一個三米多高的橫幅，上寫「中國魂」三個紅色大字，橫幅還有「我倒下去了並沒有失敗」、「人老了腦袋就昏了」、「天下爲公」、「人民不再沉默」、「你好，鄧小平，謝謝，再見。」「小平，你老了」等。中國檢察報的遊行隊伍有一橫幅上寫著「腐敗等於艾滋病」。在中國石油化工總公司工人遊行隊伍後面是王府井小學教師的隊伍，口號是「學生絕食，教師心疼」等。中國人才報的遊行隊伍呼喊的口號是「救救人才」、「救救孩子」等。北京服裝學院遊行隊伍的橫幅上寫著「請政府穿比基尼，增加透明度」。

在北京第四機床廠、北京人民廣播電台、中共中央組織部機關、文化部機關的遊行隊伍後面是

山東大學的遊行隊伍，上寫著「老人政治可以休矣！」的橫幅。宣武醫院遊行隊伍的橫幅是「難產，難產，政府難產！」中國青年雜誌社、團中央機關工作人員的遊行隊伍後面出現「大貪抓小貪，安定；大倒整小倒，團結；國際笑話」的對聯式橫幅。《中華兒女》、中國青少年社會服務中心、人民交通出版社、中國體育報、中國物資報、中國煤炭報、北京日報、北京晚報等遊行隊伍後面有一個平板車，一位老太太坐在上面，一個青年一邊蹬車，一邊高舉標語，上書「北京老太太聲援學生」。後面還有三輪車工人、摩托車的遊行隊伍。

北京科技大學遊行隊伍的橫幅上寫著「草蓆裹屍，以求民主」；在北京二七機車車輛廠、北京鐵路、石油、煤炭、建築、造紙等工人遊行隊伍後面出現「賣掉奔馳，不買國庫券」、「良心被狗吃了」、「貪官污吏快下台」、「政府不要糊塗」、「垂帘聽政，害國害民」、「人過八十要糊塗」、「民可載舟，亦可覆舟」、「騙人有術，以老賣老，有問不答」、「在民主和法制的軌道上解決問題」、「立即召開人代會，改組政府」、「感覺錯了」等。

在西單有一個小學生遊行隊伍，他們的橫幅上寫著：「鄧爺爺，快出來，李伯伯也快出來，救救大哥哥和大姐姐」。在百貨大樓、東單菜市場、國際飯店、四通集團、青雲儀器廠、曙光電器廠、中央組織部、郵電部、中國民航、大華襯衫廠、林業部、北京四十四中、光明日報、中國國際廣播電台、廣播電影電視部、國家教委、中央教育科學研究所、首鋼工人聲援團、北京電子管廠、北京廣播器材廠、北京國棉二廠、北京羊毛衫廠、首都汽車公司、外貿部、衛生部、新華社、中央電視

台、機械電子部等遊行隊伍後面，還有失足青年、待業青年、留美學生、首都佛教徒等遊行隊伍。

人民日報的遊行隊伍喊著口號：「四．二六社論，不是我們寫的！」「人民日報洗刷恥辱！」等。天津醫學院遊行隊伍的橫幅上寫著：「要政府，不要政腐」、「要廉政，不要帘政」等。中國新聞社遊行隊伍的橫幅上寫著：「辭職吧，還等什麼?」中央財政金融學院師生遊行隊伍橫幅上有：「八八年，官員吃喝四百一十0個億，教育經費三百五十個億。」航天部的遊行隊伍橫幅上寫著：「導彈導彈，瞄準腐敗。」此外還有橫幅「秘密決議，四千一百萬黨員的最大恥辱」。

目睹一批批學生倒地，各界市民普遍認爲，當前最緊迫的問題是讓學生進食。而這只有中央主要領導人親自到學生中去做工作才可能做到。他們懇切希望中央主要領導立即出面，否則就會太晚了。一旦出現學生死亡事件，更多的人將被激怒，事態的發展將極其嚴重。

沸騰的天安門廣場

以下根據安全部門報告綜述。

上萬名進行請愿的學生，十七日凌晨一直聚集在天安門廣場，秩序相對穩定。

早晨七時十五分左右，「高自聯」通過設在廣場上的「學運之聲廣播站」廣播說：「我們的要求最主要的是摘掉動亂的帽子，要由中央政治局常委召開會議，全國人大常委會做出決定。對話仍

然可以進行，但我們也不能消極坐等。我們現在最主要的是保持秩序，我們糾察隊員充當了保衛新華門、人民大會堂的警衛和維護交通秩序的警察的角色，我們能否擔當起這個重任；關係我們這場學運的成敗，控制了局勢，將爲我們贏得相當漂亮的幾分，以此表明我們是有理性的，在全國人民面前樹立相當好的形象。籌委會首先要扭轉同學們思想上的錯誤傾向，可以分爲幾條：一，同學們把聲援的強大與否等同於人數的多少，而未看到，聲援的效果在於有組織地開展各種活動；二，同學們熱情是可貴的，缺乏持久的準備，糾察隊沒有一個輪換制度，保持廣場上的秩序；三，廣場上的任何娛樂活動都可能影響聲援效果，如打撲克；四，從效果上講，同學們在廣場上睡覺和在學校休息沒有什麼本質上的差異。其次，我們要爭取以班爲單位，在各班實現糾察力量輪換，通訊稿件要把關，還要建立宣傳和後勤等組織。只要我們能保持理性，保持秩序，不授人以動亂的口實，這次運動就有可能取得空前的勝利。『四五』運動得到了平反，是靠一派政治力量，我們這次摘掉動亂的帽子，要靠人民的力量，這開了一個先例，我們的國家的問題不再靠某一個人，某一派勢力去力挽狂瀾而得到解決，這使某些人非常害怕。」

在此之前，約六時二十分，清華大學宣傳組廣播了一個通知，需要招聘三十名記者，報導廣場上每天的動態，並向全國傳播，希望各校學生及新聞單位記者積極報名。

六時三十分，「學運之聲」轉播了中央人民廣播電台的新聞節目，當播送到趙紫陽對戈爾巴喬夫講話中談到鄧小平在黨內的地位時，學生們發出了幾陣噓聲。趙紫陽談到在社會主義建設中的失

誤時，有的學生說，「認識了就好！」學生們都認真收聽了趙紫陽對學生請愿的書面講話，在談到「希望同學們停止絕食，中央就放心了」時，大多數學生都發出嘲笑。有人說，「就是想把我們哄回去。」

到清晨，廣場上的學生又開始增多，中國天主教神學院和河北大學各二千多人陸續來到廣場。清華大學打出了一個巨大的橫幅「無法沉默」。在北師大絕食處，一個紙箱上寫有「總指揮」的紙張，紙箱上放著小擴音喇叭。我們問坐在後面的一位學生，「你是總指揮嗎？」他點頭稱是，他說還沒聽到趙紫陽的書面談話。此時，一位臂纏「聯絡員」袖章的學生向他報告：北師大已有六十七名同學暈倒。說話間，十七日的《人民日報》送了過來，這位總指揮匆匆瀏覽了一遍說：「這個書面談話說服不了學生。絕食請愿學生的要求有兩條：一是要求中央肯定這次學潮是愛國民主運動，二是中央主要負責人和學生進行實質性對話，電視實況轉播。實現不了這個目標，絕食學生不會撤離。」

我們問，你們覺得中央有沒有可能接受這兩項要求？這位總指揮說，聲援我們的人越來越多，我看中央會接受的。旁邊一個學生說，僵持的時間越長，中央越被動。一位女學生說，我們要求中央給我們摘掉「動亂」的帽子。中央要承認四二六社論是對形勢作了錯誤估計，只有敢於承認並勇於糾正錯誤的黨才是偉大的黨。據瞭解，這位總指揮是北師大三年級學生，電子系學生會主席。

中午，廣場上氣溫升高，絕食現場由於學生過分擁擠，空氣更加渾濁。手持擴音喇叭的學生請

求後來參加絕食的同學退出去。但是無人響應。後來的學生自稱是「第二梯隊」，有的在胸前掛著「二等兵」的白布條。

北師大數學系一位穿背心的絕食學生說，他是北京人，父母都在部隊工作。北京經濟學院的不少絕食學生也都是北京人，家長們知道他們的子女在這裡，都很擔憂。這些學生們說，顧不得了，如果不堅持下去，這一個多月的努力全白費了。

廣場上，高校的一些教師不斷前來慰問。北大化學系教授、中科院學部委員邢其新對絕食學生說，他已經七十八歲了，同學們年輕，要珍惜身體。許多學生請他在衣服上簽名並寫上年齡。美國兩名記者在現場採訪了邢其新教授。他說，「學生們的行動不是動亂，是愛國的正義的行動。說得嚴重些，他們是在救國呵！」

協和醫院、北京醫院等醫護人員在不寬的通道上不停地巡視，給學生送葡萄糖水、人丹等。現場不時有人暈倒，伴隨著急急的呼喊聲和匆匆的腳步聲被送到急救車上。醫生們勸學生們，要多多喝水，吃些人丹，防止大腦和腎臟受到嚴重損害，當心中暑。但是，有些學生拒絕進水。北醫的幾位醫生說，現在最大的危險，是可能出現「監獄綜合症」。學生的體質不斷下降，免疫力降低，少兒的某些流行病如猩紅熱、白喉等都可能爆發流行。此外，痢疾、霍亂等傳染病也會發生。我們真不忍心看著這種狀況繼續下去，希望中央負責人盡快和絕食學生對話，讓學生中止絕食。

五一七宣言

當天報送中南海的來自社會各界的呼籲多達二十八份。其中在決策圈引起最強烈反響的是「五一七宣言」、「黨員起來，抵制獨裁」、「他們的聲音顫抖，我們的靈魂顫抖」，民主黨派領導人致趙紫陽的公開信和共青團中央的緊急呼籲書。

「五一七宣言」、「黨員起來，抵制獨裁」、「他們的聲音顫抖，我們的靈魂顫抖」這三份大字報，當天被有關部門送達中南海後，被認爲是「最赤裸裸把矛頭對準敬愛的小平同志的一份反革命宣言書」，在十三屆四中全會上，更成爲與趙紫陽對戈爾巴喬夫談話相呼應的重要證據，從而也成爲趙紫陽分裂黨的重要依據。鑒於這三份大字報在決策中的重要性。特此全文照錄，以正視聽。

「五一七宣言」是由嚴家其、包遵信等發起，十七日上午在天安門廣場「學運之聲」廣播站播出，並發動知識分子簽名。十二時十分，此宣言即送達中南海。全文如下：

從五月十三日下午二時起，三千餘名同學在天安門廣場進行了近一百小時的絕食，到現在已有七百多位同學暈倒。這是我們祖國歷史上空前悲壯的事件。同學們要求否定《人民日報》四月二十六日社論，要求現場直播和政府對話。面對我們祖國兒女一個又一個倒下去，同學們的正義要求遲遲得不到理睬，這就是絕食不能停止的根源。現在，我們祖國的問題已充分暴露在全中國和全世界人民面前，這就是，由於獨裁者掌握了無限權力，政府喪失了自己的責任，喪失了人性。這樣一個

不負責任和喪失人性的政府，不是共和國的政府，而是在一個獨裁者權力下的政府。

清王朝已滅亡七十六年了，但是，還有一位沒有皇帝頭銜的皇帝，一位年邁昏庸的獨裁者。昨天下午，趙紫陽總書記公開宣佈，中國的一切重大決策，都必須經過這位老朽的獨裁者。沒有這位獨裁者說話，四月二十六日《人民日報》社論就無法否定。在同學們進行了近一百小時的絕食鬥爭後，已別無選擇：中國人民再也不能等待獨裁者來承認錯誤，現在，只能靠同學們自己，靠人民自己。在今天，我們向全中國、全世界宣佈，從現在起，同學們一百小時的偉大絕食鬥爭已取得偉大的勝利。同學們已用自己的行動來宣佈，這次學潮不是動亂，而是一場在中國最後埋葬獨裁、埋葬帝制的偉大愛國民主運動。

讓我們高呼絕食鬥爭已經取得的偉大勝利！非暴力抗議精神萬歲！

打倒個人獨裁！獨裁者沒有好下場！

推翻「四二六社論」！

老人政治必須結束！獨裁者必須辭職！

大學生萬歲！人民萬歲！民主萬歲！自由萬歲！

題爲「黨員起來，抵制獨裁」的大字報是由北京大學中文系四名中共黨員曹文軒(副教授)、溫儒敏(副教授)、董洪利(博士生)、楊榮祥(碩士生)署名，在北大三角地貼出，於下午送達中南海。全文如下：

黨中央和全黨：

值此嚴峻時刻，作爲普通的黨員，我們不能不以真正的黨性與良知站出來說話。鄧小平四月二十五日的講話對這次學運作了完全錯誤的定性(後據他的講話發表人民日報四二六社論)，以致導致當今嚴重的後果，使我們黨的威信喪失殆盡。鄧小平應當立即做檢討，承認錯誤。鄧既然不是黨中央主席，卻可以直接向全黨發號施令，這是對黨內民主的蔑視和破壞，是家長制與獨裁的表現，這也暴露了黨中央本身無視黨的紀律與民主。事實證明，這才真是可能引發權力鬥爭與動亂的根源。我們決不承認鄧小平非組織的不經過政治局正式討論決議的任何個人指令！我們希望真正有黨性與良知的共產黨員都能站起來，堅持抵制獨裁，挽救我們的國家與民族，推進民主與改革！

「他們的聲音顫抖，我們的靈魂顫抖」是署名「清華大學經四班部分同學」發表的，也於當天下午送達。全文如下：

同學們，同志們：

你們聽到了吧，你們看到了吧，一個垂暮的老人，一個既非中央委員，亦非人大常委的人，卻代表著我們的黨和國家，去同一個年富力強的國家元首、黨的總書記舉行高級的首腦會晤。這就是中國的形象，這就是中國的現實。聽聽中央電視台錄音吧，這位老人哆哆嗦嗦，語不成句，但他卻強抓大權，重大事情都由他作主(趙紫陽語)。這就是爲什麼關鍵時刻沒有黨中央和政府的聲音，只有鄧小平的講話的根本原因。原來廢除終身制，不搞個人崇拜，都不過是騙人的把戲，挂羊頭賣狗肉

的行爲。這位老人做得太老練了。爲了這位老人可以修改憲法，不顧黨的原則，一個人大於幾億人，一個特殊黨員可凌駕於四千萬黨員之上。八六年時他向黨的總書記和政府總理講，今天我就講這些，具體事情由你們去辦。八九年他說，不要怕人罵娘，我們還有幾百萬軍隊，要發一篇有分量的社論。你們該明白了，他爲什麼寧可退出中央委員會，也不願放棄軍隊。「槍桿子裡面出政權」，是他從毛澤東那裡得到的教誨。有槍就有一切，哪有你黨和國家，哪有你區區百姓。他比毛澤東還讓(退一步)得多，毛始終堅持「黨指揮槍」，如今黨和國家都在槍的指揮下。軍委主席就是黨和國家的首腦，中華軍政府只有鄧氏一人，就可以代表一切。

悲哉，我中華人民共和國在哪兒，正直的中國共產黨又在哪兒。八六年時他說：「耀邦不堅決。」耀邦就下台了。耀邦死了，又是他說：「耀邦是有錯誤的，追悼會的規格夠高的了。」所以，重新評價胡耀邦也無從談起。今天，他說：「這是一場動亂。」所以絕食的人，上百萬人上街遊行請愿也不能平反學運。我們結束了七億人是一人，一人是七億人的現代中世紀，又迎來了幾億人是一人，一人是幾億人的現代王國。我們推翻了「兩個凡是」，又遵祭了新的「兩個凡是」。凡是鄧小平說的都對，凡是鄧小平說的都要執行。我們粉碎了靠毛主席語錄去「人定勝天」的神話，又售起了用鄧小平講話去開創現代化的童話。

歷史驚人的相似，歷史的周期太短、太短。

青年覺醒了，知識分子覺醒了，爲什麼我們的黨中央還不覺醒。雅魯澤爾茨基同瓦文薩坐下來

談判，匈牙利解除了卡達爾的職務，執行了多黨制，我們的黨該如何選擇。是該尊重人們的意志，維持憲法的尊嚴，還是要維持一位獨裁者的餘威。民心向背，人們的呼聲決不是無用的哭聲了，請黨中央決不要做耳聾的上帝。人民憑著良心和正義做出了選擇，黨和政府已別無選擇。

當天十二時，中南海收到了中國民主同盟主席費孝通、中國民主建國會主席孫起孟、中國民主促進會主席雷潔瓊、九三學社主席周培源致趙紫陽的信。全文如下：

中共中央趙紫陽總書記：

北京大學生在天安門廣場靜坐絕食仍在繼續中，許多學生的健康和生命處於十分危急的狀態。這一嚴峻的形勢我們憂心如焚。爲了愛護學生，穩定大局，我們特此向您提出緊急呼籲：

一，我們認爲，這次學生的行動是愛國行動，學生提出的合理要求與中共中央、國務院的主張是一致的。對於學生的合理要求，我們希望在民主和法制的軌道上予以解決。

二，建議中共中央、國務院的主要領導人盡快會見學生，進行對話。

同時，我們也真誠地希望靜坐絕食的同學，爲了國家民族利益，愛護身體，停止絕食，返回學校。

中國國民黨革命委員會中央主席朱學範也於當天致電中共中央，提出以下緊急呼籲：一，中共中央立即召開各黨派領導人會議，共商解決問題的辦法；二，明確肯定這次學生運動的愛國民主性質；三，趙紫陽同志、李鵬同志親自出面，同學生代表直接對話。

同日，共青團中央、全國青聯、全國學聯向中共中央、國務院發出緊急呼籲。他們的兩點主要呼籲是：

一，我們不願意看到學生的生命和健康受到危害，我們也不願意看到改革和建設的進程發生逆轉。我們希望黨和政府的主要領導人盡快到學生中去，充分瞭解廣大學生的愛國熱情和合理要求，盡快緩解事態的發展。

二，我們認爲，在黨的領導下，通過真誠對話，在民主與法制的軌道上解決問題，是唯一選擇。我們建議，盡快進行不迴避矛盾的建設性的對話。我們希望也相信黨和政府會認真吸收廣大學生和群眾的合理要求，痛下決心，克服腐敗現象，推動政治體制改革和經濟體制改革，健全民主和法制，推進中國社會主義現代化進程。

在收悉五位民主黨派領導人致趙紫陽的公開信和共青團、全國青聯、全國學聯的緊急呼籲書後，爲了表示中共中央對這些緊急呼籲的重視，中央書記處書記芮杏文指示《人民日報》第二天予以全文刊登。

五一七京外情況

當天報送三十六份材料，有二十七個省份發生了大規模的學生抗議活動。其中，遊行示威人數

在萬人以上的城市有上海、哈爾濱、長春、瀋陽、西安、南京、杭州、武漢、長沙、石家庄、鄭州、蘭州、成都、重慶、貴陽、福州等。下面綜述哈爾濱等六個城市情況。

哈爾濱：哈爾濱高校數萬名學生上街遊行請愿活動已進入第三天。今天，參加遊行的學生和青年教師已達二萬五千人(全市大專在校生共五萬一千七百人)，哈爾濱地區二十二所高校已有二十一所高校學生參加了遊行。從目前情況看，事態有繼續發展擴大的趨勢。中央如不盡快採取措施，久拖下去後果會更加嚴重。

近三天哈爾濱學潮的特點是：

一，組織日益嚴密、理智日益增強。今天的萬人大遊行，每一個學校的遊行隊伍一般都是五人一排，學生糾察隊配合警察維持秩序，學生們已由開始一哄而起走上街頭，變爲以院系爲單位，打著校旗上街遊行。今天中午，哈爾濱高校臨時學生自治聯合會宣告成立，負責人韓立新(哈工大學生)宣佈今晚召集各校代表開會，研究下一步行動。隨著組織性的嚴密，學生的理智性也加強了。今天中午，有些在省政府靜坐的學生提出衝擊省政府。學生組織者再三勸告大家要理智，不做違法事情，派代表與省政府工作人員交涉。

二，參加遊行範圍擴大，標語口號升級。遊行初期只是大學生和個別青年教師，今天在遊行隊伍裡，已有教授、講師和大學的政工幹部參加。黑龍江電視台已有數十人打著橫幅上街遊行，《中外企業家》雜誌數十名編輯記者也於今天下午在省政府靜坐並演講。學生的口號已由前兩天的「清

除腐敗，打倒官倒」發展爲「反對老人政治」「結束老人統治」「打倒封建專制」等。黑龍江大學、船舶學院等院校的一些學生已宣佈明天起絕食。

三，有持久化傾向。今天中午，臨時學生自治聯合會在省政府門口對靜坐的學生宣佈，從明天起無限期罷課，直至北京學生勝利。省委分析認爲，如果北京絕食不結束，哈爾濱學潮事件將會日益嚴重，文化、科技界的知識分子和工人、中學生都有參加遊行的可能。建議中央應迅速採取措施，結束對峙局面，只要北京學潮平息，哈爾濱的工作就好做了。

瀋陽：瀋陽高校學生聲援北京的遊行已持續四天，規模越來越大，並已波及遼寧其他城市。從今天早晨起，遼寧大學、中國醫科大學等十幾所高校的二萬多名學生陸續走上街頭，在瀋陽市各主要街道上遊行，造成多處交通堵塞。一些科研院所、新聞單位的人員也有組織地上街遊行。

瀋陽市圍觀群眾今天已經對學生表示公開支持。學生隊伍走過的街道兩旁、房頂上，都站滿了人。他們對學生熱烈鼓掌，高呼「學生萬歲！」有些人把成箱的汽水、雪糕，成筐的桔子送給學生，許多人向學生捐款。

圍觀群眾對目前國家的形勢極爲關注，議論紛紛，都對學生表示支持，對中央表示不滿。在瀋陽鬧市中山廣場聚集著上萬名群眾。他們說，「學生說出了我們的心裡話」，「北京那麼多學生暈倒了，中央主要領導居然沒有一個出來，到底是要國家還是要個人面子？」「中央再不對話我們工人就起來了」等等。傍晚，瀋陽市政府廣場群眾達到十萬多人，多數人情緒激動，對過往轎車和執

勤武警有明顯對立情緒。一些群衆認爲，中央領導遲遲不與學生對話是「心中有愧」「自己不乾淨」「不敢出來」。認爲這種作法連起碼的人道主義也沒有，一些年輕人說：「絕食五天的人身體十分虛弱了，黨和國家領導人怎能忍心看著學生摧殘自己身體呢？出來見一見有什麼可怕呢？」一位自稱松陵機械廠(萬人軍工廠)的工人說，「現在工人在廠裡議論紛紛，認爲中央根本沒把學生當回事，看來只有工人出面問題才能最後解決。」他還說，「中央已錯過好幾次解決問題的機會。如果再遲疑，不僅將出現難以收拾的局面，而且將進一步喪失威信。」據悉，瀋陽的大學生已推選出數十名代表進京聲援，大連今晚進京的大學生有近千人。瀋陽已有十八名學生在市政府門口絕食。

鑒於北京學潮已波及社會各界，鑒於遼寧特別是瀋陽的形勢，省委建議：希望中央主要領導同志盡快出來與學生對話，否則一旦工人起來停工停產就不好辦了。

廣州：從今天淩晨一時中山大學、華南理工大學、華南師範大學、暨南大學等院校五百多名學生冒雨到省政府門前示威開始，到今天下午廣州地區十幾所院校的一萬五千多名學生再遊行到省政府門前，廣州市爆發了迄今爲止最大規模的學生抗議活動。

今天的遊行，每一高校學生都打出了自己校名的橫幅和衆多的標語口號。有的大學還有各個系的旗幟，有的大學教工也打出了教工參加遊行的旗號。學生在省政府門口的標語口號有：「北京七百愛國者倒下了，我們怎麼辦？」「飢餓可忍，專制不可忍」、「官倒不倒，學運不了」、「學運不死，中國不死」、「打倒血緣政治，打倒裙帶政治」、「要敢於反抗」、「反對經濟混亂」、「鄧

小平退休」、「結束老人政治」、「葉選平出來」等。學生組織者宣讀了廣東二十多位作家、中山大學教工給黨中央、國務院的支持學生運動呼籲中央領導人盡快與學生對話的公開信，還有廣州普通婦女的來信、學生的《再告廣州市民書》等。廣東作家、編輯在聚會上發表支持學生的演講。晚九時，成立了由十多所廣州愛國學生自治聯合會，要求葉選平對話，並向省政府呈遞了自治會給中共中央的請願書。請願書要求：承認首都高校學生自治聯合會和全國各地學生自治聯合會的合法性；最高領導人盡快與學生對話；責成上海市委立即恢復欽本立職務；開放報禁，進行新聞立法。自治會號召：如果政府不答應他們的要求，明天起廣州各大學將無限期罷課。由於學生和圍觀者人數太多，場地太小，人群擁擠，情緒激烈，學生活動時有混亂，組織者難以控制。學生兩度離開省政府門前到市中心街道遊行，造成交通堵塞。

中午十二時，廣東省建築科研設計所六名青年科技人員在省政府大門前宣佈二十四小時靜坐絕食。他們在面前鋪的紙上寫著：「哀莫大於心死，傷無甚於體亡」，「反對當局麻木不仁，聲援北京學生運動」。他們在談及絕食動機時說：「想幹的事不能幹，幹不了，覺得活著沒有什麼希望，等於心死。」他們說：「北京的學生說出了我們的心裡話。但是，他們的願望和要求得不到滿足。作爲青年知識分子，熱血青年，聽到北京六百多名學生爲國家的前途暈倒了，國家不管不問，仍不肯明確答應學生的要求，心裡不好受。我們覺得不採取絕食行動，對不起他們，也對不起自己。」

當天，深圳大學罷課，三千多名師生全部上街遊行請願，聲援北京學生。

成都：成都今天爆發連日來規模最大的一次示威遊行。四川大學、成都科技大學等成都所有高校、幹部學院和一些中專學生約三萬多人從四面八方匯集人民南路中心廣場。參加今天遊行的，除了學生之外，還有大學教授、教師和職工。在眾多的橫幅中，有「四川省工聯」、「四川新聞界聲援團」。遊行隊伍中各階層人士比往日多。今天遊行的目的，除了聲援北京學生外，更主要和直接的原因是近日來成都公安、武警的一些做法在群眾和學生中反應極大。

十六日凌晨六時許，人民南路有近三百名學生靜坐。成都市武警、公安出動清場。清場是在沒有預先通知的情況下突然進行的，由於上千名武警、公安是從觀禮台上往下猛赶毫無準備的學生，許多學生的眼鏡、手表被打掉打破，有十幾位女生坐著來不及起身被推得從三十多級高的台階上一直滾下來。一些學生還反映，少數警察對女生有侮辱行為。許多學生拿著血衣，指著被打的受傷處守著校領導哭訴。學生們都認為，強行把學生架走本身就是違法的。

正因為如此，今天的遊行包含著與警方和政府極大的對立情緒，而且局勢正在日益惡化。許多高校領導、教師和學生家長要求省政府嚴肅調查並處理此事。他們認為，北京的警察近來也是克制容忍勸導態度，為何成都的警方、政府對學生這麼嚴厲和懼怕。一些學生昨天含淚在省政府向有關負責人說：「學生們為了什麼？我們一不為自己要一分錢，二不為當官發財，三是坐在觀禮台上並未妨礙交通，憑什麼要採取那樣的行動？」

目前，成都的局勢隨著北京的局勢和省市政府對五月十六日晨的事件處理態度不夠明確而日趨

嚴峻，已經引起工人、農民、幹部和市民對學生的同情，在受傷同學捐款現場，許多毫不隱晦自己是幹部、農民、工人等身份的人，把一張張拾元、佰元人民幣捐給學生。到晚上十時，在成都南路廣場上，四川大學的幾百名學生向聚集在這裡的數萬人大聲宣佈：「我們絕食，聲援北京！」

當天，重慶有十餘所高校的一萬多名學生進行抗議遊行。

貴陽：從十七日零時起，貴州大學、貴州師範大學、貴州財經學院、貴州醫學院、貴州工學院等六所院校的學生，舉行聲援北京絕食請愿學生的行動，到凌晨一時止，已有三千多名學生上街遊行，遊行隊伍秩序井然，向貴陽火車站廣場集中，隨後到省政府門口抗議。淸晨，貴陽地區高校學生或分散或整隊開始大規模上街遊行。他們在大街上高呼「團結工農，歡迎群眾，大家參加」、「趙紫陽、李鵬出來對話」、「物價上漲，一百元等於一包火柴」、「崇洋媚外可恥，追求物質享受可恥」、「濫發鈔票可惡，物價猛漲可惡」等新口號，受到群眾的熱烈歡迎。十一時四十分，貴陽高校二千多名學生再次來到省政府進行示威，並試圖衝擊省政府辦公樓院門，被一百多名武警戰士阻擋。學生們高呼：「團結起來，聲援北京」、「我們要與王朝文對話」等。貴州學生組織的學生自治聯合會成員在省政府門口擬出一份提綱，認爲貴州貧困面貌改觀不大，省領導有直接責任，要求直接與省委書記、省長對話。在學生們衝擊省政府不成之後，於十二時三十分折返上街遊行，通過市主要街道中華路，下午一時三十分到達市中心大十字。金築大學的學生舉著一幅中國地圖，上書「民族危機！」「中國在我心中！」等字句。遊行沿途，不斷有新的學生隊伍加入。貴州省藝專學

生吹著小號參加了遊行。還有一支二百人的中學生隊伍，打著「貴陽市中學生行動起來」「貴陽中學生聲援團」的橫幅參加進來，最小的年齡僅十一歲。

下午二時三十分開始，貴陽市郵電大樓聚集了四五千人，成份很複雜。有藝專學生打著兩面國旗，並拉開了一條橫幅。橫幅上寫有青年藝術沙龍、青年攝影協會、青年聯合會、市科技協會、貴陽市衛校、市財校等單位、團體的名稱，同時還有上千人的簽名。三時左右，一支三百多人的隊伍，打著「公民聲援」的橫幅進入了這一區域，受到學生們的歡迎。同時，有近二百名新聞界的編輯、記者從貴州日報社出發參與遊行，他們所屬的單位有省市電視台、省市廣播電台、省工人報、貴州日報、貴陽晚報、中國青年報駐貴州記者站。他們打出的橫幅有「新聞要講良心」、「不能坑百姓」、「聲援首都愛國民主運動」等，他們已發起了貴州新聞界簽名活動，已有一百多人簽名。

下午四時二十分左右，有三千多名遊行學生開始向省委大門聚集，並向省委提出五點要求，主要是要求省新聞單位客觀報導當天的學生遊行，將貴州學生聲援情況通報全國，解決車廂送學生進京請願，要求中央主要領導人立即與北京學生對話，肯定這次學生運動是愛國民主運動。省領導認爲這些要求無法答覆。爲此，省政府準備了三千份乾糧，如果勸說不成學生，只好由學生靜坐。截止晚上十一時，尙有二千多名學生在省委門口靜坐請願。據省公安廳統計，十七日，參加遊行和圍觀的學生、群眾將近十萬人。

合肥：合肥十所高校一萬多名師生今天再次上街遊行，聲援北京高校絕食請願的學生。在今天

遊行的十所高校中，最引人注目是中國科技大學首次出動了二千多名學生。他們打著「科大不再沉默」等橫幅，手拉手，秩序井然地通過金寨路、長江路。學生遊行隊伍所到之處，群眾熱烈鼓掌，燃放鞭炮。一些群眾還紛紛捐款。遊行學生今天呼喊口號和打出的橫幅、標語的新內容有「不要老人政府」、「結束垂帘聽政」等。還有一些標語、口號涉及本省的問題。安徽文聯的部分作家、《清明》、《百家》雜誌社工作人員、安徽電視台、安徽青年報等新聞單位的部分記者、編輯，今天也上街遊行，支持學生的行動。

海外關注焦點

當日提供給中南海的四十六篇海外報導中，大量出現了關於鄧小平、趙紫陽以及工人上街遊行的報導。綜述如下：

一，民眾要求鄧小平下台的呼聲強烈。

合眾國際社十七日電文說，「出現在北京街頭規模越來越大的遊行者隊伍，今天引起對中國最高級領導人鄧小平的批評，而且清楚地表明，他們認爲他年紀太大，不能再領導這個國家了。中國出現這樣公開的批評是前所未有的。」「反鄧情緒的爆發標誌著鄧小平大丟面子，並且表明，中國的最有權勢的人物可能面臨不再擁有任何影響的局面。」「鄧小平今晚應向全國發表電視講話，承

認他老了，然後退位。」法新社的電文稱，「今天，在天安門廣場中央的人民英雄紀念碑上出現了一幅要求鄧小平辭職的巨大的紅色標語。體力上已感到精疲力盡的鄧小平已成爲過去的人物。」南通社的電文稱，「相對來說謹慎支持學生的口號已變成要求某些領導人辭職。要求李鵬辭職的越來越多，雖然中國領導人鄧小平也受到嚴厲批評，中國人提出『我五十八歲，你八十五歲』的口號就是公開表示不滿八十五歲的鄧這樣的老人領導國家和黨。」美聯社十七日報導稱，「在天安門廣場上人民英雄紀念碑上出現了一個巨大的橫幅，其矛頭是指向鄧小平的，那條橫幅上寫的是：『小平退位，誰來主事由人民來決定』。」時事社電文稱，「中國工人和學生十七日的遊行，對最高實力人物鄧主席的批評已越來越公開化了。他們說，『人民主張鄧小平引退』，由此可以認爲，『鄧小平時代』即將結束。」

二，趙紫陽：政權的最後一張王牌。

法新社十七日的電文稱，「中國已公開化的危機在十七日經歷了一個轉折。在這一天，北京和好些城市的民眾都動員起來了。在這個時候，共產黨首腦趙紫陽成了這個政權的最後一張王牌。」「一個月之前還只是要求政權民主化的一場學生運動現在已經變成了一種海底涌浪。左右爲難的中國政府把拯救的最後希望遞到了趙紫陽的手裡。」美聯社稱，「今天，中國已持續了一個月之久的危機進入了一條分界線，它已經公開變成一場大規模的民眾抗議運動，共產黨領導人趙紫陽看來是陷於麻煩的中國領導集團的最後希望了。」「示威活動震動了政府，政府在抗議活動面前顯得軟弱

無力，把最後的希望寄託在了趙紫陽身上。」

三，工人上街成爲抗議活動的新階段。

時事社十七日的電文稱，「中國要求民主的運動，十七日因普通工人參加遊行而進入了一個新階段，學生豁出性命要求民主的運動喚起了工人。其背景是，普通市民對中國共產黨領導幹部的腐敗現象感到強烈不滿。經過天安門前的工人遊行隊伍高呼：『胡耀邦的幹部兩袖清風，鄧小平的幹部百萬富翁。』由於市民參加，遊行已由過去以學生爲主變爲工人爲主。中國是工人和農民支撐著的國家，由於工人的抗議，因此可以說，以鄧小平爲最高領導人的黨和政府已陷入困境。」法新社稱，「要求實行民主的北京學生運動正在向市民和工人擴大，十七日下午的遊行示威有全北京市參加的趨向，預料以學生和工人爲主的遊行規模還將擴大。」美聯社稱，「今天的示威活動看起來起主導作用的是工人，而不是大學生。在天安門廣場上，隨著一聲爆竹的響聲，遊行隊伍開始出發，最先出發的是五十輛出租車，坐在車裡的人揮著旗幟，跟在車隊後面的是工人、記者、政府職員甚至軍人的行列。」「一百多萬工人和其他人支持絕食學生的抗議，是共產黨中國四十年來的歷史上規模最大的抗議活動。」

四，政府將採取何種手段？

南通社的電文說，「由於中國領導人對學生絕食問題的所持立場，在北京街頭受到廣泛支持的學生騷亂，已具有反對中國領導人的公開叛亂形式，因爲黨和國家的領導公然無視學生的絕食。」

「現在看來，當局好像不能阻止全國性抗議活動，甚至連試都沒試一試。人民的不滿情緒正在日益高漲。」新華社十七日從倫敦發回報導，稱正在倫敦召開的第十六屆政治風險國際會議一些專家認爲，中國政府同學生認真對話有利於穩定外國在華投資；倘若採取鎮壓行動，將影響中國同美國和西歐的關係，從而影響外國投資者的態度。美國的中國問題專家拉里・尼克施說，「中國政府現在必須作出選擇，要麼同學生認真對話，要麼鎮壓。」他說，「對話並不是放棄權力，而是開始一個具有更大政治開放性的進程。政府在這上面是可以採取一些步驟，而又不必損害當局在社會中的地位的。最佳的對話辦法是不僅同學生，而且吸收各界人士，進行廣泛的社會對話。問題是，一旦這一進程開始，就很難在某一點上刹車，這就爲下一階段事態的發展創造了條件。」尼克施說，「目前最壞的前景是鎮壓，鎮壓行動必將引致西方國家的相當嚴厲的制裁，並將在香港引起震動。」「第十六屆政治風險國際會議在評級中，將中國列爲屬於中等風險的國家，然而，趨勢是向高點發展。」一些外國投資者從這個會議得到的諮詢基調是：「觀察中國正在在發生的政治危機，而後做出進退的最後決策。」

未發出的辭職信

十八日清晨五點，趙紫陽、李鵬、喬石、胡啓立、芮杏文、羅幹等前往協和醫院、同仁醫院看

望因絕食住院的學生。在看望中，趙紫陽等多次肯定了學生的愛國熱情和獻身精神。在協和醫院，趙紫陽說：「同學們要求民主和法制，反對腐敗，推進改革的熱情非常可貴。中央對同學們提出的合理意見和要求非常重視，中央一定會積極認真地研究大家的意見和要求，改進黨和政府的各項工作。希望你們早日恢復健康。」在同仁醫院，趙紫陽特別強調：「黨和政府與同學們的目標是一致的，沒有根本的利害衝突，可以採取多種方式溝通思想，解決問題，不要採取絕食的方式。你們很年輕，爲國家、民族做貢獻的時間還很長。要珍惜自己的身體。」

看望學生後，趙紫陽直接回到辦公室，當即給中共中央政治局常委並鄧小平寫了一封辭職信。辭職信如下：

中央政治局、常委並小平同志：

我考慮很久，因爲我的認識水平和思想狀況，我對小平同志和常委會議作出的關於在北京實施戒嚴的方針，沒有辦法執行。我還是保留我原來的意見。爲此，我請求辭去中共中央總書記、中央軍委第一副主席的職務。

趙紫陽

五・十八

寫完後，當即將辭職信以特急件送楊尚昆。趙紫陽之所以不直接將信遞交給政治局常委或鄧小平本人，而徵求楊尙昆的意見，是因爲在中共元老中，楊尚昆是他的第一知交，他希望在作出這一

事關自己政治生命的大事之前，由楊尙昆替他把關。

楊尙昆一看到趙紫陽的辭職信，就立即給趙紫陽打電話。楊尙昆說：「紫陽，你這樣做不對。你爲什麼要寫這封信呢？你知道這封信的後果嗎？」

趙紫陽說：「我現在無法與他們(指李鵬、姚依林)共事。」楊尙昆：「你無論如何不能做使黨爲難的事，如你辭職，將在社會上起激化矛盾的作用。何況，常委內部還是能夠繼續共事的。」

楊尙昆繼續勸說：「你想過沒有，你總書記辭職，一是怎樣向全國人民交代；二是怎樣向全黨交代；三是怎樣向政治局交代；四是怎樣向常委交代；第五，最重要的，你怎樣向小平同志交代。你不是口口聲聲講要維護小平同志的威望嗎？小平都講了話，你又同意了，你究竟是維護小平同志，還是反對小平同志呢？」

在楊尙昆的勸慰下，趙紫陽的激動情緒得到了一定控制，趙紫陽說：「尙昆同志，我再好好地想一想。我心臟很不舒服，頭昏。今天上午的會我就不參加了。請你代我請個假。」稍後，他又給楊尙昆寫了一封信，主要內容如下：

尙昆同志：謝謝你的批評。

我尊重你的意見，我這封信不發了。但是，我還保留我的意見。因爲，我覺得我工作很困難，貫徹不了這個方針。

趙紫陽

五・十八

儘管趙紫陽沒有參加上午部署戒嚴的會議，但事態的發展仍然令趙紫陽憂心忡忡。下午，他又給鄧小平寫信，希望鄧小平再次考慮他的意見，改變《人民日報》四月二十六日社論對學生運動的定性，反對在北京實施戒嚴。爲慎重起見，趙紫陽再次打電話給楊尙昆：「尙昆同志，我剛才又給小平同志寫了一信，希望他改變四二六社論對這次學潮的定性。我覺得無論如何，在黨內提出自己的不同看法是允許的。希望你能向小平同志再次說明我的想法，希望他改變對學潮的定性。」

楊尙昆：「這句話我不能講了。你知道，這個問題大得很呢！如果把性質變了，學校廣大的校長、教師和積極的學生統統都要挨耳光，毫無立足之地，我們也跟著全都垮了。我勸你，還是不要發這封信好。」

晚上，趙紫陽出席了中央政治局常委會議，這是他最後一次在中央政治局常委會議上露面，但他已經不再是會議的主角了。這次會議主要是具體落實五月十九日晚召開中央和北京市黨政軍幹部大會，通報在北京實施戒嚴的情況。李錫銘、陳希同以北京市負責人身份列席會議。會上，薄一波首先通報了鄧小平、李先念、陳雲、彭真、鄧穎超、王震等中共元老對在北京市區實行戒嚴的堅決態度；楊尙昆通報了決定從二十一日零時起在北京市區實施戒嚴的有關部署；李鵬通報了與學生代表的對話情況，並根據袁木提供的講話稿闡述了戒嚴的迫切性和必要性；李錫銘、陳希同再次通報

了北京市的當前形勢。陳希同說，「我們早就盼望在北京市區實行戒嚴了。不戒嚴，我們就理不直，氣不壯，腰桿子不硬。現在好了，有小平等老一輩無產階級革命家作爲我們的堅強後盾，有黨中央、國務院的果斷措施，有偉大的人民解放軍的有力支持，我們有信心、有決心盡快恢復首都正常的社會生活秩序。這是揚眉吐氣的決定，我們從心底裡擁護！」

會議決定：一，於十九日晚十時在國防大學召開中央和北京市黨政軍幹部大會會議。趙紫陽、李鵬分別代表黨中央、國務院講話，李錫銘代表中共北京市委、市政府介紹北京市學潮的發生和發展情況。這次會議一直進行到深夜。二，五月十九日上午，以中共中央名義向中顧委、全國人大、全國政協、中紀委等負責同志通報關於即將在北京市區實施戒嚴的決定。

中共元老決定戒嚴

十八日上午，中共元老鄧小平、陳雲、李先念、彭真、鄧穎超、楊尙昆、薄一波、王震，政治局常委李鵬、喬石、胡啓立、姚依林，軍委委員洪學智、劉華淸、秦基偉等開會。決定在北京實施戒嚴。現根據會議記錄予以綜述。

會上，首先聽取了李鵬介紹十七日晚政治局常委在戒嚴問題上的嚴重分歧，薄一波作了補充。

接著，鄧小平、陳雲、李先念等元老談了爲什麼要戒嚴和對戒嚴的部署。主要發言內容有：

鄧小平：「今天我們這些老同志和你們聚會，是不得已而爲之。本來政治局常委早該拿出主意了，但事至今日，還遲遲決定不了。北京的混亂狀況到現在已經一個多月了。一個多月來，我們一直採取極其克制、極其容忍的態度，世界上哪個國家的首都可以允許一個月的遊行示威而不採取措施？陳雲同志、先念同志憂心忡忡地從外地趕回來，我們大家都憂心如焚。我與陳雲、先念、彭真等同志商量，我們的一致意見是，北京已經不能維持了，必須戒嚴。處理這一事件的主要難點在於，我們從未遇到過這種情況，一小撮人混雜在這麼廣大的學生和群眾中間，陣線一時難以分清，使我們本來早該出手的一些行動難以出手。黨內有些同志認爲這只是單純的對待學生和群眾的問題，實際上對方正是利用了我們的這一點，與我們拖，與我們磨，他們的根本是要顛覆我們的國家、顛覆我們的黨，這是這一事件的本質。如果不懂得這一問題的實質，就是性質不清楚。懂得了這一點，也就懂得了爲什麼要對北京進行戒嚴的道理。」

李先念：「我和大家的心情一樣。沒有我們這些在座的老同志，對問題的性質都難以確定，我感到很難過。對當前這個混亂的局面，我們不能不表示關切。在這個問題上，作爲總書記的趙紫陽同志有不可推卸的責任。現在全國的情況與文化大革命有什麼區別？不僅北京亂，全國很多城市都亂。文化大革命還沒有衝擊新華門的，現在連新華門都敢衝，還有，打砸搶、臥軌都出現了，這不是動亂是什麼？所以，小平同志跟我說，要在北京實施戒嚴，我是舉雙手贊成。爲什麼會出現現在這樣的局面？我看，問題出在黨內，黨內有兩個司令部。如果黨內沒有分歧，政治局常委是團結一

致的，就不會有現在混亂的局面。李鵬、依林同志對我說過，很多同志跟我說過，趙紫陽在這個問題上與我們不一樣，他一直反對四二六社論的定性，一直認為這不是動亂。這樣，第二個司令部就出來了，所以，如果不再在北京戒嚴，我們都要被管制了。」

鄧小平：「四二六社論把問題的性質定為動亂。動亂這兩個字恰如其分，一些人反對的就是這兩個字。實踐證明，這個判斷是準確的。」

李鵬：「我們堅決擁護小平同志等老一輩作出的關於在北京市區實施戒嚴的英明決策。這裡，我想說一點關於趙紫陽同志的情況。趙紫陽同志他今天沒有來，就是因為他反對戒嚴。在對這次學潮的處理上，他一直採取慫恿學生的態度。他從朝鮮回來後，發表了五月四日在『亞行』的講話。這篇講話未經過常委任何一個人，是鮑彤為他準備的，調子與四二六社論完全不同，而且廣為傳播，宣傳聲勢不小。從這以後，我們就很明顯地感到，趙紫陽同志的意見與小平同志的意見、與常委大多數同志的意見不一樣。任何一個有政治經驗的人都能看出來，搞動亂的人當然也能看出來。趙紫陽同志在紀念五四運動七十周年大會上的講話，事先送給我們看過，我們幾個人提出必須加上『反對資產階級自由化』，他不採納。『亞行』那篇講話後學潮更不斷升溫，直到現在達到每天一百萬人上街遊行的高潮，外地也有很多人來北京。陳希同對我說，北京市現有的警力完全不夠，很多警察連續作戰一個多月已經疲憊不堪。所以，我們完全擁護對北京實施戒嚴。」

姚依林：「我堅決擁護對北京市區進行戒嚴。這個決策是由小平同志作出的。如果沒有小平、

先念、陳雲等在座的老同志，是很難作出這個決策的。這次學潮之所以搞得難以收拾，與趙紫陽同志有直接關係。趙紫陽同志主持中央工作以來，實際上放棄了四項基本原則，消極對待反對資產階級自由化方針，嚴重忽視黨的建設、精神文明建設和政治思想工作，致使黨的風氣、社會風氣繼續惡化，黨在群眾中的威信明顯降低，黨的戰鬥力大大削弱。趙紫陽同志很少談堅持四項基本原則的問題，更談不上採取什麼措施去落實了。記得他在擔任總書記不久的一次政治局會議上就說過，今後四個堅持主要是堅持黨的領導，其他三項可以不提或少提，當時李鵬同志就提出必須強調堅持社會主義，他竟說什麼是社會主義道路誰也講不清。黨不領導人民走社會主義道路，不實行人民民主專政，不以馬克思主義為指導，這樣的總書記難道還算共產黨的總書記嗎？」

楊尚昆：「趙紫陽同志要我代他請假，他頭昏、心律不齊，去看病了。我跟趙紫陽同志多次交換過意見，自學潮發生以來，他一直在學生運動性質這個問題上，不能同小平同志的說法和常委其他幾位同志的說法保持一致，他幾次想改變四二六社論的定性。我勸他，也批評過他。我說，這個問題大得很，如果把性質變了，我們就都垮了。現在的問題是把黨內的兩個不同聲音完全暴露在社會上，學生覺得中央有一個人在支持他們，因此越鬧越厲害，目的就是要否定四二六社論，要承認他們的高自聯。現在，北京乃至全國的局勢都越來越嚴峻了。所以，要保證全國的穩定，首先從北京做起。我堅決支持在北京市區實施戒嚴並堅決執行。」

陳雲：「我們不希望黨內鬧分裂，非常愿意能夠團結一致。在眼前這件事件的處理上，我在電

話裡和小平同志商量過，和先念同志商量過，究竟退還是不退？大家都認爲，退，就是承認他們那些所謂民主選舉的非法組織，承認搞資產階級自由化，承認和平演變；不退，就是堅定不移地貫徹我們的四月二十六日的社論方針。所以，無論如何要堅持我們的原則，我們的方針不能變。我想，如果我們連這些原則和方針都堅持不了，這就等於是把我們幾十年戰爭所取得的人民共和國，成千上萬革命烈士的鮮血所換來的成果統統毀於一旦，就等於否定中國共產黨。他們的目的已經越來越清楚，就是要通過動亂達到他們的政治目的，成立各種非法組織，強迫黨和政府承認，就是要爲他們在中國建立反對派、反對黨打下基礎。如果他們的目的得逞，中國將再次出現歷史性的大倒退，全國人民將再次陷入深重的動亂災難。」

鄧穎超：「我們確實無路可退。退，就是我們垮台，中華人民共和國倒台，就是要復辟資本主義，就是美國杜勒斯所希望的，經過幾代之後，我們的社會主義要變成資本主義。實施戒嚴，最主要的是盡快恢復北京正常的社會秩序，把孩子們從天安門廣場上救下來，孩子們的絕食實在令我揪心呵。」

彭真：「事態的發展越來越不以青年學生們的主觀愿望爲轉移，正在越來越走向他們愿望的反面。現在，北京整個社會的思想比較亂，有各式各樣的口號，各式各樣的看法、主張，各式各樣的綱領等等，問題曠日持久得不到解決。我們再不能象文化大革命那樣『和尚打傘，無法無天』了。難道這苦頭還沒有吃夠嗎？還要讓災難重演嗎？不戒嚴，就無法恢復秩序。不戒嚴，就意味著我們

還將容忍這種無政府狀態持續下去。這一次上街遊行的一些知識分子平時嘴巴上最講法制，實際上不但自己踐踏憲法和法律，還煽動別人違反憲法和法律，不少學生就是由這些人煽起來的。這幾天北京街頭上百萬人的大遊行，甚至超過了文化大革命紅衛兵大串聯的時代，使無政府主義重新泛濫，許多法律、法令形同虛設，造成了劇烈的社會震盪，對這種反民主反法制的動亂，只能採取戒嚴的辦法，怎麼還能一味地寬容、退讓。我們已經被逼到牆角了，實在是不得已而為之。」

李鵬：「各色人等現在紛紛亮相、登台表演。昨天，遊行隊伍中出現了大量的攻擊小平同志的大字報，國外輿論也大肆造謠污蔑，其中中國社會科學院的嚴家其、包遵信等人發起所謂的知識分子『五一七宣言』，公開把矛頭指向小平同志，進行極其惡毒的詆毀、謾罵，污蔑小平同志『是沒有皇帝頭銜的皇帝』、『獨裁者』。有關部門已經密切注意這些人的動向，掌握他們操縱、利用學潮的證據，在適當時機公開予以揭露。」

王震：「這些人真是吃了豹子膽了！他什麼時候跳出來什麼時候就該抓，不能手太軟了。光靠他們這幾個人，要推翻我們的黨、推翻我們的政府，真是痴心妄想！這些學生娃娃真是身在福中不知福，老子象他們這樣的年紀天天在槍林彈雨中生活，哪有一天安穩的日子。他們倒好，放著太平日子不過，反而要去挨餓，沒有一點良心。黨和政府哪一點對不起他們？我們的黨是人民的黨，我們的政府是人民的政府。為了對神聖的祖國負責，對全體人民負責，我堅決擁護小平同志關於戒嚴的英明決定。學生不從天安門廣場撤出來，解放軍進去架也要把他們架出來。真是不像話。」

薄一波：「整個帝國主義西方世界企圖使社會主義各國都放棄社會主義道路，最終納入國際壟斷資本主義的軌道，成爲它們的附庸。這次動亂，國內那些別有用心者就得到了美歐各國以及台灣國民黨反動派的支持。很多資料反映，美國國會和西方一些國家的國會議員對這次事件說三道四，還舉行所謂的聽證會；台灣國民黨中央常委通過所謂的決議，胡說什麼『最近大陸學生要求自由民主的運動，已點燃起大陸同胞長期以來對中共暴政積怨的火苗，我政府與民眾應有更積極、更主動作法支援他們，使大陸早日民主化與自由化。』被我們宣佈爲非法反動組織的中國民主聯盟一些成員不僅對學潮表示聲援，而且公開承認爲北京學生出主意，並試圖闖回國內，直接插手。一些主張對中國實行和平演變的人士從美國發來所謂『敦促中國大陸民主政治宣言』，鼓吹『中國是全體人民的中國，絕不是一黨一派的中國，現在是人民主動起來表明自己的政治要求的時候了』，並叫囂『根本的問題在於人民必須擁有對執政黨的選擇權』。所以，從學潮發展成爲動亂有其客觀必然性。我們不能不看到形勢的嚴峻性，事態越拖就會鬧得越大，越被動。採取戒嚴的果斷措施有利於事態的平息。」

李先念：「我還想指出一點，這次事件鬧得這麼大，跟我們的新聞宣傳有直接的關係。這些天來，報紙、電視、電台不僅不做正確的引導，反而連篇累牘地宣傳鼓動，推波助瀾，好像上街遊行的都是愛國者，不上街遊行就是不愛國的。還有，趙紫陽的一篇講話比四二六社論的社會效果要大，反映要好，真是不可思議！」

胡啓立：「對一些問題我要認真總結，進行好好反思。我服從黨的組織紀律。」

喬石：「長期以來，小平同志提出的堅持四項基本原則、反對資產階級自由化的正確方針，我們沒有得到很好的貫徹執行，造成了一定程度的思想混亂。最近極少數人利用廣大青年學生的善良愿望，利用一些人的思想混亂，利用黨和政府的某些失誤和我們隊伍中的一些腐敗現象，幕後策劃，製造動亂，企圖通過動亂，達到他們否定共產黨的領導，否定社會主義制度的政治目的。現在，中央作出在北京部分地區實施戒嚴的決策，我認為是適時的。在北京實施戒嚴，軍隊最重要的就是起一種威懾作用，要利用軍隊的威懾作用，找個適當的時機，動員學校的黨政領導、教師和一些家長，把學生從天安門廣場撤出來，如果這樣能解決問題，最好這樣。我們力求把問題解決了，又不流血。」

劉華清：「現在北京的局勢象大海的波浪一樣一層一層在急劇擴大，已經擴大到全國幾乎所有的大城市了。北京已經有很多地方的交通基本上處於癱瘓，一些工人也上街了，市場上的菜價也上去了，報紙郵件也不能及時送達了，不少地方的一些公共垃圾都堆積起來了。我認為，北京的確處於嚴重的無政府狀態，沒有秩序可言。必須恢復秩序，只有北京的秩序恢復了，給全國作出了榜樣。全國的局勢才會安定。我堅決擁護小平同志關於在北京部分地區實施戒嚴的果斷決策。現在，部隊官兵的思想是統一的，組織紀律性是很強的，廣大官兵一定能堅決執行黨中央、中央軍委的命令。」

洪學智：「軍人以服從天職為根本，我堅決執行在北京實施戒嚴的決定。」

秦基偉：「北京已經出現明顯的無政府狀況，好像這些天大家都不需要紀律約束了，你想發泄

一下就到大街上去，遊行示威。好像遊行示威能解決什麼問題似的。人人都去遊行，不生產了，這才可怕。戒嚴是爲了恢復秩序，消除混亂狀況，避免大的動亂。我堅決擁護並堅決執行黨中央、中央軍委決定在北京實施戒嚴的命令。」

會議決定：一，於五月二十一日零時起在北京市部分地區實施戒嚴；二，於五月十九日晚召開中央和北京市黨政軍幹部大會；三，由楊尙昆同志負責，立即部署軍隊在北京市區實施戒嚴的行動計劃，成立戒嚴部隊指揮部；四，向徐向前、聶榮臻兩位老帥通報北京當前的形勢，並通報黨中央、中央軍委即將在北京市區實施戒嚴的決定。五，鑒於目前北京乃至全國的緊張局勢，立即向各省、自治區、直轄市黨委發出通報，各省、自治區、直轄市黨委常委要在中央召開黨政軍大會後對戒嚴表態。

李鵬與學生代表對話

十八日上午十一時，李鵬、李鐵映、李錫銘、閻明復、陳希同等在人民大會堂與王丹、吾爾開希等學生代表進行對話。現摘錄對話的主要內容。

李鵬：「今天見面只談一個題目，如何使絕食人員解除目前的困境。黨和政府對這件事很關心，也爲此事深感不安，擔心這些同學的健康。先解決這個問題，以後有什麼事都好商量。我們不是出

於其他什麼目的，主要是關心。」

吾爾開希：「您剛才說我們只談一個問題，而現在的實際情況是，不是您請我們來談，而是我們廣場這麼多人請您出來談，談幾個問題，應該由我們來說。」「昨天，趙紫陽同志書面談話，我們都聽了，也看了。為什麼現在同學們都沒有回去呢？我們認為，這還有點不夠，很不夠，我們提出的條件以及現在廣場上的趨勢您是知道的。」

王丹：「我們的意見很明確，要使絕食同學離開現場，唯一的辦法就是答應同學們提出的兩個條件。」

吾爾開希：「我們很想讓同學們離開廣場，廣場上現在並不是少數服從多數，而是九十九・九%服從0・一%，如果有一個絕食的同學不離開廣場，廣場上的其他幾千個絕食學生也不會離開。」

王丹：「在這裡把我們的要求再明確一下：一，肯定這次學生運動是民主愛國運動，而不是所說的動亂；二，盡快對話，並現場直播。這兩點如果政府能盡快圓滿地回答，我們可以去現場向同學做工作，撤離廣場。否則，我們很難做這樣的工作。

吾爾開希：「關於這兩點，我還想說明一下，我們提出要盡快平反，否定社論，即第一，要求正面肯定這次學生運動，而且要反面地否定四二六社論，否定是動亂。到現在為止，還沒有人說學生運動不是動亂。還有，應為這次運動定性。然後，可以想出幾種辦法：一、請趙紫陽同志或李鵬同志，最好是趙紫陽同志到廣場去給同學直接對話。二、人民日報發個社論，否定四二六社論，向

全國人民道歉，承認這次學生運動的偉大意義。只有這樣，我們才可以盡量說服同學把絕食改爲靜坐，然後在這種情況下繼續解決問題。我們可以盡量說服，但我們還不敢說一定能夠做到。」「關於對話，如果有些問題政治局會議未討論過，而我們提出來了，應該馬上再召集會議研究，這才是真正解決問題的態度。」

王丹：「我們這些代表到這裡來，實際是代表廣場上絕食的同學，爲他們的生命負責而來的。所以希望各位領導能對我們提出的兩個問題表態。」

北大學生熊焱：「不管政府方面還是其他方面是否承認它是愛國的民主運動，歷史會承認的。但是，爲什麼還特別需要政府及其他各方面的承認呢？這代表了人民的一種愿望：想看看我們的政府到底是不是自己的政府，其實問題就在這裡。第二，我們是爲共產主義而奮鬥的人，我們都是有良心的人，有人心的人，爲了解決這樣的問題，什麼面子及其它東西都應放下來。只要是人民的政府，承認了自己的錯誤，人民是會擁護的。第三，我們對李鵬總理有意見，並不是對你個人有意見，對你有意見，因爲你是共和國的總理。」

北大黨委書記王學珍：「我認爲，我們廣大同學是愛國的，是希望推進國家的經濟、政治體制改革的。廣大同學不是代表動亂，這一點，希望政府能肯定。第二，希望政府的領導人，也希望總書記能到天安門廣場，給同學們講一講，一方面表示理解同學們的心情，對於『官倒』、腐敗現象，我們政府也已多次表示有決心解決。同時可把這些問題向同學們講一講，即沒有人說廣大同學的運

動是一場動亂。我希望政府同廣大同學配合，勸絕食同學回去。這樣下去，對學生身體是不好的。」

政法大學學生王志新：「民主、科學的口號已提出七十年了，但一直未達目的。現在又喊出來了。我再贈給政府一句話，從四月二十二日開始了請愿，結果你沒有出來，五月十三日開始絕食直到現在。世界上有個慣例，絕食七天的時候，政府應該給予答覆，連南非這樣的國家都能做到。再一個問題，不知道政府有何想法，現在，加入遊行隊伍的有幼兒園阿姨等，各種人都有。」

中國社科院研究生王超華：「我認爲，同學們是在自覺地搞一場民主運動，爭取憲法賦予的權利，這一點，我希望明確。如果僅僅說是愛國熱情，那麼在這種熱情下，什麼事也會幹出來的。否則，無法解釋這次運動中的冷靜、理智、克制、秩序。」

王丹：「還有發言的沒有？沒有了，那麼請領導表態。」

李鵬：「我提一點希望，當我們講話時，不要打斷。我們講完後，如果誰還有意見，可以再講，充分地講。」

北大學生邵江打斷：「學生運動可能已經形成一個全民運動。學生是比較理智的，但是我們不能保證全民運動是理智的。我想請你們講講，這種事態怎麼辦？」

李鵬：「你們講完了吧？請鐵映同志講一講。」

李鐵映：「這次學潮發展到這樣的規模，是我們不愿看到的。因爲，實際上已經形成了全國範圍內很大的一場事件，而且問題是一些政治問題，在社會上產生很大反響，事態還在發展。對於這

次學生遊行示威的看法，我在兩次對話中已經表示了。廣大學生在運動當中，應該說表現了愛國的精神，應該說提出了很多意見，表達了愛國的愿望。但是很多事情並不能完全憑主觀的想法和良好的愿望，要看事態的發展和歷史的檢驗。」「從昨天來看，全國已有十九個城市發生了不同情況的遊行示威，有一些學生已從其他各地來到北京。現在廣場上的那些學生已經不完全都是北京的學生。像這麼一種秩序，已經不完全和我們的主觀愿望相適應。爲解決問題同學們提出的一些問題，我們已經舉行幾次對話。現在最主要的問題是來研究如何通過民主和法制的辦法來加以解決。」

閻明復：「這些天來，我和同學們有過多次接觸，我現在關心的唯一問題就是要救救在廣場上絕食、體質非常虛弱、生命受到嚴重威脅的孩子們。我想，問題的最終解決和絕食要分開，特別是沒有參加絕食的同學，要愛護絕食的同學。我相信問題是會最終解決的。但是，今天就必須把一些身體非常虛弱的同學送到醫院裡去。我們應該達成一個協議，把這兩個問題分開來談。」「五月十六日我到廣場上去和同學們交換意見，聽說我走之後你們同學組織討論，有些同學同意我的意見，但大部分同學不同意。在這樣的情況下，中央領導同志本想到廣場上去看望同學們，因爲沒有與你們聯絡上，就沒有辦法進去，這一點你們可能都知道。現在，越來越多的跡象表明，同學們自發產生的三個方面的組織，對局勢的影響是越來越差了，現在事態的發展不是按你們的意愿進行的。事態會怎麼發展，我們很擔心。現在你們唯一可以影響的是，決定絕食的同學離開現場。黨中央、國務院有誠意、有決心解決同學們提出的問題。現在人們關心的重要問題是孩子們的生命，對孩子們

的生命要高度重視，對孩子們的生命要負責。」

陳希同：「我來這裡時，車子已經很難通行，所以晚到了。」「現在，工人、農民、知識分子、機關幹部，都關心目前發生的事情。許多工人、農民、知識分子和機關幹部到市委、市政府，希望我們能夠按照趙紫陽同志講的，在民主和法制的軌道上解決問題。大家知道，現在城市交通基本上癱瘓，生產受到極大的影響，有的工廠的一些人也出來了，表示支持同學們。但多數群眾希望不要再這樣繼續下去，希望安定下來。如果全城交通癱瘓了，供應中斷了，會對我們的人民、我們的國家造成很大的影響，這一點大家是很明白的。他們要我向同學們轉達這個意見，現在，我轉達了。」「現在，大家對絕食的同學都非常關心，醫務工作者、紅十字會的工作人員，都十分關心絕食同學的健康，要求給他們以最大的方便條件，能夠把絕食的同學順利地送到醫院。他們向我提出來，政治問題是政治問題，不要拿我們孩子的生命開玩笑，或者作爲一個什麼交換條件。我想，這一點希望同學們能瞭解。你們因爲絕食，身體受到影響了，甚至於犧牲了生命，對國家、對個人都沒有好處。我作爲市長，就轉達這兩點意見，希望同學們多多協助，讓紅十字會能夠履行他們的人道主義的義務，保證每個絕食同學的生命安全。我們市政府決心提供一切必要的手段，提供防雨、防寒設備，我們現在已經做好了充分的準備。」

李錫銘：「我沒有什麼說的，現在首要的任務是不要有一個絕食的孩子生命受到威脅。要團結，先解決這個刻不容緩的問題。希望大家共同努力。」

李鵬：「我現在談幾點意見。大家愿意談實質性問題，我首先談實質性問題，我建議由中國和北京市的紅十字會，負責把參加絕食的同學安全地送到各個醫院去；我希望所有在廣場上的其他同學予以協助和支持，這就是我的具體建議。同時，我要求北京市的中央所屬單位的各級醫務人員，大力地挽救、護理參加絕食的同學們，以保證他們生命的絕對安全。不管我們之間有多少共同點，或者還有什麼不同點，現在救人是第一位的。在這方面，政府責無旁貸，有責任。每一個在廣場上的同學也應該從關心同學的立場出發，予以協助。我這個要求，不是講等到絕食的同學生命垂危時候再把他們送走，而是現在就把他們送到醫院去。我已經發出指示，要求各大醫院想一切辦法，騰出床位和必要的醫療條件，接待這些絕食的同學。」「第二點，無論是政府，還是黨中央，從來沒有說過，廣大同學是在搞動亂。我們一直肯定大家的愛國熱情、愛國愿望是好的，有很多事情是做得對的，提的很多意見也是我們政府希望解決的問題。我坦率地講，你們對於解決這些問題起了一定的推動作用。有些問題我們一直想解決，因爲有許多阻力，未能及時解決。同學們很尖銳地提出了這些問題，能夠幫助政府克服前進道路上的困難。這一點，我認爲是積極的。但是，事態的發展不以你們的善良的愿望、良好的想像和愛國的熱情爲轉移。事實上北京已出現秩序混亂，並且波及到全國。我沒有把這個責任加給同學們的想法，絕對沒有這個意思。現在這個事情，已是客觀存在。」「我再說一遍，絕沒有把這個責任加給同學們的意思。我希望同學們想一想，這樣下去最後會導致什麼樣的結果。」「你們愿意也好，不愿意也好，我很高興能夠有這樣一個機會告訴大家。動亂，

中國出現過很多次，原來很多人並不想搞動亂，但是最後發生了動亂。第三點，現在是有一些機關的工作人員、市民、工人，甚至還有我們國務院一些部門的人員上街遊行，表示聲援。我希望你們不要誤解他們的意思，他們出於對你們的關心，是希望你們身體健康不要受到損害。但是這裡面也有許多人的作法，我是不完全贊成的。作爲一個政府的總理，不能不表明我的態度。同志們提出了兩個問題，我們是理解的。我作爲政府的總理，作爲一個共產黨員，不隱瞞自己的觀點，但是我今天不講，我會在適當的機會來講這個問題，而且我也差不多講了我的觀點。如果今天一味要在這個問題上來糾纏，我認爲是不合適的。如果你們認爲你們自己在座的這些同學，不能夠左右你們伙伴們的行動，那我就通過你們向在廣場上絕食的同學發出呼籲，希望他們盡快結束絕食，盡快到醫院去接受治療。我再次代表黨和政府向他們表示親切的慰問，衷心希望他們能夠接受政府對他們這一很簡單、而且很緊迫的要求。」

吾爾開希：「非常抱歉，我剛才給您寫了一個條子，我現在想提醒您，剛才說糾纏這個問題，我們學生現在只是從人道主義立場上來解決這個問題。」「我現在再說一遍剛才說的話，咱們不要糾纏，這也是我們的意見，迅速答覆我們的條件，因爲廣場上的同學正在挨餓，如果再不行，還在這個問題上糾纏的話，那麼我們認爲政府毫無解決問題的誠意，我們這些代表沒有必要在這裡再坐下去了。」

王丹：「如果李鵬總理覺得會鬧成動亂，對社會造成不良影響的話，我可以代表廣大同學說，

應由政府來負全責。」

熊焱：「親愛的李鵬同志，剛才您說了一個問題，就是現在好像社會上有動亂的跡象，我要講學生運動與動亂的關係。學生遊行與動亂沒有關係，望能及時解決。」

閻明復：「現在一個最迫切需要解決的問題，是如何盡快地使絕食的同學在紅十字會的協助下，到醫院裡邊去進行治療。其他的問題。我們都有時間來解決。對話就到此結束。」

在李鵬等與學生代表對話結束以後的當天下午，李鵬召集李錫銘、陳希同就即將在北京實施戒嚴進行詳細部署，要求盡快統一北京市黨政機關廣大工作人員的思想，尤其要統一領導幹部的思想，堅決穩住工人，積極做好高校黨政負責人的思想工作，爭取廣大師生的支持。

戒嚴兵力配備

根據鄧小平的指示，當天下午，楊尙昆主持了中央軍委會議，爲北京市區的戒嚴進行兵力部署，中央軍委組成人員除鄧小平、趙紫陽外，楊尙昆、洪學智、劉華淸、秦基偉、楊白冰、遲浩田、趙南起全都出席了會議。會後，楊尙昆、劉華淸、遲浩田立即向鄧小平報告。現根據中央軍委辦公廳、中共中央辦公廳的有關材料綜述。

楊尙昆：「小平同志，根據您的指示，我剛剛主持開了會，學智、華淸、秦部長、浩田、白冰、

南起同志都參加了，對戒嚴的決定大家表示堅決擁護並不折不扣地堅決執行。經過研究，決定這次戒嚴的主要任務由北京軍區、瀋陽軍區、濟南軍區承擔，其它軍區配合，成立戒嚴部隊指揮部。戒嚴部隊指揮部由華清、浩田和周衣冰(北京軍區司令員)組成，直接對中央軍委負責，兵力部署由中央軍委統一指揮。」

鄧小平：「戒嚴以後北京市區有多少解放軍呀？」

楊尚昆：「解放軍和武裝警察的全部兵力爲十八萬人。」

接著，楊尚昆將中央軍委調集北京執行戒嚴任務的兵力部署報告遞交給鄧小平。

以鄧小平名義擬定的命令寫道：

根據中華人民共和國憲法第八十九條第十六項的規定，國務院決定，自一九八九年五月二十日起在北京市部分地區實行戒嚴。爲配合完成這次在北京市部分地區實行戒嚴的任務，茲命令北京軍區的北京衛戍區、二十四軍、二十七軍、二十八軍、三十八軍、六十三軍、六十五軍，瀋陽軍區的三十九軍、四十軍，濟南軍區的五十四軍、六十七軍的有關部隊分別於五月十九日、五月二十日自駐地進駐北京地區的有關目的地。

在鄧小平簽署進軍令後，楊尚昆指示總參謀長遲浩田立即與北京、瀋陽、濟南軍區的司令員們磋商，「確定每一集團軍的有關師團進京名單，進軍具體時間，到達目的地時間，戒嚴主要事項等實施細則」；同時，命令總政治部主任楊白冰立即以總政治部名義向各大軍區發佈政治動員令，要

求「在黨和國家面臨嚴峻形勢的情況下，各大軍區必須紀律嚴明，隨時作好準備，絕對服從黨中央、中央軍委的統一行動和指揮」；命令總後勤部部長趙南起「調集好戒嚴必須的一切軍用戰備物資、糧食，並與北京市委、市政府磋商，盡可能地解決好部隊的食宿給養問題」。

進京命令發佈的當天晚上，發生了一件讓楊尙昆等軍委領導人極其震驚的事情。北京軍區司令員周衣冰向楊尙昆緊急報告。周衣冰說：「楊主席，剛剛得到三十八軍的報告，該軍軍長徐勤先不能執行進京戒嚴的命令。」楊尙昆：「這件事可開不得玩笑！這是軍令！不執行軍令是要依軍法論處的。三十八軍別人（指軍黨委成員）的態度呢？」周衣冰回答：「大多數人表示堅決執行軍委命令。」「不行。這件事大意不得。你得馬上親自去一趟。一定要做徐勤先的工作。告訴他，想得通想不通是一回事，執行命令又是一回事。」星夜，周衣冰等開車前往三十八軍的駐地保定。

天安門的民心

現綜述有關部門對十八日北京遊行和天安門廣場情況：

十八日，北京學生絕食進入第五天，聲援學生的隊伍聲勢浩大。一個顯著特點是大批工人紛紛走上街頭。下午的瓢潑大雨也沒能使人們冷靜下來。

當天遊行的規模仍在一百萬人以上。除教育界、科技界及國家機關工作人員外，工人佔的比重

很大。據現場觀察，輕工、紡織、化工、建築、機電、冶金、儀器儀表、電子、商貿、旅遊等行業幾乎都有職工參加。工人參加遊行有以下幾個特點：1，幾乎都是乘大小車輛進行遊行；2，不像學生有統一的指揮，各單位自成一體，口號也五花八門；3，捐錢送物數量數額較大。全國總工會捐款十萬，北京東風電視機廠捐款二萬，並給絕食學生送來了電視機。北京紡織二廠捐款一萬。送飲料的、送蜂王精的，送被褥的，送茶葉的，送餡餅的，生產吃的送吃的，生產用的送用的，糕點廠送糕點，童裝廠送毯子，全聚德烤鴨店的一輛車上寫著「送鴨湯」。工人們出來幾乎沒有空著手的，要麼捐款，要麼送物。殘疾人聯合會也捐款十萬元。

工人參加遊行，造成廣場秩序更加混亂，車輛過多，擁擠在廣場及長安街，直接影響救護車的通行。學生的臨時廣播站多次呼籲要求大家幫助維持「生命線」的暢通。多次緊急調動糾察隊開赴現場疏通。學生糾察隊負責人說，經過幾天的辛苦，糾察隊員的力氣都快用盡了。

遊行隊伍的口號有：「一人退休，全國歡送」，「風雨兼程爲民主」，「鏟除上層垃圾」，「錢可扣，職可掉，聲援學生志不移」，「廉頗老矣，尙能飯否？」「不可沽名學霸王」，「主人靜坐絕食，僕人大吃大喝」，「要國家，要太子？」「七十年天安門之魂不死」等等。

遊行隊伍中，特別引人注目的是有軍人、警察、農民和中共中央黨校的師生。北京空軍的一位中士和身著便衣的軍人，騎著自行車，舉著一面旗，上面寫著「軍人聲援」。據這位軍人說，支持學生的軍人很多，有不少人穿著便衣加入到遊行隊伍裡去了，主要原因是對黨和政府主要領導人不

及時出面與學生對話不滿。他說：「如不解決問題，將繼續聲援」。身穿警服的一百多名北京人民警察學校和警察學院的學生，分坐四輛大卡車也加入到遊行列中，口號是「人民警察愛人民」。遊行隊伍對他們的出現報以歡呼。四季青、玉淵潭等地的農民也投入遊行隊伍，標語是「農民來了」，「愛國無罪」。出現在遊行隊伍中的還有中共中央黨校的三百多名師生，他們坐在幾輛卡車和大客車上，高舉「中共中央黨校師生聲援團」的橫幅和一塊寫有向黨中央、國務院的「緊急呼籲書」。

據北京鐵路局的統計，十七日一天約有天津、河北、山西等省、市的二萬多名學生乘火車到京，參加聲援、遊行。十八日上午，就有來自陝西、遼寧、吉林、山西、河南等省的近一萬名學生在北京站下車。來自西安的三六四次客車，在北京站下車的幾乎全是來京參加遊行的大學生。他們在站台上列隊出站，邊走邊呼口號。北京站負責人報告，如果天安門廣場學生絕食的局面持續下去，各地來京聲援的學生繼續增加，到時，北京站的運輸將會受到巨大的衝擊，直至出現混亂狀態。現在，國務院要求鐵道部保煤、保糧食、保救災物資運輸。大量學生進京後，要把他們送回去，增開一列旅客列車，就要減少七列貨物列車。這就要使各地急需的糧食、煤炭、石油等物資不能及時運出去，特別是糧食運不出去，就會出大問題。

十八日的天安門廣場，記錄的是以下的景象：

凌晨，在天安門廣場絕食學生中流傳著「中央領導要到廣場來」的消息。但是，等到淸晨七時

仍未見人來，他們感到十分失望。「高自聯」的一位成員說：目前要結束絕食的最好方法，就是中央領導人走到學生中來，肯定學生的愛國熱情。有這一點學生就滿足了。

中央領導人遲遲不到現場看望學生，不與學生進行對話，使許多學生的心都涼了。

早晨七時許，「高自聯」廣播了中國人民解放軍部分軍官致中央軍委的信、中央宣傳部新聞局致黨中央、國務院的信和首都新聞工作者致中共中央的信。其中解放軍部分軍官在信中提出四點要求：決不要鎮壓學生，像「三支兩軍」那樣幹出親者痛、仇者快的事；敦促政府領導人放下架子，到絕食的學生中間來與學生對話；關心絕食學生的身體健康，命令在京的部隊醫務人員給絕食學生治療；促進軍隊改革，軍隊領導幹部帶頭退出進口轎車，軍隊是國家養的，國家經濟滑坡，軍隊應該削減經費。

中央宣傳部新聞局部分工作人員在信中緊急呼籲：不能滿足一般的勸說，要從全局出發，採取措施解決問題：1，趙紫陽、李鵬、習仲勛同志應立即與學生代表對話，對學生性質作出明確結論，對全國廣播；2，中共中央、全國人大、國務院應立即召開會議，研究形勢；3，動員社會各界做絕食學生的工作，有關部門要發表講話，停止絕食；4，關心絕食學生健康，保護學生生命安全；5，緊急通知各地防止擴大事態。

上午，河北省各高校的二千多名大學生打著「聲援首都絕食學生」的橫幅，喊著口號來到天安門廣場。接著，山西、天津、吉林、河南等地的大學生也從火車站赶來。他們代替了一部分北京學

生擔當了糾察任務,還有的在東西長安街來回遊行。鄭州大學在橫幅上寫著:「絕食絕水絕情絕義」。

一些上班的職工來到天安門廣場。他們議論說,這兩天因爲遊行、交通堵塞,許多人耽誤了上班,影響了生產。由於運菜車不能及時進城,現在北京的大菜市場嚴重缺菜,給市民帶來了不便。有人說,這樣下去,整個北京城就要癱瘓了。還有人埋怨說:「中央到底管不管呀?怎麼出來見群眾就這麼難?」

下午,詩人葉文福在「學運之聲」廣播站聲淚俱下地朗誦一首自己創作的長詩,然後當場宣佈退出共產黨。

中央民族學院講師團的絕食車上,兩位老人前來看望絕食已六天的侄兒。叔侄見面抱頭痛哭,叔叔連聲說,「你們做得好,你們做得對。我們支持你們。你們是在爲人民說話。」據瞭解,這位叔叔是中央某部幹部。

清華大學絕食學生當中,有一些家在北京。他們的家長探望子女時,一邊痛心地大哭,一邊又說「你們沒有錯」。

北京航空航天大學的兩名絕食學生坐在地上不肯進車廂避雨,在短短的五分鐘時間內,先後有四撥醫護人員勸他們喝蜂王漿和水。兩位年約五十歲左右的女醫生一開口就哭了。經詢問,其中一人的孩子也是大學生,在學生糾察隊値勤;另一人是某部衛生室大夫,自動帶了醫療器具來服務的。她不肯說姓名,只是說,「誰沒有兒女?看著這麼多年輕人受苦,怎麼就坐得住?他們爲什麼還不

來和學生直接對話？」

一位上了年紀的退休幹部說，「學生絕食，全市大遊行，反映了一種情緒。人民對政府不滿的事太多，火兒憋了好久，一下子找個機會發出來了。大家看看遊行的標語口號就知道了。」他指著天安門廣場上成千上萬的橫幅標語，大聲地說：「這就是民心！」

二十八省份學生抗議

當天報送的五十一份材料中，有二十八個省份發生了大規模的學生抗議活動。其中，遊行示威人數在萬人以上的城市有上海、哈爾濱、長春、瀋陽、西安、南京、杭州、武漢、長沙、石家庄、鄭州、蘭州、成都、重慶、貴陽、福州、烏魯木齊等。下面擇要介紹有關城市學生抗議情況。

上海：從十七日凌晨開始，復旦大學、華東師範大學等校的四千多名學生在市政府門口靜坐。凌晨四時，市委副書記、副市長黃菊到市府門口勸阻學生回校，因無實質性答覆，學生繼續靜坐。並有一百多名學生在市府門口宣佈絕食。上午十時，復旦、同濟、華東師大、中國紡織大學等高校學生進行遊行，同時散發「告上海市民書」。到中午一時，在市政府門口靜坐的學生達到一萬二千人，他們的橫幅上寫著「北京六百人倒下，中國十億人起來」、「廉政要從最高領導人開始」、「根除裙帶，割除官倒」。並宣佈為今天北上的五十名「赴京絕食團」學生壯行。中午，有二百多名上

鋼二廠、上海海運局的工人到市總工會進行靜坐抗議。他們宣讀了「上海工人宣言」：「堅決支持聲援學生運動，反對官倒，保證工人生活水平不降低，保證不對參加遊行的工人進行打擊報復。」「並宣告：「現在的上海總工會不代表工人，要成立新的總工會。」

下午二時，市委副書記吳邦國，市委常委王力平、陳至立，副市長庄曉天、謝麗娟與復旦、同濟等二十二所高校學生代表就對《世界經濟導報》的處理和這次學潮的看法等進行對話。這次對話是由市學聯安排的。六位上海高校學生自治聯合會的代表在會上表示，參加這次對話的學生代表，不是由學生民主選舉產生的，市委書記江澤民沒有參加，因此，對話是無效的，宣佈退場。對話中，學生提出的主要問題是：市委撤銷欽本立的職務，決定第四三九期《導報》改版發行，是違反憲法的，並一再追問市委目前認爲這樣的決定是否對？吳邦國等在介紹了當時與欽本立談話的經過後說，市委的決定是爲了維護黨的宣傳紀律，也是出於對《導報》的愛護，是一項過渡性措施。市委的決定，是經過市委常委集體討論的，正確與否需要歷史檢驗。在回答市委打算下一步對《導報》怎麼辦時，陳至立說，《導報》並沒有停刊，近幾期《導報》因爲有些爭論，延誤了出版日期。我們的態度是，《導報》要繼續辦下去；要求《導報》繼續保持原有風格；繼續爲改革開放服務。在回答對參加遊行的學生是否會實行歧視政策時，謝麗娟說，請同學們放心，決不搞秋後算賬。學生代表最後提出三點要求：一強烈要求江澤民在近期與民主選舉產生的學生代表對話；二要求市委對《導報》問題盡快給予明確答覆；三要求電視不加刪剪地播放這次對話。一些對話學生對這次對話

未取得實質性進展感到失望，希望盡快對學生提出的問題進行明確答覆。由於對話沒有實質性進展。市政府門前靜坐學生有增無減，下午約有二萬三千人。到晚上九時，在市政府門口靜坐的學生仍然在二萬人以上。《文匯報》、《解放日報》等新聞單位的人員到市政府聲援學生。《世界經濟導報》的一些編採人員打出「救救九歲導報」、「說真話無罪」、「我們都是欽本立」的標語。靜坐隊伍揮之不去。

到十八日，上海發生了十萬人以上的遊行，遊行請愿的除了高校學生外，還有文化界、科技界、部分工人和市民參加。最引人注目的是，上海文學界、出版界二千多人於當天下午走上街頭。在市政府門前絕食的學生已達到二百三十多人，其中有四名因體力不支被送醫院搶救。

黃宗英、白樺、戴厚英、王安憶、程乃珊、王若望、徐中玉等作家走在前面，身上斜挂著白色布條，上書自已姓名、聲援口號等。賀綠汀、于伶、張駿祥、杜宣、沈柔堅、夏征農、黃紹芬、吳貽弓等上海文化界人士下午也坐車來到人民廣場，聲援學生。遊行隊伍中還新出現了中共上海市委宣傳部工作人員、部分中專生、中學生。上海工商聯機關、農工民主黨、民建上海市委的工作人員也參加了遊行。遊行隊伍的標語口號增加了比較激烈或指名道姓的內容。如：「尋人啓事：鄧小平、趙紫陽、李鵬」、「小平你錯了」、「小平糊塗了，向誰訴不平」、「不要慈禧太后」等。民革、民盟、民進、農工、致工五個民主黨派的主任委員，當天正式向市委書記江澤民、市長朱鎔基發出公開信，信中呼籲「這次學生的行動是愛國行動，希望盡快與學生進行對話」。

石家庄：十七日下午一時，河北師範大學、河北財經學院等十多所大專院校一萬多名師生和二百多名新聞、社會科學工作者上街遊行、募捐，聲援北京絕食學生。他們高舉的標語、呼喊的口號主要有：「民主萬歲！」「聲援北京學生運動」、「紫陽、李鵬出來對話」「不要老人政治」、「倒下的是肉體，喚醒的是民魂」、「新聞自由」等。下午三時左右，約有五千多名學生衝進省委大院，呼喊口號，要求遞交請愿書和省長對話。請愿書要求：1，要求省委、省教委向國務院辦公廳轉達河北大學生對北京學生運動的聲援；2，要求當地新聞單位如實報導今天的遊行情況。下午六時許，學生們陸續退出省委大院。當天，河北大學、河北林學院等一萬多名學生在保定舉行抗議遊行，並有三百多名學生進京聲援。

十八日早晨，石家庄市內主要街道上，出現了大批遊行隊伍，除了大專院校的學生和部分新聞單位外，又增加了機關幹部、科研單位、中學生和醫務人員等。據省公安廳估計，遊行和圍觀人數達到十五萬人。遊行隊伍的標語和口號，除了原來的「支持北京學生」、「打倒官倒」、「要求民主」外，增加了「堅持黨的領導，廢除終身制」、「紫陽、李鵬出來對話」、「鄧小平告退」等指名道姓的內容。有的遊行隊伍前面，還抬著毛澤東的巨幅畫像，有的手舉周恩來的畫像。在省委、省政府門前，河北省政協部分機關幹部散發了「致中共中央緊急通電」，內容如下：「一，強烈要求中共中央政治局發表正式聲明，明確承認學生運動是愛國民主運動。承認《人民日報》四月二十六日社論是錯誤的。二，趙紫陽、李鵬立即到天安門廣場，與絕食學生代表對話。三，盡快舉行中

共中央委員會非常會議，就當前事態和學生及各界人士提出的重大問題，速作決斷。四，學生危機、民族危機，呼籲中共中央政治局全體成員，真正把國家、民族利益放在第一位，勿因任何個人的權力、威信所需，而貽誤大局，爲禍國家。」據鐵路部門統計，三天來，已有五千多名學生坐火車進京聲援。十八日，河北保定、唐山、邯鄲等地約有十萬人上街遊行。

太原：從十六日晚開始，在省政府門口絕食的學生達到一百七十多人。省長王森浩、副書記王茂林、副省長吳達才等於晚十一時出來對話，沒有效果。從十七日早晨開始，前去省政府聲援的學生不斷增加，到十一時，聲援的大中專學生已達五千多人，絕食學生上升到二百三十多名。據不完全統計，今天太原上街聲援學生絕食鬥爭的人超過一萬名。在封鎖的府西街口外文書店附近聚集著二三萬人，不斷涌動，公安隊伍比較吃緊。爲避免事態擴大，省長王森浩、副書記王茂林、副省長吳達才、吳俊州等分別到太原鋼鐵廠、山西礦業學院、山西大學與工人學生對話。在山西大學與學生對話時，因學生反對，被迫中斷。到晚上九時，在省政府門口絕食的學生已疲憊不堪，有二千多名學生在周圍不斷呼喚聲援口號。省政府已派醫療人員在現場負責救援。晚上，有一千五百八十五名山西大學、太原機械學院等十所高校的學生各自組成赴京絕食請愿團坐上了進京列車。

十八日凌晨一時五十五分，省政府東側街口發生打砸事件。一些不法之徒趁夜幕向省政府門前維持秩序的警察和武警投擲磚塊和玻璃片，有八名警察和武警受重傷，八十七人受輕傷。用以阻斷街口的五輛汽車被砸，附近居民的住房也受到輕度損壞。受傷者都送到醫院治療。在警察和武警圍

堵下，當場抓獲六十人。事後，在現場觀看的二萬多名群眾和學生查看了現場，警察的行動受到學生的群眾的歡迎。凌晨五時，遊行隊伍就開始上街遊行。遊行的主要是大、中專學校的學生和教師，還有新聞出版界人士，少數工人也上街遊行。靜坐絕食和遊行隊伍中的橫幅標語有「倒下的是肉體，覺醒的是靈魂」、「結束專制統治，全國人民心愿」、「鄧小平、楊尙昆下台」等，並不斷出現高舉毛澤東像，高呼「毛主席萬歲」的場面。到下午一時二十分，陰雲密布的天空突然下起了大雨，雨點中夾雜著冰雹。這時靜坐的人群騷動起來，齊喊：「王森浩出來！」一時三十五分，王森浩等出來看望學生，勸說學生停止絕食。學生們提出兩條要求：1，轉告中央強烈要求趙紫陽、李鵬與北京天安門廣場絕食學生對話；2，省委、省政府領導要與學生平等對話。答應這兩條，可以停止絕食。王森浩馬上答應，他說：關於第一條我們可以立即電告中央，轉達你們的意見；第二條我們隨時都可以與同學們對話。民盟、九三、民革、民進等民主黨派近百人也參加了遊行。省公安廳估計，十八日的遊行和圍觀的太原各界人士達十三萬人左右。另，這幾天大同、忻州、榆次、臨汾等城市也發生了上千人的學生上街遊行。

蘭州：自蘭州大學近千名學生十六日白天上街聲援以來，十六日晚上八時到十七日凌晨二時半，蘭州地區有八所高校的三千多名學生在省政府門口靜坐。十七日上午八時，蘭州醫學院、蘭州商學院等高校的一百一十二名學生在省政府門前宣佈絕食，他們把絕食靜坐聲援北京的橫幅，挂在省政府大門上，他們的頭上綁著寫有「絕食」字樣的白布條，很多市民圍觀，並給絕食學生送醫送藥。

爲聲援絕食學生，蘭州部分新聞、科研單位工作人員也第一次打出橫幅，高呼「聲援」口號加入遊行行列。遊行隊伍長達五、六里，在經過市區主要街道時，博得周圍數萬名群眾的吶喊助威，遊行隊伍的主要橫幅上寫著「身正不怕影子斜，趙紫陽、李鵬站出來」、「官倒不倒國家倒」、「收貪款，削赤字」、「以身許國何事不可爲」、「只求心無愧，不怕有後災」、「結束老人政治」、「鄧小平快下台」、「不怕秋後算賬」等。下午三時許，蘭州十餘所高校師生以及新聞、科技界的三萬多人匯集蘭州中心廣場，舉行聲援北京學生靜坐絕食大會。各校學生自治會代表先後走上主席台發表演說，嚴厲譴責官僚主義和腐敗現象，堅決支持北京學生靜坐絕食行動；並表示如果中央不答應北京學生的正常要求，將派代表赴京與北京學生一起進行絕食鬥爭，不達目的決不罷休。同時，各校代表一致強烈要求鄧小平辭職。會上還宣讀了蘭州地區高校學生的「聯合宣言」：從今天起所有高校無限期罷課，直到北京學生取得最後勝利爲止。學生代表的講話不時被熱烈的掌聲打斷，學生與圍觀群眾約有近十萬人參加了這次大會。

十八日，蘭州掀起更大規模的示威遊行。下午，蘭州地區約八萬餘名學生從各路向中心廣場匯集。遊行隊伍秩序井然，蘭州各界群眾夾道歡迎，警察幫助維持秩序，空載車輛主動爲學生代步。當遊行隊伍的橫幅出現「反對獨裁，反對老人統治」等標語時，群眾報以熱烈掌聲。在十餘萬人的遊行隊伍中，引人注目地出現了《甘肅日報》、《蘭州晚報》、省廣播電台、省電視台的五百多名編輯、記者，他們舉著要求新聞自由的標語和漫畫。一批工礦企業的工人隊伍格外引人注目。當蘭

州石油化工機器廠、蘭州電機廠、甘肅省汽修二廠、甘肅電視機廠、蘭州市公交公司、甘肅省電訊系統職工等二千多名的工人遊行隊伍陸續通過蘭州中心廣場時，學生和市民報以熱烈掌聲，高呼「熱烈歡迎」。省政府第一次爲學生遊行隊伍打開大門，學生遊行隊伍秩序井然，在省政府院內繞場一周後，高呼口號撤離。

濟南：今天濟南各高校學生聲援北京絕食學生的遊行活動出現高潮。參加遊行的學生達五萬人以上，各高校均有大批學生參加。除了高校學生隊伍外，一批中等專業學校的數千名學生和二十多名普通中學的學生也走上街頭，加入了遊行行列。參加遊行的還有省委黨校、山東省青年幹部學院、老年人大學的一些學員；各高校的一批青年教師，四百多名中小學教師也參加了遊行。山東省社會科學院和一些新聞單位的人員也走上了街頭。

遊行從早晨七時許開始，遊行路線主要在院校集中的文化路和最繁華的泉城路。學生們今天打出的標語口號發生了明顯變化。除了「清除腐敗」、「打倒官倒」、「民主萬歲」、「人民萬歲」的口號外，主要有：「打倒獨裁」、「打倒終身制」、「王侯將相寧有種乎？」「不要家天下」、「要法治不要人治」、「抗議政府的冷漠態度」、「鄧小平，請退休」、「求求您，紫陽、李鵬，見見學生」等等。遊行隊伍組織嚴密，紀律良好。他們沿途高呼口號，唱《國際歌》，並散發傳單。上午十時左右，有一千多名學生聚集在省委門前請願，他們喊一句口號，群眾就鼓掌歡呼。省委副秘書長許均祥接受了請愿書，並宣佈下午省委、省政府負責人分頭到各高校與學生對話。下午三時

左右，因對省委、省政府負責人分別與各校學生對話不滿，山東大學、山東師範大學、山東醫科大學、山東建築學院、山東建築專科學院一萬多名學生遊行到省政府門前，進行靜坐請愿，並有一百多名學生當場宣佈在省政府門前絕食。據學生反映，絕食是遊行時臨時決定的，沒有任何準備。學生們要求省委、省政府明確表態，學生運動是民主愛國運動，省裡要向中央緊急呼籲，中央主要領導人盡快與天安門廣場絕食學生對話，平息事態。下午四時，省委副書記馬忠臣、副省長高昌禮出面與絕食學生代表對話，並由各高校負責人和教師出面勸阻。但學生們表示，北京的絕食學生一日不散，我們也一日不散。到十八日深夜，還有三千多名學生在省府門前聲援絕食學生。

南京：與十六日相比，十七日南京繼續上街遊行和靜坐示威的學生達到三萬名左右，還有一些文化知識界、新聞界人士也走上街頭表示聲援。上午，南京高校學生分三批列隊到新街口、鼓樓等繁華地段進行遊行。據省公安廳統計，參加遊行的學生多達三萬多人。新的口號和橫幅有「誰讓我們是祖國的孩子」、「生死存於一線」、「結束老人政治」等。沿途群眾形成人牆，有秩序地鼓掌支持。一些學生抬著紙箱進行募捐，群眾捐款者踴躍。在遊行隊伍中，有《南京日報》、南京電視台、南京人民廣播電台、江蘇省作家協會、《雨花》、《鍾山》雜誌社等文化、新聞單位人士近二百人。從昨天晚上在鼓樓廣場開始進行的南京大學三百多名學生靜坐示威活動，今天的人數已增加到二千多人。學生們一面靜坐，一面演講。圍觀者更多。十七日晚的省委報告建議：中央主要領導同志盡快到天安門廣場與學生對話，並制定切實可行的方案，盡快平息事態。

十八日早晨七時起，南京各界人士聲援北京學生絕食活動開始進入高潮，南京一些主要高校的學生幾乎都走出了校門，遊行隊伍和圍觀群眾達六七十萬人。遊行隊伍在南京城區的主要街道上川流不息，從鼓樓到新街口段、中山東路、太平北路、北京東路共十多公里長的寬闊路面上和鼓樓廣場全部都擠滿了遊行的人流。遊行隊伍一隊接一隊，口號聲、鼓掌聲此起彼伏，聲勢浩大，群情激憤，已博得市民的廣泛同情和支持。在新街口鬧事區，馬路兩旁擠滿了人群，許多店鋪的營業員都涌到店外圍觀。寬闊的馬路被遊行的人群堵滿，一會一支隊伍從東往西，一會一支隊伍從西向東，有的隊伍已幾次從新街口經過。醒目的橫幅上寫著：「廢除垂帘聽政」、「當官不爲民作主，請你回家捉老鼠」、「治國何必元老，掌舵無須垂帘」、「趙、李走下來」、「暈倒二千，喚醒十億」、「強烈要求李鵬下台」等標語。不少圍觀群眾鼓掌表示支持。一些群眾自動在路旁爲遊行者遞送茶水。除南京大學等幾十所高校學生外，遊行隊伍中還有年老的教授、工人、共青團南京市委、市學聯、婦聯和機關工作人員、新聞工作者、省委黨校的教師，正在南京召開的國際共產主義運動史研究會年會的代表，一些中專學校師生和坐著輪椅的殘疾人也參加了遊行。到下午五時，在鼓樓廣場宣佈絕食的學生已達五十二人。

武漢：十七日，已經在長江大橋靜坐了一個通宵的武漢二十多所高校的一千多名學生，早晨五時，各學校分別派出兩名代表在橋頭開會，宣佈成立了「武漢高校學生自治聯合會」，並決定全市高校從今天起實行串聯總罷課。靜坐學生今天早晨在收聽了新聞聯播中趙紫陽書面講話後，沒有什

麼反應，有的還起鬨。有的說，「他(指趙紫陽)講他的，我們幹我們的，北京學生絕食不停止，我們就一天不罷休，一直聲援到底，直到省政府妥協。」上午十時，在長江大橋靜坐的學生與赶來聲援的學生共計一萬多人，在二三萬圍觀群眾的簇擁下，按高校自治會的計劃正點撤離大橋到省政府靜坐。由於省政府領導與學生的對話未能進行，下午又有三千多名學生來到武昌橋頭，其中有五百多名學生和一批圍觀群眾於下午三時四十分涌向長江大橋引橋下的鐵路線，堵塞京廣線達四十多分鐘。經省政府出面做工作和武警疏導，學生於下午四時二十五分左右離開鐵路幹線，鐵路交通恢復正常，沒有發生重大事故。自學生撤離後，鐵路幹線各重要道口已全部由武警把守。

十八日，上午在長江大橋公路橋面遊行、靜坐的學生多達一萬多人，遊行口號也逐步升級。到下午三時，學生的遊行隊伍前面已過漢陽橋到達漢口，後面的還在武昌橋頭蠕動。省公安廳估計，至少有六萬人。由於橋上遊行的人太多，交通警察已不起作用，只好跟著看熱鬧。頭紮紅布條和臂繫紅布標誌的學生糾察隊自已維持秩序。下午三時，湖北省委書記關廣富、副省長徐鵬航等人與武漢十三所高校參加遊行靜坐的四十名學生代表進行對話，學生代表認爲許多要求未能得到滿足，認爲「對話不成功」。下午六時二十分，在收看李鵬等與學生代表對話的電視後，武漢重型機床廠、武漢鍋爐廠、武昌車輛廠等一些大型工廠的青年工人和一些設計院職工約一萬餘人舉著橫幅，喊著口號，涌向長江大橋，聲援在那裡連續遊行靜坐了五十多個小時的學生隊伍。長江大橋人數達到近四萬人。同日，從武漢開往北京的三十八次列車，由於在武昌站有近一千名學生不買票擠上列車，

使車廂超員八十%。武漢的事態在進一步擴大。

杭州：十七日，杭州高校學生遊行規模之大，圍觀群眾之多，達到這次學潮以來的高峰。有十三所高校的一萬多名學生上街遊行，另有五百多名杭州大學、浙江大學的學生在武林廣場靜坐絕食，圍觀群眾達四五萬人。造成杭州市公共交通嚴重堵塞。今天的遊行隊伍，除了學生外，還有不少教師參加。師生們高唱「國際歌」行進。在杭州大學的遊行隊伍前頭，打有「絕食請愿聲援北京」、「絕食—最後的吶喊」、「爲絕食者送行，向勇士們致敬」等橫幅。走在前面的學生頭紮寫有「絕食」的布條，準備遊行之後絕食靜坐。下午六時以後，浙江大學又有二百多名學生向武林廣場遊行，高舉「浙大絕食聲援團」、「不達目的誓不罷休」、「與北京學生共存亡」、「殺貪官平民憤要民主」的橫幅。到晚上八時許，絕食靜坐圈內的學生已有一千來人。

十八日，杭州十多萬名學生、教師、新聞工作者、機關幹部、科研人員、醫務工作者、民主黨派人士走上街頭遊行。市中心的武林廣場及附近地區的主要街道，人山人海，遊行期間，交通全部中斷。遊行隊伍打出的橫幅標語和呼喊的口號，十八日驟然升級。有：「廢除新的垂帘聽政」、「捨得一身剮，敢把獨裁者拉下馬」、「獨裁專制，天理不容」、「大義滅親，從太子開刀」、「鄧小平、楊尚昆退休」、「李鵬下台」、「八十多歲的人召集七十多歲的人討論六十多歲的人的退休問題」、「官倒打官倒，永遠打不倒」等。杭州五所高校校長、浙江省政協、民進杭州市委等當天發出緊急呼籲，請中共中央從速妥善處理北京高校學生絕食的問題，一份署名「浙江大學博士生」的

電報也於十八日十三時四十分發往紐約聯合國總部，要求聯合國秘書長德奎利亞爾敦促中國領導人盡快與北京絕食學生進行對話。很多黨政機關幹部、企業領導和市民對當前國家局勢深感憂慮。在武林廣場，一位鬚髮皆白的老黨員對周圍的市民講話時聲淚俱下：「文化大革命已經使共產黨威信大大下降，不正之風、官倒、腐敗，使黨的形象一再受損，這次學潮如處理不好，我們的黨恐怕就沒有什麼希望了。」據省公安廳報告，許多工人參加圍觀，而且情緒激動，有的工廠的部分工人已不上班，一些工廠工人正在醞釀集體遊行。

福州：自十五日以來，福州已連日發生學生上街遊行。十七日起，學生上街遊行的規模由原來的四五千人一下子擴大到一萬人以上，遊行的組織也變得更加嚴密了。十七日從上午九時，福州大學、福州師範大學、福建醫學院、福建農學院等高校學生，冒雨走上街頭遊行。第一批約二千餘名學生首先於下午一時三十分到達省政府門口。第二批約四千多名學生於二時四十五分到達省政府。第三批又有四千多名學生於五時十分到達省政府。有一萬多名群眾在省政府門口圍觀並支持學生。在省政府門前靜坐的學生提出四點要求：1，要求省電台、電視台如實報導今天學生的遊行情況，並正確評價這次活動；2，要求省政府代表福州地區的大學生向國務院發電報，聲援北京學生的絕食行動；3，要求省委書記、省長出面直接和學生對話；4，要求正確評價這次學潮。主管教育的副省長陳明義發表廣播講話，表示理解學生的心情，希望學生理智、克制，和政府一起解決社會上存在的問題。晚七時三十分，學生全部撤離省政府回校。

十八日上午，福州學生遊行的規模進一步擴大，文化、新聞、企業界人士也開始介入。首先上街的是福州師專、福建中醫學院的三千多名學生和教師。他們高呼：「愛國無罪」、「反對官倒」、「不要高高在上」、「下來對話」、「救救孩子」等口號。福建教育學院一千多人、福州大學七千多人、福建師範大學五千多人、福建農學院二千多人、福建醫學院一千多人，還有福建建築專科學校、中華職業大學等院校近二千人上街遊行，學生總人數達到二萬多人。福建日報、福建電視台、中新社分社等十五家新聞單位的二百多名新聞工作者，福建省文聯、社會科學院、計算機公司、以及高舉「人大代表」、「農民代表」、「中學教師」旗幟的隊伍共計三百多人與學生一道來到省政府門口請愿。十一時左右，聚集在省府門口的學生向省政府大門衝擊，十一時十五分已衝破警察組成的第一道防線。學生們舉著「罷免陳明義」、「要求對話」的標語，情緒非常激動，一些學生向警察扔鞋子。十一時三十分，學生衝破警察的第二道防線，集中到省政府鐵欄門外。副省長陳明義站在陽台上發表講話。學生們對陳明義講話不滿意，遊行隊伍和圍觀群眾繼續向省政府集中。十一時四十分，省委副書記賈慶林、常委張克輝、何少川到省政府接待室與學生代表見面，準備對話。但聚集在門外的學生不同意，要求直接出來與學生對話。十一時五十分，一些學生已將「福建省人民政府」的牌子摘下，學生們不斷向省政府大門衝擊。十二時四十分，賈慶林、張克輝、何少川、游德馨、陳明義站在省府門口的平台上，與學生見面。賈慶林說：同學們的請愿書已轉達北京。學生們不信，呼喊：反對欺騙！十三時四十五分，聚集在省府門前的二萬多名學生，因提出的要求未

得到省委、省政府的答覆，開始上街繼續遊行。學生代表聲稱：明天繼續舉行遊行請愿活動。

「政府將要攤牌」

當天報送的二十三篇海外時評中，特別突出了李鵬與學生的對話，中國將採取什麼措施的內容。

一，一次沒有效果的對話

法新社電文稱，「李鵬總理今天憤怒地拒絕了在全中國大規模民主示威中起帶頭作用的大學生的要求，他大聲斥責北京的無政府狀態，並含蓄地發出警告，如果全國範圍的抗議活動持續下去，有可能進行鎮壓。儘管政府早些時候發出和解的信號，李鵬在人民大會堂同學生代表舉行的引人注目的五十分鐘會見中卻採取了少見的強硬態度。」「李鵬對學生們說，『政府向人民負責』，暗示政府雖然迄今採取克制態度，雖然抗議規模浩大，政府還有可能進行鎮壓。」「政府多日來採取和平姿態之後，李鵬突然採取強硬態度令人費解。但是這意味著領導人覺得現在是動手解決問題的時候了。」時事社報導說，「李鵬總理今天上午第一次同意與絕食鬥爭的學生在人民大會堂舉行了對話。李總理在對話中使用了『社會動亂』這種措詞，並以強硬的語調批評了學生運動。他說，『北京已經處於無政府狀態。政府不能置之不理。』李總理相當激動，語氣尖銳，他說，『中央並沒有把學生運動稱爲動亂』。」「收拾絕食鬥爭的焦點在於黨和政府的領導人是否會接受學生的要求。如果處理不

當，會造成火上澆油的結果，對領導人的批評會進一步加強。」

二，政府的決策將要攤牌

十八日法《費加羅報》發表題爲「浪潮」的文章稱，「目前，中國的無政府狀態的危險是如此之大，以致政府很可能會被迫立即攤牌。鄧和他的忠實支持者有很多辦法。他們可以利用基層民眾對付知識界；他們可以依靠農民對付市民；他們可以動用軍隊和警察對付學生；他們還可以採取巧妙的做法：收緊網線，分化遊行示威者，瓦解抗議運動，發動宣傳攻勢，向學生的家庭施加壓力。較量尚未開始，如果這種形勢長期持續下去，那是不符合中國的歷史經驗的。如果總爆發，爲鎮壓行動提供藉口，那將是令人遺憾的。」南通社說，「中國的這一重大事件即將結束，中國共產黨中央委員會政治局目前正在召開會議。」「動用武力的可能性較小，雖然並不排除武力。但是，很難想象會對目前北京街上二百萬市民動用武力。由於這場運動已發展到全國，所以使用武力就更爲不可能。」「目前，軍隊沒有參與遊行。不過，軍隊仍然是一個十分重要的因素，可能會成爲決定局勢的因素。」英《泰晤士報》「只能是一場革命」的報導說，「無論是實行鎮壓還是和解，政府都沒有明確的政策，大概這就是領導層內部爭論的結果。對於這次示威的最後處理將表明誰佔上風，誰失寵下台。無論做出什麼決定，預料這次示威之後會有大規模的政治動盪，四十年來對共產黨的最大挑戰。」法《解放報》題爲「北京的革命」的報導指出，「從這場運動開始以來，黨絕望地落在群眾的後面。中國共產黨現在面臨著一場它成了目標的革命。如果採取鎮壓手段，那就很可能使

黨四分五裂。如果向大街上的民眾作出讓步以恢復權威，那就要以能徹底實行中國式的公開性爲前提。中國共產黨現在還有魄力這樣做嗎？這就是問題所在。」

趙紫陽催人淚下的講話

在政治局常委會議結束以後，趙紫陽以中共中央總書記的身份、李鵬以國務院總理的身份來到天安門廣場，看望在廣場上的學生，隨同趙紫陽的是中共中央辦公廳主任溫家寶，隨同李鵬的是國務院秘書長羅幹，這個時候，已經是十九日的凌晨四時許。此時的趙紫陽，已經深深地感到無力回天，意識到自己的政治生命即將告一段落，並作好了下台的準備。所以，在廣場上，他發表了一番催人淚下的講話。

趙紫陽說：「同學們，我們來得太晚了。對不起同學們了。你們說我們、批評我們，都是應該的。我這次來不是請你們原諒。我想說的是，現在同學們身體已經非常虛弱，絕食已經到了第七天，不能再這樣下去了。絕食時間長了，對身體會造成難以彌補的損害，這是有生命危險的。現在最重要的是，希望盡快結束這次絕食。我知道，你們絕食是希望黨和政府對你們所提出的問題給以最滿意的答覆。我覺得，我們的對話渠道是暢通的，有些問題需要一個過程才能解決。比如你們提到的性質、責任問題，我覺得這些問題終究可以得到解決，終究可以取得一致的看法。但是，你們也應

該知道，情況是很複雜的，需要有一個過程。你們不能在絕食已進入第七天的情況下，還堅持一定要得到滿意答覆才停止絕食。」

趙紫陽誠摯地說：「你們還年輕，來日方長，你們應該健康地活著，看到我們中國實現四化的那一天。你們不像我們，我們已經老了，無所謂了。國家和你們的父母培養你們上大學不容易呀！現在十幾、二十幾歲，就這樣把生命犧牲掉哇？同學們能不能稍微理智地想一想。現在的情況已經非常嚴重，你們都知道，黨和國家非常著急，整個社會都憂心如焚。另外，北京是首都，各方面情況一天天嚴重，這種情況不能再繼續下去了，同學們都是好意，爲了我們國家好，但是這種情況發展下去，失去控制，會造成各方面的嚴重影響。」

趙紫陽強調：「總之，我就是這麼一個心意。如果你們停止絕食，政府不會因此把對話的門關起來，絕不會！你們所提的問題，我們可以繼續討論。慢是慢了一些，但一些問題的認識正在逐步接近。我今天主要是看望一下同學們，同時說一說我們的心情，希望同學們冷靜地想一想這個問題。這件事情在不理智的情況下，是很難想清楚的。大家都這麼一股勁，年輕人麼，我們都是從年輕人過來的，我們也遊過行，臥過軌，當時根本不想以後怎麼樣。最後，我再次懇請同學們冷靜地想一想今後的事。有很多事情總是可以解決的。希望你們早些結束絕食，謝謝同學們。」說到這裡，趙紫陽向在廣場的學生們鞠躬，學生們熱烈鼓掌，一些學生哭了。趙紫陽講話結束後，廣場上的學生紛紛請趙紫陽簽字。這是趙紫陽離開政壇前的最後一次向公眾亮相。

這個時候的趙紫陽已是心力交瘁，長時間的精神高度緊張和巨大心理壓力，使他失眠、頭昏、胸悶，心臟供血嚴重不足。醫生在診斷後，囑他休息靜養。爲此，趙紫陽於十九日上午向中央政治局常委提出請三天病假。

鄧小平的傷感

上午，鄧小平打電話給楊尚昆，要求楊尚昆到家裡來一趟。

一見到楊尚昆，鄧小平就顯得非常激動，他生氣地對楊尚昆說：「趙紫陽到天安門去講話了，你看了吧？你聽他講了些什麼？哭喪著臉，一副很委屈的樣子。實在太不講組織原則了，太沒有紀律了。」

楊尚昆：「我看他講話的情緒就不對，有點不想幹的樣子。他講他『老了，無所謂了』。這不是明擺著把黨內的分歧公開出來嗎？他剛剛向常委請了三天假，說是病了。看起來他的思想情緒越來越大了。」

鄧小平：「你知道，這次事件爆發以來，我承受了多大的黨內壓力。趙紫陽的亞行講話後，先念就對我講，這是另一個司令部的聲音，要我表態。以後，陳雲、先念等都給我打電話交換過好多次意見，按照他們的意思，學生去天安門就是中央縱容的結果，要採取措施。他卻一點不配合，連

一點配合的意思都沒有。我是不得已而爲之。他真的越走越遠了。」

楊尚昆：「我還是想動員他參加今天晚上的大會。不要把事情搞得太僵了。」

鄧小平：「隨他去吧。這幾年，我們的經濟發生了這麼大的變化，老百姓有飯吃，有衣穿了，這是誰也否認不了的。經濟是基礎，要是沒有經濟這個基礎擺在這裡，學生這個樣子不要說一個月，就是十天，農民都要起來造反了。而現在，全國的農村很穩定，工人也基本上是穩定的。這是改革開放的成果。經濟改革進行到一定程度，就要有政治改革作配套。你知道，我從來沒有反對過政治改革。但要考慮實際情況，要考慮現在這個形勢下黨內有多少老同志能夠接受。哪能一下子吃成胖子？沒有這個好事。我老了，有人說我老朽也好，老糊塗也好，我想我的思想在我們這樣年紀、在我們的黨內，我不應該算作是保守的。我戀權位嗎？」

楊尚昆：「你要是戀權位，華國鋒下台時就能當黨的主席了。何必還推荐胡耀邦呢。」

鄧小平：「這幾天，我一直在考慮一個問題，我雖然沒有充當名義上的黨的第一把手，但大家一直圍著我，尊重我。重大事情要我拍板。我的份量太重。對黨對國家都不利。我是應該考慮退的問題了，可是，現在這個時候我怎麼能退呢。事情明擺著，想退現在都退不了，先念、王震他們會同意我退？退下來可不是一件容易的事情。我們黨是應該要有新面孔，要有新鮮血液。」

楊尚昆：「小平同志，你的功績人民會記住的。我相信你的關於戒嚴的決定也一定會得到人民的理解的。」

鄧小平話鋒一轉，「現在的安全保衛工作做得怎樣？」鄧小平所以問此話，是因爲楊尙昆的角色所致。楊尙昆雖然已是國家主席，但仍然是鄧小平的一個大管家，中共中央警衛局直接由楊尙昆領導，當時的中央警衛局局長由楊的老部下、已升任中央辦公廳副主任的楊德中兼任，楊尙昆的大秘書則擔任中央警衛局常務副局長。

楊尙昆，「中央國家機關駐地，中央領導同志駐地的安全保衛工作已經得到加強。今天晚上有一部分軍隊就可進駐北京。爲安全起見，你是不是搬到中南海去住一段？」

鄧小平，「自從搬出來後，我就再也沒想進去過。我哪兒也不去。這兒挺好。」

談話將要結束的時候，爲了減輕鄧小平已經很沉重的心理負擔，楊尙昆不經意地對鄧小平說，「徐海東大將有個兒子，叫徐勤先(註：原始內容如此。但經查證，徐勤先並非徐海東的兒子)，他是三十八軍的軍長。昨天接到軍委命令後，他表示執行不了。北京軍區周衣冰他們剛剛把事情處理好了。」

鄧小平，「是軍人，誰都不能違抗命令。徐海東的兒子也不例外。軍隊的事你去處理吧。軍紀一定要嚴，軍心一定要齊。」顯然，鄧小平當初的心情顯然不在軍中事務上。

那次毫無實質性的交談，是一次真正的交心。楊尙昆由此深深感到鄧小平的矛盾和悲哀，感到對他的充分信任。在中共元老當中，除了楊尙昆，鄧小平不會向第二個人傾訴。

經過李鵬夫人朱琳的暗示，下午，羅幹親自察看並重新布置了游泳池毛澤東住過的房舍，騰出

來讓李鵬和楊尙昆住，楊尙昆一開始決意仍住柳蔭街，不搬。李鵬說，「楊主席，這完全是爲了指揮戒嚴的需要，從工作出發。現在只是暫時住一段。到戒嚴過後，我們再回去住。」當天晚上，李鵬、朱琳攜子、孫就入住了毛澤東去世前住過的房子，並一直住到一九九一年。第二天，比他年長二十多歲的楊尙昆在李鵬再三動員下才搬過來。自十九日起，每天對中共中央辦公廳、國務院辦公廳機關工作人員開放的游泳池，再也不允許游泳了。一些機關工作人員私下裡議論，「怕老婆的總理看起來他家的命比我們大家都値錢。」

當天下午四時，李鵬在紫光閣會見了澳大利亞總理特使伍爾科特。會談一開始，李鵬就問伍爾科特：「特使先生，今天你是不是通過正常路線來到中南海的？」陪同前來的澳大利亞駐華大使沙德維回答：「我們是穿小胡同過來的。大路走不了。」李鵬說：「這件事說明我們的首都已經發生了混亂。這個混亂已經不同程度地蔓延到其他一些城市。中國政府將以負責的態度採取措施來制止這種混亂，恢復正常的社會秩序，保證我們的改革、開放政策的順利進行。」李鵬特別強調：「這純屬中國內政。我們將妥善解決這件事情。對此，我充滿信心。」這是李鵬有意向外透露中國即將實施戒嚴的信息。時隔六小時，李鵬正式發佈了關於在北京實施戒嚴的動員令。

總政治部緊急通知

十九日上午，總政治部向各大軍區、各大兵種和駐京各大機關下發了「緊急通知」，通報了即將在北京實施戒嚴的消息，要求全軍各部隊務必正視這次學潮對部隊的某些思想影響，以強有力的政治工作保持部隊的高度穩定和思想統一。

「緊急通知」指出，在這次學潮中全軍各部隊始終和黨中央、中央軍委保持一致，表現出很高的政治素質。但是，也存在一些值得重視的思想傾向，概括起來有四種情緒：一是麻痹情緒，看不到學潮對安定團結大局的嚴重影響；二是消極情緒，有的官兵對腐敗現象、物價上漲不滿，認爲學生鬧一鬧也許有好處；三是憂慮情緒，有的官兵擔心部隊要是站出來，理直氣壯地反對動亂，會重犯「文化大革命」中「三支兩軍」的錯誤；四是無關情緒，有的官兵認爲制止社會動亂自有大人物去著急，去收拾場面，咱們這些當兵的操什麼心？因而對黨和國家的命運不大關心。

「緊急通知」要求當前要從三方面加強政治工作：

一，要教育部隊正確認識當前的國內政治局勢。要很好地學習軍委鄧主席和中央領導同志的系列指示，注意從「民心」的角度，向部隊講清在我們國家的局勢中，穩定的因素是佔主導地位的。一是講清人心思定，絕大多數人都不贊成也不容許一些人再折騰，重新把我們的國家拉回動亂的深淵；二是講清人心向改革，絕大多數人不願再回到十年前去，中國改革的潮流不可逆轉；三是講清人心向黨，絕大多數人能從歷史規律中懂得，離開了黨的領導，就沒有中國的前途和希望。讓幹部戰士認清這三個「人心所向」，是決定和制約形勢發展的最基本的東西，從而堅定信心，去掉懷疑、

動搖和擔心情緒。

二，要引導幹部戰士對學潮中某些有代表性的口號，進行具體剖析，分清哪些純屬反動言論，哪些是不滿情緒，哪些是過激言詞，哪些是可以理解的合理要求，幫助大家分清是非，端正思想。總之，要通過具體剖析一些口號和思潮，消除部分幹部戰士的思想陰影，從而明辨是非，提高覺悟，保證部隊在思想一致的情況下的高度穩定。

三，要教育各級領導幹部帶頭保持政治堅定性。當前部隊各級領導幹部務必從以下三方面嚴格要求自己：一是清醒地認識不安定因素，做好爲維護國家安定而長期鬥爭的思想準備。部隊各級領導幹部應當看到，穩定之中包含著許多不穩定的因素，因此，防止動亂，制止動亂，維護部隊穩定和國家安定團結，將是一項艱巨的、長期的政治任務。對於可能出現的新的社會局部動亂，部隊各級領導至少要有三種思想準備，第一，自己不大驚小怪，驚慌失措；第二，能穩定自己帶領的部隊；第三，能理直氣壯地引導部隊反對動亂。二是一定要守好自己的陣地，既要注意對駐地社會情況、社會動向的調查，更要對部隊自身的穩定實行嚴格的責任制，一級抓好一級，一級對一級負責。同時要加強對家屬、子女和身邊同志的教育，以保證我們的機關和所屬部隊不出問題。三是從黨和國家前途的高度自覺保持廉潔。這次學生鬧事，很重要的一個原因就是對貪污腐敗現象不滿。在部隊，決不允許因爲我們的領導和機關不廉潔，而引起士兵不滿，甚至發生其他問題。

關於時局的六點緊急聲明

據安全部當天的報告：十九日上午，中共中央政治體制改革辦公室副局長高山來到國家經濟體制改革研究所，向正在開會的所改所所長陳一諮等二十多人通報了五月初以來中共中央內部關於處理學潮的情況，並說趙紫陽同志已經請病假。陳一諮說：「現在我們要做兩件事，一是發表一個聲明，明確表示我們的態度；另一件是組織二十個部委的人到天安門廣場靜坐示威。」在陳一諮的主持並倡議下，以國家經濟體制改革研究所、國務院農研中心發展研究所、中信公司國際問題研究所、北京青年經濟學會等四家單位的名義，起草了《關於時局的六點緊急聲明》。全文如下：

(一)這次以大學生為先鋒，絕大多數社會階層廣泛參與的愛國民主運動，譜寫了中國民主運動史上最輝煌的篇章。

(二)事態演變到今天這樣的嚴重地步，完全是由於黨和政府在決策上的失誤和拖延所致。

(三)建國以來，黨和政府的高層領導從來沒有象今天這樣脫離人民，違背良知，與人民群眾的意愿直接對立。其原因在於傳統政治體制不能按法制軌道運行，沒有政治公開性，形成了只關心上層權力鬥爭，不以民族利益和國家前途為重的局面。

(四)目前事態還在惡化。堅持已有的失誤而繼續失誤，以致採取極端舉動(如軍管)，將會導致真正的動亂，甚至造成民族分裂。這種黑暗的前景是經歷過十年文化革命的中國人民所無法接受的。

(五)爲此，

我們呼籲公開高層領導的決策內幕和分歧，由全國人民共同作出判斷和選擇；

我們呼籲立即召開全國人民代表大會特別會議，行使憲法賦予的最高權力，進行干預；

我們呼籲立即召開中國共產黨特別代表大會，對政治局最近一段時間的工作進行審議；

我們呼籲各界聲援活動務必保持理智和秩序，珍惜這次學生運動已取得的成果；

我們呼籲各階層人民組織起來，協助大學生做好維持秩序和後勤服務工作；

我們呼籲絕食人員多多保重身體，爭取盡快結束絕食，你們已經取得了很大的勝利，祖國需要你們以更新、更持久的方式去取得新的勝利！

(六)國家是人民的國家，政府是人民的政府，軍隊是人民的軍隊，中國現代化的歷史潮流是任何力量都阻擋不了的。

這份報告已於當天下午發到有關報社，北京各高校和天安門廣場，並在北京街頭廣爲張貼。

在中共十三屆四中全會上，這份報告被李鵬稱之爲是趙紫陽智囊「企圖把中央政治局和國務院推向被告席的傑作」，陳一諮因此而遭到通緝。李鵬爲何說這是趙紫陽的智囊的傑作？原因是：鮑彤兼任北京青年經濟學會會長；陳一諮是中國政治體制改革辦公室成員、體改所所長並北京青年經濟學會副會長；國務院農研中心發展研究所所長雖是姚依林的女婿王歧山，但農研中心主任則由趙紫陽的老朋友、被趙尊稱爲「杜老」的杜潤生擔任；而中信公司國際問題研究所所長李湘魯，也曾

擔任過趙的秘書。

平靜的白天，恐怖的夜晚

以下內容根據安全部的有關報告撰寫。

十九日北京街頭遊行人數明顯減少，絕食學生以及學生領導層出現了思想混亂的跡象，一些幹部、教師及市民來到絕食指揮現場，勸說同學們立即停止絕食。

當天，全市遊行總人數明顯少於前兩天，估計減少一半以上。乘車遊行的也大大減少，東西長安街部分時間能夠通車。參加遊行的有許多是外地院校來京的學生。國家機關、北京市機關以及文化界、科技界、新聞界、知識界的遊行隊伍明顯減少，工人隊伍中有首鋼模具廠、電車二廠、北京床單廠、北京劇裝廠、北京服裝五廠、豐台機務段、國營七00廠、北京電影字幕廠、北京包裝裝潢廠、北京革製品廠、南苑儀表廠等。上午有幾輛滿載警察、打著聲援旗幟的卡車從長安街由東向西駛過天安門，引起學生們的陣陣歡呼。每支遊行隊伍人數都不算多，最多的有千人以上，但大多數都是幾十人或上百人。遊行隊伍中政治性口號似有減少，由於昨天和前天政治性口號已達高潮，今天出現的一些政治性口號使圍觀群眾不感到新奇。

上午九時三十分，天安門廣場和長安街出現署名「北京市工人自治會籌委會」的《首都工人宣

言》傳單，寫著：「中共中央、國務院必須在二十四小時內無條件接受絕食學生的兩條要求，否則，我們將從五月二十日上午十二時開始，全市工人總罷工二十四小時，並根據事態的發展，決定下一步的行動。」整整一個上午，絕食團召開的各校學生代表會議一直在緊張地討論中，絕食團領導者爭論很厲害。據瞭解，現在廣場上絕食學生缺乏統一的指揮，秩序很亂。廣場的四個學生指揮機構：市高自聯、絕食團指揮部、對話團和新成立的外地進京院校學生聯合會，誰也很難控制得住、指揮得動了。特別是外地來京的大學生正源源不斷地涌入天安門廣場，目前他們的食品、飲料、住宿工具比北京高校面臨著更大的困難。我們在北京醫院觀察室遇到被初診爲心肌炎的吾爾開希。問他對現在天安門局勢有何看法時，他說：「我對現在的情況非常憂慮。人民是善良的，但很擔心被部分人利用。現在學生組織高層內部有分歧，市高聯常委到現在已換過三次，有些激進的或保守的，或者受到種種壓力的都被換出或辭去了職務，我是唯一自始至終的負責人。」

下午二時許，「學運之聲」廣播站廣播了國家經濟體制改革研究所、國務院農研中心發展所、中信公司國際問題研究所、北京青年經濟學會等四家(以下簡稱三所一會)《關於時局的六點緊急聲明》。一些同學的家長、校友來到絕食現場，不少人勸說學生立即停止絕食。全國婦聯女幹部劉光敏與幾位高校負責人幾經周折來到紀念碑台階下的市高自聯指揮部，要求與學生領導層進行對話，呼籲高自聯立即作出決定停止絕食。劉光敏說，「我們不僅僅代表個人，也代表本單位許多同志的意見，特來反映外界群眾的要求。我們也是從年輕時過來的，經歷過文化大革命，對於目前這種情

形很熟悉。年輕人頭腦一熱，有些事辦得對有些事辦得也不對，也需要反思。我現在怕你們付的代價過於高了，我太怕這一點了。父母養育一個孩子不容易，國家培養一個大學生也不容易。」北京聯合大學一位教師說，「人民、社會給你們這次行動的評價已經遠遠超過了你們所要的兩點要求。你們不能再絕食下去了，否則就會脫離了社會。如果真死了人，各界對你們的行動就會有所考慮。」在廣場上進行勸說的約有上百人。經過勸說，一些同學哭了，更多的仍堅持說不答應兩點要求誓不罷休。

傍晚五時許，廣場絕食指揮部內部有人傳出，一位自稱中央國家機關的工作人員剛拿著一張條子來廣場通報，說北京市區即將實行戒嚴，不知此消息是否屬實？此後，廣場上平靜的氣氛驟然緊張起來。晚上，在天安門廣場、北京火車站廣場、東單等地，出現了很多題爲「關於學運策略的幾點建議」的傳單，傳單稱，「目前絕食對話已不是我們的手段和要求，應當改爲和平靜坐，並旗幟鮮明地提出新的政治要求和口號。即：1，紫陽同志不能走；2，立即召開中國共產黨全國代表大會特別會議；3，立即召開全國人民代表大會特別會議。對軍隊的到來不應採取惶惶不安、如驚弓之鳥的態度，這種對待軍隊的態度及方式，要在他們到來之前反復向同學們解釋宣傳清楚。」晚八時左右，十幾位自稱國家體改委的人來到天安門廣場，用手提式小喇叭進行演講，他們演講的主要內容是：「我們懷著極爲悲痛極爲憤慨的心情，公佈一個絕對真實的消息，趙紫陽總書記已經被罷免，現在由李鵬主持政治局工作，並決定今晚對學生採取強硬措施。」他們介紹了所謂的趙紫陽總

書記被罷免的簡略經過，並呼籲社會各界「絕對不要採取暴力對抗，絕對避免流血」；「實行全國性的罷工、罷課、罷教、罷市」；「解放軍是人民的子弟兵，我們絕不要自相殘殺」；「強烈要求立即召開全國人大常委會」；「立即召開中共全國特別代表大會」。與此同時，天安門「學運之聲」廣播站廣播說，「鑒於目前形勢嚴峻，決定成立義勇軍特別糾察隊。請參加者今晚作好隨時出動的準備。」晚九時十五分左右，天安門「學運之聲」廣播站播出「高自聯」的緊急通知：「結束絕食，改爲靜坐。」學生和圍觀的群眾表現都很緊張，廣場上充滿了不安和恐怖的氣氛。二十日凌晨，市高自聯、對話團和外地進京高校學生聯合會舉行新聞發佈會，提出：鑒於目前形勢，「將絕食改爲靜坐。如果絕食的同學繼續絕食，我們將繼續聲援。我們的鬥爭目標絕不放棄」。「立即召開全國人大緊急會議。」「呼籲全國各界人士配合北京高校學生維護秩序。中小學生不要上街遊行，外地學生不要進京，工人不要罷工。」

當晚，北京大學、清華大學、人民大學、北京師範大學等學生自治會廣播站，反復播放了軍隊即將進城，北京將要戒嚴的消息。北京大學「籌委會」的廣播站廣播：「據可靠消息，中共中央總書記趙紫陽已經下台，李鵬已經主持政治局全面工作。今天晚上，中央決定出動軍隊進京戒嚴。同學們，市民們，立即行動起來，快到天安門廣場去，到各個主要交通路口阻攔軍車去。」一些學生和居住在校區裡的教師、職工以及附近的市民，都走上街頭，議論紛紛，不少學生和群眾向一些部隊可能經過的路口涌去，並設置路障。

外地學生進京知多少？

在即將實施戒嚴之時，鐵道部向中南海報告了全國各地學生進京聲援北京學生的情況，茲擇要摘錄。

從五月十六日十八時至十九日早晨八時，全國各地聲援學生分乘一百六十五趟列車到京，目前人數已達到五萬六千八百八十八人。從發展趨勢來看，進京學生每天都在增加，而且已出現兩起臥軌和攔截列車事件。

十六、十七日兩天，每天有三千多名學生到京。從十七日十八時到十八日八時一夜間，學生人數就激增到一萬二千三百三十二人，十八日十八時到十九日八時，學生人數達到二萬四千四百二十人。其中每趟列車中學生達千人以上的就有十七趟(一般情況下一趟列車乘員一千二百人)。這些學生主要來自天津、石家庄、瀋陽、大連、哈爾濱、長春、西安、成都、上海、南京、蚌埠、合肥等城市，以天津學生爲最多。天津南開大學、天津大學、輕工學院的學生，每二三天就跑個來回。每天六趟天津到北京的短途列車均爲學生佔用。

這麼多學生在短短幾天集中到北京，打亂了鐵路運輸的正常秩序，給本來就十分脆弱的鐵道運輸雪上加霜。

其一，大部分學生是無票上車，上車之後，他們佔領列車廣播，散發傳單，搞募捐，還在車廂內外刷大字報和標語，甚至要求列車提供免費飯菜；

其二，各地學生搶上列車造成多次列車晚點運行。十八日西安開到北京的二百八十次車，由於二千多名學生把還在車庫中的列車行李廂佔領，人員超載，將列車彈簧壓死無法啓動，使這次列車晚點四小時五十分鐘，並影響了七十次列車的正常運行。十八日還使大連開往北京的二百三十一次列車晚點一小時三十九分，西寧開往北京的一百二十二次晚點二小時四十分。十九日早晨，僅北京路局就有四趟列車晚點三十到四十分鐘；

其三，十七日下午十五時三十五分，在武漢長江大橋上，有三百名學生臥軌，攔阻了柳州到西安的一一六次客車四十七分鐘，又影響了後面一列車三十三分鐘，對面方向的運行車也受到影響，使這條線路停駛近三小時。十九日中午十一時五十分，福州師範大學三千多名學生佔領了福州火車站，有二百至三百名學生臥在鐵道線上，他們要求與福建省委書記陳光毅對話，到下午四時五十分這條線才開通。已影響了兩列客車和一列貨車的運行。

鐵道部建議中央採取有力措施，盡快平息學潮，同時希望各地黨政部門積極配合，勸阻學生進京，盡快使鐵道客貨運輸正常。

《眞相》系列(20)　　總策劃：何　頻

書　　名：中國「六四」眞相 (上冊)
作　　者：張　良
發 行 人：何　頻
責任編輯：吳天偉
封面設計：謝靈芝
出　　版：明鏡出版社
明 鏡 網：www.mirrorbooks.com
電子郵件：mirrorbo@mirrorbooks.com
編 輯 部：P. O. Box 366, Carle Place, NY11514-0366, U. S. A.
電話:(516)338-6976　傳眞: (516)338-6982
香港聯絡處：香港郵政總局5281信箱
電話 (852)2547-5615 傳眞: (852)2559-3813
總 發 行：明鏡有限公司
香港皇后大道西335-339號708室
電話: (852)2547-5615 傳眞 (852)2559-3813
台灣總發行：三友圖書有限公司
台北中和市中山路二段327巷11弄17號5F
電話: (8862)2240-5600 傳眞: (8862)2240-9284
美國西部總發行：長青文化公司 EVERGREEN BOOKS
760W.GARVEY AVE MONTERY PARK, CA 91754 U. S.A.
電話:(626)281-3622　傳眞: (626)284-1571
美國東部總發行：世界書局 WJ Bookstore Inc.
141-07 20th Ave. Whitestone, NY 11357, U. S.A.
電話 (718) 746-8889　傳眞: (718)747-1562
新加坡總發行：大衆書局
Blk 231 Bain St. #04-23/33 Bras Basah Complex Singapore 0718
國際統一書號：ISBN 962-8744-36-4
定　價：(上下二册)HK$180
版　次：2001 年 4 月第一版　2001 年 4 月第二版　2001 年 4 月第三版
2001 年 4 月第四版　2001 年 4 月第五版　2001 年 4 月第六版
2001 年 4 月第七版　2001 年 4 月第八版　2001 年 4 月第九版
2001 年 4 月第十版　2001 年 4 月第十一版　2001 年 4 月第十二版
2001 年 4 月第十三版　2001 年 4 月第十四版　2001 年 4 月第十五版
2001 年 4 月第十六版　2001 年 4 月第十七版　2001 年 4 月第十八版
2001 年 4 月第十九版　2001 年 4 月第二十版　2001 年 4 月第廿一版
2001 年 4 月第廿二版　2001 年 4 月第廿三版　2001 年 4 月第廿四版
2001 年 4 月第廿五版　2001 年 4 月第廿六版　2001 年 4 月第廿七版
2001 年 5 月第廿八版　2001 年 5 月第廿九版　2001 年 5 月第三十版